W9-DIM-392

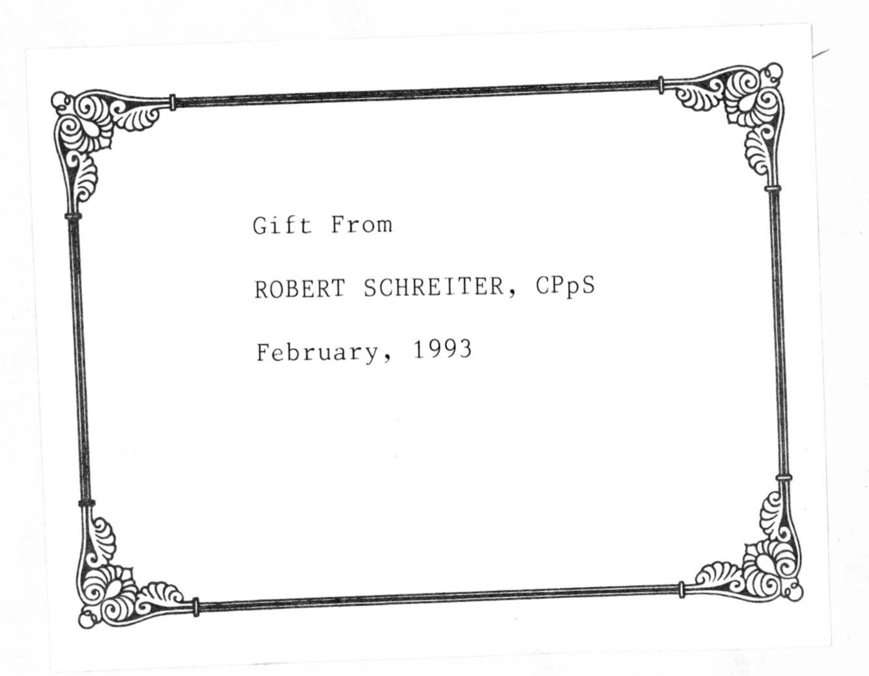

Gift From

ROBERT SCHREITER, CPpS

February, 1993

The Catholic Theological Union LIBRARY Chicago, Ill.

WITHDRAWN

Fernöstliche Weisheit
und christlicher Glaube

Dialog der Religionen

Herausgegeben von Hans Waldenfels
in Verbindung mit Heinrich Dumoulin, Raimundo Panikkar,
Ary A. Roest Crollius und R. J. Zwi Werblowsky

Heinrich Dumoulin

Fernöstliche Weisheit und christlicher Glaube

Festgabe für
Heinrich Dumoulin SJ
zur Vollendung des 80. Lebensjahres

herausgegeben von
Hans Waldenfels und Thomas Immoos

Matthias-Grünewald-Verlag · Mainz

CIP-Kurztitelaufnahme der Deutschen Bibliothek

Fernöstliche Weisheit und christlicher Glaube:
Festgabe für Heinrich Dumoulin SJ zur Vollendung des 80. Lebensjahres /
hrsg. von Hans Waldenfels u. Thomas Immoos. – Mainz:
Matthias-Grünewald-Verlag, 1985.
(Dialog der Religionen)
ISBN 3-7867-1202-6
NE: Waldenfels, Hans [Hrsg.]; Dumoulin, Heinrich:
Festschrift

© 1985 Matthias-Grünewald-Verlag, Mainz
Umschlag: J. Wagner, unter Verwendung einer Kalligraphie von Sr. Junko Kurosaki
Satz: Georg Aug. Walter's Druckerei GmbH, 6228 Eltville am Rhein
Druck und Bindung: Echter Würzburg, Fränkische Gesellschaftsdruckerei
und Verlag GmbH

INHALT

Ost-Westliche Begegnung

GELEITWORT

Verehrter, lieber Jubilar,

am 31. Mai 1985 schaust Du auf achtzig gesegnete Lebensjahre zurück. Vor fünfzig Jahren hast Du die lange Reise nach Fernost angetreten, wo Du seither auf vielfältige Weise als Missionar, Professor, Schriftsteller, Gesprächspartner, Beichtvater, als Priester der Gesellschaft Jesu tätig gewesen bist. Tokyo und die Sophia-Universität sind dabei Deine zweite Heimat geworden. Dort warst Du Professor der Religionsphilosophie, dort sind die Werke entstanden, die in der Zeit einer bewußteren Begegnung und Verständigung zwischen den Kulturen und Religionen, zumal zwischen Christentum und mahayanistischem Zen-Buddhismus, eine so hohe Bedeutung erlangt haben. Es erscheint wie eine segensreiche Fügung, daß das 1959 erschienene Buch »Zen – Geschichte und Gestalt«, das Deine Autorität in den Fragen der Geschichte des Zen-Buddhismus begründete, nun in völlig neuer Fassung zweibändig wie ein von Dir selbst geschaffenes Geburtstagsgeschenk für uns auf den Markt kommt.
Demgegenüber nimmt sich die Festschrift, die ich Dir zusammen mit Thomas Immoos, Deinem Nachfolger in der Leitung des von Dir gegründeten *Institute of Oriental Religions* an der Sophia-Universität, vorbereiten durfte, eher bescheiden aus. Mit dem Titel der Festschrift »Fernöstliche Weisheit und christlicher Glaube« wollen wir an das erinnern, was Dir in all den Jahren Deines Schaffens bis heute ein Herzensanliegen war: die Überbrückung des Fremden, die wachsende gegenseitige Verständigung, die freilich nicht mit gutem Willen allein zu erreichen ist, sondern der mühsamen, oft der Öffentlichkeit verborgenen Forschertätigkeit des Wissenschaftlers am Schreibtisch, in Bibliotheken und Seminarräumen bedarf. Wer Dir in Deinem Zimmer im Altbau des Jesuitenhauses der Universität gegenübersitzen durfte, weiß, was damit gemeint ist. Dort ist auch die 1966 erschienene erste Sammlung von Vorträgen und Aufsätzen entstanden, der Du selbst in ihrer Zusammenbindung und Überarbeitung den Titel »Östliche Meditation und christliche Mystik« gegeben hast. Der Titel der Festschrift erinnert daran.
Als es nun darum ging, die Ausdruckskraft der japanischen Schrift zur Dekoration des Einbandes einzusetzen, wurde uns auf neue Weise klar, wie schwierig das Geschäft der Übersetzung ist. Einerseits war die Übersetzung ins Japanische recht bald klar; es sollte heißen:

Tōyō no chie to Kirisuto shinkō.

Anderseits ergab sich aber dann eine doppelte Beobachtung, die mit dem deutschen Titel nicht ohne weiteres gegeben ist. Zum einen ist im japanischen Titel deutlicher als im deutschen zum Ausdruck gebracht, daß der christliche

Glaube *Christus*glaube, also auf die Person Jesu Christi gerichtet ist und so durch alle Erscheinungsformen des Christlichen hindurch diese Person und sonst niemanden meint. Sodann aber ergab sich das Problem, wie Weisheit (jap. *chie*) zu schreiben sei. Sollten wir jene schwierige Schreibweise wählen, die der Kenner des Buddhismus als die Übersetzung des Sanskritwortes *prajñā* und damit der im Mahāyāna-Buddhismus angestrebten Weisheit wiedererkennt? Oder sollten wir die jedem Japaner bis in den Alltag hinein geläufige Schreibweise vorziehen? Für die erste hätte sprechen können, daß die Schreibweise des buddhistischen *chie* im *chi* mit dem *chi* in *jōchi*, der japanischen Übersetzung von »Sophia«, der »Weisheit«, die in *Sophia*-Universität gemeint ist, übereingestimmt hätte. Nach vielen Gesprächen mit Japanern habe ich mich dennoch für die zweite, unspezifizierte Schreibweise entschieden, weil der Weg zu *chie – prajñā*, wenn er denn einer ist, von der allgemein zugänglichen aus seinen Übersetzungsgang nehmen muß.
Es kam aber ein anderes hinzu: Die Erinnerung an Deine frühen Arbeiten in Tokyo, darunter Deine Promotion an der berühmten ehemals Kaiserlichen Tokyo-Universität, lehrt, daß die japanische Kultur in ihrem Wesen nicht einfach mit dem Verweis auf die buddhistische Weisheit getroffen ist. Japan ist von seinen Ursprüngen her dem Shintō, dem Weg der Götter, verpflichtet, und Du hast zunächst darüber geforscht. Von China her kamen dann der Buddhismus, der Konfuzianismus, in gewissem Sinne auch Einflüsse des Taoismus. Es folgten vor wenigen Jahrhunderten das Christentum und in unseren Tagen das moderne westliche Denken und die Technik. Japan war stets ein lernbereites, fast neugieriges Land – so lernbereit, daß es gar nicht anders konnte, als sich von Zeit zu Zeit gleichsam zu verschließen und im Schutze der Abkapselung sich selbst unter der Fülle der Eindrücke und Einflüsse von außen wiederzuentdecken. *Chie* in der zweiten Schreibweise wird damit gleichsam Ausdruck einer nicht abgegrenzten Offenheit und Weisheit, die der buddhistischen nicht abgesprochen werden soll, heute aber im Gegenüber zum Christentum auch nicht ohne weiteres mehr einleuchtet. Denn gerade das betonte Gegenüber von Christentum und Buddhismus läßt ja zunächst auf das Unterscheidende und Je-Eigentümliche achten. Das gilt nicht zuletzt für das Christentum. Wenn es auch heute noch vielfach in Japan als das Fremde erscheint, hat das nicht zuletzt mit der Betonung des Neuen und Anderen gegenüber dem Einheimischen und Vorhandenen zu tun. Die für *chie* gewählte Schreibweise signalisiert somit das Erscheinen der »Weisheit« in vielfältiger Gestalt, auch und gerade in den religiösen Traditionen. Demgegenüber stellt sich die andere Frage, ob nicht der »Glaube« seinerseits gerade von Christen als ein *gemeinsames* menschliches Grundphänomen vorgestellt werden müßte, so daß dann der christliche Glaube stärker als Weg denn als abgrenzende Barriere in Erscheinung treten würde.
Was wie eine eher zufällige Abschweifung erscheinen könnte, findet aber dann in der Festschrift selbst seine Bestätigung. Zu ihr haben Freunde,

Kollegen und Schüler aus Japan und der westlichen Welt, aus Religionswissenschaft, Philosophie und Theologie beigetragen. Die Anordnung der Beiträge will noch einmal die Schwerpunkte Deines Schaffens ins Bewußtsein heben:

– *Zenstudien:* Ohne Studien, ohne Forschung gibt es keinen Zugang zu einem so fremd erscheinenden Phänomen wie Zen, auch wenn die Theorie ohne Praxis dann am Ende wieder zu wenig sagt. Gerade eine so geschichtsprägende Gestalt wie Dōgen hat gezeigt, wie Praxis und Einsicht unbestreitlich aufeinander bezogen sind.

– *Religiöse Erfahrung und Glaube*: Das Studium des Zen richtet sich somit auf den existentiellen Bereich des Menschen, wo er sich findet, indem er sich losläßt. Es spricht um des Sprachlosen willen, dem der sich anvertrauen muß, der nicht in Einsamkeit, Isolation und Entfremdung untergehen will. Anders gesagt: Es richtet sich auf Religion.

– *Fernöstliche Wegweisungen*: Deutlicher als es im abendländischen Bewußtsein steht, offenbart sich die fernöstliche Weisheit und Religion in Wegweisungen. Religion ist Weg. Als solcher vermittelt er Leben und Wahrheit. Wie zuvor im Blick auf Japan in Erinnerung gebracht, kommen die fernöstlichen Wegweisungen nicht nur im Buddhismus, sondern im Miteinander von Shintō, Buddhismus und Konfuzianismus zum Ausdruck.

– *Ost-westliche Begegnung*: Das Christentum ist zwar seinerseits längst in die fremde Kultur eingetaucht, wie auch die Kulturen ganz allgemein zueinandergefunden haben. Dennoch bleibt der Eindruck bestehen, daß das Christentum Religion der westlichen Kultur ist und als solche nach wie vor dem asiatischen Raum als ganzem gegenübersteht. In diesem Sinne ist von Begegnung der Kulturen und Religionen in Ost und West zu sprechen.

In einer Festschrift werden Fragen nicht abschließend behandelt. Vieles bleibt Fragment. Dennoch zeigt sich, daß Du viele eingeladen und angeleitet hast, in die Richtung zu schauen, in der Du selbst Deine Aufgabe gesehen hast und immer noch siehst. Zwanzig Jahre nach Verabschiedung jener Konzilserklärung, zu der Du selbst mit Deinem Vorschlag die Richtung der ersten lehramtlichen Aussage über den Buddhismus weisen konntest, »*Nostra aetate*«, jener Erklärung, in der die Kirche offiziell ihre Absicht kundgetan hat, ihr Verhältnis zu den Religionen neu zu bedenken und zu vertiefen, steht fest: Die alltägliche Begegnung von Menschen verschiedenster religiöser Traditionen führt auch die offiziellen Vertreter der Religionen zueinander. Anders gesagt: Nicht das Ende der Religion ist in Sicht, sondern Begegnung und Dialog der Religionen haben begonnen.

In einer Erklärung zum 20. Jahrestag seines Bestehens hat das Sekretariat für die Nichtchristen, dessen Konsultor Du lange Jahre warst, gesagt: »Der Dialog wird Quelle der Hoffnung und Wirksamkeit der Gemeinschaft in gegenseitiger Umformung ... Gott allein kennt die Zeiten, Er, dem nichts unmöglich ist, Er, dessen geheimnisvoller und schweigsamer Geist den

Einzelpersonen und Völkern die Wege des Dialogs öffnet, um die rassischen, sozialen und religiösen Unterschiede zu überwinden und sich gegenseitig zu bereichern. Wir leben in der Zeit der Geduld Gottes. In dieser Zeit wirken auch die Kirche und alle christlichen Gemeinschaften; denn niemand kann Gott verpflichten, schneller zu handeln, als Er sich zu handeln entschlossen hat. – Angesichts der neuen Menschheit des dritten Jahrtausends möchte die Kirche ein offenes Christentum ausstrahlen, – bereit, geduldig zu warten, bis der unter Tränen vertrauensvoll ausgestreute Same aufgeht.«

Im Namen aller Mitarbeiter und vieler anderer, die aus verschiedenen Gründen zu dieser Festschrift keinen Beitrag haben liefern können, Dir aber dennoch in Dankbarkeit verbunden sind, darf ich Dir wünschen, daß der Gott des Lebens es Dir vergönnt, noch einige Jahre in Gesundheit mit uns auf das dritte Jahrtausend zuzugehen und zu erleben, wie der Same, den Du zu säen unermüdlich tätig bist, aufgeht und Frucht zu tragen beginnt.

Bonn, den 31. Mai 1985 *Hans Waldenfels SJ*

Für die Abkürzungen in den Anmerkungen der Beiträge wurde *G. Krause / G. Müller* (Hg.), Theologische Realenzyklopädie, Abkürzungsverzeichnis, zusammengestellt von *S. Schwertner*, Berlin 1976 zugrunde gelegt.

Zenstudien

John C. Maraldo

DAS STUDIUM DES ZEN UND ZEN ALS STUDIUM[1]

Einführung

Wenn es D. T. Suzuki war, der die Augen der westlichen Welt für den Zen-Buddhismus öffnete, so war es H. Dumoulin, der als erster eine systematische Darstellung der Entwicklung des Zen in einer westlichen Sprache vorlegte. Heute gibt es Leute, die, den modischen Tendenzen innerhalb der französischen Philosophie folgend, behaupten, daß die Tage einer systematischen Historiographie vorüber seien, da es nicht länger möglich sei, eine chronologische Darstellung einer bestimmten Tradition, ihrer Autoren sowie der sie formenden Einflüsse zu geben. Während solche Kritiker über die Natur der Autorschaft und die Identität von Traditionen bedeutende Fragen stellen, bleiben sie hinsichtlich des Inhalts der Geschichte, wie er von gesunder historischer Wissenschaft entdeckt worden ist, parasitenhaft. Im Westen hat die wissenschaftliche Arbeit im Bereich des Zen-Buddhismus kaum begonnen, und zweifellos wird eine solche Arbeit in der Zukunft durch H. Dumoulins kommende, völlig revidierte »Zen-Geschichte« ebenso stark inspiriert werden wie durch die 1958 erstmals erschienene Ausgabe von »Zen – Geschichte und Gestalt«. Dumoulins systematische Behandlung des Zen hat nach meiner Ansicht zwei Meilensteine gesetzt, die der weiteren Forschungsarbeit in der westlichen Welt ihre Richtung weisen. Einer davon ist die Tatsache, daß Zen – wie sehr es auch beansprucht, eine absolute, zeitlose Erfahrung darzustellen – niemals jenseits des Flusses der konkreten

[1] Eine englische Version dieses Beitrages wurde erstmals auf dem *International Kyoto Zen Symposium* am 29. März 1983 vorgetragen und unter dem Titel *»What do we study when we study Zen?«* veröffentlicht in: Zen Buddhism Today No. 1 (September 1983, ed. vom Kyoto Seminar for Religious Philosophy, Hanazono College, Kyoto).

Geschichte mit all ihren weltlichen Impulsen und Konsequenzen zu sehen ist. Der andere ist die Einsicht, daß, was immer an besonderen historischen Kräften Zen geformt haben mag und welches auch immer seine eigenen Besonderheiten sein mögen, die Zen-Tradition ihre grundlegenden Erfahrungen, Symbole und Ideen nicht nur mit ihrer Muttertradition, dem Buddhismus, sondern auch mit anderen Weltreligionen teilt. Als Beispiel möchten wir nur auf die überwältigende Evidenz für das Bestehen von Devotion und Frömmigkeit im Zen hinweisen, ein Grundzug, von dem allgemein angenommen wird, daß er auffallenderweise im Zen fehlt oder doch seinem Geiste zumindest widerspricht[2]. Vielleicht war es gerade diese Einsicht, die H. Dumoulin motivierte, Zen und Zen-Buddhismus immer wieder einer größeren Öffentlichkeit des heutigen interreligiösen Dialogs vorzustellen. Diese detaillierten Versuche in der Form von Vorlesungen, Artikeln und Büchern haben dazu gedient, sowohl Christen wie Buddhisten von der Existenz und den Dimensionen einer genuinen universalen Religiosität zu überzeugen, die sich in den Völkern aller Religionen und Traditionen findet. Zusammen mit den systematischen Überblicken über Zen und die zahlreichen Studien und Übersetzungen von einzelnen Gestalten der chinesischen und japanischen Geschichte dürfen diese vergleichenden Studien H. Dumoulins bedeutendster Beitrag zur intellektuellen Geschichte genannt werden.

Wie viele andere wurde ich mit Zen durch einige Essays von D.T. Suzuki bekannt, doch waren es Dumoulins Werke, an denen sich mein verborgenes Interesse an der vergleichenden Geschichte des Zen entzündete. Die Bekanntschaft mit der Zen-Geschichte zusammen mit einem anfänglichen Studium der Phänomenologie und Praxis des Zen haben mich dazu gebracht, gewisse Konzeptionen hinsichtlich der Geschichte und Phänomenologie der Religionen sowie der für das Studium religiöser Erfahrung geeigneten Methoden neu zu bedenken. Im folgenden möchte ich eine kurze Perspektive für das akademische Studium, zumal das phänomenologische und historische Studium des Zen anbieten. Ich unterstelle, daß die verschiedenen wissenschaftlichen Annäherungen, die wir auf das Studium von Zen hin unternehmen, unvermeidlich einen Punkt erreichen, an dem das Objekt des Studiums sich umkehrt und die Annäherung selbst seinen Ansatzpunkt sowie auch seinen Grund in Frage zu stellen beginnt. Wenn wir Zen als ein Phänomen studieren, so erreichen wir einen Punkt, wo Zen sich selbst als das Studium von Phänomenen enthüllt; wenn wir die Geschichte des Zen studieren, beginnt Zen unsere Begriffe der Geschichte in Frage zu stellen.

[2] Vgl. *H. Dumoulin,* Der Erleuchtungsweg des Zen im Buddhismus. Frankfurt 1976, 152ff. (Kap. XI), auch seinen Artikel: Selbstzeugnisse japanischer Zen-Jünger über die seelischen Haltungen während der Zen-Meditation: *L. Brüll / U. Kemper* (Hg.), Asien. Tradition und Fortschritt. FS H. Hammitzsch. Wiesbaden 1971, 85–102.

Und wenn wir den philosophischen Hintergrund, die Logik und den Inhalt von Zen studieren, so bringt Zen selbst eine tiefe Reflexion auf die Natur der Philosophie hervor. Ich unterstelle ferner, daß die Zen-Tradition uns einen reichen Begriff von »Studium« mitgeteilt hat, der nicht nur für die alltäglichen Tätigkeiten, sondern auch für die Wissenschaftlichkeit selbst relevant ist. Obwohl Zen sicherlich nicht die einzige Tradition ist, die mit ihren Fragen den Philosophen oder Historiker herausfordert, so dient es dennoch als ein hervorragendes Beispiel. Indem wir auf das Studium des Zen reflektieren, dürften wir fähig sein, Fragen zu stellen, die für das Studium der menschlichen Erfahrung ganz allgemein von Bedeutung sind.

Das Studium des Zen als Phänomen

Wenn wir Zen wissenschaftlich studieren, so studieren wir in typischer Weise die sich ändernden Formen, Erscheinungsweisen und Interpretationen, die sich mit dem Namen verbinden. Setzen wir voraus, daß wir Zen vom Ansatzpunkt der Geschichte und Phänomenologie der Religionen her studieren: Wir betrachten dann Zen als ein Phänomen unter anderen: eine Schule des Buddhismus unter anderen zum Beispiel, oder eine Philosophie/Religion/einen Typ oder eine Praxis oder Mystik unter vielen. Wir betrachten einen besonderen Text als einen, der eher zur Zen-Tradition gehört als zur Yogacara-Tradition; oder eine besondere Gestalt eher als einen Zen-Meister denn als – sagen wir – einen Tendai-*dhyāna*-Meister. Wir suchen das Phänomen des Zen zu beschreiben, wie es historisch, philosophisch, sprachlich und kulturell bedingt ist. Unsere Quellen sind die Literatur des Zen in der Originalsprache oder in einer Übersetzung wie auch die Kontrastliteratur anderer Traditionen sowie die Sekundärwerke von Wissenschaftlern. Wir können auch aktuelle Beobachtungen des Lebens in Zen-Klöstern verwenden. Ziel unseres Studiums ist es, ein Phänomen zu beschreiben, die Inhalte, die Literatur und die institutionalisierte Praxis des Zen zu präsentieren. Unsere Methode schließt Lektüre, Beobachtungen, Beschreibungen und natürlich Denken und Analysieren ein.
Als Phänomenologen suchen wir zunächst Zen zu präsentieren, ohne irgendwelche Urteile abzugeben über seine Authentizität und seinen impliziten oder expliziten Anspruch, die Wahrheit oder Wirklichkeit zu repräsentieren. Wir sind nur mit dem Phänomen beschäftigt, mit dem was sich zeigt, genau mit dem, als was es sich selbst zeigt, immer von einer oder einer anderen Perspektive. Zum Beispiel, wenn Dōgen Zenji anweist, daß Zazen allein das Mittel ist, um den Buddhaweg[3] zu erreichen, so geben wir nicht

[3] Z. B. im *Bendōwa;* vgl. *Ōkubo Dōshū* (ed.), Shōbōgenzō. Tokyo 1971, 732. Eine freiere deutsche Übersetzung findet sich in *Dōgen Zenji's* Shōbōgenzō. Die Schatzkammer der Erkenntnis des wahren Dharma. Bd. I. Zürich 1975, 169–184.

vor, die Wahrheit dessen, was er sagt, zu beurteilen. Wir registrieren lediglich seinen Anspruch und bezeichnen ihn als »Dōgens Zen« oder als Buddhismus, wie er aus der Perspektive Dōgens gesehen wird. Wir mögen als Kontrast andere buddhistische Sichtweisen über die Praxis vorlegen, wir können seine Intention im Kontext seines Werkes und seiner historischen Bedingtheiten analysieren, wir können fragen, ob Dōgen wirklich von einem Mittel zum Erreichen des Weges gesprochen hat, und sogar, ob er wirklich den Abschnitt im *Bendōwa* geschrieben hat. Doch als beschreibende Phänomenologen können wir kein Urteil abgeben über die Authentizität des Zazen oder des Weges.

Der Ansatz der Phänomenologie, der das Wesen (das *eidos*) des Zen beschreiben will, erreicht seine Grenze genau dann, wenn er den Weg offenzulegen beginnt, auf dem Zen sich selbst präsentiert. Wenn solch eine eidetische Phänomenologie sich erinnert, daß wir stets etwas als etwas, z. B. diese schwarzen Buchstaben auf dieser Seite als deutsche Worte wahrnehmen, dann ist sie gezwungen sich zu erinnern, wie sie Zen (als ein Phänomen) wahrnimmt und welche alternativen Perspektiven es noch gibt. Wenn sie bemerkt, daß alle Phänomene innerhalb bzw. gegen einen wesentlichen Horizont, z. B. diese schwarzen Zeichen gegen die weiße Seite oder diese deutschen Worte innerhalb des Ganzen dieses Essays und dieses Buches, wahrgenommen werden, dann ist sie gezwungen anzuerkennen, daß das Objekt dieses Studiums als Horizont jene Region hat, die als Geschichte und Phänomenologie der Religionen bekannt ist. Wenn sie sich erinnert, daß alle Erscheinungsweisen eines Phänomens mit den intentionalen Weisen der Wahrnehmung korrespondieren, dann unterscheidet er seine eigenen Weisen und seine Methodologie als die des Lesens, Beobachtens, Beschreibens und Analysierens. Das Studium des Zen als eines Phänomens beginnt uns mit dem zu konfrontieren, was es, Zen, von sich selbst her sagen hört. Wenn wir Zazen als ein Phänomen zu studieren suchen, so wird uns z. B. von Dōgen Zenji gesagt, daß beides, die Akte der Wahrnehmung wie auch die wahrgenommenen Objekte ohne ein einzelnes störendes Phänomen entstehen und verschwinden[4], daß Zazen die Praxis des Nicht-denkens (eine nichtintentionale Weise des Bewußtseins, die von der klassischen Phänomenologie noch nicht erkannt wurde[5]) ist. Wir lesen, daß das Feld des Zazen eines ist, in dem der Übende, ohne daß er es wahrnimmt, »eins wird mit jedem und allem, all den unzähligen Dingen und völlig alle Zeit durchdringt.«[6] Diese Beschrei-

[4] *Ōkubo Dōshū* (ed.), Shōbōgenzō, 732.

[5] Obwohl die klassische Phänomenologie und mit ihr die Phänomenologie der Religionen behaupten, daß alles Bewußtsein intentional bzw. auf Objekte gerichtet ist, gibt es eine gewisse Kenntnis der nicht-intentionalen Weisen des Geistes in Husserls Diskussion der passiven Synthese und der ersten »lebendigen Gegenwart«. Zu einer versuchten Phänomenologie des »Nicht-Denkens« vgl. *T. P. Kusulis,* Zen Action / Zen Person. Honolulu 1981, 71 ff.

[6] Vgl. *Bendōwa;* zu einer deutschen Übersetzung s. Anm. 3.

bung präsentiert ein Feld, wo es keine Unterscheidung zwischen Horizont und Phänomen und Geist mehr gibt. Darüber hinaus unterstellt Dōgen, daß Zazen durch eine phänomenale Form begrenzt ist. Er unterstellt, daß die Weisen des Bewußtseins, die wir während des Zazen erblicken, nicht mehr seine Selbsterschließung sind als die Gestalt von jemand, den wir mit überkreuzten Beinen sitzen sehen[7]. Das Phänomen des Zazen entzieht sich letztlich jeder eidetischen oder regionalen phänomenologischen Studie. Dieselben Grenzen ergeben sich für das Studium des Zen im allgemeinen als eines religiösen oder historischen oder mystischen Phänomens; genau deshalb, weil solche Ansätze nicht die Weise berücksichtigen, in der ihr Studienobjekt identifiziert oder konstituiert wird. Tatsächlich bieten viele Zentexte selbst, vielleicht wegen eines gewissen Yogacara-Einflusses, Beschreibungen der Weisen, auf die der Geist die Phänomene der Welt konstituiert. Zentexte rufen gelegentlich die Vorstellung hervor, daß die Sache des Zen ein Phänomen unter anderen ist, daß das Bewußtsein notwendig seine Objekte als von sich selbst getrennt konstituieren muß und daß es geleitet wird vom Gesetz der Intentionalität. Ich zitiere lediglich zwei Beispiele. In Dōgens berühmter Begegnung mit einem chinesischen Hauptkoch fragt der junge Sucher: »Was ist die Praxis des Weges?« Darauf antwortet der alte Koch: »Nichts ist verborgen im ganzen All.«[8] Bei einer anderen Gelegenheit, 300 Jahre früher, wird uns erzählt, erhielt der Mönch Fa-yen wen-i (Hōgen Bun'eki) die Erleuchtung, als er die Worte Ti-tsangs (Jizō) hörte: »Wenn über das Buddha-Dharma gesprochen wird, präsentieren sich alle Dinge wie sie sind.«[9] Jizōs Worte und die des Kochs weisen auf einen Bereich und eine Weise des Sehens jenseits der Begrenzung durch Perspektiven, Horizont und Intentionalität.

Unser Studium des Zen wird uns daher gegebenenfalls bis zu dem Punkt bringen, wo Zen sich selbst als ein Studium von Phänomenen darstellt, – das Studium von Phänomenen als leer und selbst-los, so können wir sagen, und das Studium des Geistes als nicht-unterschieden. Ich möchte hier nicht tiefer in die Philosophie der Leere eintreten und nur darauf hinweisen, daß diese den Ausgangspunkt und die analytische Methode der eidetischen Phänomenologie untergräbt. Es mag sein, daß Husserls transzendentale Phänomenologie sich mehr mit dem Zen als einem Studium verträgt oder daß andere Entwicklungen innerhalb der Phänomenologie geeignet sind, dem

[7] Vgl. z. B. *Fukanzazengi: Ōkubo Dōshū* (ed.), Dōgen Zenji zenshū. Tokyo 1932, 1; und *Bendōwa: ders.* (ed.), Shōbōgenzō, 736. Für eine deutsche Übersetzung des *Fukanzazengi* von *H. Dumoulin* vgl. Monumenta Nipponica XIV (1958) 421 sowie XV (1960) 265–274.

[8] *Tenzo Kyōkun: Ōkubo Dōshū* (ed.), Dogen Zenji zenshū, 654.

[9] Zitiert in *K. Nishitani,* Zen no tachiba: Kōza Zen I (Tokyo 1967) 28. Eine englische Übersetzung des Aufsatzes findet sich unter der Überschrift »The Standpoint of Zen«: The Eastern Buddhist XVII,1 (Frühjahr 1984).

Zenstudium näherzukommen, etwa Heideggers berühmte Gelassenheit oder sein Hinweis, daß das Phänomen der Phänomenologie genau das ist, was sich selbst *nicht* zeigt[10]. Ich muß eine Diskussion dieser Möglichkeiten hier übergehen. Jedenfalls der Ansatz, um den es hier geht, ist der einer regionalen eidetischen Phänomenologie, die die Kategorien Husserls (Phänomen, Horizont, Intentionalität, Noema) verwendet, um Zen zu erforschen, ohne jedoch Rechenschaft über die Konstitution der Region des Studiums zu geben.

Studium der Geschichte des Zen

Was geschieht, wenn wir versuchen, die Begrenzungen eines strikt phänomenologischen Studiums zu vermeiden, indem wir unsere Aufmerksamkeit auf historische Fakten richten? Wenn sich die Identität des Zen der Sicht der eidetischen Phänomenologie entzieht, kann die Geschichte sie halten?
Wenn wir H. Dumoulins Forschung im weitesten Sinne zusammenfassen, so beschreibt er Zen oder Ch'an als die Meditationsschule des Mahāyāna-Buddhismus. In China entstanden, wurde sie von taoistischem Sentiment, der Mādhyamika-Dialektik, dem Yogacara-Idealismus, dem Hua-Yen-Universalismus u. a. genährt. Sie hat eine einzigartige Entwicklung auf verschiedenen Stufen durchgemacht. Diese begann mit einigen verstreuten Meditationsmeistern, die zahlreiche Schüler anzogen, erreichte ihren Höhepunkt in den »Fünf Häusern« der T'ang-Dynastie und erlebte ihren Niedergang in der Systematisierung des *kōan* und im späteren Synkretismus mit dem Reine-Land-Buddhismus und anderen Schulen. Zen wurde nach Japan verpflanzt durch Mönche wie Dōgen, machte dort weitere Stadien des Auf- und Niedergangs durch, wurde säkularisiert und entwickelte die sogenannten Zen-Künste (Ikebana, Tee-Zeremonie, Pinselschreiben, Bogenschießen, Aikidō) und lebt heute fort zumal in der Rinzai- und Sōtō-Schule wie unter einer wachsenden Zahl von Laien, die Zen üben[11]. Dumoulins ausführliche Studien bringen dafür zahlreiche historische Details und Fakten, soweit sie sich ergründen lassen.
Um die Geschichte des Zen fortzuführen, können wir hinzufügen, daß er sich in den Westen, nach Amerika, England und Europa ausgebreitet hat, manchmal in Formen, die seine Verbindung zum Buddhismus leugnen[12].

[10] Vgl. *M. Heidegger,* Sein und Zeit. Tübingen 1963, 35.

[11] *H. Dumoulin,* Art. Zen: Encyclopedia of Japan (Tokyo 1983) VIII, 370–374.

[12] *H. M. Enomiya-Lassalle* SJ, der Zen in Japan und Deutschland lehrt, schreibt, daß »die Zenübung nichts mit der buddhistischen Philosophie zu tun hat«; vgl. sein Vorwort zu: Gateless Gate. Los Angeles 1979, XIV; auch seinen Beitrag zu dieser Festschrift – D. Ü. – Tetsugen Glassman lehrt in New York, daß, weil Zazen inhaltslos ist, Zen keine buddhistische, ja keine religiöse Sekte, sondern eine

Doch wenn wir die Geschichte des Zen studieren oder seine Literatur lesen sollen, so ist es unvermeidlich, daß wir Geschichte und Denken des Buddhismus studieren. An dieser Stelle sollten wir auf eine gewisse Unschärfe im Begriff Geschichte hinweisen. Geschichte meint einmal die Folge von Ereignissen, Aktionen und institutionellen Änderungen in der Zeit; die Geschichte, die in anderen Worten, in ihrer Form narrativ ist. Sie kann aber auch bedeuten die historisch-kritische Forschung, die die Ereignisse und Aktionen rekonstruiert, indem sie sie nicht direkt studiert, sondern indem sie sich mit Texten, zumeist geschriebenen Texten befaßt; die akademische Disziplin, die wir mit anderen Worten Historiographie nennen. Doch letztendlich gehören diese beiden Bedeutungen nicht völlig verschiedenen Ordnungen an. Die Historiographie hat ihre eigene Geschichte. Diese ändert ihre eigenen Methoden und Interessen im Laufe der Zeit. Unser Begriff von Geschichte ist selbst historisch bedingt, wie die Philosophie der Geschichte und die Geschichte der Philosophie zeigen. Was aber geschieht, wenn wir modern-historiographische Methoden verwenden, um die Geschichte des Zen zu studieren? Wir finden, daß Zen-Texte oft ihre eigene Geschichte erzählen, deren Historizität bzw. faktische Wahrheit wir mit Recht bezweifeln. Die Forschung des Historikers wird eine große Fülle von Dokumenten entdecken, die es ihm erlauben, die Chronologie und die Ereignisse der Entwicklung des Zen zu spezifizieren. Viele dieser Dokumente (Biographen, Berichte, Aussprüche, *kōan*-Sammlungen, selbst angebliche Sūtras) erzählen Geschichten, die den Historiker dahin bringen, daß er die Zen-Geschichte neukonzipiert und neuschreibt. Dieser Geschichte entsprechend ist Zen nicht als eine Schule in China entstanden, sondern in Indien, als Shākyamuni Buddha das wahre Dharma-Auge und den wunderbaren Geist des Nirvāna Mahākāśyapa überantwortete. (Vielleicht entstand er auch, als Shākyamuni im Zazen unter dem Bodhi-Baum saß und erwachte, indem er den Morgenstern erblickte; oder vielleicht auch entstand Zen als Übermittlung der Wahrheit überhaupt nicht innerhalb der Zeit.) Machen wir dieses Ereignis zum Anfang des Zen, so ziehen die Dokumente eine fortlaufende Linie der Nachfolge vom Buddha bis zum Bodhidharma, der »von Westen kam« und die wahren Lehren von Indien nach China brachte. Die dem Zen eigene Geschichte setzt sich dann in bekannter Weise fort.

Die historische Forschung gibt starke Gründe, die Historizität dieses Berichtes in Frage zu stellen. Zum einen präsentieren die Dokumente nicht einen einheitlichen Bericht, sondern mehrere, die einander widersprechen. So gibt es zumindest acht verschiedene Listen der Patriarchen zwischen Kāśyapa und Bodhidharma, und die Gestalt des Bodhidharma ist so sehr in

universale Praxis ist. Und D. T. Suzuki hat schon vor langer Zeit immer wieder erklärt, daß Zen weder eine Religion noch eine Sekte ist und daher auch in keine Kategorie dieser Art eingebracht werden kann.

Legenden verwoben, daß es ein hoffnungsloses Unterfangen ist, den historischen Kern freilegen zu wollen[13]. Die Dokumente enthalten mehrere Variationen der Geschichte der ersten Überlieferung von dem als ersten in der Welt zu ehrenden Buddha auf Mahākāśyapa. Die Geschichte wurde erstmals mitgeteilt in einer Sammlung von Biographien indischer und chinesischer Zen-Mönche aus dem Jahre 1036 (der *T'ien-sheng kuang-teng lu*), obwohl ein Werk aus dem Jahre 1183 ein unechtes chinesisches Sūtra aus dem 4. Jahrhundert als Quelle dieser Geschichte angibt (die *Jen-t'ien yen-mu,* die das unechte *Ta-fan-t'ien-wang wen fo* zitiert). Andere Dokumente wiederholen die Geschichte in Varianten, aber zweifellos war diese Geschichte in indischer und selbst in außerzenbuddhistischer chinesischer Literatur unbekannt[14]. Es ist klar, daß, falls Zen seinen Ursprung darin hat, daß Shākyamuni das wahre Dharma-Auge Mahākāśyapa anvertraute, die Geschichte dieser Übermittlung nicht gelten kann.
Andere zeitgenössische Historiker des Zen wie *S. Yanagida* haben uns zusätzliche Informationen verschafft, die zeigen, daß Zen sich nicht immer in der Weise entwickelt hat, wie es seine eigenen Geschichten erzählen. Die berühmte Geschichte der Übermittlung des sechsten Patriarchen Hui-neng (Enō) ist ein solches Beispiel. Manuskripte um die Wende dieses Jahrhunderts in Tunhuang legen nahe, daß Hui-nengs Schüler, Shen-hui und andere, in der »südlichen Schule« in ähnlicher Weise den Wettstreit der Verse erfunden haben, der die Überlegenheit des Verständnisses ihres Meisters gegenüber dem Shen-hsiu (Jinshū), des Führers der rivalisierenden »nördlichen Schule« offenbarte. Auch sonst noch erscheint vieles in der sogenannten »Plattform-Sūtra des sechsten Patriarchen« (*Tan ching*) das Werk seiner Nachfolger zu sein. Die Existenz unterschiedlicher Versionen der Legende selbst innerhalb einer Linie, komplizieren das Bild. Die Version des *Tan ching* im Ming-Kanon des 14. Jahrhunderts zitiert Einzelheiten, von denen viele später als *kōan* gesammelt wurden, jedoch in der *Tun-huang*-Version aus dem Jahre 820 nicht erwähnt werden. Im allgemeinen gilt: je später eine Textquelle ist, um so reichhaltiger ist sie in ihrer Information. Im Ganzen bietet die Information, die wir von den Texten erlangen, ein sehr gebrochenes und vielschichtiges Bild, kaum eine zusammenhängende Geschichte. Nach der Ansicht des Historikers *Philip Yampolsky* ergeben sich unlösbare Probleme bei der Bestimmung der wirklichen Biographie Hui-nengs[15]. Anstatt von einer Übermittlungslinie von Shākyamuni Buddha zum sechsten

[13] Zu den verschiedenen Patriarchenlisten vgl. *Ph. B. Yampolsky,* The Platform Sutra of the Sixth Patriarch. New York 1967, 8f. Für eine deutsche Ausgabe vgl. *Wei-Lang,* Das Sutra des Sechsten Patriarchen, hg. von *R. von Muralt* = Mahayana-Buddhismus III. Zürich 1958. Das Zitat ist übernommen von *H. Dumoulin,* Der Erleuchtungsweg des Zen im Buddhismus. Frankfurt 1976, 45.

[14] Vgl. *I. Miura / R. Fuller Sasaki,* Zen Dust. New York 1966, 153.

[15] Vgl. *Ph. B. Yampolsky,* Platform, 88.

Patriarchen und darüber hinaus zu sprechen, müssen wir von einem vielfältigen Entstehen des Zen sprechen, von einer Lanka-Schule, einer Ochsenkopf-Schule, einer legitimen nördlichen wie auch einer südlichen Schule u. a. m. Wissenschaftler sind im Augenblick dabei, die angenommene Linie innerhalb einer jeden Schule auf die Evidenz der angegebenen Verbindungen hin zu erforschen. So nahm z. B. der Historiker Hu-shih seit langem an, daß der Name Nan-yüeh Huai-jang (Nangaku Ejō) aus der Dunkelheit hervorgezogen wurde, um künstlich eine Verbindung herzustellen zwischen dem sechsten Patriarchen und der Nan-yüeh-Linie seiner Schüler, von Matsu (Baso) herunter bis Lin-chi (Rinzai) usw.[16] Mit anderen Worten: Die historische Forschung lehrt uns, daß wir Zentexte nicht als faktische historische Berichte lesen können. Jedoch, wenn die Dokumente mehr als Versuche, Zen als eine Schule zu legitimieren, zu lesen sind, in der Tat als Weg des Buddhismus, müssen wir dann nicht die Beziehung zwischen Zen und dem Studium der Geschichte erneut erörtern? Vor dreißig Jahren waren *Hu-shih* und *D. T. Suzuki* in eine freundliche Debatte über diese Beziehung verwickelt[17]. *Hu-shih* war der Ansicht, daß Zen im eigentlichen Sinne »nur in seinem historischen Zusammenhang verstanden werden kann«. *D. T. Suzuki* hielt trotz seines Vertrauens auf die Ereignisse der Zen-Geschichte und auf seine eigene historische Gelehrsamkeit (z. B. in seiner *Kōshōji*-Ausgabe der *Tun-huang*-Texte des *T'an ching*) dagegen, daß Zen eine Wahrheit außerhalb der Wechselfälle der Geschichte verkörpert hat. Andere Historiker wie Dumoulin haben sich *Hu-shihs* Implikation zu eigen gemacht, daß das Wesen des Zen seine Geschichte ist, während viele derer, die Zen popularisierten, fortgefahren haben, Zen-Geschichten außerhalb ihres historischen Kontextes zu zitieren. Es mag sein, daß die Treue zur Geschichte der Weg ist, diese zu transzendieren, wie *Hee-jin Kim* schreibt[18]. Doch müssen wir den Rahmen dieser Debatte verlassen, wenn wir die Beziehung zwischen Zen und Geschichte unterscheiden wollen. Was hat das Studium der Geschichte zu tun mit dem Studium des Zen?

Das deutsche Wort »Historie« leitet sich her vom Griechischen *»historein«*, d. h. lernen durch Forschung und erzählen, was man gelernt hat – für sich selbst herausfinden, wie der Dichter *Charles Olsen* hinzufügt, so daß es falsch ist, nicht in der ersten Person zu schreiben (vgl. das »So habe ich gehört« zu Beginn eines jeden buddhistischen Sūtra). Im 5. Jahrhundert vor Christus sprach Herodot von der Geschichte als von »Forschungen ..., die die Erinnerung an das, was Menschen getan haben, vor dem Untergang bewahren, und ... die niederlegen, was die Gründe (der menschlichen

[16] Vgl. *Hu Shih,* Chan (Zen) Buddhism in China: Its History and Method: Philosophy East and West III,1 (1953) 12.

[17] Vgl. ebd. 3ff; *D. T. Suzuki,* Zen. A Reply to Hu Shih: Philosophy East and West III,1 (1953) 25–46.

[18] Vgl. *Hee-Jin Kim,* Dōgen Kigen, Mystical Realist. Tucson 1975, XII.

Tätigkeiten) waren«[19]. Im 20. Jahrhundert definierte *R. G. Collingwood*[20] Geschichte als eine wissenschaftliche Forschung, die die menschliche Tätigkeit in der Vergangenheit betrifft und um der menschlichen Selbsterkenntnis willen mit Hilfe der Interpretation der Evidenz verfolgt wird. Im volkstümlichen Verständnis besteht Geschichte in den Fakten der Vergangenheit; in aktueller Praxis, vielleicht sagt man besser, wie es *Hannah Arendt* getan hat, daß Geschichte die Vergangenheit in Tradition transformiert. Sowohl die volkstümlichen Ideen wie die Praxis des Historikers sind geleitet vom Ideal, zu erkennen, was aktuell geschehen ist.

Die philosophischen Schwierigkeiten eines solchen Unternehmens sind gut bekannt; die Antworten gehen vom Relativismus des *Rashomon* bis zum Glauben *Collingwoods* an die Möglichkeiten objektiver Erkenntnis der vergangenen Tätigkeiten und Ereignisse, die aus gegenwärtiger Evidenz erschlossen ist.

Doch wenn Zentexte benutzt werden, um eine Kontrollinstanz zu haben und, soweit möglich, sicherzustellen, »was aktuell geschehen ist« in der Zengeschichte, dann müssen wir fragen, was unsere Quellen uns über die Tatsächlichkeit, das Ereignis und seine Evidenz zu sagen haben; über die Voraussetzung einer historischen Vergangenheit, lokalisiert in Raum und Zeit; über die Natur der Geschichte selbst. An dieser Stelle kann ich das Problem nur formulieren. Angenommen, wir betrachten Texte, die als Zengeschichten zählen, z. B. das *Keitokudentōroku,* als eine Art Historiographie, eine bestimmte Art, die Geschichte der Zentradition zu erzählen, obwohl der Text keine ausdrückliche Reflexion seiner Methode enthält, so erhebt sich sofort eine Reihe von Fragen: Gibt es in solchen Texten einschlußweise buddhistische, vielleicht Zenvorstellungen der Geschichte? Welche sind das? Wie fordern sie unsere moderne Konzeption der Geschichte und die Methoden der historischen Forschung heraus? Welche Gegenkonzeptionen zum Begriff der Geschichte finden wir in buddhistischen Texten?

Der sino-japanische Begriff *shi* (= Geschichte) ist ein alter Begriff, genauer eine Begriffsgruppe, die eingehender zu prüfen wäre. Ich weiß nicht, wie alt der Begriff *rekishi* (= Geschichtsschreibung) ist, doch sicherlich sind die Methoden der *rekishigaku* (= Geschichtswissenschaft), wie sie beim Studium des Zen angewendet werden, recht modern und vermutlich in ihrem Ursprung westlich. Die Essays des Philosophen *Keiji Nishitani »Über die Geschichte«* und *»Leere und Geschichte«* gehören zu den wenigen Untersuchungen zum Begriff der Geschichte aus buddhistischer Sicht[21]. Nishitani

[19] Vgl. *Herodot,* Buch I,1.

[20] Vgl. *R. G. Collingwood,* The Idea of History. London 1961, 9–11.

[21] Vgl. *K. Nishitani,* Rekishi ni tsuite: *ders.,* Kaze no kokoro. Tokyo 1980, 114–130; auch *ders.,* Was ist Religion? Frankfurt 1982, 333–424. Das Zitat ist dem zweiten Werk entnommen; vgl. ein anderes seltenes Beispiel von buddhistischen

schreibt, die menschliche Existenz und das menschliche Verhalten zeigten sich »innerhalb eines Weltzusammenhangs, der unbegrenzt ist nicht nur im Hinblick auf die Zeit, sondern auch auf den Raum«. Diese Bemerkung hat tiefe Implikationen hinsichtlich der Methodologie der Geschichtsforschung. *Nishitani* sieht die Zeit gleichzeitig als kreisförmig und als linear mit einer unendlichen Offenheit, die sich direkt unter jeder Gegenwart eröffnet, einem *Abgrund* oder einem grundlosen Grund, der die Gegenwart sowohl dazu befreit, einzig sie selbst zu sein, wie auch als Gelegenheit zu karmischer Tätigkeit auferlegt. Von hier aus sind die Ereignisse und Taten der Vergangenheit nicht nur inaktuelle Momente, die sich getrennt vom eigenen Sein bzw. der Tätigkeit des Historikers konstituieren lassen. Die Geschichte empfängt ihre letzte Bedeutung weder von einem suprahistorischen Grund oder Ziel (wie nach *Nishitani* im Christentum), noch irrt sie hoffnungslos als eine bedeutungslose Folge von Ereignissen umher, die sich nach Lust und Laune des Historikers (wie im modernen Historizismus) beschreiben lassen. Wenn die Sicht der Geschichte die Methodologie des Historikers bestimmt, dann muß der kritische Historiker die Bedeutung seines Zenstudiums für seine Gegenwart, für ihn selbst und seine Weltsicht erforschen. Er muß sich herausgefordert sehen durch das, dem er begegnet. Vielleicht ist das Fehlen eines artikulierten Geschichtsbegriffs in klassischen Zentexten Grund genug, den eigenen Ansatz, die »wahre Geschichte« des Zen zu rekonstruieren, erneut zu bedenken.

Noch ein anderes Beispiel kann das Problem, um das es mir geht, illustrieren helfen. Wir haben die Geschichte der Übermittlung Mahākāśyapas und die Bodhidharmalegenden als Beispiele erwähnt, wo die laufende historische Forschung den Bericht, den Zen selbst gibt, revidiert und seine Historizität in Frage stellt. Der Historiker weiß auch, daß diese Geschichten über Mahākāśyapa und Bodhidharma als Kōan-Fälle in den Dokumenten erscheinen, die er studiert. »Der Welterhabene hält eine Blume« erscheint als 6. Beispiel des *Mumonkan;* »Was bedeutet es, daß der Patriarch vom Westen kommt?« kommt in ungezählten anderen *mondō* vor. Was bedeutet es für das Zenstudium, daß diese *historischen* (oder unhistorischen) Ereignisse als Fragen auftreten, die von jedem, der den Text liest, von innen heraus verstanden sein wollen? Wenn Shākyamuni die Blume hochhält, »warum lächelt Kāśyapa«? Oder wenn Chao-chou (Jōshū) die Bedeutung des Kommens des Bodhidharma dadurch erklärt, daß er feststellt: »Eichbaum vor dem Garten«, was ist die Bedeutung des Satzes, der in seinen »Aussprüchen« hinzugefügt ist: »Ich zeige es dir nicht mit Hilfe der objektivierten Welt«? Wenn der Leser eine Klarstellung in anderen historischen Texten wie Dōgens *Shōbōgenzō Hakujushi* sucht, wird die Frage erneut auftauchen. Natürlich

Geschichtsbildern in *N. Aramaki,* History and Buddhism in the Creative Ages: Zen Buddhism Today (Anm. 1).

kann der Historiker nicht erwarten, daß er Antworten findet, solange er historiologische Fragen stellt, doch trifft er nicht im Verlauf solcher Fragestellungen auf Fragen einer anderen Dimension, die die Ausnahmen der historischen Forschung zu untergraben drohen? Ich glaube nicht, daß es eine Antwort ist, wenn man schlichtweg sagt, daß das wahre Studium, die Praxis des Zen nichts mit seiner Geschichtsschreibung zu tun hat, daß die Sache des Historikers fehlgeleitet ist, indem er fälschlich den Finger, der auf den Mond zeigt, für den Mond selbst nimmt. Weder reicht es aus, einmal jemanden aufzufordern, zu *sitzen,* wenn er Zazen übt, und Geschichte zu *schreiben,* wenn er Geschichte schreibt. Irgendwie studiert man, wenn man die Zengeschichte studiert, Zen, weil man, wenn man Zen studiert, die Natur der Geschichte studiert. Nur das Wie gilt es im Detail zu beschreiben.

Das Studium der Philosophie, Philologie und Psychologie des Zen

Der Philosophiestudent wird ganz allgemein auf dieselbe Art des Umschlags in seinem Studium des Zen stoßen. Seine Prüfung des philosophischen Inhalts und der philosophischen Implikationen der Zentexte, seine Bewertung der Überzeugungskraft und der Stimmigkeit der Argumente, die er findet, und seine Einschätzung der Gültigkeit und Wahrheit des Zen werden ihn dahin bringen, eindringlich nach der Natur der Philosophie zu fragen. Ob Philosophie praktiziert wird als Liebe zur Wahrheit, als Tribunal der reinen Vernunft, als Mahner der empirischen Wissenschaft, als die große Konversation der Menschheit oder als Übung, sich selbst in Frage zu stellen, eine philosophische Erforschung des Zen wird sich in eine Untersuchung der Philosophie selbst umkehren. Dies ist nicht der Ort zu zeigen, wie das im einzelnen geschieht, anders als durch diesen Aufsatz als ganzen. Doch sind die philosophischen Studien des Zen, zumindest im Westen, noch kaum über den Vergleich seines Inhalts hinausgekommen (bzw. weniger häufig seiner Art der Argumentation) mit westlichem Denken oder anderer buddhistischer und »östlicher« Philosophie. Wir haben kaum zu fragen begonnen: Was kann die Methodologie des Zen, wenn man so sprechen kann, der philosophischen Forschung zeigen?
Ähnlich ließe es sich zeigen, daß eine philologische Annäherung an Zen eventuell einen Punkt erreicht, wo die studierten Texte die Vorstellung von einem autorisierten Text und der Natur der linguistischen Evidenz und der Sprache selbst herauszufordern beginnt. Ein empirisch-psychologisches Studium des Zen, das die meditativen Stadien und die Antworten auf den Streß bemessen, erfordern logischerweise ein umgekehrtes Studium des Zustandes des Experimentators und seiner Antworten während der Forschung. Was für einen Ansatz wir auch für das Studium des Zen wählen, Zen scheint unseren Ansatzpunkt herauszufordern, seinen Grund in Frage zu stellen, den Ausgangspunkt umzukehren.

Ich möchte mit einigen Bemerkungen über den Begriff des Studiums im Zen schließen. Ein Ausdruck, an den man sich sofort erinnert, ist Dōgens Ausspruch: »Den Buddhaweg zu studieren bedeutet das Selbst zu studieren. Das Selbst zu studieren bedeutet das Selbst zu vergessen. Das Selbst zu vergessen bedeutet in allen Dingen bekräftigt zu werden. In allen Dingen bekräftigt zu werden bedeutet Leib und Geist des Selbst und Leib und Geist der anderen fallen zu lassen.«[22]
Dōgen gebraucht hier den Begriff *narau,* dasselbe Wort, das Bashō verwendet, wenn er schreibt:

»Was die Kiefer angeht,
lerne von der Kiefer.
Was den Bambus angeht,
lerne vom Bambus.«

Im Hinblick auf diesen Vers schreibt *K. Nishitani:* »Die genaue Bedeutung des Wortes ›lernen‹ (jap. *narau*) bedeutet hier: sich bemühen, wesenhaft in demselben Seinsmodus zu stehen wie das Ding, von dem man etwas erfahren möchte.« Bashō (und Dōgen) fordern uns auf, »in die Dimension hineinzugehen, in der beide in ihr Ureigenes kommen und sich in ihrer Soheit offenbaren, und (uns) da mit dem ›Selbst‹ der Kiefer oder dem ›Selbst‹ des Bambus zur Übereinstimmung kommen lassen«.[23] Dōgen verwendet auch häufig die Begriffe *gaku* und *sangaku,* um die Art des Studiums zu beschreiben, in der das Subjekt, das Objekt und die Methode (jap. *dōri*) der Forschung ›inter-reversibel‹ sind. Um die Methode, die Art und Weise des Studiums, das im Zazen eingeschlossen ist, zu beschreiben, verwendet Dōgen den Ausdruck »Denken des Nicht-Denkens, d. h. Nicht-Denken«[24]. Wie läßt sich eine solche Weise des Studiums anwenden auf bzw. wie unterbricht sie das objektive, akademische Studium des Zen?
Ausdrücke wie *sankyū* (in der Zenübung ein Problem erforschen) und *kyūmei* (untersuchen) kommen auch oft in Zentexten vor. Im 7. Beispiel des *Hekiganroku* heißt es von Hui-ch'ao (Eshō), daß er »ständig in durchdringender Untersuchung beschäftigt war«. Daitō Kokushi ermahnte seine

[22] *Genjōkoān: Ōkubo Dōshū* (ed.), Shōbōgenzō, 7f.; für die deutsche Übersetzung s. die in Anm. 3 genannte Ausgabe I, 24–27.
[23] *K. Nishitani,* Was ist Religion?, 212f.
[24] Anmerkung des Übersetzers: Der Unterschied von engl. »*not*-thinking« (jap. fushiryō) und engl. »*non*-thinking« (jap. hishiryō) ist im Deutschen nicht adäquat wiederzugeben. Das Denken des Nicht-Denkens im Sinne der »Freiheit von Gedanken« führt zum »Nicht-Denken« (engl. »thinking of not-thinking, i.e., non-thinking«, jap. »fushiryōtei o shiryō suru, hishiryō«). Vgl. auch *H. Waldenfels,* Absolutes Nichts. Zur Grundlegung des Dialogs zwischen Buddhismus und Christentum. Freiburg u.a. [3]1980, 125f., 153f.

Mönche zu forschen bzw. gründlich die Sache des Selbst zu durchleuchten. Was sind die Untertöne im *san* (gehen) und *kyū* (forschen) dieser Ausdrücke? Welche Bedeutung kommt dem Kōan-Studium selbst hinsichtlich der Praktiken der akademischen Disziplinen zu? Oder dem *gyō,* ein Studium, das weder objekt- noch subjektgerichtet ist?
Zusammenfassend können wir sagen: Ich habe zu zeigen versucht, daß die Zentradition nicht nur ein reiches Studienobjekt für die verschiedenen Felder der Gelehrsamkeit darstellt, sondern auch einen Wendepunkt, der jene Felder herausfordert, ihre Methoden und Voraussetzungen zu klären. Zen, dessen Berichte zurecht von zeitgenössischen Wissenschaftlern geprüft werden, stellt seinerseits unerbittliche Fragen an den Wissenschaftler. Am Kreuzungspunkt dieser beiden Linien der Forschung können wir fragen, ob Zen selbst als ein Feld der Gelehrsamkeit praktiziert werden darf, das heißt eine Art von Studium, welche das Selbst, Leben und Tod und die ganze Welt als sein Gebiet hat. Zen wäre dann eine Disziplin im doppelten Sinn des Wortes: spirituelles *und* intellektuelles Training (*shugyō* und *gakushū*).

Helmut Brinker

RELIGIÖSE METAPHORIK IN VOGELDARSTELLUNGEN ZEN-BUDDHISTISCHER MALERMÖNCHE

I

Kultbilder oder religiöse Bilder traditioneller buddhistischer Prägung spielen im Zen ebensowenig eine Rolle wie klassische Mahâyâna-Sûtren. Man sucht ja die »Unabhängigkeit von heiligen Schriften« und eine »spezielle Überlieferung außerhalb traditioneller Lehrrichtungen«. Ein markanter Vers, der dem indischen Gründerpatriarchen des Ch'an in China, dem Inder Bodhidharma (gest. vor 534), als Summa seiner neuen Lehre in den Mund gelegt, von kritischen Autoren jedoch dem zur T'ang-Zeit wirkenden Meister Nan-ch'üan P'u-yüan (748–834) zugeschrieben wird, charakterisiert die Grundhaltung des Zen vielleicht am besten[1]:

»Eine spezielle Überlieferung außerhalb [traditioneller] Lehrrichtungen
(chin. *chiao wai pieh ch'uan*, jap. *kyôge betsuden*),
Unabhängigkeit von [heiligen] Schriften
(chin. *pu i wên tzu*, jap. *furyû monji*)
und das unmittelbare Deuten auf des Menschen Herz
(chin. *chih-chih jên hsin*, jap. *jikishi ninshin*)
[führen] zur Erkenntnis der eigenen Wesensnatur und zur Buddhawerdung
(chin. *chien hsing ch'êng fo*, jap. *kenshô jôbutsu*).«

Infolge der fundamentalen Bedeutung des Meister-Schüler-Verhältnisses entwickelte sich im Zen-Buddhismus ein umfangreiches genealogisches und hagiographisches Schrifttum. Dazu unterstützten die »Gesammelten Werke« (chin. *yü-lu*, jap. *goroku*) eines großen Zen-Meisters – zumeist postum von Schülern zusammengetragen – die unverfälschte »Übermittlung des Geistes durch den Geist« (chin. *i hsin ch'uan hsin*, jap. *ishin denshin*), manifestiert sich doch in ihnen, ähnlich wie in den Bildnissen (chin. *ting-hsiang*, jap. *chinsô*) mit ihren teils vom Porträtierten eigenhändig geschriebenen Widmungen und in anderen »Tuschespuren« (chin. *mo-chi*, jap. *bokuseki*) von der Hand eines Zen-Meisters, dessen erleuchtetes Wesen am klarsten und reinsten. Denn wirksamer als der stets unzulängliche Versuch eines Abbildes vermag ein handschriftliches Zeugnis Wesen und Geist des Lehrers dem Schüler zu vermitteln, vermag es »unmittelbar auf des Menschen Herz zu deuten« und hinweg über Raum und Zeit die unsichtbare Gegenwart des geistlichen Vorbilds im Bewußtsein wachzuhalten.

[1] Siehe *H. Dumoulin*, Zen. Geschichte und Gestalt. Bern 1959, 73, und *R. Goepper*, Zen und die Künste. Tuschmalerei und Pinselschrift aus Japan. Köln 1979, 9.

II

Im Gegensatz zur klassischen Mahâyâna-Kunst verzichtet die Zen-Malerei bewußt darauf, numinose Personifikationen oder Symbole des Absoluten mit majestätischer, ins Bild selbst übertragener Heilswirksamkeit vor Augen zu stellen. Stattdessen greift sie gern auf alltägliche unscheinbare Dinge dieser Welt zurück, auf Naturdinge aus dem gewöhnlichen Lebens- und Erfahrungsbereich der Menschen: Tiere, Blumen, Früchte, Felsen, Landschaften. Hier hat das Bild eine ganz andere religiöse Funktion, einen anderen geistlichen Charakter mit viel zugänglicherem Realitätsbezug. Das Zen-Gemälde verliert weitgehend den offiziellen Charakter und Objektivitätsanspruch im Sinne numinoser Gegenwart und magisch-kultischer Substanz der orthodoxen buddhistischen Sakralkunst. Es wird subjektiviert, zum evozierenden Gegenüber dessen, der es anschaut. Es wird zum Zeugnis der geistigen Herkunft, zum Dokument persönlicher Bande und Erfahrungen, zum ermunternden Hinweis auf das Erleuchtungsziel, zum Ausweis der errungenen Meisterschaft oder zum Ansporn für privates geistliches Üben und Nacheifern. Im Vergleich etwa mit Werken der esoterischen buddhistischen Malerei, aber auch mit solchen der volksnahen Amitâbha-Kunst wirken Zen-Bilder ernüchternd diesseitsbezogen, entmythologisiert, ja sie geben sich im Sinne des zuvor Angedeuteten oft gar nicht als Kunstwerke mit religiösen Implikationen zu erkennen. Man fühlt sich unmittelbar an ein Wort des Bodhidharma erinnert, der auf die Frage des Liang-Kaisers Wu (464–549) nach dem »höchsten Sinn der Heiligen Wahrheit« antwortete: »Offene Weite – nichts von heilig«.[2]

So vermögen wir den wahren ikonographischen Zusammenhang jener auf den ersten Blick rein profan anmutenden Zen-Bilder und die darin sich manifestierende, in souveräner Freiheit aus ureigenster religiöser Erfahrung gewonnene Welt- und Seinsschau des Zen-Künstlers bisweilen erst durch seine eigene schriftliche Stellungnahme oder die eines Gesinnungsfreundes wenigstens teilweise zu entschlüsseln, ohne sie vermutlich voll zu erfassen. Das schlichte Bild einer Landschaft, einer unscheinbaren Pflanze oder Frucht, eines blühenden Pflaumenzweigs, eines Affen oder Wasserbüffels,

[2] Dieser markante Ausspruch bildet den Auftakt zum *Pi-yen-lu*, der »Niederschrift von der Smaragdenen Felswand«. Das bekannte Werk enthält hundert, von Hsüeh-tou Chung-hsien (980–1052) zusammengestellte »Fälle« oder *kung-an* (jap. *kôan*), paradoxe, durch logisch diskursives Denken nicht aufzulösende Meditationsaufgaben, über die der Ch'an-Meister Yüan-wu K'o-ch'in (1063–1135) ursprünglich vor seinen Schülern Vorlesungen hielt, wohl kaum in der Absicht, daß sie später einmal als Kommentare zu den Beispielen veröffentlicht würden. Vgl. dazu die bewundernswerte Übersetzung von *W. Gundert*, Bi-yän-lu. Meister Yüan-wu's Niederschrift von der Smaragdenen Felswand verfaßt auf dem Djia schan bei Li in Hunan zwischen 1111 und 1115 im Druck erschienen in Sitschuan um 1300. Kapitel 1–33. München 1960, 37ff.

einer Wildgans oder eines Sperlings deutet in denkbar einfachen, doch vielsagenden Hinweisen und in ganz persönlicher Ausdrucksform auf den zugrundeliegenden Wesenskern ohne den Anspruch auf Vergegenwärtigung von allgemeinverbindlichen Sinnwerten. In den Augen der Zen-Anhänger waren solche Bilder keine Ab-bilder, sondern Gleichnisse, Chiffren des Absoluten jenseits ihrer unmittelbaren, vordergründigen Ausssage und ihres ästhetischen, künstlerischen Gehalts. »Sie geben nicht einen Gegenstand wieder, sondern offenbaren einen Zustand entrückter Schau, in dem sich die Wirklichkeit merkwürdig verändert widerspiegelt«.[3] Auch der letzte Durchbruch zur Erleuchtung ist ja ein mystisches Erlebnis, das sich geheimnisvoll, auf durchaus individuelle, unkonventionelle, unvorhersehbare Art und Weise vollzieht und sich daher einer eigentlichen Beschreibung entzieht. Die meisten Maler jener unprätentiösen Zen-Bilder waren keine traditionell gebundenen Berufskünstler, keine versierten Spezialisten für ikonographisch komplizierte Zusammenhänge, also keine *ebusshi*, sondern gebildete Mönche, *bunjin-sô*, Dilettanten in der vollen Grundbedeutung des Wortes, die dank ihrer literarisch künstlerischen Bildung, kraft ihrer Spontaneität und persönlichen Inspiration der Zen-Kunst seit dem 13./14. Jahrhundert zu einer neuen Dimension verhalfen. Sie schufen eine neue Art metaphorischer Sprache, die sich zwar eines bekannten, teils unscheinbaren alltäglichen Vokabulars bediente, aber gerade darin ihre religiöse, von Orthodoxie und Tradition losgelöste Aussagemöglichkeit erblickte und letztlich im Schweigen, im leeren (Bild-)Grund gipfelte. »Ch'an artists who achieved Enlightenment viewed the world around them with new and different eyes. It was not, of course, the world that had changed; the change was within themselves. They had acquired an intuitive awareness of the transcendental principle which unites man and mountain, animal and plant. Of this state of mind it is said: ›Only when you have no thing in your mind and no mind in things are you vacant and spiritual, empty and marvelous‹«.[4]

III

Über diese allgemein religiös-metaphysische Ding- und Seinsschau hinaus, in der das Wirkliche, Gegebene so sehr transparent wird, daß jene *Leere*

[3] *W. Bauer*, China und die Hoffnung auf Glück. Paradiese, Utopien, Idealvorstellungen. München 1971, 247.

[4] *J. Fontein/M. L. Hickman*, Zen Painting et Calligraphy. Museum of Fine Arts. Boston 1970, XXXII: »Zur Erleuchtung gelangte Ch'an- [Zen-]Künstler sahen die Welt um sich mit neuen und anderen Augen. Es war natürlich nicht die Welt, die sich gewandelt hatte; der Wandel vollzog sich in ihnen selbst. Sie waren zu einer intuitiven Einsicht in das transzendente Prinzip durchgedrungen, das Menschen und Bergen, Tieren und Pflanzen innewohnt. Von diesem Erleuchtungsstand des Geistes heißt es: ›Nur wenn du nichts im Sinn hast und deine Sinne an nichts heftest, bist du befreit und vergeistigt, leer und wunderbar‹.« (eigene Übers.)

erfaßt und mitgeteilt werden kann, deuten die Zen-Künstler in ihren Werken bisweilen auf ganz konkrete Gestalten und Vorgänge, setzen sie ihren Bildgegenstand in Beziehung zum Erleuchteten selbst, zu seinen Anhängern, zum Weg oder zum Erlebnis der Erleuchtung, zu Grundbegriffen buddhistischer Ethik. Bei einigen scheinbar weltlichen Natursujets der Zen-Malerei haben wir uns längst daran gewöhnt, den zugrundeliegenden metaphorischen Sinn und religiösen Gehalt zu assoziieren. Bilder von *Affen*, die nach dem – selten wirklich dargestellten – Spiegelbild des Mondes auf der Wasseroberfläche greifen und dabei den wirklichen Mond übersehen, führen die untaugliche Methode der unerleuchteten Kreatur auf der Suche nach der Wahrheit vor Augen. Darstellungen von *Wasserbüffeln* in Begleitung eines Hirtenknaben kennen wir als geläufige Parabel für verschiedene Stufen auf dem langen und schwierigen Weg zur Erleuchtung.
Dagegen fällt es uns heute schwer, angesichts der Darstellung eines Reihers, einer Bachstelze, eines Sperlings, eines Hahns, einer Wildgans oder anderer Vögel von der Hand eines Zen-Mönchs den tieferen religiösen Sinn zu ergründen. Wir können uns hier auf die freilich oft nur sehr schwer und unzulänglich zu übersetzenden Bildaufschriften stützen. So kommt die Idee von der Offenbarung zen-buddhistischer Grundwerte in allen Erscheinungen der Natur in einem Vers auf dem überzeugend dem Malermönch Kichizan Minchô (1352–1431) zugeschriebenen *Außenraumporträt des Daidô Ichii* (1292–1370) zum Ausdruck, das den 28. Abt des Tôfukuji auf einem Felsplateau unter einer Kiefer sitzend zeigt in Begleitung eines Hirschs und eines Schwans[5] *(Abb. 1)*. Shôkai Reiken (1315–1396), ein Nachfolger des Dargestellten auf dem Abtsessel des großen Zen-Klosters in Kyôto, schrieb 1394 dazu die folgenden Zeilen:

»Das Felsplateau aus großen und kleinen Steinen ist der ›Diamantsitz‹ [der Platz, an dem Sâkyamuni unter dem Bodhibaum zur Erleuchtung gelangte].
Zwischen Himmel und Erde [hat alles] nur einen Körper.
Die Welt der Kausalitäten und Emotionen beherrschen nicht den erleuchteten Hirsch und den erleuchteten Schwan,
die friedlich miteinander auskommen.«

Eindringlich weist der Zen-Meister hier auf jenen fundamentalen buddhistischen Glaubenssatz hin, daß die Buddha-Natur allen Dingen der Erfahrungswelt bis herab zu den unscheinbarsten, den Steinen und Tieren, innewohnt und daß sie nicht verschieden von dem einen und gleichen Absoluten oder *Leeren* sind, wenngleich keineswegs mit ihm identisch.

[5] Siehe *I. Tanaka/Y. Yonezawa*, Suibokuga. Genshoku Nihon no bijutsu, Bd. 11. Tôkyô 1970, pl. 21; *J. Fontein/M. L. Hickman*, Zen Painting, No. 42, 99ff., und *H. Brinker*, Die zen-buddhistische Bildnismalerei in China und Japan (= Münchener Ostasiatische Studien 10). Wiesbaden 1973, Abb. 30, sowie 95ff.

Diese für den Zen-Buddhismus so bezeichnende Weltauffassung und Lebenshaltung spiegelt sich auch in einem Schriftkunstwerk des Ikkyû Sôjun (1394–1481) aus dem Jahr 1453. Es ist eine *Eulogie auf einen toten Sperling* im Hatakeyama Kinenkan, Tôkyô[6]. Der exzentrische Zen-Meister behandelt darin den Vogel wie einen zur Erleuchtung gelangten Schüler, indem er ihm nach zen-buddhistischem Brauch einen Konfirmationsnamen verleiht, ja seinen Tod euphemistisch mit dem Eingehen des Buddha ins Nirvâna vergleicht:

»Einst zog ich einen jungen Sperling groß, den ich innig liebte.
Eines Tages starb er plötzlich, und ich empfand tiefen Schmerz der Trauer.
So habe ich ihn denn begraben mit allen Zeremonien, die sich für einen Menschen schicken.
Anfangs hatte ich ihn *Jaku-jisha* [›Sperlingsdiener‹] genannt.
Doch später änderte ich dies in *Shaku-jisha* [›Sâkyamunis Diener‹] um.
Schließlich gab ich ihm den buddhistischen Konfirmationsnamen *Sonrin* [›Heiliger Hain‹].
Das bezeuge ich in dieser *gâthâ:*
Sein strahlend goldener Leib, sechzehn Fuß lang.
Die Paare der Sâl-Bäume am Morgen seines letzten Nirvâna.
Befreit, losgelöst von dem häretischen Kreislauf des Samsâra.
Frühling der tausend Berge, zehntausend Bäume und hundert Blumen.
1453, 8. Monat, 19. Tag.
Kyôunshi Sôjun.«

IV

Anspielungen auf zentrale Gestalten in der Nachfolge des historischen Buddha Śâkyamuni finden wir auch auf einem leider stark beschädigten Bild mit *Zwei Sperlingen im Bambus* von der Hand des zwischen 1361 und 1375 in Kamakura nachweisbaren Zen-Malermönchs Gukei Yû'e[7] *(Abb. 2)*. Er war ein Schüler des Tesshû Tokusai, von dem später noch die Rede sein wird. Das reizvolle kleine, rechts unten signierte Werk, das dem Daijiji in der Präfektur Kumamoto gehört, trägt eine von links nach rechts zu lesende Aufschrift des achten in diesem Kloster residierenden Abtes, des 1361 gestorbenen Ten'an Kaigi:

[6] Abb. in *H. Tayama*, Zoku Zenrin bokuseki. Tôkyô 1965, Nr. 64, *Yamato bunka*, Nr. 41 (August 1964), Abb. 19A, und *J. Fontein / M. L. Hickman*, Zen Painting, No. 52, 124f.

[7] Vgl. dazu die Arbeiten von *T.(H.) Nakamura*, »Gukei hitsu chikujaku-zu to sono nendai«, *Kokka*, Nr. 762 (Sept. 1955), 261ff., pl. 2, und *R. Edwards*, »Ue Gukei – Fourteenth-Century Ink-Painter«: Ars Orientalis 7 (1968) 169ff., Fig. 1, sowie *H. Kanazawa*, Shoki suibokuga. Nihon no bijutsu, Nr. 69, Tôkyô: Shibundô 1972, Abb. 89, in der englischen Übersetzung von *B. Ford*, Japanese Ink Painting. Early Zen Masterpieces. Tôkyô / New York / San Francisco 1979, pl. 127.

»Herbeigeflogen kommen die Sperlinge des Kâśyapa.
Es braust hervor der Drachen des Maudgalyâyana.
Unten im Hain sitzt der heilige Knabe.
Wer eröffnet einen Bodhisattva-Palast?
Ten'an.«

Mahâkâśyapa und Maudgalyâyana zählen zu den zehn großen Schülern des historischen Buddha, der letztere in der buddhistischen Überlieferung gerühmt wegen seiner geistigen und geistlichen Macht und Beherrschung übernatürlicher Kräfte, Kâśyapa bekannt durch sein stillschweigendes Verständnis der Buddha-Lehre, das er seinem Lehrer als einziger durch ein Lächeln bewies, als Śâkyamuni auf eine fundamentale Glaubensfrage seinen Zuhörern kommentarlos nichts weiter als eine schlichte Blume zeigte. Auch wenn in Bildaufschriften nicht ausdrücklich darauf verwiesen wird, müssen unseres Erachtens verwandte Werke dieses häufig wiederkehrenden Themas ebenfalls unter diesem religiöse Intentionen des Künstlers einschließenden Aspekt gesehen werden[8].

V

Wenn der chinesische Ch'an-Meister Ch'u-shih Fan-ch'i (1297–1371) auf einem *Reiher*-Bild des zu Beginn des 14. Jahrhunderts auf dem Festland wirkenden japanischen Malermönchs Mokuan Rei'en *(Abb. 3)* die Zeile schreibt: *Sui-ch'ing yü-chien* – »Klärt sich das Wasser, werden Fische sichtbar«, ist damit zweifellos mehr als das banale Faktum gemeint[9]. Der in

[8] Siehe etwa *I. Tanaka / Y. Yonezawa*, Suibokuga, Tafel 6 und Abb. 38, 175, und *I. Tanaka*, Kaô, Mokuan, Minchô. Suiboku bijutsu taikei, Bd. 5. Tôkyô 1974, Tafel 9–10. Das wohl berühmteste chinesische Werk dieser Gattung wird traditionellerweise keinem Geringeren als Mu-ch'i (gest. zwischen 1269 und 1274) zugeschrieben. Die seit der Mitte der Muromachi-Zeit in Japan aufbewahrte Hängerolle gehört zu den Schätzen des Nezu Bijutsukan in Tôkyô; vgl. *J. Fontein / M. L. Hickman*, Zen Painting, No. 11, 32ff., insbesondere auch die dort zitierte Spezialliteratur. Die Verfasser des BMFA-Katalogs verweisen u. a. darauf, daß Sperlinge nicht selten sowohl in Schriften der Sung-Literati, etwa des Su Tung-p'o (1036–1101) und des Wên T'ung (1019–1079), als auch in den »Gesammelten Werken« verschiedener Zen-Meister eine wichtige Rolle spielen. »Perhaps Zen monks saw a parallel between their ideal of the enlightened individual, freed from the constraints of the world of discrimination and duality, and the vital, spontaneous behavior of the sparrow, direct and uninhibited on its joy of life« (ebd. 34).

[9] *J. Fontein / M. L. Hickman*, Zen Painting, 151, bemerken dazu: »Although this phrase can be taken as a mere statement of fact, it is likely that it has a specific Ch'an connotation. Muddy water becoming clear might symbolize the disappearance of delusion, while the swift, unerring movement of the bird catching his glittering prey could be compared to the Zen Buddhist's experience of Sudden Enlightenment«. Das bereits im *Tôhaku gasetsu* von ca. 1591 erwähnte Reiherbild des Mokuan befindet sich in der Sammlung Matsushita Konosuke, Kyôto. Gute Abb. in *S. Hisamatsu*, Zen to bijutsu, Kyôto 1958, 86.

gespannter Aufmerksamkeit auf einem Weidenbaum sitzende Vogel, der – seine Beute vor Augen – zum Zupacken im nächsten Augenblick bereit ist, steht für den Zen-Anhänger, dessen Geist, geklärt von den trüben Wassern diesseitigen Denkens und Fühlens, das Erleuchtungsziel unmittelbar im Blick hat. Mit der Urplötzlichkeit, mit der jener Reiher den Fisch im klaren Wasser packen wird, stößt der geläuterte Zen-Mensch zur letzten Klarheit vor. Immer wieder haben Zen-Mönche oder ihnen nahestehende Maler der Muromachi-Zeit den im Japanischen *Go-isagi* genannten Vogel in dieser paradigmatischen Absicht dargestellt[10].
Eine ähnliche Aussage legt der Zen-Priester Taikyo Genju (– 1320–1374 –) der anspruchslosen, im besten Sinne dilettantisch wirkenden Darstellung einer *Bachstelze auf einem Felsen (Abb. 4)* zugrunde, wenn er schreibt:[11]

»Der verdorrte Baum hat keine Blätter an seinen Ästen.
Die Bachstelze pickt im unfruchtbaren Moos herum.
Das Innere des Steins enthält einen Fuß Jade.
Wann wird es ihm gelingen, sich einen Weg hineinzubahnen?
Taikyo-sô.«

Der Vergleich der in dürftiger Umgebung Nahrung suchenden Bachstelze mit einem Zen-Mönch auf der Suche nach der tief verborgen ruhenden kostbaren Wahrheit liegt unmißverständlich auf der Hand. Vielleicht verfaßte Taikyo Genju nicht nur die Aufschrift zu diesem Bild in der Sammlung Mary and Jackson Burke, New York, sondern malte es auch, ebenso wie eine

[10] Zu den bekanntesten und besten Werken gehören die Hängerolle des um die Mitte des 14. Jahrhunderts tätigen Malermönchs Ryôzen in der Sammlung Asano Nagachika, Tôkyô (s. *I. Tanaka*, Kaô, Mokuan, Minchô, Tafel 67, 106 und *J. Fontein/M. L. Hickman*, Zen Painting, No. 34, 81f.), die Darstellung des obskuren, zwischen 1460 und 1480 wirkenden Sesshû-Zeitgenossen Sessô Tôyô (s. *T. Matsushita*, Sesshû. Nihon no bijutsu, Nr. 100, Tôkyô: Shibundô 1974, Abb. 40–41, und *I. Tanaka/T. Nakamura*, Sesshû, Sesson. Suiboku bijutsu taikei, Bd. 7. Tôkyô 1973, Tafel 61, 119) sowie die beiden Reiherbilder von Tan'an Chiden (tätig um 1500) im Nationalmuseum Tôkyô und im Museum of Fine Arts, Boston (s. *I. Tanaka/Y. Yonezawa*, Suibokuga, Tafel 99; *J. Fontein/M. L. Hickman*, Zen Painting, No. 61, 148ff. und *J. Fontein/P. Pal*, Museum of Fine Arts, Boston: Oriental Art. Boston 1969, pl. 48.).

[11] Siehe *T. Matsushita*, Ink Painting. Arts of Japan, vol. 7. New York/Tôkyô 1974, pl. 120 und *M. Murase*, Japanese Art. Selections from the Mary and Jackson Burke Collection. The Metropolitan Museum of Art. New York 1975, No. 26, 92f. Taikyo Genju war ein Schüler des in Kamakura und Kyôto wirkenden Zen-Abts Yakuô Tokuken (Tokken, 1244–1320). Er reiste nach China, um sein Zen-Verständnis unter den führenden Yüan-Meistern zu vertiefen. 1329 widmete ihm Ling-shih Ju-chih (1246–1331) eine Bildaufschrift auf einem Porträt des in Japan hochverehrten chinesischen Zen-Lehrers Lan-ch'i Tao-lung (Daikaku Zenji, 1213–1278); das Bildnis ist im Kenchôji zu Kamakura erhalten geblieben (s. *Kokka*, Nr. 398, Juli 1923, 5; *J. Shibu'e* (ed.), Kamakura no shôzôga. Kamakura kokuhô-kan zuroku, Bd. 4. Kamakura 1956, Abb. 2, und *I. Tanaka*, Nihon kaigashi ronshû. Tôkyô 1966, Abb. 89, 183ff.).

aufs engste verwandte Komposition mit einer *Bachstelze und Bambus* in der Yale University Art Gallery, New Haven[12] *(Abb. 5).*

Ein Tuschbild in der Sansô Collection (USA), das dem Kanô Sanraku (1559–1635) zugeschrieben wird, zeigt zwei Bachstelzen, die eine im Flug, die andere auf einem Felsvorsprung am Flußufer sitzend[13] *(Abb. 6).* Wenig zurückhaltend ist das vierzeilige Gedicht von einem nicht genau zu identifizierenden Schreiber, wohl einem Zen-Mönch (namens Tanhan [?]Genhan), ins Bild gesetzt:

»Was sieht die wißbegierige Bachstelze?
Die andere ist im Flug, und eine leichte Brise bewegt den Sand.
Auf der Suche nach ihrem ursprünglichen Sein flog sie bis weit südlich des Ch'ing-Flusses.
Es gibt nicht viele, die sogar bis zum Gelben Fluß geflogen sind.«

Auch hier haben wir es ohne Frage mit Metaphern für die Suche nach der wahren Wirklichkeit, für das Streben nach »Erkenntnis der eigenen Wesensnatur« zu tun. Gerade diese Bachstelzen-Bilder zeichnen sich durch nüchterne Direktheit ihrer Aussage und fast asketische Herbheit ihrer künstlerischen Realisierung aus. Einerseits dürfen sie als Beispiele für das dem Zen innewohnende spiritualisierte Naturverständnis gelten, andererseits als ermunternde Begleiter auf dem oft langen und beschwerlichen Weg zur Erleuchtung, zum »Paß ohne Tor«.

VI

Dies gilt auch für eine Reihe einfacher Wildgans-Darstellungen, in denen Grundbegriffe buddhistischer Ethik allegorisch vor Augen gestellt werden. Die in vier ihrer elementaren Verhaltensweisen gezeigten Wildgänse, nämlich im Flug (*hi*), in schnatterndem Geschrei (*myô*), im Schlaf (*shuku*) und bei der Nahrungsaufnahme (*shoku*), wurden in Analogie gesetzt zu den »Vier würdigen Verhaltensweisen« mönchischer Disziplin (chin. *ssu-wei-i*, jap. *shi-igi*), zum korrekten Gehen (*gyô*), zum richtigen Stehen (*jû*), zum korrekten Sitzen (*za*) und zum angemessenen Liegen (*ga*)[14]. Wenngleich sich

[12] Siehe *J. Shibu'e* (ed.), Kamakura no suibokuga. Kamakura kokuhô-kan zuroku, Bd. 9. Kamakura 1962, Abb. 1, und *Archives of Asian Art,* XX (1966–67) 106, Fig. 61.

[13] Siehe *J. M. Rosenfield* (ed.), Song of the Brush. Japanese Paintings from the Sansô Collection. Seattle Art Museum 1979, No. 22.

[14] Zu den *shi-igi* oder *ssu-wei-i* vgl. die Ausführungen des chinesischen Ch'an-Mönchs *Yüeh-chien* in seinen »Gesammelten Werken« aus dem Jahr 1297, dem Yüeh-chien Ch'an-shih yü-lu (Dai-Nihon zoku zôkyô, Kyôto 1905–1912, 2B: 23–25) oder die des *Ching-t'ang Chiao-yüan* (1244–1306) im zweiten Teil seines Ching-t'ang Ho-shang yü-lu, (*T. Tamamura* (ed.), Gozan bungaku shinshû. Bd. 6. Tôkyô 1972, 511), sowie *Y. Shimizu / C. Wheelwright* (ed.), Japanese Ink Paintings from American Collections: The Muromachi Period. An Exhibition in Honor of Shûjirô Shimada. The Art Museum. Princeton 1976, 221.

Abb. 1:
Porträt des Daidô Ichii (1292–1370) mit Hirsch und Schwan.
Kichizan Minchô (1352–1431) zugeschrieben.
Aufschrift von Shôkai Reiken (1315–1396), datiert 1394.
Hängerolle. Tusche auf Papier. 47 x 16,4 cm.
Nationalmuseum Nara.

Abb. 2: Zwei Sperlinge im Bambus. Gukei Yû'e (– 1361–1375 –). Aufschrift von Ten'an Kaigi (1281–1361). Hängerolle. Tusche auf Papier. 44,5 x 24,8 cm. Daijiji, Präfektur Kumamoto.

Abb. 3:
Reiher auf einem Weidenbaum.
Mokuan Rei'en (gest. 1345).
Aufschrift von Ch'u-shih Fan-ch'i (1297–1371).
Hängerolle. Tusche auf Papier.
Sammlung Matsushita Konosuke, Kyôto.

Abb. 4:
Bachstelze auf einem Felsen.
Aufschrift (und Bild ?)
von Taikyo Genju
(– 1320–1374 –).
Hängerolle. Tusche auf Seide.
83,1 x 35 cm.
The Mary and Jackson Burke
Collection of Japanese Art,
New York.

Abb. 5:
Bachstelze und Bambus. Anonymer Maler des 14. Jahrhunderts (vielleicht Taikyo Genju). Hängerolle. Tusche auf Seide. 85,6 x 40,2 cm. Yale University Art Gallery, New Haven. (Gift of the Art Gallery Associates in honor of Mrs. Paul Moore).

Abb. 6: Zwei Bachstelzen an einem Flußufer. Kanô Sanraku (1559–1635) zugeschrieben. Aufschrift von Tanhan (?) Genhan (spätes 16./frühes 17. Jh.). Hängerolle. Tusche auf Papier. 60 x 32,9 cm. Sansô Collection, USA.

Abb. 7: Zwei Reliefs mit Szenen aus der Wildgans-Legende vom oberen Register der Balustrade auf der ersten Galerie an der Südseite des Borobudur, Mittel-Java, ca. 800. Andesit. 93 x 83 cm.

Abb. 8: Vier Wildgänse und Riedgras.
Tesshû Tokusai (gest. 1366).
Hängerollenpaar. Tusche auf Papier. 182 x 59 cm.
Virginia Museum of Fine Arts, Richmond.

Abb. 9: Zwei Wildgänse und Riedgras.
Anonymer japanischer Maler des 14. Jahrhunderts.
Hängerollenpaar. Tusche auf Papier. 86,5 x 34 cm.
Museum für Ostasiatische Kunst, Berlin.
(Staatliche Museen, Preußischer Kulturbesitz).

Abb. 10: Zwei Wildgänse und Riedgras.
Anonymer japanischer Maler des frühen 16. Jahrhunderts.
Hängerollenpaar. Tusche auf Papier. 93,7 x 43 cm.
Sansô Collection, USA.

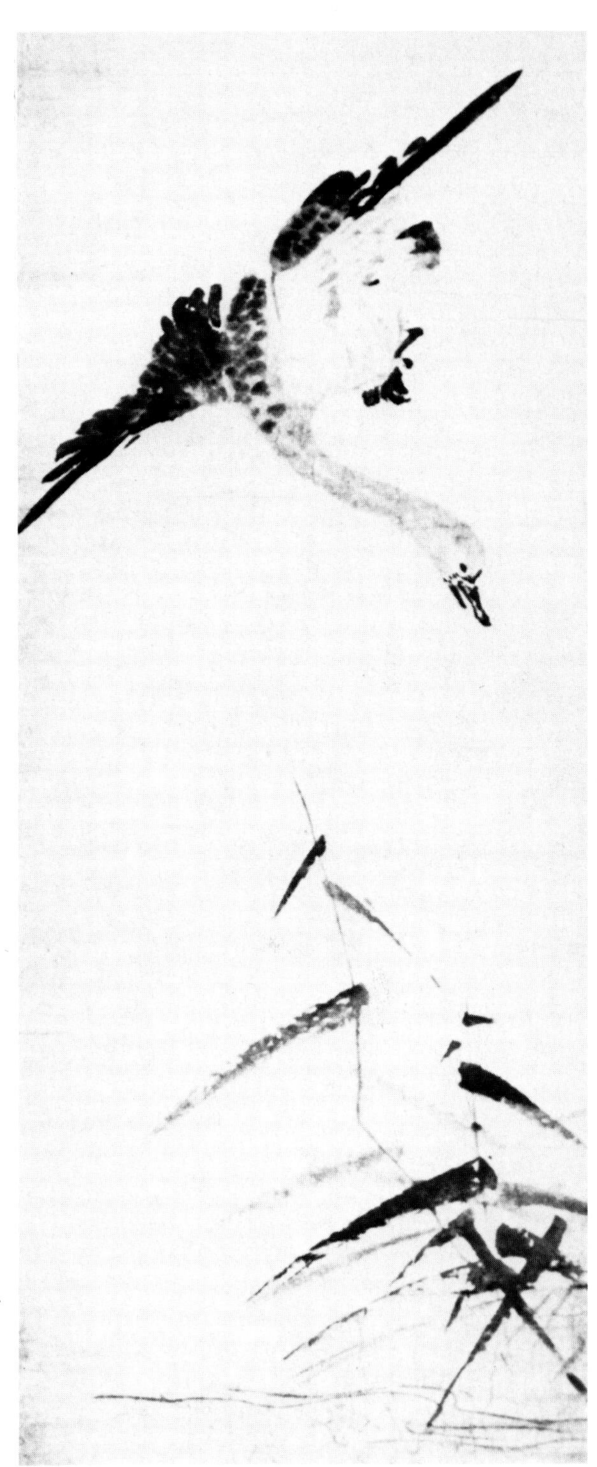

Abb. 11:
Fliegende Wildgans über Riedgras.
Shûgetsu Tôkan (ca. 1440–1529).
Hängerolle. Tusche auf Papier.
Privatbesitz. Japan.

Abb. 12a: Drei Wildgänse und Riedgras.
Anonymer japanischer Maler des frühen 14. Jahrhunderts.
Aufschrift von I-shan I-ning (1247–1317).
Hängerolle. Tusche auf Papier. 80,9 x 32,2 cm.
Sammlung Nakamura, Zushi, Präfektur Kanagawa.

Abb. 12b: Zwei fliegende Wildgänse und Riedgras.
Anonymer japanischer Maler des frühen 14. Jahrhunderts.
Aufschrift von I-shan I-ning (1247–1317).
Hängerolle. Tusche auf Papier. 63,6 x 31,9 cm.
Privatbesitz. Japan.

Abb. 13: Drei Wildgänse und Riedgras. Anonymer japanischer Maler des frühen 14. Jahrhunderts. Hängerolle. Tusche auf Papier. 49,9 x 28,9 cm. The Mary and Jackson Burke Collection of Japanese Art, New York.

Abb. 14a: Fünfundzwanzig Wildgänse und Riedgras.
Tesshû Tokusai (gest. 1366).
Aufschrift vom Maler (nicht vollständig erhalten).
Hängerolle. Tusche auf Seide. 111,4 x 44,5 cm.
Metropolitan Museum of Art, New York.
(Harry G. C. Packard Collection of Asian Art, Gift of Harry G. C. Packard and Purchase, Fletcher, Rogers, Harris Brisbane Dick and Louis V. Bell Funds, Joseph Pulitzer Bequest and the Annenberg Fund, Inc. Gift 1975).

Abb. 14b: Fünfundzwanzig Wildgänse und Riedgras.
Tesshû Tokusai (gest. 1366).
Hängerolle. Tusche auf Seide. 109,2 x 45,7 cm.
Metropolitan Museum of Art, New York.
(Mrs. Jackson Burke Gift Fund, 1977).

Abb. 15:
Weißer Hahn unter Bambus.
Lo-ch'uang (2. Hälfte 13. Jh.).
Aufschrift vom Maler.
Hängerolle. Tusche und blasse
Farben auf Seide. 96,8 x 43 cm.
Nationalmuseum Tôkyô.

diese Aspekte nicht exakt parallelisieren lassen, dürften ihre Beziehungen doch über eine rein numerische Identität hinausgehen. Es ist unklar, ob derartige Wildgans-Zyklen von Anbeginn in allegorischer Absicht geschaffen wurden oder ob die Zen-Meister des 13./14. Jahrhunderts ihnen erst jenen paradigmatischen Wert beimaßen.

Im zweiten Teil des *Kundaikan sayûchôki,* des gegen Ende des 15. Jahrhunderts kompilierten Handbuchs zur shôgunalen Sammlung chinesischer Kunst, wird darüber gehandelt, auf welche Weise die Kunstwerke im offiziellen Empfangszimmer (*zashiki*) der Ashikaga-Residenz anzuordnen seien. Auf einer Skizze in diesem Werk erkennt man an der *Tokonoma*-Wand vier Hängerollen mit schreienden, fliegenden, schlafenden und fressenden Wildgänsen im Riedgras[15]. Diese Zusammenstellung der so augenfällig in vier typischen Lebenslagen erfaßten Wildgänse ist sicherlich kein Zufall, und der damit angedeutete, zu jener Zeit vermutlich allgemein verständliche Hinweis auf vorbildliche mönchische Disziplin dürfte die im Hause der zenfreundlichen Ashikaga-Shôgune aus- und eingehenden Priester und Laienbrüder gleichermaßen an ihre Pflichten gemahnt haben. Wildgans-Darstellungen dieser Art wurden also ganz offensichtlich in anspornender, paränetischer Absicht geschaffen und aufgehängt, nicht allein zu rein dekorativen Zwecken verwendet. Daraus erklärt sich auch, warum zahlreiche Innenräume chinesischer und japanischer Zen-Klöster mit diesem ikonographischen Thema ausgeschmückt wurden. Belege finden sich nicht nur in der Literatur, sondern auch in mittelalterlichen Querbildrollen oder *Emaki*, etwa in der 12. Rolle des im frühen 14. Jahrhundert entstandenen *Genjô Sanzô-e* im Fujita Bijutsukan, Ôsaka, der illustrierten Biographie des berühmten chinesischen T'ang-Priesters Hsüan-tsang (603–664)[16]. Wie beliebt Wildgans- und Riedgras-Bilder unter japanischen Zen-Kunstliebhabern waren, mag man an der Tatsache erkennen, daß schon um die Mitte des 14. Jahrhunderts sich nicht weniger als elf chinesische Hängerollen mit diesem Sujet im Engakuji zu Kamakura befanden. Sie sind in dem 1363 aufgrund eines älteren Inventars von 1320 zusammengestellten und 1365 ergänzten *Butsunichi-an kumotsu mokuroku* aufgeführt[17]. Und noch heute begegnet man des öfteren Darstellungen dieses Themas auf Schiebetüren (*fusuma*) oder Stellschirmen (*byôbu*) in den Zen-Klöstern Japans.

[15] Vgl. Gunsho rui jû, ed. by *H. Hanawa*, Tôkyô 1922–33, 654, und Nezu Bijutsukan / Tokugawa Bijutsukan (ed.), Higashiyama gyomotsu. Tôkyô 1976, Nr. 44: Abb. A (*Ogawa-gosho narabi Higashiyama okazariki*).

[16] Siehe Nihon emakimono zenshû – Japanese Scroll Paintings, Bd. XIV, Tôkyô 1962, pl. 81, und *H. Kanazawa*, Shoki suibokuga, Abb. 123, und *ders.* in der Übers. von *B. Ford*, Japanese Ink Painting. Early Zen Masterpieces, Abb. 81, 107.

[17] Vgl. *N. Kumagai*, »Butsunichi-an kumotsu mokuroku«, Kamakura-shi shi hensan i'inkai, »Engakuji monjo«, in *Kamakura-shi, Shiryô*. Kamakura 1956, Bd. 2, 200–212, und in *Bijutsu kenkyû* Nr. 24 (1933) 24–30.

VII

Über die Frage, warum gerade Wildgänse als Sinnbild mönchischer Disziplin gewählt wurden, können wir einstweilen nur Vermutungen anstellen. Sicher ist, daß die Wildgänse in China wegen ihres präzisen Instinkts für Zeit und Ort ihrer Migrationen, wegen ihrer äußerst disziplinierten Flugordnung und wegen ihrer unzertrennlichen Treue unter den Paaren bewundert wurden. Die Ethologie hat die vorbildliche Partnertreue als einen der bemerkenswertesten Charakterzüge der Anatiden herausgestellt[18]. In China galten und gelten sie dank intimer Vertrautheit der Menschen mit der Natur und einer ethologischen Beobachtungsgabe, die in unserem Bewußtsein weitgehend verlorengegangen war, seit Jahrhunderten als Symbol aufrichtiger ehelicher Treue. Schließlich ist die Wildgans in der chinesischen Literatur und Geschichte als zuverlässiger Kurier anzutreffen. In buddhistischen Quellen finden wir sie gelegentlich als Motiv von Zen-*Kôan*, doch werfen diese Stellen kein erhellendes Licht auf unsere Frage. Mehr Ansätze zu einer Klärung bietet dagegen eine alte indische Wildgans-Erzählung, die Eingang fand in die lehrhaft moralisierende Literatur des Buddhismus und hier im Sinne buddhistischer Ethik ausgestaltet wurde[19]. Verschiedene ihrer ältesten Bestandteile sind in *Jâtaka* Nr. 502, 533 und 534 sowie in anderen alten Textsammlungen bewahrt geblieben. Ohne auf die Unterschiede literarisch schmückender Details in den einzelnen Versionen einzugehen, läßt sich der Inhalt der Geschichte kurz wie folgt darstellen: In einer seiner früheren Existenzen war der historische Buddha Śâkyamuni König der Wildgänse. Mit einer Schar flog er eines Tages vom Citrakûṭa-Berg zu einem weithin gerühmten, prächtigen Teich in der Nähe von Benares, wo der Gänsekönig in eine Falle geriet und mit einem Bein in einer Schlinge hängenblieb. Auf seinen Warnschrei, mit dem er jedoch wartete, bis seine Schar sich satt gefressen hatte, flogen alle Wildgänse in großer Angst auf und davon. Allein sein treuer Heerführer Sumukha, eine Inkarnation des Buddha-Jüngers Ânanda, verharrte trotz inständiger Bitten seines Herrn an dessen Seite. Als der Fallensteller kam, stellte er erstaunt fest, daß nur eine der beiden Wildgänse gefangen war. Nachdem ihn Sumukha über die Tugend der Freundestreue und die Loyalität gegenüber seinem Herrn belehrt hatte, befreite er tief beeindruckt den gefangenen Gänsekönig. Um dem Fallensteller für sein großherziges Handeln zu danken und ihm eine Belohnung zu verschaffen, beschlossen die beiden Vögel, sich vor den König von Benares bringen zu lassen, in dessen Diensten der Fallensteller stand. Der König

[18] Vgl. *O. Heinroth*, »Beiträge zur Biologie, namentlich Ethologie und Psychologie der Anatiden«. Verhandlungen des 5. Internationalen Ornithologen-Kongresses in Berlin (30. Mai – 4. Juni 1910). Berlin 1911, 589–702.

[19] Vgl. *D. Schlingloff*, »Zwei Anatiden-Geschichten im alten Indien«: ZDMG 127 (1977) 369ff.

hörte die bewegende Geschichte voller Bewunderung und ließ den Fallensteller reich belohnen. Nachdem der König der Wildgänse dem König von Benares seine Lehre verkündet und mit ihm über das Gesetz des rechtschaffenen Verhaltens diskutiert hatte, kehrte er mit Sumukha zu seinen Untertanen auf den Citrakûṭa-Berg zurück.
Illustrationen dieser *Jâtaka* kennen wir bereits von Wandgemälden des 5./6. Jahrhunderts in den Klosterhöhlen von Ajanta in Indien (Grotte II und XVII)[20] und aus der Zeit um 800 von vier hervorragenden Reliefs am Borobudur in Mittel-Java[21] *(Abb. 7)*.

VIII

Es wäre durchaus denkbar, daß diese Legende aus einer der früheren Existenzen des Buddha den Anstoß gab zu der in mittelalterlichen Zen-Kreisen Chinas und Japans offenbar sehr geschätzten Wildgans-Allegorie, denn in diesen sogenannten *Haṃsa-Jâtaka* stehen schließlich die Vor- und Urbilder buddhistischen Mönchtums schlechthin, der irdisch-historische Religionsstifter Śâkyamuni und einer seiner beiden ersten Jünger, Ânanda, in Gestalt von Wildgänsen als Inbegriff würdigen, korrekten mönchischen Verhaltens in jeder Lebenslage, als Wahrzeichen buddhistischer Ethik. Auch die in zahlreichen Versionen als Gedicht- und Bildserie formulierte Parabel, die schrittweise, meist in zehn Stadien, unter dem Simile des einfältigen Hirten und des unverständigen, verlorengegangenen und nach mühsamem Suchen wiedergefundenen Büffels den Weg zur Einsicht in das wahre Wesen der Dinge aufzeigt, hat ihre Wurzeln in altindischen Traditionen des Buddhismus, in einem Hînayâna-Sûtra, das elf Arten des Rinderhütens beschreibt und diese mit den Pflichten eines buddhistischen Mönchs vergleicht. Besonders intensiv befaßte sich der eminente japanische Zen-Priester Tesshû Tokusai (gest. 1366) mit der Wildgans-Thematik, offenbar als Reflex seiner innersten Überzeugung und eigenen ethischen Maxime, denn sein Leben war geprägt von der Strenge seiner mönchischen Zucht und Disziplin; er war beseelt von seinen klerikalen, intellektuellen und künstlerischen Aufgaben. Der unter Musô Soseki (1275–1351) in Kyôto und während der dreißiger Jahre des 14. Jahrhunderts in China ausgebildete Tesshû Tokusai verkörpert das Idealbild des *bunjin-sô*. 1362 übernahm er den Abtstuhl in

[20] Ebd. Abb. 1–2 (Umzeichnungen), sowie die dort in Anm. 12 und 13 gegebenen Abbildungshinweise, u. a. *Lady Herringham*, Ajanta Frescoes. London u. a., Oxford University Press 1915, pls. 25, 33 und 41.

[21] Siehe *N. J. Kron* und *T. van Erp*, Beschrijving van Barabudur (Archaeologisch Onderzoek in Nederlandsch-Indië III). 'S-Gravenhage 1920, Serie I. (B). a. Nr. 77–80, Tafel IX–X, und *Borobudur*. Kunst und Religion im alten Java. 8.–14. Jahrhundert. Kunsthaus Zürich 1977/78, Nr. 3.

einem der wichtigsten Zen-Klöster Kyôtos, im Manjuji. Vier Jahre später starb er im Ryûkô-in, einem kleinen Subtempel des Tenryûji.
Sein literarisches Werk mit dem Titel *Embushû* enthält ein Gedicht zu Ehren einer toten Wildgans[22]. Es ist erfüllt von tiefer Zuneigung zur hilflosen Kreatur, ähnlich wie Ikkyû's »Requiem« für seinen Sperling, den er Sonrin getauft hatte. Zugleich aber erinnert das Gedicht »Trauer über den Tod einer Wildgans« von Tesshû Tokusai an Motive aus den *Haṃsa-Jâtaka*:

»Vor langer Zeit grub ich einen Teich und pflanzte Riedgras für dich an,
in der ständigen Angst, du könntest von einem Fuchs gebissen werden und sterben.
Wie ich es bedauere, daß du dein Leben lang damit zubrachtest,
den Pfeilen der Jäger zu entrinnen,
nur um mich jetzt zu verlassen, doch nicht als Bote mit einem Brief von mir.
Ich konnte Freundschaft schließen mit bodenständigen Vögeln,
doch habe ich wenig Zeit für sie.
Ich konnte mit Papageien reden, doch habe ich kein Interesse an ihrem Geschwätz.
Ich bete dafür, daß du als Vogel im ›Westlichen Teich‹ [des Buddha Amitâbha] wiedergeboren werdest
und mich dort erwarten mögest, die Federn deines grünen Kleides putzend.«

Neben Bambus und Orchis, die man allenthalben mit Literati-Idealen, doch zugleich auch mit buddhistischen Vorstellungen assoziiert, symbolträchtigen Wasserbüffeln und den spätestens seit Mu-ch'i in der Zen-Malerei Ostasiens sehr beliebten Affen als Sinnbilder des Befangenseins in der Welt irdischer Erscheinungen malte Tesshû Tokusai mit besonderer Vorliebe Wildgänse. Das dokumentieren seine erhaltenen Gemälde ebenso wie die im *Embushû* überlieferten Bildtitel[23]. Ein Hängerollenpaar im Virginia Museum of Fine Arts in Richmond, das die auch auf anderen Werken anzutreffenden Tesshû-Siegel trägt, zeigt *Vier Wildgänse im Riedgras*[24]

[22] Siehe Gozan bungaku zenshû, ed. *K. Uemura*, Tôkyô 1936, 2: 440, und die englische Übersetzung bei *Y. Shimizu / C. Wheelwright*, Japanese Ink Paintings, 234.

[23] Es ist merkwürdig, daß im Embushû (vgl. auch Taishô shinshû daizôkyô, ed. *J. Takakusa / K. Watanabe*. Tôkyô 1924–1932, Bd. LXXX, Nr. 2557, 544–562) kein Gedicht für ein Orchisbild anzutreffen ist, zumal Tesshû Tokusai einer Anekdote zufolge dieses Sujet beinahe täglich mit geradezu religiösem Eifer gemalt haben soll (*M. Murase*, Japanese Art, 96). Siehe ferner *T. (H.) Nakamura*, »Tesshû Tokusai no gaji«, Museum, Nr. 98 (May 1959) 20–22; *ders.*, »Tesshû Tokusai hitsu rogan-zu«, Kobijutsu, Nr. 38 (Sept. 1972) 79–81; *ders.*, »Tesshû Tokusai hitsu ranchiku seki-zu«, Kobijutsu, Nr. 40 (March 1973) 69–71; *I. Tanaka*, Kaô, Mokuan, Minchô, Tafel 16; *H. Kanazawa*, Shoki suibokuga, Abb. 92–94 und 120–122; *ders.*, Japanese Ink Painting: Early Zen Masterpieces, 174, pl. 102–104, 106–108 and 136; *ders.*, Kaô, Minchô. Nihon bijutsu kaiga zenshû, Bd. 1. Tôkyô 1977, Tafel 16–19 und 62; *J. M. Rosenfield*, Song of the Brush, No. 1; *Y. Shimizu / C. Wheelwright*, Japanese Ink Paintings, No. 30–31 und Fig. 70, 224ff.

[24] Siehe *J. Tanaka*, Kaô, Mokuan, Minchô, Tafel 74–75, sowie S. 183, Abb. 79–80 und *H. Kanazawa*, Kaô, Minchô, 124, Abb. 20–21.

(Abb. 8). Spontan hat der Künstler die in eindringlicher Nahsicht wiedergegebenen Vögel mit breiten Tuschwischern und raschen, teils feucht in feucht aufgesetzten Tupfen auf Papier gemalt. Die beiden Bilder haben ausgesprochen dilettantische Züge, einen naiv spielerischen Charakter, der so manchem Werk des 14. Jahrhunderts von der Hand eines *bunjin-sô* eigen ist. Jede der Wildgänse erscheint hier in einer der vier erwähnten Grundhaltungen: Auf der linken Hängerolle streckt eine den Hals, parallel zu dem sich nach rechts ins Bild neigenden Riedgrashalm, schreiend nach oben; ihr scheint auf dem rechten Teil des Diptychons eine andere im Fluge zu antworten. Darunter sucht die dritte am dürftig bewachsenen Ufer nach Futter, während auf der linken Rolle die vierte ihren Kopf unbeteiligt zum Schlaf ins Gefieder gesenkt hat. Auf einem anderen sehr verwandten, jedoch auf Seide gemalten Bild des Tesshû Tokusai sehen wir eine schreiende und eine fressende Wildgans[25]. Man wird wohl zu diesem Bild ein ergänzendes Pendant mit einer schlafenden und einer fliegenden Wildgans voraussetzen können.
Ähnliches gilt auch für ein Hängerollenpaar im Berliner Museum für Ostasiatische Kunst *(Abb. 9)*, das ursprünglich zu einem Zyklus von vier Hängerollen mit je einer Wildgans gehört haben dürfte[26]. Die Mu-ch'i-Siegel sind zweifellos sekundäre Zutaten eines wohlmeinenden Sammlers. Der hochgeschätzte, zwischen 1269 und 1274 gestorbene Ch'an-Künstler aus dem Liu-t'ung-ssu am Westsee bei Hangchou galt in Japan seit der Muromachi-Zeit neben dem während der späten Nördlichen Sung-Dynastie tätigen buddhistischen Malermönch Hui-ch'ung als der herausragende chinesische Protagonist dieses Genre. Schon 1351 soll sich in einem der hauptstädtischen Zen-Klöster eine mit dem Namen Mu-ch'i verbundene Serie von vier Wildgans-Gemälden befunden haben[27]. Bei den Berliner Bildern haben wir es unseres Erachtens mit japanischen Werken des 14. Jahrhunderts zu tun, denn sowohl in ihrer kompositionellen Anlage, namentlich dem kommunizierenden Gegenüber der fliegenden und der schreienden Wildgans, als auch in der stilistischen Behandlung kommen sie dem Diptychon des Tesshû Tokusai im Virginia Museum of Fine Arts sehr nahe. In dieser angeblich auf Mu-ch'i zurückgehenden Tradition und vermutlich ebenfalls in dem hier diskutierten zen-buddhistischen Kontext stehen sowohl das schwungvoll gemalte Hängerollenpaar mit einer schreienden und einer fliegenden Wildgans eines anonymen Künstlers aus der Zeit um 1500 in der Sansô Collection[28] *(Abb. 10)* als auch das wohl annähernd gleichzeitig entstandene, heute

[25] Siehe *H. Kanazawa*, Shoki suibokuga, Abb. 120; *ders.*, Japanese Ink Painting: Early Zen Masterpieces, pl. 108; *ders.*, Kaô, Minchô, 19.

[26] Siehe *B. von Ragué*, Ausgewählte Werke ostasiatischer Kunst. Staatliche Museen Preußischer Kulturbesitz. Museum für Ostasiatische Kunst. Berlin-Dahlem 1970, Nr. 90.

[27] Diesen Hinweis gibt *S. Tani* in seinem Artikel über »Mokkei Hôjô« [Mu-ch'i Fa-ch'ang] in Muromachi-jidai bijutsu-shi ronshû. Tôkyô 1942.

[28] Siehe *J. M. Rosenfield*, Song of the Brush, No. 17.

isolierte Bild einer Wildgans im Fluge über zerzaustem Riedgras von der Hand des Zen-Mönchs und Sesshû-Nachfolgers Shûgetsu Tôkan (ca. 1440–1529)[29] *(Abb. 11)*.

IX

Einen anderen Typ der Wildgans-Darstellung repräsentieren zwei ursprünglich vermutlich als Paar zusammengehörige, heute wohl aufgrund von Neumontierungen in ihren Maßen leicht differierende Hängerollen in japanischem Privatbesitz[30] *(Abb. 12)*. Beide tragen Gedichtaufschriften aus dem Pinsel des chinesischen Ch'an-Meisters I-shan I-ning, der von 1299 bis zu seinem Tode 1317 in Japan wirkte und dort in klerikalen, politischen und intellektuellen Kreisen hohes Ansehen genoß. In seinen beiden Vierzeilern vermittelt der literarisch hochgebildete Mönch die Stimmung des anbrechenden Winters und die damit verbundene Sehnsucht nach den klaren Herbsttagen am Hsiao und Hsiang, jenen beiden wegen ihrer landschaftlichen Reize berühmten und vielbesungenen Flüsse, die in der südchinesischen Provinz Hunan in den Tung-t'ing-See münden. In diese Gegend zogen sich die Wildgänse zum Überwintern zurück. Die Vermutung liegt nahe, daß hier, in den Provinzen Hunan und Chekiang, die Darstellungen von Wildgänsen und Riedgras ihren Ausgangspunkt hatten. Das Thema, das seit dem Ende des 10. Jahrhunderts selbständig behandelt wurde und dessen Ausbreitung im 11. Jahrhundert man mit dem Namen des Hofmalers Ts'ui Po, des Malermönchs Hui-ch'ung und des kaiserlichen Nachkommens Chao Tsung-han assoziierte[31], verleiht in seiner ursprünglichen Intention einem melancholischen Gefühl Ausdruck; es evoziert Gedanken an das Absterben vieler Pflanzen und Gräser in der Kälte des Winters, an den Wandel der Jahreszeiten und den damit verbundenen Wechsel des Lebensraumes zahlreicher Vögel, an den unaufhaltsamen Rhythmus der Natur, an das Vergängliche und den Abschied, aber auch an das wiederaufkeimende Leben, die Rückkehr und das Wiedersehen. Solche Ideen mußten beinahe zwangsläufig das Interesse der Nord-Sung-Literaten finden. Ein Gedicht, das der berühmte

[29] Siehe Katalog der Sonderausstellung *Sesshû*. Yamaguchi kenritsu Yamaguchi hakubutsukan. Tôkyô 1973, Nr. 52.

[30] Siehe *I. Tanaka*, Kaô, Mokuan, Minchô, Tafel 41–42, und *Y. Shimizu* / *C. Wheelwright*, Japanese Ink Paintings, Fig. 68.

[31] Chao Tsung-han war ein Enkel des Kaisers T'ai-tsung (reg. 976–997). Das beste und zuverlässigste Werk des Ts'ui Po stammt aus dem Jahr 1061; es befindet sich im National Palace Museum, Taipei, und zeigt zwei Eichelhäher und einen Hasen. Dem Hui-ch'ung hat *Y. Yonezawa* zwei Aufsätze gewidmet: »Rogan ni tsuite«, Kokka, Nr. 929 (1970) 31–41, und »E-sô [Hui-ch'ung] to sono denshô sakuhin«, Kokka, Nr. 943 (1972) 7–12; siehe auch *Y. Yonezawa* / *Y. Nakata*, Shôrai bijutsu: Kaiga, Sho. Genshoku Nihon no bijutsu, Bd. 29, Tôkyô 1971, Tafel 69.

Su Tung-p'o (1036–1101) angesichts eines Bildes mit Wildgänsen und Riedgras von Hui-ch'ung vefaßte, lautet etwa:[32]

»Hui-ch'ung's ›Riedgras und Wildgänse‹ im Nebel und Regen verlocken mich,
am Hsiao und Hsiang und am Tung-t'ing-See zu sitzen.
Sie erwecken in mir den Wunsch, einen Kahn zu mieten und damit heimzufahren.
Dies ist es, was ein Gemälde bewirken muß, wie die Alten mit Recht sagten.«

Unter diesem vom rein literarischen Stimmungsbild geprägten Blickwinkel ist auch das wohl häufigste Erscheinen von Wildgänsen und Riedgras in einer der *Acht Ansichten von Hsiao und Hsiang* zu sehen und zwar unter dem Titel »Einfallende Wildgänse an flachen Sandbänken«. In China soll Sung Ti, ein Maler des 11. Jahrhunderts, die *Hsiao-Hsiang pa-ching* (jap. *Shôshô hakkei*) als erster gemalt haben[33]. Die früheste japanische Version dieses Themas und zugleich älteste erhaltene japanische Tuschlandschaft überhaupt stammt von einem nicht näher bekannten Maler namens Shikan[34]. Kein Geringerer als I-shan I-ning schrieb dazu den kurzen Text im oberen Teil der Hängerolle. Hier, wie im Falle des Hängerollenpaares mit den *Fünf Wildgänsen (Abb. 12)*, dem wir uns jetzt wieder zuwenden wollen, stecken die bekannten biographischen Fakten des I-shan I-ning den zeitlichen Rahmen ab. Sofern es sich bei den beiden Wildgans-Bildern um Werke eines japanischen Künstlers handelt – und dies ist anzunehmen – entstanden sie nach 1299 und vor 1317. Damit gehören sie zu den ältesten bekannten Darstellungen, in denen Wildgänse im Riedgras in ihren vier, den korrekten Verhaltensweisen eines Zen-Mönchs verglichenen Grundaspekten vor Augen geführt werden. Auf der rechten Rolle fliegen zwei Wildgänse über das vom Wind und Regen gepeitschte Riedgras hinweg, das I-shan I-ning in seiner Bildaufschrift erwähnt. Diese verläuft den namentlich von Zen-Künstlern praktizierten Gepflogenheiten folgend entgegen der orthodoxen Schriftrichtung von links nach rechts und erwidert damit die kompositionelle Hauptbewegung des zentralen Bildgegenstandes[35]. Auf der linken Rolle sitzen drei Wildgänse auf einer Landzunge dicht beieinander, die übrigen drei Aspekte repräsentie-

[32] Nach der englischen Übersetzung in *Y. Shimizu / C. Wheelwright*, Japanese Ink Paintings, 218 (*Su Tung-p'o hsü ch. 3*).

[33] Siehe *S. Shimada*, »Sô Teki [Sung Ti] to Shôshô hakkei«, Nanga kanshô, Nr. 10/4 (1941) 6–13, und *A. Watanabe*, Shôshô hakkei-zu. Nihon no bijutsu, Nr. 124. Tôkyô: Shibundô 1976.

[34] Siehe *I. Tanaka*, »Shikan hitsu no heisha rakugan-zu« in Nihon kaigashi ronshû, 250–257; *ders.*, Kaô, Mokuan, Minchô, Tafel 6; *I. Tanaka / Y. Yonezawa*, Suibokuga, Tafel 5; *H. Kanazawa*, Kaô, Minchô, Tafel 27; *A. Watanabe*, Shôshô hakkei-zu, Abb. 5.

[35] Zum Verlauf der Bildaufschriften siehe *H. Brinker*, Shussan Shaka-Darstellungen in der Malerei Ostasiens (= Schweizer Asiatische Studien, Monographien 3). Bern / Frankfurt am Main / New York 1983, 57f.

rend: die vorderste frißt, die mittlere schläft und die hintere reckt schreiend ihren Hals in die Höhe. Gegenüber der zuerst erörterten Behandlung des Themas nehmen die Wildgänse nur einen geringen Bruchteil des Bildfelds ein; sie werden hier aus größerer Distanz betrachtet und erinnern darin stark an eine chinesische Version der Yüan-Zeit in der Sammlung Ino'ue, Takasaki (Präf. Gumma)[36]. Dieses Bild enthält eine Aufschrift des zu Beginn des 14. Jahrhunderts im T'ien-ning-ssu tätigen Ch'an-Mönchs Ching-t'ang Ssu-ku. Es ist überzeugend komponiert. Der anonyme Maler hat es verstanden, mit subtil abgestuften Tuschtönen und ohne fest abgrenzende lineare Konturen die Vögel in ihren verschiedenen Stellungen und Bewegungen sicher zu erfassen.

All das gilt in gleichem Maße für das vorzügliche, vermutlich annähernd gleichzeitig in Japan gemalte Werk in der Mary and Jackson Burke Collection, New York[37] *(Abb. 13)*. An einem schräg nach rechts abfallenden Ufer mit ein paar kantigen Felsbrocken und vertrocknetem, geknicktem, spärlichem Riedgras sitzen *Drei Wildgänse*. Zwei heben schreiend in fast paralleler Ausrichtung ihre Köpfe empor; die dritte hat ihren Kopf nach rückwärts gewandt und wohlig zum Schlaf ins Gefieder gesteckt. Man wird kaum fehlgehen in der Annahme, daß ursprünglich ein weiteres Bild die vier Aspekte durch zwei oder mehrere Wildgänse im Flug und bei der Nahrungsaufnahme vervollständigte. Die beiden Hängerollen mögen ein Paar oder aber flankierende Seitenstücke für ein Triptychon mit einer Figurendarstellung im Zentrum gebildet haben. Beide Kombinationen waren in der Muromachi-Zeit keine Seltenheit.

Freilich konnten diese vier Aspekte der Wildgänse auch in einem einzigen Bild vereint werden. Gute Beispiele dieses dritten Typs sind zwei Hängerollen von Tesshû Tokusai im Metropolitan Museum of Art, New York[38] *(Abb. 14)*. Beide tragen am oberen rechten bzw. linken Bildrand das quadratische Tesshû-Siegel, die eine zusätzlich noch eine kurze, aber leider unvollständig erhaltene Widmungsaufschrift des Malers für einen chinesischen Freund. Tesshû Tokusai malte diese Bilder mit Tusche auf Seide in behutsamer Manier, weniger spontan und für seine Verhältnisse mit geradezu konservativer Zurückhaltung und einer auffallenden Neigung zur parallelen Repetition im Detail. In jeder Komposition erscheinen *25 Wildgänse*, je sechs im Fluge, die übrigen auf flachen Sandbänken in Gruppen zusammengefaßt beim emsigen Fressen, in unbeteiligtem Schlaf oder mit erhobenen Köpfen in schnatterndem Geschrei. Trotz der erwähnten Gleichförmigkeit in

[36] Siehe *Y. Yonezawa/Y. Nakata*, Shôrai bijutsu: Kaiga, Sho Tafel 68, und *Y. Shimizu/C. Wheelwright*, Japanese Ink Paintings, Fig. 69.

[37] Siehe *M. Murase*, Japanese Art, No. 25, 90f., und *Y. Shimizu/C. Wheelwright*, Japanese Ink Paintings, No. 29, 218ff.

[38] Siehe *I. Tanaka,* Kaô, Mokuan, Minchô, Tafel 76, und *Y. Shimizu / C. Wheelwright,* Japanese Ink Paintings, No. 32 und Fig. 72, 234ff.

bestimmten Partien scheinen die Darstellungen einerseits von der unruhigen Geschäftigkeit pulsierenden Lebens durchdrungen zu sein, und auf der anderen Seite atmen sie das Fluidum spätherbstlicher Verlassenheit und Kälte, vor allem suggeriert durch das dürre, spitze, vom Winde bewegte Riedgras, das Tesshû mit scharf zupackender, beinahe aggressiv wirkender Spritzigkeit gemalt hat.

X

Zum Schluß unserer Betrachtung einiger in religiöser Hinsicht scheinbar bedeutungsloser Vogeldarstellungen wollen wir uns dem Bild eines *Weißen Hahns unter Bambus* im Nationalmuseum Tôkyô zuwenden[39] *(Abb. 15)*. Es stammt von der Hand des Ch'an-Malermönchs Lo-ch'uang, der während der zweiten Hälfte des 13. Jahrhunderts im Liu-t'ung-ssu am Hsi-hu tätig war, in jenem Kloster also, das Mu-ch'i zu jener Zeit als Abt leitete oder kurz zuvor geleitet hatte. Seit alter Zeit galt in China der Hahn, das zehnte Tier im chinesischen Tierkreis, als einer der Hauptrepräsentanten des männlichen Elements *yang*. Man verehrte den weißen Hahn als heiliges Tier, das die Macht besaß, böse Einflüsse zu bannen, und die Farbe seines Gefieders war unmißverständlicher Hinweis auf die Reinheit und Lauterkeit seiner Gesinnung. Lo-ch'uang hat auf seinem Tuschbild den Hahn aus dem einheitlich grau getönten Seidengrund ausgespart. Energisch entschlossene, strenge Züge prägen das Aussehen des stolz erhobenen Hauptes im Profil nach links dargestellten Tieres. Traditionellen Gepflogenheiten folgend schrieb der Maler sein vierzeiliges Gedicht gegen die Blickrichtung von links nach rechts. Offensichtlich verstand er die Aufschrift nicht als gleichberechtigte Partnerin des eigentlichen Bildes, sondern in ihrer unscheinbaren, kompositionellen Unterordnung als deutende Unterweisung zum Verständnis und im Dienste des Dargestellten:

»Seine Gedanken richten sich auf den Beginn der fünften Nachtwache.
Tief und geheimnisvoll verborgen hütet er seine fünf Tugenden.
Aufblickend erwartet er die Zeit der Helligkeit.
Der Osten hat schon eine zarte Färbung.
Lo-ch'uang.«

Die erste, dritte und vierte Zeile kennzeichnen das nächtliche Ambiente. In Erwartung des Morgengrauens konzentriert sich der Hahn auf seine täglichen Pflichten als verantwortungsbewußtes Oberhaupt seiner Hühnerschar

[39] Siehe Sôgen no kaiga, ed. *Tôkyô kokuritsu hakubutsukan*. Kyôto/Tôkyô 1962, ²1971 mit engl. Zusammenfassung: Chinese Painting of the Sung and Yüan Dynasties, Tafel 74, und *I. Tanaka/Y. Yonezawa/K. Kawakami* (ed.), Tôyô bijutsu, Bd. 1: Kaiga I – Asiatic Art in Japanese Collections, Painting I. Tôkyô 1967, pl. 69.

und zwar, wie es in der zweiten Zeile heißt, eingedenk seiner fünf Tugenden. In einem moralische Grundsätze erläuternden alten Kommentar zum klassischen »Buch der Lieder« (*Shih-ching*), dem *Han-shih wai-chuan* des Han Ying (ca. 135 v. Chr.), heißt es, der Hahn zeichne sich durch folgende fünf Tugenden besonders aus:[40] sein kronenartiger Kamm symbolisiere die literarische Kultiviertheit (*wên*), seine Sporen an den Füßen kennzeichneten den kriegerischen Kampfgeist (*wu*), seine Furchtlosigkeit und Tapferkeit gegenüber Feinden zeigten den Mut (*yung*), seine Lockrufe beim Auffinden von Futter deuteten sein selbstloses Wohlwollen (*jen*) an, und sein präziser, zuverlässiger Instinkt für Zeit und Pünktlichkeit verweise auf die Vertrauenswürdigkeit (*hsin*). Diese fünf Tugenden, die der Hahn in der Vorstellung gebildeter Chinesen seit der frühen Han-Zeit verkörpert und die zweifellos dem Maler und Autor des Verses Lo-ch'uang in dieser ethischen Bedeutung geläufig waren, mögen sich im weitesten Sinne auf einen edlen Menschen beziehen, sind hier jedoch wohl – von einem zen-buddhistischen Mönch ins Bild umgesetzt – auf einen vorbildlichen Ch'an-Abt gemünzt. Mit der fünften Morgenwache, d. h. um vier Uhr in der Frühe, beginnt das Leben im Zen-Kloster, und auf diesen Zeitpunkt sind die Gedanken des Abts gerichtet, der, seine fünf Tugenden hütend, schon vor Tagesanbruch um das Wohl der ihm anvertrauten Mönche besorgt ist. Unseres Erachtens werden in dem vielleicht einzigen erhaltenen Werk des Lo-ch'uang mit Hilfe eines etablierten Emblems fundamentale Prinzipien zen-buddhistischer Ethik in Erinnerung gerufen.

[40] Vgl. *C. A. S. Williams*, Encyclopedia of Chinese Symbolism and Art Motives. New York 1960, 197f.; *Tz'u-hai*, Nachdruck. Taipei 1962, Bd. 1, 148: b; *H. Kohara* in *Tôyô bijutsu*, Bd. 1: Kaiga I, 91f.

Shun'ichi Takayanagi

WEISHEIT UND SPRACHE IN DŌGENS »SHŌBŌGENZŌ«

»Ich will verkünden, was die Weisheit ist und wie sie wurde,
und will euch kein Geheimnis verbergen.
Ich will ihre Spur vom Anfang der Schöpfung an verfolgen,
ihre Kenntnis verbreiten
und nicht an der Wahrheit vorbeigehen.
Verzehrender Neid soll mich nicht auf meinem Weg begleiten;
denn er hat mit der Weisheit nichts gemein.
Eine große Zahl von Weisen ist Heil für die Welt,
ein kluger König ist Wohlstand für das Volk.
Laßt euch also durch meine Worte unterweisen;
es wird euch von Nutzen sein.«

(Weisheit 6,22–25)

»Prajña verwirklicht sich, wenn wir es von Herzen achten. Gebote und Gelübde, um alle Lebenden zu erlösen, sind darin enthalten. Mit einem anderen Wort nennen wir es *Mu* (Nichts). Prajña, das durch Achtung entsteht, nennen wir Prajñāpāramitā. ... Ihr könnt nicht sagen, daß Ihr wirklich dem Buddha begegnet seid, wenn ihr Prajña nicht dient.«

(»Verwirklichung der großen Weisheit Buddhas«)

»Nur diese Weisheit existiert, so sagt Senika. Objekthaftes verschwindet. Unser Leib wird zerstört. Aber die Weisheit geht nicht zu Grunde. Sie lebt unabhängig von allem und ist die innerste Natur der Erleuchtung ... Weisheit erschöpft sich in keinen Dingen. Sie unterscheidet sich von allen Gegenständen. Die Weisheit lebt in Ewigkeit.«

(»Unsere Seele in Buddha«)

»Die Kraft der Weisheit kommt aus der Tiefe und ferner Vergangenheit. Sie ist die Fähre, die uns ans andere Ufer bringt. Darum sagt das Sprichwort seit alters: Die Fähre wird kommen, wenn wir sie benötigen. Zur Zeit der Not wird das Schiff kommen und alle Fährnisse überwinden. Die Weisheit wird uns ans andere Ufer bringen. Ihre Macht wird im Frühling das Eis schmelzen.«

(»Siebenundvierzig Zeiten der Erleuchtung«)

Dieser Aufsatz versucht, sich Dōgens Gedanken über die Weisheit zu nähern. Von einem christlichen Standpunkt aus wird besonders sein berühmtes Buch *Shōbōgenzō* (Die Schatzkammer des wahren Dharma-Auges) betrachtet. Die Theologie der (nichtchristlichen) Religionen ermöglicht in vielen Bereichen ein neues Verständnis. Das Gespräch zwischen den verschiedenen Religionen hat seit dem Zweiten Vatikanum bedeutende Fortschritte gemacht[1]. Jetzt ist es an der Zeit, inhaltlich bestimmte Themen in anderen Religionen zu untersuchen und in ihrem Verhältnis zum Christentum zu erklären[2]. Ein solches Schlüsselthema könnte der Begriff »Weisheit« sein[3]. Christentum und Buddhismus kennen eine reiche Literatur zu diesem Thema. Ein Nachdenken aus der Sicht der Theologie der Religionen könnte das Verständnis der Weisheit vertiefen und einen Beitrag zum christlich-buddhistischen Dialog leisten[4].
Heinrich Dumoulin hat in seiner lebenslangen wissenschaftlichen Arbeit immer wieder nach dieser Weisheit gesucht, die Christentum und Buddhismus gemeinsam verehren, auch wenn sie hinter unüberwindlichen Differenzen von Weltanschauung und Sprache verborgen zu sein scheint.
Diese Untersuchung fragt danach, wie in Dōgens Schriften die sprachliche Struktur der Weisheit geformt ist. In welcher Beziehung stehen seine Gedanken zu christlichen Traditionen? Die Analyse wird mit Hilfe moderner literarkritischer Methoden[5] und kommunikationstheoretischer Ansätze durchgeführt[6].

1 Vgl. *H. Waldenfels,* Theologie der nichtchristlichen Religionen. Konsequenzen aus Nostra aetate: *E. Klinger / K. Wittstadt* (Hg.), Glaube im Prozeß. Christsein nach dem II. Vatikanum (= FS K. Rahner). Freiburg u. a. 1984, 757–775.

2 Zu den Dialogversuchen aus der Sicht der Theologie der nichtchristlichen Religionen vgl. *H. Waldenfels,* Absolutes Nichts. Zur Grundlegung des Dialogs zwischen Buddhismus und Christentum. Freiburg u. a. ³1980; *ders.,* Der Gekreuzigte und die Weltreligionen (= Theologische Meditationen 61). Einsiedeln 1983. Vgl. dazu auch *K. Nishitani,* Zen to Kirisutokyô to Tetsugaku (Zen, Christentum und Philosophie): Zengaku Ronshû (Zen Studien). Kyoto 1978, 477–494.

3 Vgl. *R. E. Murphy,* Art. Wisdom: New Catholic Encyclopedia 14, 967–974; *J. B. Metz,* Art. Weisheit II, theologisch: HThG 2, 805–813.

4 *H. Bürkle,* Einführung in die Theologie der Religionen. Darmstadt 1977, 3f; vgl. *ders.,* Missionstheologie (= Theologische Wissenschaft 18). Stuttgart 1979; *W. Strolz / H. Waldenfels,* Christliche Grundlagen des Dialogs mit den Weltreligionen (= QD 98). Freiburg u. a. 1983, 7.

5 Vgl. *J. Derrida,* De la Grammatologie. Paris 1970; *ders.,* La Voix et le Phénomène: Introduction au Problème du signe dans la phénomenologie de Husserl. Paris 1972; auch *R. Barthes,* La plaisir du Texte. Paris 1973; *ders.,* Le Degré zéro de l'écriture suivi de Eléments de sémiologie. Paris 1953; *Ch. Norris,* The Deconstructive Turn. Essays in the Rhetoric of Philosophy. London 1983. Ich beziehe mich auf Anglo-Sächsische Kritiker wie H. Bloom, J. H. Miller, J. Culler, die »Dekonstruktionskritiker« genannt werden. Sie unterscheiden sich von den »destruktiven« Kritikern, die sich an Heideggers »Sein und Zeit« orientieren; vgl. *A. Bové,* Destructive Poetics: Heidegger and Modern American Poetry. New York 1980.

I. Leben und Gestalt

Dōgen (1200–1253) war ein Mann von tiefen Gedanken. In diesem Zen-Meister verbanden sich konsequentes Denken und charismatischer Einfall. Nach seinen Studien in China stiftete er eine Zen-Schule (Sōtō)[7]. In den letzten Jahren seines Lebens wehrte sich der Meister gegen das Ansinnnen seiner Schüler, eine neue Schule zu gründen. Jedoch wurde gleich nach seinem Tode die Schule organisiert, vor allem durch Gikai. Mit der Rinzai-Schule wurde Sōtō die bekannteste Schule des japanischen Zen-Buddhismus. In der Edo-Zeit (1603–1868) genoß Sōtō den besonderen Schutz der Tokugawa-Regierung. Dōgens Buch, das ursprünglich jedem Leser offenstehen sollte, wurde bis in die moderne Zeit geheimgehalten. Seine Lektüre war nur qualifizierten Zen-Meistern der Sōtō-Schule gestattet. Erst in der Moderne wurde dieses Buch allgemein zugänglich. Dōgen hatte nicht für wenige Auserwählte, sondern für die Vielen geschrieben, die der Erlösung bedürfen. Darum verfaßte er seine Abhandlung in (mittelalterlichem) Japanisch und nicht im klassischen Chinesisch, das nur die gebildete Elite zu lesen vermochte. Japanische Intellektuelle wandten sich diesem Buch voll Begeisterung zu. Man könnte die Rezeption des *Shōbōgenzō* mit dem Studium von Martin Heidegger vergleichen, dessen Buch »Sein und Zeit« vor und nach dem Zweiten Weltkrieg von zahlreichen Wissenschaftlern intensiv studiert wurde. Die Bedeutung Dōgens wurde einem größeren Publikum vor allem durch zwei japanische Philosophen vermittelt, die zunächst europäische Philosophie studiert hatten. Tetsurō Watsuji (1889–1960) und Hajime Tanabe (1885–1962)[8] mußten jedoch beide gestehen, daß ihnen die Praxis der Zen-Meditation nicht vertraut war; sie kannten auch nicht die orthodoxe

[6] Vgl. *W. Ong*, Interface of the Word. Studies in the Evolution of Consciousness and Culture. Ithaca 1977; *ders.*, The Presence of the Word. Some Prolegomena for Cultural and Religious History. New Haven 1981; *ders.*, Orality and Literacy. New York 1982. Anders als Derrida, der den Schrifttext im weiteren Sinne an den Weltanfang setzt, untersucht Ong den Verinnerlichungsprozeß des menschlichen Bewußtseins. Dieser geht von mündlicher zu geschriebener und dann zur gedruckten Sprache über. Ong ist hierbei von Marshall MacLuhan und seinen eigenen Ramus-Forschungen beeinflußt; *W. Ong*, Ramus. Method and Decay of Dialogue. Cambridge, Mass. 1958.

[7] *H. Dumoulin*, Zen. Geschichte und Gestalt. Bern 1959, 154–176; *ders.*, Allgemeine Lehren zur Förderung des Zazen von Zen Meister Dōgen: Monumenta Nipponica 14 (1958/59) 429–436; *ders.*, Die religiöse Metaphysik des japanischen Zen-Meisters Dōgen: Saeculum 12 (1961) 205–236; *H.-J. Kim*, Dōgen. Mystical Realist (= The Associations for Asian Studies 24). Tucson, Ariz. 1975; *T.P. Kasulis*, A Review Article on Dōgen Scholarship in English: Philosophy East and West 28 (1978) 353–373.

[8] *T. Watsuji*, »Shamon Dōgen« (Großer Mönch Dōgen): Nihon Seishinshi Kenkyū (Studien zur japanischen Geistesgeschichte), Watsuji Tetsuro Zenshū (Tetsuro Watsuji: Gesamtausgabe) IV, 156–246.

Auslegungsgeschichte in der Sōtō-Schule, die selbst schon dieses Buch auf verschiedene Weise auslegte. Ich werde in dieser Abhandlung Tradition, Methode und Themen der bisherigen *Shōbōgenzō*-Studien nur zum Teil berücksichtigen[9]. Ich frage nicht so sehr nach den ursprünglichen Absichten des Autors Dōgen als nach der Bedeutung, die das Buch für uns in unserer heutigen Situation haben könnte. Welche Antworten gibt das Buch, wenn wir heute mit neuen Fragen an es herantreten?

Die Kamakura-Zeit (1192–1333), in der Dōgen lebte, ist in der japanischen Geschichte als Zeit des »neuen« Buddhismus bekannt[10]. In dieser Zeit lebten Hōnen (1133–1253), Shinran (1173–1262) und Nichiren (1222–1282). Sie gaben der buddhistischen Religion neue Lebenskraft. Der soziale Wandel begünstigte die religiösen Entwicklungen. Der Kriegerstand wurde mächtig und löste sich von den adeligen Kreisen im kaiserlichen Kyōto. Der »alte« Buddhismus hatte in seiner Hierarchie und Sensibilität die Interessen des Adels reflektiert. Der neue Buddhismus verkündete die erlösende Lehre Buddhas dem Volk. Hōnen, Shinran und Nichiren lasen die alten *Sūtras* in neuem Licht. Mit eschatologisch-apokalyptischem Radikalismus predigten sie ihrer Zeit die Hoffnung auf den kommenden Äon.

Dōgen wurde in einer adeligen Familie geboren, die sich ihrer kaiserlichen Herkunft rühmte. Als sein Vater gestorben war und sich die Mutter wiederverheiratete, wurde er in ein Kloster geschickt. Zeit seines Lebens suchte Dōgen nach dem wahren Weg und dem wahren Licht. Er reinigte Zen von allen tantrisch-esoterischen Elementen. Dōgen strebte nach der ursprünglichen Lehre Buddhas. Diese ist die Weisheit. Damit wird innerhalb des Zen in der Tat ein neuer Anfang gesetzt. Dōgen brachte aus China keine neuen Sūtra, auch kein wunderbares Bildnis mit. Wichtig war ihm nur das Zeugnis seines chinesischen Meisters. Dōgen lehrt, daß nur auf die Zazen-Praxis und nichts sonst Verlaß ist. Zen ist Za-zen.

II. Universalität und Exklusivität

Nach Dōgen wird der Meditierende mit dem Buddha identisch allein durch radikale Vertiefung der Meditation. Eine Vermittlung der Identität durch das Sūtra-Studium ist nicht nötig. Auch spielt Textinterpretation, Magie und Institutionelles keine Rolle. Die Zazen-Meditation führt zum Grund des Bewußtseins, wo die Buddha-Natur von allem Anfang her west. Zwar verehrt Dōgen den historischen Shākyamuni, den Buddha und die Tradition,

[9] *H. Tanabe,* »Shōbōgenzō no Tetsugaku Shikan« (Persönliche Gedanken über die Philosophie des Shōbōgenzō): Tanabe Hajime Zenshū (Hajime Tanabe: Gesamtausgabe) V, 443–494.

[10] *Ch. Eliot,* Japanese Buddhism. London [3]1964, 254–288; *G. Sansom,* A History of Japan 1. London [2]1964, 414–437.

die von den heiligen Patriarchen repräsentiert wird. Aber die Begegnung mit dem historischen Shākyamuni wird in der Zazen-Meditation unmittelbar erreicht. Notwendig ist nur die Leitung eines wahren Meisters. Ohne seine Weisung kann man nicht an das Ziel gelangen. Dōgen bot Zazen allen Schichten der Bevölkerung an. Unterschiede des Geschlechts oder Alters bilden keine exklusiven Kriterien mehr. Entscheidend ist auch nicht, ob jemand schon seit langem Zazen praktiziert hat und mehr oder weniger erfahren ist. Notwendig ist einzig und allein Wahrhaftigkeit. Die Leitung durch einen erfahrenen Meister ist wichtig, um möglichst schnell die Erleuchtung zu erlangen. Unter seiner Anleitung kann man Zazen auch im täglichen Leben praktizieren, ohne Zen-Tempel aufzusuchen. Der konventionelle Zen-Buddhismus, etwa der Rinzai-Schule, wurde von Dōgen radikalisiert. Dōgen öffnete Menschen aller Stände den Weg zur Erleuchtung. Erlösung und Heil sind nach seiner Lehre durch Optimismus, Demokratismus und Universalismus charakterisiert. Die (Heils-)Weisheit ist jedem Menschen zugänglich aufgrund einer wahrhaftigen Zen-Praxis. Diese Weisheit darf Gnade genannt werden, ohne die Anschauungen Dōgens zu christianisieren. Denn Dōgen selbst spricht vom unerwarteten Hereinbrechen der Erleuchtung und identifiziert sie mit der Weisheit. Weisheit ist eine Gabe, die der Meditierende dankbar und ohne Ehrgeiz empfängt, wenn sie ihm geschenkt wird.

Bei Dōgen steht der Mensch in der Mitte, jedoch gänzlich anders als in der europäischen Anthropozentrik. Die (Heils-)Weisheit wird dem Meditierenden geschenkt, der die Buddha-Natur(-Seele) in der Tiefe seines Mensch-Seins sucht, wo sich sein Bewußtsein aufhebt. Dōgen fordert auf eine andere Weise als Shinran zum Mittun auf. Seine Auffassung ist nur scheinbar individualistisch. Gewiß denkt er immer an einen konkreten Menschen und fragt immer danach, wie dieser Mensch den wahren Weg finden kann. Aber dieser wahre Weg ist jedem Menschen zugänglich, der in der Tiefe des Seinsgrundes seine Heimat hat. Der wahre Weg ist allein das Zen. Die Meister beleuchten nur diesen Weg. Wenn wir die harten Bemerkungen Dōgens über den Konfuzianismus und Taoismus lesen[11], sind wir vielleicht schockiert, weil sie sich schlecht mit seinem Heilsuniversalismus vertragen. Dōgen öffnete aus religiöser Konsequenz den wahren Weg für alle Menschen. Er verwarf jedes Klassendenken. Aber sein Heilsuniversalismus verbindet sich mit Elitärem und Exklusivem, das auf einem wahren Wert

[11] Shōbōgenzō (The Eye and Treasury of the True Law), Sendai, 3 (1983), 86. Zitiert wird nach dieser dreibändigen englischen Übersetzung des Shōbōgenzō von *K. Nishiyama/J. Stevens* et al.; das japanische Original ist herausgegeben von *D. Okubo*, Dōgen Zenshi Zenshū (Gesamtausgabe des Zen-Meisters Dōgen), 2 Bde. Tokio 1969. Es liegen mehrere Übersetzungen in modernem Japanisch vor. Ich habe die Übersetzung von *F. Masutani*, Shōbōgenzō Gendaigo-yaku. Tokyo 1973–77, benutzt.

basiert. Jedoch hätte Dōgen in seiner charakteristischen Milde seinen eigenen Absolutheitsanspruch überschritten. Konfuzianismus und Taoismus führen nach der Lehre Dōgens die Menschen nicht zur Wahrheit.

III. Weisheit und Glaube

Dōgen spricht im *Shōbōgenzō* von der Buddha-Natur und Buddha-Seele als der einzigen Wirklichkeit. Dies ist für ihn keine mythologische Redeweise, sondern Buddha ist das Ganze, in dem jedes Subjekt, alle Dinge und die ganze Welt enthalten sind. Als Verwirklichung der Weisheit (oder als die Weisheit selbst) scheint Buddha hier identisch mit dem Kosmos. Die Erscheinung der Buddha-Weisheit ereignet sich im Augenblick der Erleuchtung. Die Buddha-Weisheit erscheint als das Zeitlose und erfüllt diesen Augenblick mit Ewigkeit. Der Augenblick der Erleuchtung hängt gemäß dieser Auffassung sowohl von der Tätigkeit des Meditierenden ab wie auch von der barmherzigen Gnade Buddhas. Weisheit ist für Dōgen ein *Ereignis.* Wie das englische Wort *»realize«* hat der Augenblick der Erleuchtung den doppelten Sinn von verwirklichen und bewußt werden. In der Erleuchtung kommt der Meditierende zum *Bewußtsein* von Buddhas Weisheit, die sich zugleich in diesem Bewußtwerden *verwirklicht,* in diesem Bewußtsein und im Universum gegenwärtig wird. Dōgen würde sagen: Weisheit ereignet sich, und mein Dasein und der Bestand des ganzen Universums ist dieses Geschehen. Jedoch würde Dōgen hinzufügen: Erleuchtung und Weisheit sind unendlich größer als das ganze Universum, das Denken und Illusion einschließt. Die Weisheit transzendiert alles. Sie transzendiert auch sich selbst. »Der buddhistische Weg ist absolut. Nichts vermag ihn zu begrenzen. Auch nicht die Seele des Erleuchteten kennt sein Ende. Die Wirkungen der universalen Seele übersteigen jedes Begreifen.«[12] Die Weisheit, die hier und jetzt in Erscheinung tritt, bleibt das Geheimnis. Das Wesen der Weisheit ist das Geheimnis. Vor diesem Geheimnis soll der Mensch sein Herz öffnen. Dōgen ruft immer wieder dazu auf, unablässig nach der Erleuchtung zu suchen. Aber er ermahnt den Suchenden, gelassen zu bleiben und sich nicht zu sorgen, wann er die Weisheit erreichen wird. Denn nur diese doppelte Haltung der ständigen Aufmerksamkeit und der vertrauensvollen Gelassenheit entspricht dem Geheimnis der barmherzigen Weisheit.

Wachsam und gelassen sollen wir das Ereignis des Geheimnisses erwarten. Dōgen fordert »Reue« und »Leere«, die von allen Resten des ichverhafteten Selbstbewußtseins gereinigt ist. Darum unterscheidet Dōgen die Buddha-Weisheit von der rationalen menschlichen Weisheit, die noch von Ehrgeiz und Ichverhaftung erfüllt ist. Sie ist die karmische Weisheit. Die Buddha-

[12] Shōbōgenzō I (1975), 59.

Weisheit wird durch die Elemente Reue, Demut und Glaube konstituiert. Um weise zu werden, verlangt Dōgen eine Bekehrung und die demütige Anerkennung der eigenen Leere und nichtigen Schuld. In dieser Anerkenntnis geschieht Weisheit durch die Erleuchtung. Diese Anerkenntnis ist ein Glaubensakt, der Gabe der Weisheit ist und den Menschen aufruft, ständig voranzuschreiten, auf eine dynamische Weisheit hin, die ihn immer mehr anzieht. Dōgen spricht immer im Zusammenhang der Meditation; für den spezifischen Bezug auf Reue, Glaube und Gnade lassen sich zwei Stellen aus dem *Shōbōgenzō* zitieren: »Wenn du körperlich und seelisch träge bist und wenn dir der Glaube fehlt, dann sollst du deine Trägheit vor Buddha bereuen und deinen festen Entschluß bekennen. Reue reinigt die Seele: Sie vermehrt unseren Glauben und stärkt unsere Haltung in der Meditation. Wenn der reine Glaube hervortritt, schwindet der Unterschied zwischen Selbst und Anderem. Es bleibt nur Gleichheit und Harmonie. So ereignet sich die große Barmherzigkeit des Buddha. Unsere Tugend empfängt seine Gabe und beeinflußt alle Wesen, alles Seiende und Nicht-Seiende. ... Überallhin soll seine Barmherzigkeit strömen. Darum müssen wir wissen, wann und wie wir sie anwenden ... Wenn wir bereuen, werden wir sicherlich Buddhas Hilfe bekommen. ... Die Macht der Reue reinigt alle Sünden. Sie ist eine reine, richtige Tat. Sie ist der echte Glaube, der in deinem Körper erscheint ... Wenn du vor Buddha Reue zeigst, wenn du bereust, ohne über mangelnden Ruhm und fehlendes Glück zu klagen, dann werden Täler und Berge der Lehre des Buddha-Weges kein Hindernis sein.«[13] »›Tiefer Glaube‹ betrachtet die unheile Welt (als Seele und Leib Buddhas). Dieser Glaube kommt frei und ohne Zwang. Die Worte Buddhas sind absolut. Niemand kann sie bezweifeln. ... Wir wissen: wenn wir die Augen des tiefen Glaubens öffnen, wenn wir die Augen des Glaubens haben, dann schauen wir den Buddha.«[14]

IV. Sprache und Schweigen

Dōgen spricht eine eigentümliche Sprache. Immer drückt er seine Gedanken in Gleichnissen, Metaphern und Paradoxen aus. Die Weisheit wird durch die Erleuchtung erkannt. Sie erleuchtet und erfüllt das menschliche Sein als Schöpfer-Grund dieser Erleuchtung. Die Weisheit ist die absolute (Selbst-) Transzendenz als Geheimnis, die in sich alles einschließt. Zugleich ist sie Lichtgeberin, barmherzige Erfüllerin und absolute Leere, heiliges Nichts. Sie ist ein Ereignis, aber zugleich ein endloser Prozeß. Sie ist eine Stille, die

[13] Ebd. 98f. Vgl. *Ch. Wakayama*, Dōgen Zenshi no Shikōkan (Glaubensgedanken bei Zen-Meister Dōgen). Nihon Bukkyō Gakkai (Japanische Gesellschaft für buddhistische Studien). Bukkyō ni okern Shinno Mondai (Glaube im Buddhismus) 1973, 111–140.

[14] Shōbōgenzō II (1977), 114f; vgl. auch ebd. 78.

im Schweigen und Sich-Leermachen des Menschen entgegengenommen werden muß. Diese gegensätzlichen Gleichnisse, Metaphern und Paradoxe, auch die eigenartigen Wiederholungen der Redewendungen und Sätze, die in den folgenden Sätzen und Paragraphen variiert werden, um die Bedeutungen zu modifizieren, sind stilistische Mittel, um die Sprache einem Identischen anzunähern, um die beschränkte menschliche Sprache über ihre Grenzen hinauszuführen und mit ihr die Hörer in eine Dimension der befreiten Erlöstheit zu verweisen. Metaphern, Paradoxe und Wiederholungen bezeichnen eine Weise menschlicher Sprache, mit der Dōgen eine Wirklichkeit herausruft, die schließlich mit der Buddha-Natur identifiziert wird und die das ursprüngliche Sprechen der Weisheit ist. Dōgen bemerkt, daß Buddha bzw. der Weg Buddhas (Dharma und Weisheit) ein zeitlos ständiges Sprechen der Weisheit ist. Dieses zeitlose Sprechen ermöglicht die Erscheinungen des historischen Buddhas und der Patriarchen und sichert so die Mitteilung der Lehre und erhält ihre Reinheit. Unsere Meditation, das *Za-zen,* ist nur eine Erscheinung des in Ewigkeit endlosen, ständigen Ereignis-Prozesses der Weisheit. Schweigen, das Weisheit sucht, wo menschliche Sprache fehlt, ist also in der Tiefe eine Kommunikation von Sprechen und Hören in einer Dunkelheit als Licht, in einem Licht als Dunkelheit. In einem ursprünglichen Sinn versteht Dōgen Schweigen und Sprechen als Eines[15]. Meditation ist Kommunikation. In ihr wird die Erleuchtung eine hörende Erleuchtung. Der Meditierende, der sich im *Za-zen* in seinen Grund versenkt, wird Hörer der Erleuchtung. Seine Erleuchtung entsteht, weil er sich gehorsam der Sprache der Weisheit fügt. Aber die Sprache ist nicht da. Sie gerät, indem man sie hört, in die Leere. In dem Augenblick, in dem sie das Innerste unseres Herzens trifft, existiert sie nicht mehr. Die dynamische Kommunikation von Sprechen und Hören, durch welche sich Weisheit in unserer Seinsmitte konstituiert, bleibt davon abhängig, daß Erleuchtung als Weisheitsereignis ein nicht beendbarer Prozeß ist, durch den der Laut, innerlich lebendig auf ewige Dauer hin, wiederholend vertieft wird. In gewissem Sinne ist dieser endlose Ereignis-Prozeß von Zeit abhängig, weil die gegenwärtige Erleuchtung von der vergangenen ermöglicht und die gegenwärtige vertiefend die zukünftige erwirkt. Hören ist dadurch möglich, daß wir Licht sehen können[16]. Es gehört zu den sprachlichen Eigentümlichkeiten Dōgens, daß sein Denken der Weisheit die Einheit von Hören und Sehen voraussetzt. Schon am Anfang der Erleuchtung ist das Sehvermögen erfordert. Nur so ist die Sprache, der geistige Laut der Weisheit, zu hören. Für Dōgen ist die Vision der Grund der Erleuchtung. Sie garantiert die Mitteilung des erleuchteten Wortes in Stille und Schweigen.

[15] Shōbōgenzō II, 80.

[16] Shōbōgenzō I, 98; II, 1f. Die Problematik der Sprache ist bewußt: »Sprache ist von Sprache nivelliert, Sprache blockiert Sprache.«

Innerhalb dieses Kontextes wird das Gespräch am lebendigsten im Schweigen. Schweigen ist der höchste Akt des Sprechens. In der Stille geschieht das tiefste Sprachgeschehen. Das Schweigen erhebt den Meditierenden auf die transzendentale Ebene der Erleuchtung und des erleuchteten Seins. Aus dem, was Dōgen über die Sprache sagt, läßt sich schlußfolgern, daß Weisheit für ihn Sprache ist, die sich in der Mitte des Schweigens mitteilt. Die Stille spricht. Der Meditierende hört in der Stille die Stimme der Weisheit. Im Schweigen wird die Weisheit Sprache. So wird die dynamische Natur der Weisheit wie die Transzendentalität ihrer Sprache gesichert. Dōgen verinnerlicht die Sprache radikal und reinigt sie von aller Zeitbedingtheit.

V. Weisheit und Sprachwelt Dōgens

Sprache aber ist in ihrer Konstitution zeitlich bestimmt. Sie ist nicht reine Idee der Sprache, sondern menschliche Sprache, die sich in einer Folge von Lautzeichen oder Buchstaben konstituiert. Wie läßt sich die ursprüngliche Weisheitssprache anderen mitteilen? Das ewige, seit einem zeitlosen Anfang andauernde Gespräch, welches in seinem Inhalt Weisheit ist, muß in menschliche Sprache übertragen werden. Die Hinwendung zum Seinsgrund, die Heimkehr im eigentlichen Sinn, ist bei Dōgen zugleich notwendigerweise eine Hinwendung zur Begrenztheit der (menschlichen) Sprache. Darum schreibt Dōgen: »Erlöstwerden heißt, die Erleuchtung zu überschreiten. In diesem Schritt gipfelt die buddhistische Praxis. Diese Tat reift aus der Schau des Buddha. Wir sollen den anderen die Wahrheit verkündigen und ihnen helfen, an das andere Ufer zu gelangen. Dieses Tun bezeugt, daß der Buddha Shākyamuni in dieser Welt erschienen ist.«[17] Es gibt in Dōgens Sprachverständnis Momente eines inkarnatorischen Denkens. Dōgen, der Meister, verwandte bis zum Tode seine Zeit darauf, das *Shōbōgenzō* zu schreiben. Es kostete ihn tägliche Mühe, die Sprache der Weisheit in menschliche Sprache zu transformieren. In diesem Buch beschreibt Dōgen die erleuchtete Seele als einen Spiegel, der immer heller und heller den echten, alten Spiegel reflektiert, der die Buddha(-Weisheit) ist[18]. Er rückt bis an die Grenzen der menschlichen Sprache vor, um in seinem Buch, das ein »Bibliokosmos« genannt werden könnte, durch eine literarisch konstruierte Sprache die Sprache der Weisheit zu vergegenwärtigen. Es gab schon vor Dōgens Buch ein anderes Buch mit dem Titel *Shōbōgenzō*. Dieses Buch stammte von Sōgō (1089–1163), einem Meister der chinesischen Rinzai-Schule. Dōgen setzt mit dem *Shōbōgenzō* bewußt einen neuen sprachlichen Anfang, der die Sprache der Weisheit erhält. Er wollte über seinen Vorgänger hinausgehen. Zu diesem Ziel mußte er die bisher überlieferten Erzählungen, Sprüche,

[17] Shōbōgenzō III (1983), 131.
[18] Ebd. 45–59.

Kōan, und ihre Interpretationen auflösen durch neue Interpolationen und Interpretationen. Die Weisheitssprüche sind Ausdruck der einen Sprache der Weisheit in Zeit und Geschichte. Das *Shōbōgenzō* entfaltet sich als eine Sprachwelt der Weisheit, die in der äußerlichen Buchwelt widersprüchliche Gleichnisse, Metaphern und Paradoxe einfach nebeneinander stehen läßt. Wichtig ist nur, daß alle diese Redeweisen von der einen Sprache der Weisheit ergriffen und durchdrungen sind.

Wie können wir diese Sprache der Weisheit in den verschiedenen Sprüchen von Dōgen beschreiben? Woher rühren ihre Widersprüche? Um diese Fragen zu beantworten, müssen wir uns zunächst mit Dōgens Auffassung vom *Nichts* bzw. der *Leere* befassen. Ich möchte diesen Begriff neu deuten, vielleicht »mißdeuten«. Es gibt eine literarkritische Richtung, die behauptet, daß jede Lektüre eines Textes notwendigerweise ein »Mißlesen« sei, weil jeder Leser seinen eigenen Prä-text an den Text heranträgt und seine Lektüre mit der Lesart, die der Text selbst ist, vermischt[19]. »Mißlesen« ist vielleicht allzu stark ausgedrückt. Es handelt sich genauer um ein »Umdeuten«, so wie Dōgen die buddhistische Tradition innovierend umgedeutet hat. Wir wollen seinen Text neu deutend »mißlesen«, um sein Denken der Weisheit näher zu bestimmen.

Das Wort *Kū* wird im Zen-Buddhismus *Mu* gelesen. Diese Lesart ist schon eine Umdeutung. Ich werde *Mu* als Absenz, Abwesen bzw. Abwesenheit definieren, um die Verbindung von Weisheit und Sprache bei Dōgen näher zu präzisieren. Der Gegensatz von Absenz, Abwesen, Abwesenheit wird mit Präsenz, Anwesen, Anwesenheit bezeichnet. Das Bewußtsein problematischer Sprache findet in der gegenwärtigen Literaturkritik ein reiches Betätigungsfeld in der Interpretation des Absenz-Präsenz-Verhältnisses der Bedeutungen eines Textes. Die Spannung zwischen Absenz-Präsenz bestimmt nicht nur die Schrift Dōgens, sondern auch seine Wirklichkeitsauffassung. In weiteren Schritten können wir *Mu* als Fernbleiben, Fernhalten und schließlich als Sterben und Tod übertragen. Die Welt wird in ihrem Grund von Dōgen als Buddha-Natur(-Seele) verstanden. Aber diese Wirklichkeit kommt zum Entstehen durch Absenz. Das mit dem Sehen verbundene Hören vernimmt dieses Wesen der Wirklichkeit in der Absenz. In der Einsicht entsteht die Welt als Präsenz. Von der Erleuchtung spricht Dōgen als der Destruktion auf dem Weg zum Nirvāna, wodurch wir erlöst und befreit werden im absoluten Sinn und in der total verwirklichten Existenz (dem großen See des Befreitseins) leben können. Dies ist der Zustand reiner Praxis und Erleuchtung, der Zustand der ursprünglichen Reinheit, wo die Verwirklichung des Weges zur Vollkommenheit gebracht wird, ohne Teilung und Unterschied[20]. Dōgen destruiert also zunächst eine (illusorische)

[19] *H. Bloom,* A Map of Misreading. New York 1975.
[20] Shōbōgenzō I, 42–43.

Präsenz durch eine Reduktion auf den Grund, die als Destruktion empfunden wird. So entsteht Absenz, die als die erfüllte Anwesenheit der wirklichen Existenz verstanden wird. Darum sagt Dōgen: »Die wahre Gestalt Buddhas, die wirkliche Gestalt des Dharmakāya, ist die totale Abwesenheit. Deswegen sind alles Wissen, alle Welten, alle Phänomene absolute Absenz.« Zugleich sagt er: »Der (historische) Buddha sprach von Leben und Tod als Einem, als er das Gesetz verkündigte. Das ist die letzte buddhistische Wahrheit. Er sprach von dieser, als er erschien als glänzendes Licht und Laut der Weisheit.«[21] Der Inhalt der Weisheit ist die Identität von Leben und Tod. Nicht nur die Lehre der Weisheit über Leben und Tod, sondern das ganze Universum ist, unabhängig von jeglicher menschlichen Kenntnis, als Einheit von Leben und Tod konstituiert. »Weg und Weisheit des Buddha durchziehen das ganze Universum. Wir können nicht sagen, daß sie nur uns bekannt sind. Das ganze Universum ist Wahrheit ... Es beinhaltet nichts anderes; es ist die unaufhörliche Quelle des Lebens.«[22] Weisheit verkörpert sich in der Welt durch die spannungsvolle Identität von Leben und Tod, Präsenz und Absenz, Erfülltsein und Fernbleiben[23].

Die Identität von Weisheit und Sprache wurde bereits erwähnt. Die Weisheit spricht. Das heißt aber, daß die Weisheit in ihrem Wesen durch ein Sprechen konstituiert ist, das sich zutiefst als Absenz, Entfremdung und Tod qualifiziert. Sprache, die durch Laute (oder Buchstaben) konstruiert wird, ist Präsenz in Absenz. Um ihren Sinn mitzuteilen, muß sie sich veräußern. In dieser Entäußerung geht der Sprachsinn in die Leere, in die Absenz hinein. Damit sich Sprachsinn verwirklicht, muß er in den Tod hinausgehen. In diesem Tod findet der Sinn neues Leben. Der progressive Prozeß des Todes wird deutlich an den Übergängen von gesprochener Sprache zu geschriebener und dann gedruckter Sprache. Jedoch erläutert Dōgen seine Überlegungen zur Sprache am Modell der lebendig gesprochenen Sprache. Die lebendige Sprache der persönlichen Kommunikation, deren Symbol das Gespräch von Meister und Erleuchtung-suchendem Schüler ist, vergegenwärtigt die Weisheit durch den geistigen Klang des Wortes in Stille und Schweigen. In diesem Sinn sagt Dōgen: »Lernt nicht bei Meistern, die euch nur über die Buchstaben belehren.«[24] »Ein großer buddhistischer Gelehrter, der tausende Kommentarbände studiert und ausgelegt hatte, konnte einer alten Frau eine einfache Frage nicht erklären.«[25] Vereinfacht gesagt ist die

[21] Ebd. 83.

[22] Ebd. 62.

[23] Vgl. für eine Untersuchung dieser Problematik im Hinblick auf die Exegese *W. H. Kelber,* The Oral and the Written Gospel. The Hermeneutics of Speaking and Writing in the Synoptic Tradition. Mark, Paul, and Q. Philadelphia 1983. W. H. Kelber ist von W. Ong beeinflußt.

[24] Shōbōgenzō I, 54.

[25] Ebd. 61.

Sprache der Weisheit für Dōgen das gesprochene Wort. Die zu einem Text geronnene Schriftsprache steht unter der Gestalt des Todes und der Entfremdung. In ihr dominiert die Absenz, das Fernbleiben des lebendigmachenden unmittelbaren Sprechens, worin die Weisheit lebt. Jedoch ist Dōgens Verhältnis zur gesprochenen und geschriebenen Sprache komplex. Er drückt auch seine Wertschätzung für das geschriebene Wort der heiligen Schriften aus: »Buddhas und Patriarchen in Indien und China gehorchen der Belehrung durch ausgezeichnete Lehrer und Sūtras. ... Zwischen beiden gibt es keinen Widerspruch. Vor und nach der Erleuchtung hören wir die Meister und lesen wir die Sūtras. Gute Lehrer benutzen die Sūtras sinnvoll, sie kultivieren die Heiligen Schriften und bewahren sie wie Leib und Seele. Die Lehrer verwenden die Sūtras als Instrumente zur Belehrung der Schüler.«[26] Dōgen begegnet den Sūtras mit Ehrfurcht.

Das *Shōbōgenzō* wurde in der Umgangssprache geschrieben. Es gab eine frühere Version, die in klassischem Chinesisch verfaßt war. Dōgen schrieb diese erste Fassung als Gedächtnishilfe während seiner Studienzeit in China. Die heutige Schrift wurde stückweise zu verschiedenen Zeiten geschrieben. Jedoch entwickelte Dōgen seine Gedanken auf der Basis der früheren Version, die noch sehr von buddhistischen Schriften und Belehrungen abhängig ist. Die frühe Version des *Shōbōgenzō* wurde zunächst in ihrem Verhältnis zur Tradition neu gedeutet und in der jetzigen Fassung vom Tod ins Leben gerufen[27]. Das heutige Buch ist also eine Folge von schriftlichen Auseinandersetzungen mit der Tradition, den Schriften der Meister und seiner eigenen Schrift. In diesem Buch wurde wiederholt das Verhältnis von Absenz und Präsenz, Tod und Leben vertieft. In diesen Wiederholungen kommt die Weisheit zur Erscheinung, und dieser Prozeß wird unaufhörlich andauern. Durch dieses Geschehen wird die Weisheit verinnerlicht. Die Sprache der Weisheit lebt in dieser Intertextualität, die ein Verhältnis von Destruktion und Konstruktion im Akt unserer Lektüre ist. Es ist sehr typisch, daß Dōgen im *Shōbōgenzō* einmal die Weisheit als alleinigen Grund zurückweist: »Weisheit allein kann nicht Buddha genannt werden.«[28] Weisheit ist Weisheit durch Nicht-Weisheit.

VI. Weisheit, Sūtra und Welt

Zu unserem Erstaunen sagt Dōgen: »Die Erleuchteten kommen zu der Einsicht, daß Buddha Shākyamuni in Wirklichkeit kein Wort sprach,

[26] Shōbōgenzō III, 80; vgl. I, 28, 120; II, 8, 62; Dōgen weist die Schrift betont zurück in II, 60; vgl. I, 153.

[27] *K. Kawamura*, Shōbōgenzō. Dōgen no Chōsaku (Schriften Dōgens): *G. Kagamijima/K. Tamaki* (Hrsg.), Kōza Dōgen (Schriften zu Dōgen). Tokyo 1980 III, 6–12.

[28] Shōbōgenzō III, 46.

obwohl er oft verkündigte zwischen seiner Zeit der Erleuchtung und seinem Eingang ins Parinirvāna.«[29] Der Laut ist also auf Absenz reduziert und das Wort muß in den Tod hinausgegangen sein. Die Rolle des Hörens wird vom Sehen übernommen. Aber trotz dieser Stellen, die von Entleerung, Absenz, Tod und Schweigen sprechen, finden wir im *Shōbōgenzō* die folgende Aussage: »Die ganze Welt ist der wirkliche Leib des Menschen, ... die Wahrheit ist der wirkliche Leib, ... sie ist nicht Teil unseres eigenen Leibes, sondern sie ist der wirkliche Leib, ... die ganze Welt ist der Leib.«[30] Dieser Leib konzentriert sich schließlich im *Shōbōgenzō* auf das eine einzige Auge, das Auge des Buddha, des Dharma und des Himmels. Dies erinnert uns an den Text, in dem Dōgen die ganze Welt als eine Perle beschreibt[31]. Die Absenz, die das Wesen der Welt ist, gleicht einer Perle. Wodurch werden Absenz, Leere und Nichts zu einer Perle verwandelt? Durch Lesung; Hören ist für Dōgen Sehen. Wir interpretieren dieses Sehen als Lesen. Wenn Dōgen von der Verehrung der Sūtras spricht, meint er nicht nur die Schriften, sondern er liest die Dinge und Phänomene der Welt als Sūtra-Texte[32]. In der Welt als Buch können wir den Sinn von Buddha, Dharma, Wahrheit und Weisheit lesend lernen. Die Welt ist der große Sūtra-Text, sie ist als Präsenz der Weisheit in ihrer Absenz konstruiert[33].

[29] Ebd. 131.

[30] Ebd.

[31] Shōbōgenzō I, 23–27.

[32] Shōbōgenzō III, 80–81; vgl. auch II, 163–170.

[33] Der Begriff »différence« von J. Derrida besagt zugleich Unterschied und Aufschiebung. In einem ähnlichen Sinn können wir sagen, es gibt einen Unterschied in der spannungsvollen Identität von Absenz und Präsenz; die Vereinigung beider Momente ist für die absolute Zukunft aufgeschoben, d. h. erwünscht und erwartet. Dies ist die Struktur der Hoffnung und die Dynamik der ständig sich vertiefenden Zazen-Meditation.

Ryosuke Ohashi / Hans Brockard

DAS BUCH »SHIN FUKATOKU« AUS DŌGENS »SHŌBŌGENZŌ« ÜBERSETZUNG UND ERLÄUTERUNG

In Band 15 der Monumenta Nipponica (Tokyo 1959/60) legte H. Dumoulin eine deutsche Übersetzung des Buches Genjōkōan *aus dem* Shōbōgenzō *von Dōgen (1200–1253)*[1] *mit Anmerkungen und einer ausführlichen Erläuterung vor. Von H. Dumoulin während einer Gastprofessur auf dem Guardini-Lehrstuhl der Universität München 1973/74 angeregt und ermuntert, versuchten sich die Autoren im Philosophischen Jahrbuch der Görres-Gesellschaft (83. Jahrgang, 2. Halbband) an einer Neufassung der Übersetzung dieses Buches. Dabei entstand der Plan, für das deutsche Lesepublikum eine repräsentative Auswahl von vielleicht fünf oder zehn Büchern aus dem je nach Redaktion 60 bis 95 Bücher umfassenden Shōbōgenzō vorzubereiten. Dieser Plan blieb – wie viele – stecken, obgleich die Rohübersetzungen von sechs Büchern vorliegen. – Die freundliche Aufforderung der Herausgeber dieser Festschrift zu einem Beitrag war der Anlaß, wenigstens die Arbeit an einem weiteren Buch vorläufig abzuschließen. Die Autoren freuen sich, H. Dumoulin, dem verehrten Jubilar, zur Vollendung seines 80. Lebensjahres den Versuch von Übersetzung und Erläuterung des Buches* Shin fukatoku[2] *widmen zu können.*

Übersetzung

Shin Fukatoku – Das unerreichbare Herz

1. Shākyamuni-Buddha spricht: Das vergangene Herz ist unerreichbar, das gegenwärtige Herz ist unerreichbar, das zukünftige Herz ist unerreichbar.

[1] Zur Person Dōgens und zu seinem Hauptwerk Shōbōgenzō vgl. insbesondere: *H. Dumoulin,* Zen – Geschichte und Gestalt. Bern 1959. (Die vollständig überarbeitete Fassung dieses Werkes ist im Erscheinen.) Zur Redaktionsgeschichte etc. des Shōbōgenzō: *ders.,* Das Buch Genjōkōan: Monumenta Nipponica. Vol. XV (1959/60) 217ff.

[2] Im Theseus-Verlag, Zürich, erschien (1977) unter dem Titel »Dōgen Zenji's Shōbōgenzō. Die Schatzkammer der Erkenntnis des wahren Dharma« eine deutsche Ausgabe der ersten 35 Bücher des Shōbōgenzō, die auch das Buch Shin Fukatoku enthält. Sie verwendet als Textgrundlage eine englische Übersetzung (erschienen 1975 in Japan) des Shōbōgenzō und ist weniger eine Übersetzung als eine Übertragung, die über weite Strecken den Charakter einer interpretierenden Nacherzählung hat. – Schon die Ersetzung des Zentralbegriffes des *Shin Fukatoku,* ›*Herz*‹, durch ›*Geist*‹ ist u. E. verfehlt.

2. Das ist der vom Ur-Buddha bewahrheitete Spruch. Inmitten des Unerreichbaren gräbt er das Loch von Vergangenheit, Gegenwart und Zukunft. Diese jedoch macht er sich zu eigen. Eigen heißt: Das Herz ist unerreichbar. Gegenwärtiges Denken und Meinen (im Herzen) sagt: Das Herz ist unerreichbar. Mit ganzem Leib die zwölf Stunden dienen lassen[3]: Das Herz ist unerreichbar. Seit Buddha in das Zimmer getreten ist[4], ergreift man: Das Herz ist unerreichbar. Wäre Buddha nicht in das Zimmer getreten, gäbe es keine Frage nach, gäbe es kein Sagen von, gäbe es kein Sehen und Hören des: Das Herz ist unerreichbar. Sūtrenkundige und Schriftgelehrte[5], Shōmon- und Engaku-Leute[6] haben dies nicht einmal im Traum gesehen. Dafür gibt es ein naheliegendes Beispiel:

3. Der Meister Tokusan Senkan[7] gab vormals an, er habe das Kongōhannya-Sūtra[8] geklärt und nannte sich »König Shū[9] vom Kongō (hannya-Sūtra)[10]«. Insbesondere das Seiryūsho[11] habe er trefflich verfaßt; darüber hinaus habe er zwölf Traglasten Bücher herausgegeben – als ob es keinen vergleichbaren

[3] Zwölf Stunden: In China wird der Tag (der von Mitternacht bis Mitternacht reicht), in 12 Stunden eingeteilt. »Zwölf Stunden« meint also sowohl jeden Augenblick wie den ganzen Tag. »Zwölf Stunden dienen lassen« heißt Herr der Zeit sein und ist das bekannte Meisterwort des Jo-shin (chin. Dschau-dschou Tsung-schën, 777–896).

[4] »Eintreten ins Zimmer«: eigentlich der *terminus technicus* für die Übung im »Zimmer«, wo der Schüler mit dem Meister das »*Mondō*«-Gespräch, d. h. Frage-Erwiderung übt, indem er auf die ihm aufgegebene *Kōan*-Frage antwortet. – Hier wird auf das »Erwachen« von Shākyamuni angespielt.

[5] Sūtrenkundige und Schriftgelehrte: wörtlich *Kyō*- (jap. für sanskr. Sūtra-) Meister und *Ron*-Meister. – Der Begriff Sūtra bezeichnet die Niederschriften der Schüler Shākyamunis (deshalb beginnen die Sūtren mit »Ich habe so gehört...«) im Unterschied zu den Schriften der Späteren, die *Ron* genannt werden. Sutrenkundige und Schriftgelehrte ist für den Zen-Buddhismus abwertender *terminus technicus* für bloße Buchgelehrsamkeit.

[6] *Shōmon, Engaku: Shōmon* (jap. für sanskr. Śrāvaka): derjenige, der durch das Hören (*mon*) der Stimme (*shō*) des Buddha zu einer Art Erwachen gelangt; *Engaku* (jap. für sanskr. Pratyeka Buddha): derjenige, der durch die Einsicht in die »Ursachen« (*en*) von Entstehen und Vergehen ein Erwachen (*kakū* = *gakū*) erlangt hat. Dadurch, daß *Shōmon* und *Engaku* die beiden unteren Stufen des Erwachens bilden – die beiden höheren sind Boddhisatva und Buddha – erhalten sie einen abwertenden Beiklang.

[7] Tokusan Senka (chin. Dö-schan Hsuan-djiän), Zenmeister (782–865).

[8] Kongō (-hannya)-Sūtra: Diamant(-Weisheits)-Sūtra, jap. für sanskr. Vajracchedikā-prajñāpāramita-sūtra, das unter dem Kurznamen »Diamant-Sūtra« bekannt ist. Vgl. auch die »Erläuterung«.

[9] König Shū: Shū ist Tokusans Vorname.

[10] Texte in () = Zusätze der Herausgeber.

[11] Sei-ryū-sho, »Blauer-Drachen-Kommentar«, verfaßt von dem chinesischen Zen-Mönch Dau-yin (um 700 bis 750) im Kloster Tjing-lung-si (chin.) = Sei-ryū (jap.) = »Blauer Drache«.

(wörtl.: gleichschultrigen) Prediger gäbe. Er ist jedoch nur der Abkömmling eines Buchstabenklaubers[12].
Als er einmal hörte, im Süden gäbe es das von Meister zu Meister überlieferte unübertreffliche Buddha-Dharma, ertrug er seinen Ärger nicht[13] und ging über Berg und Fluß, die Sūtra-Kommentare mit sich tragend. Dabei traf er auf die Gemeinde des Zen-Meisters Shin in Ryūtan[14]. Er hatte vor, in diese Gemeinde einzutreten. Auf halbem Weg machte er Rast. Da kam ihm ein altes Weiblein entgegen und rastete (ebenfalls) am Wegrand. Da fragte der Prediger Kan[15]: Wer bist Du[16]? Das Weiblein antwortete: Ich bin ein altes Reisknödelweib[17]. Tokusan sagte: Verkaufe mir einen Reisknödel! Das Weiblein antwortete: Wozu kauft Ehrwürden den Reisknödel? Tokusan sagte: Als Herzstärkung[18] kaufe ich den Reisknödel. Das Weiblein fragte: Was trägt Ehrwürden hier mit sich? Tokusan antwortete: Hast Du nicht gehört? – ich bin König Shū vom Kongō (hannya-Sūtra); ich bin bewandert im Kongō (hannya-Sūtra), es gibt keine Stelle darin, die ich nicht durchgegangen bin. Was ich jetzt bei mir habe, ist ein Kommentar zum Kongō (hannya-Sūtra).
Wie das Weiblein das hört, sagt es: Das alte Weib hat eine Frage – erlaubt Ehrwürden sie? Tokusan antwortete: Von mir aus, frage nach Herzenslust! Das Weiblein fragt: Als ich einst das Kongō (hannya)-Sūtra hörte, lautete es: Das vergangene Herz ist unerreichbar, das gegenwärtige Herz ist unerreichbar, das zukünftige Herz ist unerreichbar. Welches Herz wollen Sie nun mit dem Reisknödel stärken und wie? – Wenn der Ehrwürdige mir dies zu sagen vermag, werde ich ihm einen Reisknödel verkaufen, wenn er es nicht zu sagen vermag, werde ich ihm keinen Reisknödel verkaufen. – Da war Tokusan so sprachlos, daß er nichts mehr zu antworten wußte. Das Weiblein wedelte mit dem Ärmel und ging weg; sie hat Tokusan am Ende keinen Reisknödel verkauft.

[12] Wörtl.: Buchstaben-Mönch; hat denselben Sinn wie »Sūtrenkundige und Schriftgelehrte«.

[13] Die Reise nach dem Süden war von Tokusan ursprünglich als eine Art Feldzug der von ihm repräsentierten buddhistischen Orthodoxie gegen die im Süden angesiedelten Zen-Schulen gedacht.

[14] Shin in Ryūtan: Ryūtan Sohin (chin. Lung-tan Tschung-hsin) ca. 9 v. Chr. Ryūtan heißt wörtlich »Drachensee«.

[15] Kan: verkürzt aus Sen-kan.

[16] Die Frage ist doppelbödig: Sie fragt auch nach dem ›Selbst‹.

[17] Wilhelm Gundert bemerkt zum Rezept dieser Reisknödel: »mit weißen Sesamkörnchen gewürzt« (Bi-yān-lu, verdeutscht und erläutert von *Wilhelm Gundert*, Bd. I, München ³1973, 119).

[18] »Herzstärkung«: jap. *Ten-jin*. *Ten* heißt Punkt, als Verb antupfen, anzünden. *Jin* (= *Shin*) heißt Herz. *Tenjin* heißt wörtlich: das Herz mit dem kleinen Essen anzünden, d.h. ein wenig sättigen. Tenjin ist der terminus technicus für das bescheidene Essen der Mönche im Tempel, heute auch für eine bestimmte Art der Tempelküche.

4. Erbarmen! – Der Kommentator von hundert Rollen, der Prediger von Jahrzehnten! Allein dadurch, daß das runzelige Weiblein ihm eine Frage stellt, steht er auf verlorenem Posten und vermag nicht mehr zu antworten. Da es ein großer Unterschied ist, ob man dem wahren Meister begegnet und nachfolgt und das wahre Dharma hört oder das wahre Dharma nicht hört und dem wahren Meister nicht begegnet, geschieht es Tokusan so. Damals hat Tokusan zum erstenmal gemerkt, was es heißt »der gemalte Reisknödel vermag den Hunger nicht zu stillen«[19].

Er gab an, nunmehr das Dharma von Ryūtan zu erben. Wenn ich mir den Verlauf der Begegnung zwischen dem Weiblein und Tokusan sorgsam überlege, so ist heute deutlich, daß sich Tokusan damals nicht im klaren war. Selbst noch nach der Begegnung mit Ryūtan müßte er das Weiblein fürchten. Er bleibt ein Spätling im Lernen. Er ist nicht der übererwachte[20] alte Buddha. Was das Weiblein anbelangt, so ist, obwohl es Tokusan das Maul gestopft hat, schwer festzustellen, ob das Weiblein wirklich der Mensch dazu[21] war. Denn: indem es den Spruch »Das Herz ist unerreichbar« hörte, meinte es nur, »das Herz ist nicht zu erreichen«, »dieses Herz kann es nicht geben«, – darum hat es so gefragt. Wenn Tokusan wirklich ein Mann gewesen wäre, hätte er das Weiblein zu durchschauen vermocht. Wenn Tokusan das Weiblein durchschaut hätte, wäre offenbar geworden, ob das Weiblein in der Tat der Mensch dazu war. Da aber Tokusan noch nicht Tokusan war, ist es auch nicht zum Vorschein gekommen, ob das Weiblein der Mensch dazu war.

Daß jetzt das Heer der Mönche im großen Sō-Reich (= China) fälschlich über das Unvermögen Tokusans zu antworten lacht und den Scharfsinn des Weibleins lobt, ist recht unbesonnen und dumm; denn es gibt keinen Grund, an dem Weiblein nicht zu zweifeln. Warum hat das Weiblein gerade in dem Augenblick, als Tokusan nichts mehr zu antworten vermochte, nicht zu Tokusan gesagt: »Ehrwürden vermag jetzt nichts zu sagen; er soll das alte Weiblein weiter fragen, das alte Weiblein will umgehend für Ehrwürden reden.« Wenn es so gesprochen hätte und seine Antwort auf Tokusans Frage treffend gewesen wäre, wäre offenbar geworden, ob das Weiblein in der Tat der Mensch dazu war. Es stellte Fragen, gab aber keine Antwort. Seit alters her aber wurde keiner, der nicht einen Spruch getan hat, als Mensch dazu bezeichnet. Daß man von Anfang bis Ende ruhmredig bleibt, ist nutzlos; dies ist am alten Beispiel des Tokusan zu sehen. Daß man denjenigen, der noch keinen Spruch getan hat, nicht anerkennen kann, dies ist vom alten Weiblein zu wissen.

[19] »Der gemalte Reisknödel«: sprichwörtlich wie »jemanden mit Worten abspeisen«.

[20] Vgl. Genjōkōan 4. Abschnitt: »Es gibt solche, die über das Erwachen hinaus zum Erwachen gelangen …«

[21] ›der Mensch dazu‹: Chiffre für den ›Erwachten‹ (das jap. Zeichen heißt wörtlich ›Jener‹).

5. Wir wollen versuchen, anstelle Tokusans zu sprechen. Als das Weiblein gerade fragte, sollte Tokusan dem Weiblein sagen: »Wenn es so ist, verkaufe mir keinen Reisknödel!« Wenn Tokusan das gesagt hätte, wäre er der scharfsinnige Lernende gewesen.
Fragt (dagegen) Tokusan das Weiblein: »Das gegenwärtige Herz ist unerreichbar, das vergangene Herz ist unerreichbar, das zukünftige Herz ist unerreichbar – welches Herz wollen Sie jetzt mit dem Reisknödel stärken?« – Wenn er das gefragt hätte, sollte das Weiblein Tokusan antworten: »Ehrwürden weiß nur, daß das Herz nicht mit dem Reisknödel gestärkt werden kann, er weiß nicht, daß der Reisknödel mit dem Herzen zu stärken ist, er weiß nicht, daß das Herz das Herz stärkt«. Wenn das Weiblein dies gesagt hätte, hätte Tokusan sicher gezögert. Gerade in diesem Augenblick sollte das Weiblein drei Reisknödelstücke nehmen und sie Tokusan reichen. Wenn Tokusan sie sich nehmen möchte, soll das Weiblein sagen: »Vergangenes Herz ist unerreichbar, gegenwärtiges Herz ist unerreichbar, zukünftiges Herz ist unerreichbar«. – Wenn Tokusan die Hand nicht danach ausstreckt und sie nimmt, soll das Weiblein einen Reisknödel nehmen, Tokusan damit einen Schlag versetzen und sagen: »Sei nicht sprachlos, seelenlose Leiche!« Wenn es dies gesagt hätte und wenn Tokusan etwas zu sagen gehabt hätte – gut. Wenn Tokusan nichts zu sagen gehabt hätte, sollte das Weiblein weiterhin für Tokusan sprechen. Es hat aber nur mit dem Ärmel gewedelt und ist weggegangen; ich glaube nicht, daß ihm eine Biene in den Ärmel gekrochen war[22].
Auch hat Tokusan nicht gesagt: »Ich vermag nicht zu sprechen, das alte Weiblein soll bitte für mich sprechen.« Da es so war, haben beide nicht nur nicht gesagt, was sie hätten sagen sollen, sondern auch nicht gefragt, was sie hätten fragen sollen. Erbarmen!
Es gibt nur dies: Das Weiblein und Tokusan, das vergangene und das zukünftige Herz, Fragen und Antworten, das unerreichbare zukünftige Herz[23]. Auch danach scheint Tokusan keinen besonderen Aufschluß bekommen zu haben, nur rauhes Benehmen[24]. Wenn er lange Ryūtan (Drachensee) besucht hätte, wäre es möglich gewesen, daß sein Kopfhorn (= Stolz) gebrochen worden wäre. Er hätte den rechten Zeitpunkt der wahren Überlieferung des Drachensteines[25] getroffen. Er hat aber nur das Ausblasen der Papierkerze[26] erfahren. Dies reicht aber nicht für die Überlieferung des Lichtes.

[22] Literarische Anspielung auf eine Erzählung in der »Biographie der tapferen Damen« (Retsujo-den), entstanden ca. 1 v. Chr. in China.

[23] Der Satz scheint unsinnig zu sein. Es könnte sein, daß Dōgen, der sich oft über die grammatische Struktur hinwegsetzt, hier einfach die unentwickelt stehengebliebenen Sachen und Menschen so stehen läßt, wie sie in ihrer Unreife sind.

[24] Tokusan ist dafür bekannt, daß er seinen Schülern beim Mon-dō (vgl. Anm. 4) gern den Stock zu fühlen gab.

[25] Drachenstein: stehender Ausdruck für das wahre Dharma.

6. Da es so ist, müssen die übenden Mönche im Lernen ausdauernd sein. Wer es sich leicht macht, macht es nicht richtig. Wer im Lernen ausdauernd ist, ist Buddha-Meister. Überhaupt heißt »Das Herz ist unerreichbar«: Irgendein Reisknödel-Bild[27] kaufen und es mit einem Biß kauen und schlucken.

Shōbōgenzō – das achte (Buch).
Im zweiten Jahre Ninji (1241)
während der Sommerübung im Tempel
Kannon-Dōri Kōshō-Hōrin in der
Provinz Yōshū-Ujigun den Leuten
gezeigt.

Erläuterung

Das Buch *Shin fukatoku* ist im Korpus des Shōbōgenzō das achte Buch. – Nach den beiden ersten Absätzen, die ein Wort Shākyamunis aus dem Diamant-Sūtra zitieren und andeutend erläutern, folgt eine Episode aus dem Leben des Zen-Meisters Tokusan Senkan (chin.: Dö-schan Hsüan-djiän, 782–865) als »Beispiel«. Es schließt sich die Auseinandersetzung Dōgens mit diesem Beispiel als ›innerer Dialog‹ an. Das Buch endet mit einer Aufforderung an die Mönche, im Lernen, d. h. in der Zen-Übung ausdauernd zu sein, und der abschließenden Ansicht Dōgens über *Shin fukatoku,* das unerreichbare Herz.

Wie beim Buch *Genjōkōan* ist auch hier im Titel schon das Ganze gesagt. Die beiden chinesischen Zeichen, die den Titel bilden, können mehrfach gelesen werden: als Satz (›Das Herz ist nicht zu erreichen‹), als zwei Substantive (›Das Herz das Unerreichbare‹), oder als Substantiv mit Adjektiv (›Das unerreichbare Herz‹). Die Lesart »Das Herz ist nicht zu erreichen« ist grammatisch die üblichste; die Lesart »Das Herz das Unerreichbare«

[26] Anspielung auf das Durchbruchserlebnis des Tokusan Senkan: Als er das Kloster Drachensee erreichte, war er zunächst enttäuscht, daß niemand ihn, den berühmten Prediger, begrüßte. Er setzte sich deshalb erst einmal den Tag über hin, und erst gegen Abend überwand er sich und bat den Meister Soshin um ein Gespräch, in dem er ihm seine Fragen vortrug. Darüber wurde es Nacht, und als Tokusan sich ins Gästehaus zum Schlafen begeben sollte, fand er sich in der Dunkelheit nicht zurecht, ging deshalb zu Soshin zurück und bat um Licht. Soshin reichte ihm eine papierumwickelte Kerze, die er an seiner Öllampe entzündete. Als Tokusan sie nehmen wollte, blies Soshin sie aus. Bei diesem Ausblasen ging Tokusan das große Licht auf. – Vgl. das 28. Beispiel aus dem Mumonkan (Mumonkan. Die Schranke ohne Tor. Meister Wu-mens Sammlung der 48 Kōan. Aus dem Chinesischen übersetzt und erläutert von *H. Dumoulin.* Mainz 1975, 108ff.).

[27] Vgl. Anm. 19. Dōgen nimmt die Redensart vom »gemalten Reisknödel« wörtlich und macht daraus das Reisknödel-Bild.

vielleicht als relativ gewaltsam dem Stil Dōgens nahekommend: Während die erste behauptend das Herz als unerreichbar erklärt und so in ein Jenseits versetzt, deutet die ungewöhnliche zweite an, das Herz in seiner unbezweifelbaren Anwesenheit sei zugleich das am wenigsten zu Erreichende. Die »mittlere« Lesart »Das unerreichbare Herz« hält beide Möglichkeiten zunächst offen und kommt so im Deutschen dem Provokativen des Titels wohl am nächsten, legt sie doch die Frage nahe, welches Herz denn nun unerreichbar sei.

Das »Herz« wird im Diamant-Sūtra, wie von Dōgen zitiert, in Verbindung mit drei Zeitformen angesprochen: »Das vergangene Herz ist unerreichbar; das gegenwärtige Herz ist unerreichbar; das zukünftige Herz ist unerreichbar«. Der Spruch kommt im Anschluß an die Rede Shākyamuni-Buddhas: Nyorai (sanskr. Tathāgatsasya)[28] spreche von allerlei Arten des Herzens und nehme diese für das Nicht-Herz; er nenne dieses Nicht-Herz eben das Herz. Die Unerreichbarkeit des Herzens in den drei Zeitformen wird von Shākyamuni als Grund dafür ausgesprochen, daß das Nicht-Herz (d. h. das Herz als das Substanzlose) doch das Herz genannt wird. Dōgen nimmt nun den genannten Spruch heraus und legt ihn aus, wobei es offensichtlich auf die wahre Bedeutung der »Unerreichbarkeit« ankommt. Die Ansicht Dōgens wird gleich nach dem Zitat des Spruchs geäußert: »Inmitten des Unerreichbaren gräbt er (Shākyamuni) das Loch von Vergangenheit, Gegenwart und Zukunft.« Hiermit wird das Anwesen der drei Welten gemeint, die als Wirklichkeit *sind.* Das Unerreichbare ist das Wirkliche und Nichtigkeit der Zeit nur ein Betrug des Verstandes, der durch Buchstabengelehrtheit und Reflexion genarrt wird. Dies lehrt das Beispiel des Tokusan, der den lebendigen Sinn der Buddhaschaft nicht zeigen kann, der sein Herz in der Tat nicht erreicht hat, auch wenn er zwölf Traglasten Bücher verfaßt hat und – Ironie – gerade über das Diamant-Sūtra ›alles weiß‹.

Das Diamant- (sanskr. Vajracchedikā-prajñāpāramitā-) Sūtra ist seit alters her sehr häufig kommentiert worden; es gibt schon früh indische Kommentare[29], die chinesische Kommentar-Literatur ist außerordentlich umfangreich. Schließlich erschienen in China in der Ming-Zeit (1368–1644) vier Bände von »Anmerkungen zu den dreiundfünfzig Kommentaren des Diamant-Sūtra«. Die bemerkenswerteste Reihe von Kommentaren stammt aus dem Zen-Buddhismus, wo seit dem ersten Patriarchen Bodhidharma großes Gewicht auf dieses Sūtra gelegt wurde. Hier gilt der Kommentar des sechsten Patriarchen Enō (chin. Lu-dsu Hui-neng, 638–713) als der grundlegendste. – Diese Kommentargeschichte deutet an, wie viel und in wie weitem Umkreis

[28] *Nyorai* heißt wörtlich: der (von der Welt der Wahrheit in die reale Welt) Hergekommene. Es ist eine der sog. zehn Bezeichnungen des (Ur-)Buddha.

[29] Einer der ältesten indischen Kommentare (2–3 n. Chr.) wurde1956 unter dem Titel »The Trisatikayah Prajnaparamitayah Karikasaptatih by Asanga« in der Serie Orientale Roma IX, Minor Buddhist Texts, part I, Section 1 veröffentlicht.

das Diamant-Sūtra in Indien, und mehr noch in China, gelesen wurde. Es ist durchaus denkbar, daß selbst ein Hökerweib aus den Predigten der Priester das Kongōhannya-Sūtra und den Spruch von der dreifachen Unerreichbarkeit des Herzens kannte. Das ›Weiblein‹ muß wohl die Predigt eines Zen-Meisters gehört haben, denn seine Frage ist sehr scharf und typisch für das Zen-Gespräch, in dem ein »bloß« spekulatives Verständnis ohne die Kraft, das Verstandene konkret zeigen zu können, in seiner Nichtigkeit enthüllt und zurückgewiesen wird. Indem das Reisknödelweib Tokusan die Frage konkret stellt, den Hunger welchen Herzens er denn stillen möchte, ist es ihm augenblicklich überlegen und Tokusan geschlagen. – In der traditionellen Überlieferung bezeugt diese Anekdote die Unerfahrenheit Tokusans und die überlegene Weisheit des Hökerweibs.

Hier setzt Dōgen an: Zwar weiß das Weiblein die Frage konkret zu stellen – und ist insoweit Tokusan in der Tat überlegen –, aber kennt es auch den eigentlichen Sinn seiner Frage? Oder stellt es die Frage gar nicht wirklich konkret, sondern nimmt es sie nur wörtlich? – Wenn es den lebendigen Sinn seiner Frage kannte, dann hätte es ihn ebenso konkret zeigen müssen, wie es dies von Tokusan verlangte. Davon berichtet die Geschichte aber nichts; das Weiblein stellt nur seine Frage und läßt Tokusan dann hungrig stehen. Es ist zu prüfen, ob das Hungrig-stehen-lassen eine Antwort auf die Frage nach der Unerreichbarkeit der Buddha-Natur ist. Dōgen prüft und verwirft: das Weiblein mag Tokusan einen Schritt voraussein, mehr aber nicht. Gemessen am Ziel bedeutet dies wenig; Tokusans Prahlerei ist nutzlos, aber auch das Weiblein wird nicht anerkannt. Es hat »keinen Spruch getan«, den Sinn seiner Frage nicht handelnd zeigen können.

Wie aber soll die Antwort auf die Frage des Weibleins lauten? – Wenn die Antwort des Hökerweibs letztlich nicht konkret, sondern nur wörtlich war, bedeutete ihre Frage nur: Wie soll man etwas stärken, was unerreichbar ist, d. h. was es gar nicht gibt? Die Antwort darauf ist ebenso einfach wie doppelsinnig: »Wenn es so ist, dann verkaufe mir keinen Reisknödel!« Denn wenn das Herz nicht zu erreichen ist, kann es in der Tat mit einem Reisknödel nicht gestärkt werden. Wenn es aber das anwesende Unerreichbare ist, die gegenwärtige runde Buddha-Natur, dann ist es eines Reisknödels unbedürftig.

So scharf und treffend eine solche Antwort gewesen wäre, sie wäre dennoch im Vorläufigen stecken geblieben und hätte dem Weiblein, wäre es der Mensch dazu gewesen, die Möglichkeit einer Replik gelassen (Dōgen leitet sie durch die Vertauschung der Frage- und Antwortrolle ein): nicht der Reisknödel stärkt das Herz, das Herz – die Buddha-Natur – stärkt den Reisknödel und sich selbst. Diese Antwort, die paradox und logisch gerade keine ist, hätte handelnd gezeigt werden können: Durch den Schlag mit dem Reisknödel, wo der Reisknödel doch eigentlich dazu bestimmt ist, Hunger zu stillen. Damals hatten weder Tokusan noch das Weiblein die Buddha-

Natur, ihr je eigenes Herz, erreicht. Beide hafteten an den Unterscheidungen von früher und später, von Erreichbarkeit und Unerreichbarkeit, Bedürftigkeit und Bedürfnislosigkeit – trieben sich in der Reflexion herum und verfehlten so den Augenblick: Tokusan bleibt hungrig und das Hökerweib auf seinem Reisknödel sitzen, ohne daß einer von ihnen einen Schritt weitergekommen wäre.

Es kommt auf das unerreichbare Herz an. – Um den Sinn der Geschichte von Tokusan und dem Hökerweib zumindest ›theoretisch‹ besser verstehen zu können, sei hier noch zum Begriff »Herz« einiges angemerkt.

Herz ist eigentlich der Grundbegriff in der Lehre der Yuishiki-Schule im Mahāyāna-Buddhismus. *Yuishiki* heißt wörtlich: Das Bewußtsein (*shiki*, sanskr.: *vijnāna-parināma*) – allein (*yui*). Nach dieser Lehre sind Ich und Dharma (die Welt) nur ein Phänomen im Bewußtsein bzw. des Bewußtseins, das selbst in acht Stufen gegliedert wird. (Man versucht oft, das Unterbewußtsein von Freud oder das kollektive Bewußtsein von Jung im Hinblick auf die oder aus der Lehre des *Yuishiki* zu interpretieren.) Mit der Einsicht in das Bewußtsein sollen nach dieser Lehre Irre und Begierde ausgerottet werden. Der Weg zu dieser Einsicht ist die Praxis des Yoga *(yogācāra)*. Das »Herz« ist nun in der Yuishiki-Lehre das Wissende selbst, das alle Akte des *Shiki* ermöglicht. Es wird dort, wie im Mahāyāna-Buddhismus überhaupt, als das »Leere« verstanden, das sonst die Buddha-Natur bedeutet[30]. Wenn die Buddha-Natur mit dem Herz gleichgesetzt wird, entsteht leicht die Tendenz, dieses Herz stillschweigend als etwas Substanzielles zu verstehen. Der Mahāyāna-Buddhismus weist dieses Mißverständnis als schlimmste Fehlinterpretation immer zurück. So wird in China statt Herz oft der Ausdruck »Nicht-Herz« bzw. »Herzlosigkeit« vorgezogen. Sowohl ›Herz‹ wie auch ›Herzlosigkeit‹ gelten als Termini für die Buddha-Natur. Die vorhin erwähnte Gleichsetzung des Herzens mit dem Nicht-Herzen im Diamant-Sūtra nimmt diese Entwicklung vorweg.

Von hier aus ist zu verstehen, daß die Wendung: »Das Herz ist unerreichbar« im chinesischen Buddhismus, vor allem im chinesischen Zen-Buddhismus, als positivste Aussage gelten konnte. Die folgende Geschichte bezeugt dies: Als sich Bodhidharma am Berg Sung-schan in der Provinz Honan niedergelassen hatte, suchte ihn Eka (chin. Hui-ko, 487–593), der spätere zweite Patriarch, dort auf und bat ihn: »Mein Herz ist noch nicht zur Ruhe gekommen, – ich bitte den Meister, es mir zu beruhigen«. Der Patriarch antwortete: »Bringe mir das Herz, dann werde ich es Dir beruhigen!« Damit entließ er Eka. Eka erhielt im Bergkloster keinen Schlafplatz, wollte aber auch nicht den Berg hinuntersteigen und verbrachte so die Nacht im Schnee vor dem Kloster. In dieser Nacht hackte er sich den Arm ab. Am nächsten

[30] Vgl. hierzu *S. Hisamatsu:* »Das ›wahre Nichts‹ ... ist nichts anderes als das Herz, das dem Nichtirgendetwas gleicht« (*Ders.*, Die Fülle des Nichts. Pfullingen ²1980).

Morgen trat er vor den Patriarchen, zeigte ihm den abgeschnittenen Arm und sagte: »Ich habe nach dem Herzen gesucht; es ist letztlich unerreichbar«. Bodhidharma antwortete ihm: »Ich habe Dir den Herzensfrieden gegeben«. – Und in der Tat war Ekas Herz beruhigt.

Dem europäischen Leser mag ein solcher Begriff von ›Herz‹ zunächst befremdlich erscheinen, auch wenn ihm der Chiffrencharakter des Begriffes ›Herz‹ aus dem alltäglichen Sprachgebrauch durchaus geläufig ist (vom ›herzlichen Gruß‹ bis zum ›Herzblut‹). Aber auch in der abendländischen Geistesgeschichte ist der Begriff des Herzens, etwa bei Augustinus, als Schlüsselbegriff der eigenen Erfahrung überliefert und entwickelt. Um den Dōgenschen Gedanken des Herzens in seiner Eigenart schärfer betrachten zu können, wird er deshalb im folgenden mit dem Begriff ›Herz‹ und dessen Eigenart bei Augustinus konfrontiert. Möglicherweise läßt sich so auch ein Beitrag zu einem weiterführenden Gespräch leisten:

»Inquietum est cor nostrum, donec requiescat in te« – »Unruhig ist unser Herz, bis es Ruhe findet in Dir« – so lautet einer der ersten Sätze in den Bekenntnissen des Augustinus; dieser beginnt den Bericht über die Geschichte seines Herzensfriedens im achten Buch:

Angesichts seines bisherigen, ausschweifenden Lebens erhebt sich im »geheimsten Inneren seines Hauses, im Herzen« ein gewaltiger Sturm, der Kampf zweier Willen, des dunklen und des lichten, um die Herrschaft über den künftigen Lebensweg. Torheit und Eitelkeit (*nugae et vanitas*) stehen für den pervertierten dunklen, Zucht (*continentia*) für den eigentlichen, den Lichtwillen. Der innere Sturm entlädt sich schließlich körperlich in einem Tränenstrom; Augustinus wirft sich unter einem Feigenbaum zu Boden. Dort hört er ein Kind »Nimm und lies« trällern. Er bezieht dieses Wort auf seine Situation und die Bibel, greift zur Schrift und schlägt als erstes die Stelle Römer 13,13 auf: »Nicht in Schmausereien und Trinkgelagen, nicht in Schlafkammern und Unzucht, nicht in Zank und Neid – vielmehr ziehet an den Herrn Jesus Christus und pfleget nicht des Fleischs in seinen Lüsten.« Als er dies liest, strömt ihm »Licht ins kummervolle Herz«. – Bei Augustinus' Abschiedsgespräch mit der Mutter in Ostia (Confessiones IX, 10) streifen sie »leise mit einem vollen Schlag des Herzens« das »Leben, das Weisheit ist«.

Im elften Buch der Confessiones entwickelt Augustinus dann den Zeitbegriff: Ausgehend vom Nichtmehrsein der Vergangenheit und dem Nochnichtsein der Zukunft führt die Annahme, die Gegenwart sei als Umschlagpunkt von Zukunft in Vergangenheit selbst ausdehnungslos, zu der Absurdität, daß sich die Zeit in ein dreifaches Nichts, in Unerreichbarkeit auflöst: Die Gegenwart als ausdehnungsloser Umschlagpunkt vom Nochnicht ins Nichtmehr verdampft selbst zu Nichts. Dennoch *ist* Zeit; nachdem das Nochnichtsein der Zukunft und das Nichtmehrsein der Vergangenheit zunächst schwerlich bezweifelt werden können, entsteht der Verdacht, die

Konzeption der Gegenwart als (Schnitt-)Punkt reiche nicht zu. Dies führt zur Verknüpfung der Frage, *was* Zeit sei, mit der Frage nach dem *Ort* der Zeit: Zeit wird überhaupt nur wahrgenommen ›im Geist‹ (*animus*), und dort als Erstreckung desselben (*distentio animi*). Auch vergangene Äonen sind als vergangene nur, insofern sie geistig vergegenwärtigbar sind; ein Gleiches gilt für die Zukunft, und beides gleicherweise für lange wie für kurze Zeiträume. So erweist sich für Augustinus die Rede vom Nichtsein von Vergangenheit und Zukunft genauso wie die vom ausdehnungslosen Gegenwartspunkt als kurzschlüssig. Was radikal nicht mehr oder noch nicht ist, ist in der Tat Nichts; Etwas ist nur, insofern es gegenwärtig ist, sei es als Erinnerung, Erwartung oder Anschauung. Es zeigt sich die drei-einheitliche Struktur der Zeit als *praesens de praeteritis, praesens de praesentibus* und *praesens de futuris* (Confessiones XI, 20), die ihren Ort in der Seele (*in anima*) hat.
Diese Zeitdeutung Augustinus' in den Confessiones, die den Ausführungen im Shin fukatoku über Gegenwart und Unerreichbarkeit des Herzens zum Verwechseln ähnlich sieht, geht bekanntlich hervor aus der (theoretischen) Frage ›Was tat Gott vor der Schöpfung?‹, eine Frage, deren Ursprung Augustinus wiederum in jenem ›eitlen Herzen‹ ortet, das sich ›in den vergangenen und zukünftigen Dingen herumtreibt‹: »… *adhuc in praeteritis et futuris rerum motibus ›cor eorum‹ volitat et adhuc ›vanum est‹*« (Confessiones XI, 13). Dieses Herz, das sich an die vergangenen und zukünftigen Dinge hängt, führt ein ›Leben in Zerstreuung‹ (*distentio est vita mea*, Confessiones XI, 29). Die Erstreckung des Geistes (*distentio animi*), die Zeit ist, ist zugleich Zerstreuung als Seinsweise des Lebens. So findet Augustinus seine Herzensruhe auch nicht in der Aufhellung der Zeitstruktur (diese zeigt unter anderem die Unsinnigkeit der Frage, was *vor* dem Beginn der *Zeit* als Schöpfung geschah), sondern im »Aufgehobensein von der Rechten Gottes« (*me suscepit dextera tua*, aaO.), vermittelt durch den »Menschensohn«. Erst durch ihn kann sich das Herz aus der Zerstreuung in das Viele lösen in die Ausgespanntheit nach dem Ewig-Einen (*non distensus, sed extensus*, aaO.), eine Spannung, die erst jenseits der Zersplitterung in der zeitlichen Existenz zur endgültigen Ruhe gelangen kann (Confessiones XI, 30).
Herz (*shin*) bei Dōgen und Herz (*cor*) bei Augustinus befinden sich in merkwürdiger Nähe *und* Ferne: in einer bestimmten Nähe zunächst, weil das Herz bei beiden der Anwesenheitsort der zeitlichen Welt bzw. Welten ist, dann aber in einer spürbaren Ferne, weil dieser Ort der Weltgegenwart bei Dōgen in aller Unerreichbarkeit doch selbst als Ort der Bewahrheitung der Buddha-Natur gilt und so in sich ruht, während das Herz bei Augustinus seine Ruhe nur im (durch den Menschensohn vermittelten) Anderen seiner selbst findet, in Gott.
Man könnte hier Nähe *und* Ferne zwischen dem »Weg der Sitzübung« (*Zazen*) und dem »Weg des Glaubens«, oder überhaupt zwischen Buddhismus und Christentum sehen, wie er sich in zwei exemplarischen »Sprüchen«

kurz zeigen läßt: »Erkenne hier und jetzt, daß dein eigenes Herz ursprünglich Buddha ist« (Obaku Kiun, chin. Huang-po Hsi-yün, † 850)[31] – »Gott, Licht meines Herzens« (Augustinus, Confessiones I, 13).
So naheliegend und einleuchtend *diese* Interpretation des östlichen und westlichen Weges – hier Transzendenz, dort Immanenz, dort Augenblick, hier Ewigkeit – auch zu sein scheint, so sehr ist ihr zu mißtrauen: *Mindestens* kennt der Westen – und schon die zitierten Texte von Augustinus lassen durchaus deutlich werden, was dann spätestens bei Meister Eckehart ausgesprochen wird – auch die augenblickliche Gegenwart, die Immanenz der Transzendenz, wie der Buddhismus – und das Shin fukatoku Meister Dōgens zeigt dies klar – den Riß im ›augenblicklich‹ Gegenwärtigen, die Transzendenz der Immanenz[32]. Die Besinnung auf diese intensivere Nähe und Ferne, die sich deutlicher im *praktischen* Ideal des christlichen Heiligen wie des buddhistischen Boddhisattva zeigt, die ihre Erfahrung *beide* als Auftrag zur »Errettung der Menschen« verstehen, ist vielleicht ein innerstes Bedürfnis der Gegenwart, wo östliche und westliche Welt einander verstehen wollen und müssen, ohne ihre Eigenart zu verlieren.

[31] In der Predigtsammlung »Denshin hō-yō«, chin. »Ch'uan-hsin fa-yao«.

[32] Schon die Tatsache, daß sich solche Interpretationen einer bestimmten, nämlich dualistisch geprägten, *abendländischen* Terminologie bedienen, müßte zur Vorsicht mahnen.

Kakichi Kadowaki

MIT DEM KÖRPER LESEN: PAULUS UND DŌGEN

EINFÜHRUNG: EIN KÜHNES UNTERNEHMEN

Dōgen, in Japan während der Kamakura-Zeit (1185–1333) geboren, ist der Begründer der japanischen Sōtō-Schule des Zen. Dagegen ist Paulus ein aus Tarsus in Kleinasien stammender Missionar des in Palästina entstandenen Christentums. Während Dōgen die Fackel des Dharma des Mahāyāna-Buddhismus schwang, begründete Paulus, indem er das jüdische Erbe überstieg, eine neue christliche Tradition. Beide sind, was Ort und Zeit, den geistigen Hintergrund und das Sprachsystem betrifft, völlig von einander verschieden. Eine Ähnlichkeit oder Verwandtschaft läßt sich nicht entdekken. Dem Glauben an die ursprüngliche Buddha-Natur der Lebewesen steht das Bekenntnis, daß alle Menschen Sünder sind, entgegen. Während gemäß der buddhistischen Aussage alle Dinge dem Karma-Gesetz unterstehen, sind nach christlicher Aussage Himmel und Erde und alle Dinge ganz und gar vom einen einzigen Gott geschaffen. Auf der einen Seite ist eine zyklische Geschichtssicht, auf der anderen Seite eine heilsgeschichtliche Geschichtsauffassung maßgebend. Muß man es nicht ein unsinniges Unterfangen nennen, diese zwei Sichtweisen zu vergleichen, um eine Ähnlichkeit zu finden?

Schlimmer noch, das subjektive, entscheidende Ereignis ist in beiden Fällen grundsätzlich unaussprechlich. Das Zen betont die Unaussprechlichkeit der Erleuchtung, Christi Kreuz und Auferstehung ist ein der menschlichen Vernunft unerreichbares Geheimnis. Auch die von Paulus mit dem Einsatz seiner ganzen Geisteskraft verfaßten Schriften kann man lediglich »Fußkratzer« nennen, die sich dem Geheimnis nähern. Wie ist es möglich, Unvergleichliches zu vergleichen?

Dennoch habe ich mich zu der schier unsinnigen Aufgabe entschlossen, wenn auch zunächst keine Aussicht auf Erfolg vorhanden zu sein schien. In der Tat, während ich alle Werke Dōgens wiederholt las, zerbrach der in einem Winkel meines Herzens verborgene Hoffnungssturm vollends, ähnlich dem Silberberg und der Eisenmauer, von denen die Zen-Literatur spricht. Die Lektüre von Dōgens großem Werk *Shōbōgenzō*[1] war für mich kein Weg zum Verständnis, sondern führte mich in die Verzweiflung. Es war wie ein Tasten im völligen Dunkel ohne Licht, ein Versinken in finsterer

[1] Dōgens Hauptwerk besteht aus 95 Kapiteln oder Büchern. Die im folgenden zitierten Kapitel gehören zu diesem Werk.

Nacht. Durch meine eigene kleine Zen-Erfahrung hatte ich gelernt, daß dieser verzweifelt hoffnungslose Weg der einzige Weg ist, der zum Großen Leben führt. Um ein Mißverständnis zu vermeiden, füge ich hinzu, daß ich keineswegs behaupten möchte, das sprachliche, hermeneutische Studium des *Shōbōgenzō* sei zwecklos. Wissenschaftliches Studium ist vielmehr unentbehrlich. Das Erforschen schwieriger Wortgefüge und buddhistischer Termini, das Durchwandern vieler Kommentare und Erklärung von früher Zeit bis heute sind von großem Nutzen.

Doch führt das wissenschaftliche Schreibtischstudium nicht zum richtigen Verständnis des Werkes Dōgens. Nicht nur dies, es beraubt das Auge der Sicht. Diese Tatsache, die die Zen-Praxis lehrt, gilt in gewissem Sinn auch für das Verständnis der Bibel[2]. Weil die Schriften Dōgens und die Bibel zweifellos ein unaussprechliches Ereignis berichten, ist wissenschaftliche Kenntnis, so reich sie sein mag, nur ein unzulänglicher Ersatz.

Nach schmerzlichem Kampf und langem Umherirren in dunkler Nacht kam mir die »Öffnung«. Weil diese Öffnung, wenn ich sie mit einem einfachen Zen-Wort charakterisiere, »ohne Form« (jap. *musō*) war, kann ich sie nicht ein »Licht« nennen. Aber aus dieser Öffnung sprudelte unaufhörlich lauteres Wasser. Dieses wunderbare Wasser ist wie jenes Wasser, von dem in der Bibel geschrieben ist (Jer 2,13; Joh 7,37–39), durchsichtig klar, farblos, ungreifbar. Glücklicherweise ließ es, wo es geflossen war, zahllose Wasseradern zurück. Diese Rinnsale sind mir in Körper und Geist auch jetzt deutlich eingegraben. Wenn ich die Erinnerung daran wecke, fließt das wunderbare Wasser unaufhörlich aus jener Öffnung. Darf ich rückblickend auf jene Erfahrung sagen, daß bei Gelegenheit der Begegnung mit Dōgen jene Öffnung kam, Körper und Geist im lebendigen Wasser badeten, sich Wege formten und mir dadurch gestattet wurde, an dem christlichen Ereignis, das Paulus verkündet, teilzuhaben? Wie dem auch sei, ich entdeckte durch diese Erfahrung eine strukturelle Ähnlichkeit.

Ich beabsichtige nicht, gedankliche, inhaltliche Ähnlichkeiten zu behaupten, sondern möchte nur einen Isomorphismus beider aufzeigen.

1. Das Shōbōgenzō und die Bibel mit dem Körper lesen

Ich habe berichtet, daß aus jener »Öffnung« unvergleichlich lauteres Wasser unaufhörlich hervorsprudelte und in meinem Körper und Geist zahlreiche Wasseradern zurückließ. Ich möchte meine Erwägung im folgenden an Dōgens Terminus »Leib« anschließen. Dabei geht es bei der Beschreibung nicht um einen sprachlichen Sachverhalt, sondern ich möchte, während ich das *Shōbōgenzō* mit dem Körper lese, darlegen, was sich im Körper ereignet.

[2] Vgl. mein Buch: Zen und die Bibel. Salzburg 1980. Darin findet sich auch eine ausführliche Erklärung des »Mit dem Körper lesen«.

Weil nach Dōgens Ansicht der Leib die Welt der zehn Himmelsrichtungen ist, ist, was sich in meinem Körper ereignet, kein privates Ereignis, noch viel weniger meine subjektive Erfahrung, sondern eher die allgemeine Vernunft, die die Welt der zehn Himmelsrichtungen durchdringt.

a. Das Ereignis des Leibes

Wir versuchen zuerst den Abschnitt zu Beginn des Kapitels *Sansuikyō* (= »Sūtra von Bergen und Wasser«) mit dem Körper zu lesen:

»Das Jetzt der Berge und des Wassers ist das In-Erscheinung-treten des Wesens der Erleuchtung der Buddhas der Frühzeit. Sie wohnen zusammen in der ursprünglichen Lage des Dharma. Sie vollbringen höchstes Verdienst. Weil sie das, was vor dem Kalpa der Leere ist, mitteilen, sind sie im Nu des Jetzt tätig. Weil sie das ursprüngliche Selbst in der Zeit vor dem In-Erscheinung-treten aller Dinge sind, ist ihr Erscheinen allübersteigend und alldurchdringend. Weil alle Kraft der Berge hoch und weit und unermeßlich ist, langt die Macht von über den Wolken, langt die wunderbare Kraft, die dem Wind folgt, in ungehemmter Freiheit notwendig überall hin.«

In diesen übersetzten Worten bleibt der wahre Sinn verborgen. Was sollen wir nun tun? Es gibt keinen anderen Weg, als in Meditation hockend durch äußerste Konzentration zum Nicht-Denken zu gelangen und die Prajñā wirken zu lassen. Zum Nicht-Denken gelangen heißt, auf den Grund der Verzweiflung und des Nichtwissens sinkend das Kommen der »Öffnung« empfangen.

Wenn man zum Nicht-Denken gelangt, ist »kein Ding« da. Wie ein Zen-Wort sagt, sind in dem »kein Ding« unzählige Blumen, der Mond, Türme, ..., aus diesem »kein Ding« sprudelt unaufhörlich eine lautere Wasserquelle. Dōgen hat das Wort hinterlassen: »Das Nicht-Denken ist überfließend reich, überlasse dich diesem lauteren Strom!« Hier spricht Dōgen bestimmt nicht über eine abstrakte Begriffswelt. Deshalb ist es sinnlos, den Sinn seines Wortes zu erforschen oder nach einer symbolischen Bedeutung zu suchen. Was Dōgen hier schreibt, ist der Ausdruck im Wort des im eigenen Körper erlebten Ereignisses. Sein Wort zeigt unmittelbar auf das Ereignis hin. Dieses ist in einem wirklichen Sinne wahr und zugleich im Sinne der Vernunft vernünftig. Mit anderen Worten, Dōgen steht in einer Mitte, wo die sprachliche, die existentielle, die vernünftige und die asketische Dimension eines sind. Von diesem Standpunkt aus spricht er. Da jene Mitte kein Ding ist, ist sie nichts. Aber weil dieses Nichts (jap. *mu*) unausschöpflich ist, so ist es die Quelle, aus der alle Dinge entstehen.

b. Die Dynamik des »Weges« und der »Leib«

Dieses Ereignis des unausschöpflichen »Nichts« ist nicht nur die dynamische Einheit von Wort, Dasein, Vernunft, sondern bringt auch eine unbegreifliche Bewegung hervor, mit Worten Dōgens gesagt: Es »vollbringt höchstes

Verdienst«. Bezüglich des zeitlichen Aspektes entstehen das »Jetzt«, das »vor dem Kalpa der Leere« (= vor Anbeginn der Welt) und die »Frühe ohne Zeichen aller Dinge« dynamisch aus jener Mitte. Wie es im Kapitel über den »Weg des Studiums von Leib und Geist« (*Shinjin Gakudō*) heißt, ist »das Einst dahin verschwunden, das Jetzt aber daher gekommen«. Dies bedeutet existentiell die Tatsache, daß »das Jetzt der Berge und des Wassers« zugleich »die Mitteilung des Ursprünglichen vor dem Kalpa der Leere« (= des Ereignisses vor Anbeginn der Welt), ferner auch »das ursprüngliche Selbst der Frühe ohne Zeichen aller Dinge« ist. Auf der asketischen Ebene gesagt, ist »das Jetzt der Berge und des Wassers«, so wie es ist, gleich dem »In-Erscheinung-treten der Buddhas der Frühzeit«; es ist jetzt lebendig tätig und die Bewegkraft, die die Übung und Erleuchtung aller Lebewesen durchdringt.

Doch noch eines ist zu beachten: Dieses dynamische Ereignis hat sich nicht in Dōgens begrifflichem Denken zugetragen, ist kein von Dōgen und der objektiven Welt unabhängiges Ereignis, sondern fand in Dōgens lebendigem Körper statt. Man darf nicht vergessen, daß es zur gleichen Zeit in den Leibern der Buddhas der Frühzeit in Erscheinung trat. Dōgen hat von dem Punkt aus gesprochen, der sein Selbst übersteigt, die Buddhas und Patriarchen durchdringt, an dem »kein Ding« geworden ist, mitten in dem Ereignis stehend, das sein eigener Körper und Geist und Körper und Geist der anderen geworden ist. Weil dieses sein Leib, der lebt und stirbt, und zugleich sein wirklicher zehnmal zehntausend Welten durchdringender Leib ist, durchdringt er auch die Leiber der Buddhas und der Patriarchen. So heißt es in dem zitierten Kapitel:

»Wo das Dharma-Rad Buddhas sich dreht, ist der wirkliche Leib. Das jetzige Du und das jetzige Ich sind Menschen mit wirklichem Leib überall in den zehnmal zehntausend Welten.« »Obgleich dieser Leib weder vom eigenen Selbst noch vom anderen gehindert werden kann, muß man richtig bedenken, daß er überall in den zehnmal zehntausend Welten ist.«

Das »Überall in den zehnmal zehntausend Welten« bedeutet selbstverständlich keine Quantität der äußeren Welt. Deshalb gibt es kein »weit« oder eng. Das »Überall in den zehnmal zehntausend Welten« bedeutet vielmehr »alle Predigten und Versenkungen« der Menschen«.

Doch wird »dieser Leib durch Übung erlangt. Vom wahrhaft Übenden, der, diesen Leib bewegend, sich von den zehn Übeln fernhält, die acht Gebote beobachtet, zu den drei Kleinodien seine Zuflucht nimmt, wird er erlangt«. Deshalb ist er der »wirkliche Leib«.

c. *Die Verborgenheit und die Offenheit des Reiches Gottes*

Man mag die Meinung hegen, die Bibel sei leichter verständlich und umgänglicher als das *Shōbōgenzō*. Von außen gesehen ist es sicher so. Die

Bibel ist in eine für jeden verständliche moderne Sprache übersetzt, ihr Inhalt ist einfach. Sie behandelt Dinge, denen wir im täglichen Leben begegnen. Besonders die Evangelien, die hauptsächlich die Worte und Taten Jesu berichten, sind leicht zu verstehen. Paulus hat später das »Reich Gottes« »Gottes Geheimnis« genannt. Obgleich es in Christus verwirklicht ist, so birgt es doch eine dem menschlichen Wissen unerreichbare tiefe und weite Wirklichkeit.

Weil das Reich Gottes solcher Art ist, konnte seine wahre Bedeutung trotz des eindringlichen Studiums gelehrter Exegeten und Hermeneutiker nicht völlig klargelegt werden. Der einzige Weg der Erklärung ist das Kindwerden. Nur den Kleinen hat der Vater im Himmel es geoffenbart (vgl. Mt 11,25). Das ist gleichbedeutend mit dem, was ich »die Bibel mit dem Körper lesen« nenne.

Wer mit dem Körper die Bibel liest, wird mit einer »Öffnung« begnadet. Weil diese Öffnung mit dem Verstehen des »Geheimnisses Gottes« verknüpft ist, befinden wir uns bestimmt in dem durch Worte unaussprechlichen Bereich. Wenn diese Öffnung eintritt, so strömen überreiche »Flüsse lebendigen Wassers« (vgl. Joh 7,38) und lassen viele Wasseradern zurück. Diesen zahlreichen Wasseradern folgend, kann man indirekt die »Flüsse lebendigen Wassers« und die Öffnung, aus der diese fließen, aufzeigen. Einige dieser Wasseradern entsprechen den Dingen, von denen das *Shōbōgenzō* spricht.

2. Paulus und Dōgen

a. Der Schlüssel zum Verständnis des Paulus

Zwei wichtige Schlüssel bieten sich zum Verständnis der Gedankenwelt des Paulus an. *Erstens:* Vor seiner Bekehrung zum Christentum war er ein Rabbi in der Sekte der Pharisäer. Um Rabbi zu werden, hatte er eine strenge Erziehung empfangen. Er kannte genau die Bibel des Alten Testamentes und hatte sich die hebräische Gedankenwelt vollständig angeeignet. Deshalb verstand er die Dynamik des »Wortes« (hebr. *dābār*, griech. *logos*) und wußte aus Erfahrung um die dynamische, schöpferische und erlösende Kraft des Wortes Gottes. Gottes Wort (hebr. *dābār*)[3] gehört nicht nur der sprachlichen Dimension an, sondern hat zugleich die Dimensionen des Ereignisses und der asketischen Übung sowie die personale Dimension der

[3] Vgl. *P. van Imschoot*, Art. Wort/Wort Gottes: *H. Haag* (Hg.), Bibel-Lexikon. Einsiedeln u. a. [2]1968, 1896–1899; *dābār* wird in der Schrift »als eine wirkliche und wirksame Kraft betrachtet« (ebd. 1898), ist »nicht nur eine Gedanken- oder Willensäußerung, sondern ein konkreter Gegenstand, der objektiv da ist, wirksam ist und wie geladen ist mit der Kraft der Seele, die es ausspricht...« (ebd. 1898).

Wahrheit (jap. *makoto*). Paulus kannte diese Bedeutung. Er verstand die dynamische Existenz Gottes.
Der *zweite* Schlüssel für das Verständnis der paulinischen Gedanken ist sein Bekehrungserlebnis vor den Toren von Damaskus. Dieses Erlebnis kann man, weil es der Quellgrund seines ganzen Gedankengutes geworden ist, füglich das Urerlebnis des Paulus nennen. Dies erkennen die Exegeten ausnahmslos an. Doch darf man deshalb nicht den Wert des ersten Schlüssels gering einschätzen. Paulus verstand als Rabbi die Dynamik des Wortes (hebr. *dābār*) und der Existenz (hebr. *hājā*)[4] im Alten Testament. Man darf nicht unbeachtet lassen, daß dadurch sein Damaskuserlebnis noch dynamischer wird. Aufgrund seines Urerlebnisses konnte er später tiefe und weite Gedanken ausfalten, weil er die rabbinische Bildung besaß.

b. Die Bekehrung des Paulus und Dōgens Erleuchtungserfahrung

Paulus begab sich, von heftigem Haß gegen die Jünger Christi erfüllt und entschlossen, diese dem Tod auszuliefern, nach Damaskus.

»Schon war er auf seiner Reise in die Nähe von Damaskus gelangt, da umstrahlte ihn plötzlich ein Licht vom Himmel. Er fiel zu Boden und hörte eine Stimme, die ihm zurief: ›Saulus, Saulus, warum verfolgst du mich?‹ Er fragte: ›Wer bist du, Herr?‹ Dieser antwortete: ›Ich bin Jesus, den du verfolgst. Doch steh auf und gehe in die Stadt; dort wird man dir sagen, was du tun sollst‹. Seine Reisegefährten standen sprachlos da. Sie hörten zwar die Stimme, sahen aber niemand. Saulus erhob sich vom Boden. Obgleich er aber die Augen aufschlug, sah er nichts. Da nahmen sie ihn bei der Hand und führten ihn nach Damaskus. Er blieb drei Tage blind und aß und trank nichts.« (Apg 9,3–9)

Das hier berichtete Erlebnis des Paulus gehört einer Kategorie an, die die gewöhnliche psychologische Beschreibung übersteigt. Es ist ein unaussprechliches geistliches Ereignis. In späteren, in der Apostelgeschichte überlieferten Predigten berührt Paulus zweimal dieses Ereignis und nannte es das für sein Leben entscheidende Ereignis (22,7; 26,14). Außerdem bezieht Paulus sich in seinen Briefen oft auf diese Erfahrung (vgl. 1 Kor 9,1; 15,8; 2 Kor 4,6; Phil 3,12; Gal 1,16).
Einige Punkte der angeführten Beschreibung verdienen im Zusammenhang dieser Studie besondere Beachtung. Als Jesus dem Paulus erscheint, nennt dieser ihn sofort »Herr«. Für die junge Christengemeinde hat der Titel »Herr« eine für uns kaum vorstellbare Bedeutungsschwere. Er bezeichnet

[4] Der japanische evangelische Theologe *T. Ariga* handelt in seinem Buch über Ontologische Fragen im christlichen Gedanken (Kirisutokyō Shisō ni okeru sonzairon no mondai) eindringlich vom existentiellen und dynamischen Charakter des Terminus *hājā*. Kyoto 1969. Vgl. *H. Waldenfels,* Absolutes Nichts. Zur Grundlegung des Dialogs zwischen Buddhismus und Christentum. Freiburg u. a. [3]1980, 189f.

mit einem Wort den Schöpfer von Himmel und Erde, den Befreier des Volkes Israel aus der unentrinnbaren Situation der Gefangenschaft in Ägypten, den Leiter der ganzen Menschheitsgeschichte. Aber mit dieser Erklärung ist das Wesen Gottes, des Herrn, in keiner Weise voll ausgedrückt. Denn dieser unaussprechliche personale Gott ist ein dynamisches Wesen, das Menschenwissen unendlich übersteigt. Wie sich aus dem zitierten Wort schließen läßt, mußte Paulus, als er diesem dynamischen Wesen begegnete, allsogleich »Herr« rufen.

Vor diesem Ereignis verachtete Paulus als echter Pharisäer den gekreuzigten Jesus von Nazareth als den am Holz Gehängten, von Gott Verfluchten. Eben dieser Jesus war ihm nun als »Herr der Herrlichkeit« erschienen (1 Kor 1,8). Dies ist das Geheimnis Gottes, das »kein Auge gesehen, kein Ohr gehört hat, das in keines Menschen Herz gedrungen ist« (1 Kor 1,9). Der Verfluchte strahlt in der Herrlichkeit Gottes. Was menschlich gesehen töricht scheint, ist Gottes Weisheit. Durch sein Bekehrungserlebnis erfuhr Paulus die widerspruchsvolle göttliche Wirklichkeit. Dem, der diese Wirklichkeit sah, ist seine bisherige menschliche Sicht-, Denk- und Lebensweise von Grund auf verwandelt. Als Folge ist Paulus drei Tage lang blind, er ißt und trinkt nicht.

Dieses Erlebnis des Paulus ist in einem hervorragenden Sinn jüdisch-christlich. Dōgens Erleben ist zweifellos völlig anderer Art. Trotzdem haben beide Erlebnisse, insofern sie religiöse Erfahrungen der Tiefenschicht sind, wie es scheint, eine gemeinsame Struktur. Da ist zuerst das »Erkennen des Nicht-Erkennbaren«. Dieses »Nicht-Erkennen« (jap. *hishiryō*), nämlich das der gewöhnlichen Erkenntnis Unzugängliche, ist als ein Nicht-Erkennen ein Wirken der *Prajñā* (Weisheit). Nach außen tut es sich in der dreitägigen Blindheit und im absoluten Fasten des Paulus kund. Es ist gut zu beachten, daß diesem ähnliche Phänomene auch im Zen vorkommen. Zum Beispiel ist da die folgende Erfahrung des Meisters Hyakujō.

Hyakujō übte Zen unter Führung des Meisters Baso. Baso hob einen Wedel und berührte Hyakujō. Nach einem von Zen-Aktivität überfließenden Wechselgespräch sah er, daß Hyakujō die genügende Reife erlangt hatte, »erweckte seine innere Würde und rief mit Donnerstimme ›*katsu*‹«. Weil der später »Großmeister« betitelte gigantische Baso in diesen Donnerruf sein Ganzes, Leib und Geist, gesammelt hatte, wurde Hyakujō in seiner Ganzheit von Leib und Geist von Grund auf erschüttert. Als Ergebnis erlangte er die Große Erleuchtung. Später erzählte er seinem Jünger Ōbaku seine Erfahrung: »›Als ich damals von Baso angedonnert wurde, wurde ich sogleich drei Tage lang taub.‹ Als Ōbaku dies hörte, rollte er erschreckt unversehens die Zunge«, wie in der Schrift *Kattōshū* überliefert ist. Ōbaku erschrak, als er von der dreitägigen Taubheit seines Meisters Hyakujō hörte, weil er die Tiefe und das Gewicht jener Erfahrung ahnte. Ähnlich können wir, wenn wir von der Tatsache der dreitägigen Blindheit des Paulus hören, die Tiefe seiner Erfahrung ahnend, »erschreckt unversehens die Zunge rollen«. Nur ist zu beachten, daß Taubheit oder Blindheit nicht die religiöse Erfahrung selbst sind, sondern deren äußere Anzeichen. Allein wichtig ist die Tiefe der religiösen Erfahrung.

Dōgen stößt bei seiner Erleuchtungserfahrung kein Verlust seiner Sehfähigkeit zu. Seine berühmte Erfahrung des »Leib und Geist ausgefallen« ist zweifellos die Quelle seiner tiefen Gedanken. Wir wollen diese Erfahrung aufgrund des Berichtes der Schrift *Kenseiki* genauer anschauen.

Es war in der Morgenfrühe, als Dōgen unter der Leitung des Meisters Nyojō Zazen übte. Nyojō hatte die Halle betreten, um die Übung der Novizen zu beobachten. Als er einen Mönch schlafen sah, rief er mit Donnerstimme: »Bei der Zen-Übung müssen Leib und Geist ausgefallen sein.« Dieser Donnerruf, den der in der Sung-Zeit als erster Zen-Meister geltende Nyojō aus der Tiefe des Bauches ausstieß, erschütterte Leib und Geist des neben dem Schlafenden sitzenden, mit ganzer Kraft Zazen übenden Dōgen und verwandelte ihn von Grund auf. Er erfuhr blitzartig die große Erleuchtung, begab sich zur Abtswohnung und legte seinem Meister Nyojō sein Erlebnis vor, indem er sprach: »Der, dem Leib und Geist ausgefallen sind, kommt.«

Aus diesem kurzen Bericht läßt sich nicht der Inhalt der Großen Erleuchtung Dōgens erschließen. Seine Erfahrung gleicht der des Hyakujō. Beide wurden durch den mit der ganzen Kraft des Meisters geladenen Donnerruf in ihrer Existenz verwandelt, sie erwachten in jenem Bereich »des Erkennens auf dem Grunde des Nicht-Erkennens«. Ob der Betroffene als Folge einer Funktion seiner fünf Sinnesorgane beraubt wurde oder nicht, ist nicht wesentlich. Was diesen Punkt angeht, verhält es sich wohl ebenso bezüglich des Bekehrungserlebnisses des Paulus. Wichtig ist die Erfahrung des »Nicht-Erkennens«.

Ein weiterer wichtiger Punkt des oben zitierten Abschnittes aus der Apostelgeschichte betrifft das tadelnde Herrenwort. Das Wort des Herrn Jesus besaß für den Israeliten Paulus eine überwältigende Kraft und Dynamik. Später sagt Paulus, der gleiche Gott, der »Es werde Licht« sprach, erleuchte unsere Herzen und mache uns im Antlitz Christi die Herrlichkeit Gottes kund (2 Kor 4,6). Er erfuhr, daß das Tadelwort des Herrn, das er bei seiner Bekehrung hörte, von derselben Dynamik erfüllt war wie das Wort Gottes »Es werde Licht« des Schöpfungsberichtes. Weil es ein von solcher Dynamik geladenes Wort war, leuchtet ein, daß es das Ganze von Leib und Geist des Paulus verwandelte. Hier kann man eine Analogie zur Erfahrung des »Leib und Geist ausgefallen« (Dōgen) erblicken. Gewiß kann man das Wort Gottes nicht mit dem Wort des Zen-Meisters vergleichen. Was beiden gemeinsam ist, ist die Tatsache, daß das tadelnde Wort des Meisters eine existentielle Veränderung bewirkt hat. Auch liegt eine Analogie darin, daß der heftige Tadel das Ganze von Leib und Geist des Meisters zur Geltung brachte. Im Falle Dōgens war Nyojōs Tadel nicht gegen Dōgen selbst gerichtet, aber weil

Dōgen meditierend sich damals, wie anzunehmen ist, im Bereich des Samādhi (jap. *zammai*) befand, überstieg er den Unterschied von Selbst und dem anderen und nahm den Tadel Nyojōs wie gegen sich selbst gerichtet in sich auf. Deshalb konnte er später im Kapitel *Genjōkōan* sagen, Nyojōs Wort habe seinen eigenen Leib und Geist sowie den Leib und Geist des anderen zum Ausfallen gebracht.

c. *Die Zentralidee der paulinischen Theologie: Leib*

Zwischen der Erfahrung Dōgens und der des Paulus besteht noch eine andere wichtige Analogie. Diese beruht auf dem Umstand, daß beide Erfahrungen im Leib entstandene Ereignisse sind. Paulus wird später noch manche geistliche Erfahrungen haben, darunter die ungewöhnliche Erfahrung des Erhoben-werdens in den dritten Himmel, bei der unsicher blieb, ob er vom Leibe getrennt war oder nicht (2 Kor 12,2). Doch besteht kein Zweifel darüber, daß seine Bekehrungserfahrung ein im lebendigen Leibe (griech. *sōma*) geschehenes Ereignis ist. Auch im Falle Dōgens ist dieser Punkt zweifelsfrei.

Noch wichtiger ist, daß beide durch das am lebendigen Leibe geschehene Ereignis die geistige Wirklichkeit der Gemeinschaft des Leibes gewahrten. Paulus bemerkte diese völlig neue geistige Wirklichkeit durch das Wort Jesu: »Saulus, Saulus, warum verfolgst du mich?« Die Christusgläubigen verfolgen bedeutet Jesus selbst verfolgen. Weil Paulus jene fesselte, ins Gefängnis warf und töten ließ, verfolgte er den lebendigen Leib der Christusgläubigen. Diese Verfolgung richtete sich so, wie sie geschah, gegen den »Leib« (griech. *sōma*) des auferstandenen Christus. Der auferstandene Leib Christi ist nicht eine bloß individuelle Existenz, sondern umschließt in sich alle Christusgläubigen. So wurde Paulus zum Geheimnis der Kirche als des Leibes Christi geführt. Paulus wird später eine großartige Theologie vollenden. Der Gedanke des »Leibes« ist die Mitte der paulinischen Theologie, gleichsam ihre rotierende Achse und ihr Angelpunkt[5]. Daß die paulinische Theologie des »Leibes« eine Hauptquelle in der Bekehrungserfahrung hat, wird heute von fast allen Exegeten anerkannt.

Paulus hat sicher nach seiner Bekehrung durch die Apostel von Jesu Predigt über das letzte Gericht gehört, gemäß der wir alle Werke der Nächstenliebe an Christus tun, entsprechend dem »Wahrlich, ich sage euch, was ihr einem dieser kleinsten Brüder tut, habt ihr mir getan« (Mt 25,40). Diese Predigt Jesu wird gewöhnlich nur als Gleichnis verstanden. Dann wird die einem Nächsten erwiesene gute Tat durch Jesus als sich selbst erwiesen angesehen. Weil man die Solidarität des »Leibes« nicht kennt, beachtet man nicht, daß

[5] Ich verdanke den Büchern des englischen Theologen *J. A. T. Robinson* über die paulinische Theologie (in japanischer Übersetzung) wichtige Hinweise. Vgl. auch *K. A. Bauer*, Leiblichkeit – Das Ende aller Werke Gottes. Gütersloh 1971.

der Leib Jesu die geistige Weite besitzt, auch die Leiber der Nächsten unter seinem Schirm zu sammeln. Paulus erwachte durch seine Bekehrungserfahrung zu der Wirklichkeit, daß Jesu auferstandener Leib der »Leib« der Christusgläubigen ist. Deshalb konnte er die zitierte Predigt Jesu wörtlich als Ereignis seines »Leibes« in sich aufnehmen. Das Hungern eines Nächsten ist Jesu Hungern; dem hungernden Nächsten Nahrung reichen heißt Jesus Nahrung geben. All das sind Ereignisse am »Leibe«.

Für Paulus, der die Wirklichkeit des Leibes erfaßt hatte, ist die Taufe nicht bloß eine Kultzeremonie, sondern ein am Leibe Jesu und des Getauften geschehenes Ereignis. Wenn jemand die Taufe empfängt, nimmt er teil am Tode Christi, stirbt er mit Christus und wird mit ihm begraben, zugleich nimmt er auch an der Auferstehung Christi teil und lebt mit Christus das auferstandene Leben (vgl. Röm 6,3–5). Wie das Kreuz und die Auferstehung Christi am Leibe geschehene Ereignisse sind, so sind auch Tod und Auferstehung die im Getauften vor sich gehen, keine Begriffs- oder Bewußtseinsdinge, sondern am Leibe geschehene Ereignisse. Alles, was am Leibe Christi geschehen ist, wird am Leibe des Christusgläubigen wiederholt. Christi Leib ist eins mit dem Leib der Christusgläubigen. Deshalb konnte Paulus den Gläubigen von Korinth sagen: »Ihr seid der Leib Christi, ein jeder ist sein Glied« (1 Kor 2,27).

Hier ist das Wort »Christi Leib« grammatikalisch ein Singular, es bezeichnet keinen überindividuellen kollektiven Begriff, sondern den konkreten persönlichen lebendigen Leib Christi. Denn »Leib« (griech. *sōma*) ist kein gesellschaftliches Kollektiv, sondern bezeichnet den individuellen Menschen. Aber der eine Leib Christi macht die Leiber aller Christusgläubigen zu einem. Dies mag der gewöhnlichen Anschauungsweise wundersam erscheinen. Wenn man aber wie Dōgen »Leib« dynamisch faßt, so ist das Verstehen nicht unmöglich.

d. *Dōgens »ganzer Leib des Vollendeten« und »die ganze Fülle der Gottheit« des Paulus*

Um noch eine andere inhaltreiche Analogie zwischen den Erfahrungen des Dōgen und des Paulus zu erwägen, möchten wir einen Abschnitt des Kapitels »Des Vollendeten ganzer Leib« (*Nyorai Zenshin*) aus dem *Shōbōgenzō* in den Blick nehmen. Dōgen zitiert zunächst aus dem Lotossūtra, in dem vom Vollendeten Shākyamuni erzählt wird, er habe während einer unermeßlichen Zeitdauer asketische Strengheiten praktiziert, Verdienste aufgehäuft und unermüdlich den Bodhisattva-Weg geübt. Er tat dies für die Lebewesen, erst nachher vollendete er den Weg der Erleuchtung. Dōgen bedachte dieses Wort tief, übte mit dem Leibe die asketischen Strengheiten des Buddha und erwachte zu dem Ereignis, daß des Vollendeten ganzer Leib von Mit-leiden glühte und die Welt erfüllte und durchdrang. Er schreibt:

»Versteht man aufgrund dieses Tuns nicht klar, daß diese dreitausend großen Welten ein Teil des von Mit-leiden glühenden Herzens des Buddha ist? Es ist ein winzig kleiner Teil des leeren Raumes. Doch ist dieses der ganze Leib des Vollendeten. Es hängt nicht davon ab, ob er den Leib (für die Lebewesen) hingibt oder nicht. Vor und nach dem Buddha-werden handelt es sich nicht darum, was aus den Reliquien (seines Leibes) wird. Die asketische Übung während einer unermeßlichen Zeitdauer ist der lebendige Ausdruck des Buddha, ist Buddhas Haut, Fleisch, Knochen und Mark. Obgleich er (das Ziel) schon erreicht hatte, übte er unermüdlich. Nachdem er ein Buddha geworden war, ruhte er nicht, sondern strebte weiter. Auch nach der Belehrung aller Welten übt er unablässig. Solcher Art ist die lebendige Übung des ganzen Leibes des Vollendeten.«

Einer, der für Dōgens Dynamik des »Leibes« wach ist, begreift leicht die Dynamik der lebendigen Aktivität des ganzen Leibes des Vollendeten.
Weil auch Paulus für die Dynamik des »Leibes« wach war, konnte er erfassen, daß die Fülle des Leibes Christi die ganze Welt durchdringt. Von daher legte er folgende, den Gedanken Dōgens strukturell analoge Gedanken dar:

Gott »gefiel es, in ihm (Christus) die ganze Fülle wohnen zu lassen, indem er Frieden stiftete durch das Blut seines Kreuzes, ja durch ihn zu versöhnen, was auf Erden und was im Himmel ist« (Kol 1,19f.). »In ihm (Christus) wohnt die ganze Fülle der Gottheit leibhaftig, und ihr seid in ihm erfüllt« (Kol 2,9).

Das Wort »Fülle« (griech. *plēroma*) im Text bedeutet, daß das Leben, die Weisheit und die Kraft Gottes alles wie das große Meer erfüllt. Die Fülle wohnt im Leib Christi. Christus hat durch das Leiden in seinem Leib die Versöhnung zwischen Gott und Menschheit hergestellt. Die Fülle Gottes erfüllt die Leiber aller Menschen, die mit dem Leib Christi verbunden sind. Ja, sie dehnt sich aus zu allem, was auf Erden ist, und zu allem, was im Himmel ist, und erfüllt die ganze Welt.
Das Wort »leibhaftig« im Text ist das griechische Adverb *sōmatikos*. Es dürfte vom Satzbau her die asketische oder dynamische Bedeutung aufgrund des Kreuzestodes meinen. Dann aber wohnt die Fülle der Gottheit aufgrund des Kreuzestodes dynamisch im Leibe Christi. Diese dynamische Fülle treibt die Christusgläubigen in den »Großen Tod« und führt sie zur Auferstehung. So fließt die Fülle Christi auf die Leiber aller Menschen über und erfüllt alle Dinge. Schließlich ist noch das griechische Wort *theotēs* im Text zu beachten. Um den persönlichen Gott zu bezeichnen, wird gewöhnlich der Ausdruck *»ho theós«* angewandt. Die englische Übersetzung *»Godhead«* bedeutet, daß »Gott Gott ist«, nämlich »Gott, wie er ist«. Wenn man das Gegenstück dazu im Buddhismus sucht, so ist es »der Vollendete« (jap. *Nyorai*). Daß Dōgen im angeführten Text »Nyorais ganzer Leib« sagt, verdient Beachtung. Kann man sagen, daß sich in den Ausdrücken eine strukturelle Analogie der Gedanken des Paulus und des Dōgen zeigt?

Hugo M. Enomiya-Lassalle

GEDANKEN ZU ZEN UND CHRISTLICHER MYSTIK

1. Zur Krise des westlichen Christentums

Während seines fast 50jährigen Aufenthaltes in Japan hat sich H. Dumoulin in seinen Schriften, auf Kongressen und in Einzelgesprächen um die Auseinandersetzung mit den Religionen des Landes bemüht. Als er nach Japan kam, war die Situation dort auf diesem Gebiet in vieler Hinsicht anders als heute. Damals waren die Religionen bei weitem nicht so zum Dialog bereit, wie es heute der Fall ist. Freilich gilt das auch für das Christentum. Die Gespräche, die stattfanden, waren eher Diskussionen, in denen es letzten Endes darum ging zu beweisen, daß die eigene Religion die richtige sei. Inzwischen sind wir so weit, daß wir auf beiden Seiten voneinander lernen wollen. Dabei stellen wir immer wieder fest, daß wir im Kennenlernen der anderen Religion oft auch die eigene besser verstehen.

Man muß allerdings zugeben, daß der Wandel in der Einstellung nicht so sehr Ergebnis eines spontanen Bemühens der Partner ist. Er ist vielmehr die Folge der Tatsache, daß die Religionen ganz allgemein an Einfluß auf das Geschehen in der Welt verloren haben und sich das seither noch nicht geändert hat. Unter diesen Umständen ist es dann aussichtsreicher, wenn die Unterschiede zurückgestellt werden und gemeinsam der Versuch unternommen wird, einen heilsamen Einfluß auf unsere Welt auszuüben, die selbst in einer großen Krise steht.

Es ist auch eine Tatsache, daß die Religionen als Institutionen in den Augen vieler Menschen an Bedeutung verloren haben. Kirchen ebenso wie Tempel und Schreine werden immer weniger besucht und sind zu Orten für besondere Anlässe wie Hochzeiten und Beerdigungen geworden, sofern nicht auch diese schon säkularisiert sind. Mit anderen Worten: Das kollektive religiöse Bewußtsein ist kaum noch lebendig. Das gilt zumindest für die Industrieländer. In Asien gibt es dagegen noch große Länder wie z. B. Indien, in denen das kollektive religiöse Bewußtsein durchaus noch lebendig ist. Das hängt vermutlich auch damit zusammen, daß die säkularistische Schulbildung noch nicht allgemein durchgeführt wird. Auch in den Industrieländern gibt es heute noch eine große Zahl von Menschen, die persönlich tief religiös sind – Christen wie Nichtchristen.

Es gibt zudem noch viel mehr Menschen, die zwar keine Beziehung zu irgendwelchen religiösen Institutionen haben, aber doch Religion suchen, ohne sie zu benennen. Die Institutionen, seien es Kirchen oder andere Kultgemeinschaften, sind ihnen verschlossen, zwar physisch, doch moralisch oder psychologisch. Vorurteile, oft auch bittere Erfahrungen und andere Umstände versperren ihnen den Weg dorthin, wo sie an erster Stelle das finden könnten, was sie suchen.

2. Zum Interesse an asiatischen Meditationsformen

In den traditionell christlichen Ländern hat das zur Folge, daß sie anderswohin gehen, um zu finden, was sie suchen, nicht zuletzt zu den nichtchristlichen Religionen. Viele machen sich auf die Suche in Asien; sie sind von den Religionen dort beeindruckt und suchen in ihnen ihr Heil. Oft sind es aber die Meditationsmethoden, die mehr noch als die Religionen selbst beeindrucken. Das christliche Angebot auf diesem Gebiet sagt oft schon deshalb nicht zu, weil die traditionellen christlichen Meditationsformen zu sehr mit begrifflichem Denken verbunden sind. Gegenwärtig aber befindet sich der westliche Mensch in einem Prozeß der Bewußtseinsveränderung, die sich auch auf das religiöse Bewußtsein auswirkt. Diese Bewußtseinsveränderung betrifft die gesamte Menschheit, ist aber im Westen stärker zu spüren als im Osten. Um das zu verstehen, müssen wir auf die europäische Geschichte achten. Der westliche Mensch hat seit der Zeit der klassischen griechischen Kultur das begriffliche Denken ausgebildet. Dieses hat sich auch im Christentum einen Platz geschaffen und sich in der christlichen Philosophie und Theologie weiterentwickelt. Es erreichte in der Scholastik, bei Thomas von Aquin und anderen, einen Höhepunkt, setzte sich dann aber in der profanen Wissenschaft fort, die in Europa aus der christlichen Philosophie hervorgegangen ist. Unbestritten haben die Wissenschaften Großes vollbracht. Doch bei all ihrer Größe sind sie keine Antwort auf die Frage des Menschen nach dem letzten Sinn des Lebens.

Gab es nun zunächst ein Suchen im Osten, so ist es inzwischen zu einer Gegenbewegung von Osten nach Westen gekommen. Östliche Meditationsweisen gelangten nach Europa und Amerika, einmal durch Menschen, die sie dort erlernt und den Nutzen derselben an sich erfahren haben, sodann durch Meister und Kenner aus jenen Ländern, aus Indien und Japan.

Da ich selbst mit dieser Bewegung, soweit es um Zen geht, zu tun hatte, darf ich einiges von den Anfängen in Erinnerung rufen, zumal der in dieser Festschrift Geehrte dabei »Pate gestanden« hat. Im Jahre 1965 fand auf Schloß Elmau in Bayern eine Tagung statt, die von der Vereinigung »Arzt und Seelsorger« unter der Leitung von Dr. W. Bitter aus Stuttgart veranstaltet wurde. Es ging um den Austausch zwischen Ost und West. Auf dieser Tagung wurden außer den Vorträgen dank der Initiative des Grafen Dürkheim auch Meditationsübungen angeboten. Vier Teilnehmer hatten die Leitung der Meditationsübungen übernommen: Professor J. H. Schultz, der Entdecker des Autogenen Trainings, führte in seine Art der Meditation ein,

ein Herr aus Stuttgart, dessen Name ich nicht mehr in Erinnerung habe, stellte Yoga vor, Graf Dürkheim und ich selbst Zen. Die Zahl der an Zen Interessierten war so groß, daß zwei Gruppen gebildet werden mußten. Das Ergebnis war, daß man mich bat, in Deutschland Zenkurse zu halten.
Aus der Korrespondenz jener Zeit geht hervor, daß es anfangs allerlei Schwierigkeiten gab. Die Finanzierung der Reise des Kursleiters von Japan nach Europa war nicht leicht. Man konnte zunächst – wie es hieß – nicht mehr als 15 Teilnehmer mit Sicherheit erwarten. Dennoch waren, was heute unvorstellbar ist, alle Kursangebote für Zen kurz nach ihrer Veröffentlichung ausgebucht; es kam dann zu langen Wartelisten. Heftig diskutiert wurde auch die Frage, ob man als Christ Zen praktizieren könne ohne Gefahr für den christlichen Glauben. Auch heute noch sind ernstzunehmende Leute der Ansicht, es gehe nicht, obwohl das 2. Vatikanische Konzil festgestellt hat, daß die kontemplativen Orden in den Missionsländern sich bemühen sollten, auch die Meditationsweisen, die sich in nichtchristlichen Religionen finden, kennenzulernen und nach Möglichkeit zu integrieren (vgl. *Ad gentes* Nr. 17).
Als wir mit Zen in Europa anfingen, war all das noch keineswegs so klar. Damals wurde freilich von einigen, die während des Konzils aus den Missionsländern zu Rate gezogen wurden, der Vorschlag gemacht, Yoga und Zen als Beispiele namentlich zu erwähnen. Das wurde – gewiß aus guten Gründen – nicht akzeptiert. Doch ist die Situation heute eine ganz andere als damals. Inzwischen werden wir nämlich von östlichen Meditationsmethoden geradezu überschwemmt. Natürlich ist auch hier nicht alles Gold, was glänzt, und man sollte sich vorsehen und nichts übernehmen, ohne es vorher geprüft zu haben. Schon mancher ist schwer enttäuscht worden.

3. Zen, Zazen, Religion und Heil

Es ist nun nicht meine Absicht, über Meditationsweisen zu sprechen. Doch möge es gestattet sein, erneut einige praktische Hinweise bezüglich des Zen zu geben: Wenn es um das Verhältnis von Zen und Christentum geht, so muß man unterscheiden zwischen Zen-Meditation, »Zazen«, und Zen-Buddhismus. Zen als Meditation ist nicht »Religion« in dem Sinne, wie etwa das Christentum Religion ist oder wie es auch die verschiedenen buddhistischen Richtungen oder »Sekten«, wenn man das Wort an dieser Stelle einmal gebrauchen darf, sein wollen und sind. Diese »Schulen« oder »Sekten« weichen im einzelnen auch in ihren Lehren trotz des gemeinsamen Grundes mehr oder weniger stark voneinander ab. Sie haben ihre religiösen Institutionen und wollen auch solche sein. Zazen als solches ist anders. Für manchen, der Zazen nicht aus Erfahrung kennt, ist das vielleicht schwer zu verstehen. Er könnte in der Tat fragen: Kann man die Meditation von ihrer Religion trennen? Ich bleibe aber dabei: Im Zen liegt der Fall anders. Zazen hat grundsätzlich keine Gedanken. Daher steht es auch nicht im Widerspruch zum Christentum. Streng genommen sollte man daher auch nicht von »christlichem Zen« sprechen. Aus demselben Grunde gibt es ja auch kein »buddhistisches Zen«. Ein Zen-Meister hat das einmal in einem Vergleich mit dem Tee zum Ausdruck gebracht. Eine Tasse Tee schmeckt, so sagte er, für einen Buddhisten genauso wie für einen Christen; da ist kein Unterschied. Man könnte freilich nun zurückfragen: Hat denn die Zen-Meditation, die in so vielen Zenklöstern geübt wird, gar keine Beziehung zum Buddhismus? Sind denn die Zenmönche keine religiösen Menschen, keine Buddhisten, am Ende gar Atheisten? Dazu ist zu sagen: Gewiß besteht eine Beziehung zur Religion, insofern als diese das religiöse Bewußtsein meint, bevor es mit einer bestimmten Religion sich verbindet. So kommen oft Menschen zu den Zenkursen, die keine Beziehung zu einer institutionalisierten Religion, weder zum Christentum noch zum Buddhismus, haben. Solche Teilnehmer sind heute zumal unter den jüngeren Menschen nicht selten. Ihre Motivation, Zazen zu üben, hat mit keiner Religion etwas zu tun. Nicht selten kommen solche Menschen dann unerwartet zu einem religiösen Erwachen. Falls sie in jungen Jahren, als Kinder, einmal christlich waren und ihr Christentum unter dem Einfluß der Zeitumstände vollständig verloren gegangen war, finden sie vielfach zum Christentum zurück, auch wenn der Weg von der Zenhalle bis zur Kirche oft vielleicht weit ist. Bei solchen Menschen ist der wiedergefundene christliche Glaube aber dann häufig viel tiefer als vorher. In ihnen hat sich eine Tür geöffnet, die für immer verschlossen zu sein schien.

Gerade weil das »reine« Zen, wie wir es meinen, keinen Gedanken hat, kann es jedem Menschen, der es ernstlich und richtig übt, etwas bringen, vorausgesetzt, daß er ein gewisses Maß an psychischer Gesundheit mitbringt. Natürlich ist es nicht möglich, alle positiven Wirkungen hier einzeln auszufächern. Wir nennen einige: Zazen kann dem einen helfen, ruhiger und gelassener zu werden und so mit allem, was ihm in der unruhigen Welt von heute begegnet, besser fertig zu werden; einem anderen kann es helfen, sich besser zu konzentrieren, was für seine Berufsarbeit von großer Wichtigkeit ist. Jedoch macht Zen den Menschen nicht gefühllos. Viele Künstler im Westen fühlen beim Tanz, beim Malen oder auch in der Musik eine innere Verwandtschaft mit dem Zen. Zen hat ja auch seine eigene Kunst entwickelt. Wenn man es beharrlich übt, kann es auch das Unbewußte, soweit es nicht in Ordnung ist, heilen. Das wiederum wirkt sich dahin aus, daß der Mensch innerlich freier wird – im Sinne einer Freiheit, die selbst bei äußerem Zwang nicht verlorengeht. Zen hat auch einen Einfluß auf die körperliche Gesundheit, insofern es dem Menschen hilft, den heute fast unvermeidlichen Streß abzubauen und so den modernen Zivilisationskrankheiten und Gefährdungen leichter zu entgehen. Religiösen Menschen kann Zen trotz der unruhigen

Welt, in der wir leben, zu einem tieferen christlichen Gebet verhelfen, das bis zu mystischen Erfahrungen führt.

4. Zen und christliche Mystik

Überhaupt gibt es deutliche Berührungspunkte zwischen Zen und der Mystik. Viele Anweisungen der christlichen Mystiker stimmen mit denen der Zen-Meister in auffallender Weise überein. Beispiele hierfür finden sich am Ende meines Beitrages. Der zuvor erwähnte Zen-Meister, der viele Priester und Ordensleute zu seinen Schülern zählt, hat einmal gesagt: »Mit den Religionen ist es wie mit zwei Autobahnen, die von weither kommen, sich aber im Autobahnkreuz treffen. Betrachtet man die Religionen je für sich getrennt, so erscheinen sie ganz verschieden voneinander. Doch sie treffen sich in einem Punkt: der religiösen Erfahrung.« Auch in den Jahren, bevor es zu den positiven Gesprächen zwischen Vertretern der Religionen kam, konnte man im persönlichen Gespräch mit einem Zen-Meister bereits feststellen, daß er, wenn man von christlichen Mystikern sprach, aufhorchte und sagte: »Hier können wir miteinander reden.«
Freilich haben die christlichen Mystiker in der Regel betont, man sollte sich zunächst in der gegenständlichen Meditation üben, bei der das Denken nicht radikal eingestellt wird, wie wir es im »reinen« Zen tun. Sie sahen für Anfänger die Gefahr, daß der »Teufel« in die entstehende Leere eindringen und sie in die Irre führen könnte. Heute würden wir sagen, daß aus dem Unbewußten Dinge hochkommen können, die den Menschen verwirren könnten. Selbstverständlich wußten auch die Zen-Meister davon. Interessanterweise haben sie für die Welt dieser Phänomene das Wort »*Makyō*«, »Teufelswelt«, geprägt. Auch sie warnen immer wieder davor. Dennoch lassen sie den Schüler von Anfang an das diskursive Denken einstellen. Doch hat es in der Geschichte der christlichen Mystik trotz des geschilderten Ansatzes auch falsche Mystiker gegeben. Mit ihnen hat sich besonders der flämische Mystiker Jan van Ruysbroek beschäftigt. Auf jeden Fall haben auch die christlichen Mystiker betont, daß man das Denken einstellen müsse, wenn die Zeit dazu gekommen sei, weil man sonst nicht zur vollkommenen Vereinigung mit Gott gelangen könne. Hier treffen sie sich in ihren methodischen Anleitungen mit den Zen-Meistern.
Das Interesse an den östlichen Meditationsweisen flaut in unseren Tagen keineswegs ab. Es wächst im Gegenteil noch. Diese Tatsache allein ist schon ein Beweis dafür, daß dem Interesse ein echtes Bedürfnis zugrunde liegt. Ob es möglich ist, diesem Bedürfnis durch Meditationsweisen zu entsprechen, die nicht auf asiatischem Boden gewachsen sind, wie manche meinen, ist fraglich. C. G. Jung hat einmal gesagt, die einzige christliche Meditationsweise die bis in das Unbewußte reiche, seien die Geistlichen Übungen des

Ignatius von Loyola. Er hat sie aus diesem Grund auch selbst gemacht. Nach dem 1. Weltkrieg gab es in Deutschland eine große Exerzitienbewegung. H. Dumoulin hat in ihr seine Berufung zum Jesuitenorden gefunden. Es wurden viele und große Exerzitienhäuser gebaut, die lange Zeit immer wieder gefüllt waren. Viele dieser Häuser existieren heute nicht mehr oder sind anderen Zwecken zugeführt worden. Allerdings sind die Exerzitien auch nicht immer richtig verstanden worden. Oft hat man nur jene Teile geübt, die rein gegenständlicher Art waren. Häufig standen die Vorträge im Vordergrund und nicht die Übungen. Was Ignatius gewollt hatte, war aber eine Gebetsschule, die in die Richtung der Mystik, vielleicht gar zur mystischen Erfahrung führte. Viel zu sehr ist man in den Exerzitien dem Zeitgeist entgegengekommen. Entsprechend haben sie heute nicht mehr die Anziehungskraft, die sie vor Jahrzehnten noch besessen haben.

5. Texte christlicher Mystiker

Ich möchte mit einigen Zitaten christlicher Mystiker schließen, die mit dem Zen große Ähnlichkeit haben, vielleicht sich sogar mit diesem decken, zu denen aber auf jeden Fall die Zenübung ihrerseits eine Brücke schlagen kann.

Das Nichtdenken der Mystiker

Gregor von Nyssa (ca. 333 – ca. 394): »Hierdurch belehrt uns nämlich das Wort, daß die religiöse Erkenntnis im Anfang ein Licht ist für die Menschen, denen sie aufgeht ... In der weiteren Entwicklung aber, da der Geist immer weiter und vollkommener fortschreitet in wahrer Erkenntnis, da wird er inne, je näher er dem Schauen kommt, und immer deutlicher sieht er, daß das göttliche Wesen unschaubar ist. Denn da er alles zurückläßt, was da scheint, nicht nur was der Sinn erfaßt, sondern auch was der Verstand zu sehen meint, und immer tiefer dringt ins Innere, bis er mit seines Geistes Bemühen versinkt im Unschaubaren und Unfaßlichen – dort ›sieht er Gott‹. Denn darin besteht das wahre Wissen um das Gesuchte, und das heißt sehen – nicht zu sehen. Das Ziel des Suchens liegt jenseits alles Wissens, wie von einer Wolke allseits umhüllt von Unbegreiflichkeit.«[1]

Dionysius Areopagita (6. Jahrhundert): »In diesem überlichten Dunkel also möchten wir sein und möchten schauen in Blindheit und wissen in Unwissen, was jenseits von Schauen und Wissen ist ... Denn das heißt wahrhaft

[1] *Gregor von Nyssa,* In Canticum Canticorum 888M–896M: *Gregorii Nysseni,* Opera, ed. von *W. Jaeger,* Vol. VI, bearb. von *H. Langerbeck.* Leiden 1960, 174–184; zitiert nach *O. Karrer,* Der mystische Strom. München 1926, 218f.

schauen und wissen und das ist überwesentlicher Preis des Überwesentlichen: abzustreifen alles, was Sein hat.«[2]

Richard von St. Viktor (ca. 1110–1173): »Große Arbeit ist es gewiß, Gewohntes hinter sich zu lassen, tief verwurzelte Ideen wieder aufzugeben und in hoher Forschung von der Erde zum Himmel emporzuschwingen ... Hier zuerst gewinnt die Seele ihre alte Würde wieder und erhebt Anspruch auf den ihr angeborenen Vorzug eigener Freiheit. Denn was ist dem vernunftbegabten Geiste fremder, was führt mehr zu unwürdiger Knechtschaft, als wenn das Geschöpf, das wahrhaft geistig ist, um das Geistige nicht weiß, und das auf die unsichtbaren und höchsten Güter hin geschaffen ist, nicht wenigstens zur Schau des Unsichtbaren sich erheben, wenn nicht darin verweilen sollte?«[3]

Bonaventura (1221–1274): »Der Geist bedarf, um zur vollkommenen Beschauung zu gelangen, der Reinigung. Der Verstand ist dann gereinigt, wenn er von allen sinnlichen Erkenntnisbildern absieht; noch mehr gereinigt ist er, wenn er auch von den Phantasiebildern frei ist, vollkommen gereinigt ist er, wenn er auch von den philosophischen Schlußfolgerungen frei ist.«[4] »Nur der empfindet es wirklich, der spricht: ›Meine Seele zieht es vor, erwürgt zu werden, und zu sterben mein Gebein‹. Wer diesen Tod liebt, vermag Gott zu schauen, denn es ist unbezweifelbar wahr: ›Kein Mensch wird mich sehen und leben‹. Laßt uns also sterben und in das Dunkel eintreten«[5].

Meister Eckhart (ca. 1260 – ca. 1328): »Solange der Mensch dies noch an sich hat, daß es sein *Wille* ist, den allerliebsten Willen Gottes erfüllen zu *wollen*, so hat ein solcher Mensch nicht die Armut, von der wir sprechen wollen; denn dieser Mensch hat (noch) einen Willen, mit der er dem Willen Gottes genügen will, und das ist *nicht* rechte Armut. Denn, soll der Mensch wahrhaft Armut haben, so muß er seines geschaffenen Willens so ledig sein, wie er's war, als er (noch) nicht war ...«[6]

[2] Zitiert nach *O. Karrer*, Strom, 229.

[3] *Richard von St. Viktor*, Ben. Maj. II, 13: PL 196, 90f.; zitiert nach: Die Viktoriner. Mystische Schriften, ausgew. und übertragen von *P. Wolff / H. Rosenberg*. Wien 1936, 229.

[4] Zitiert nach *H. M. Enomiya-Lassalle*, Zen-Buddhismus. Köln ²1972, 254 Anm. 149.

[5] *Bonaventura*, Itinerarium mentis VII, 6; zitiert nach *Bonaventura*, Itinerarium mentis in Deum. De reductione artium ad theologiam. Pilgerbuch der Seele zu Gott. Die Zurückführung der Künste auf die Theologie. Eingel., übers. und erl. von *J. Kaup*. München 1961, 153f.

[6] *Meister Eckehart*, Beati pauperes spiritu, Predigt 32; zitiert nach: Meister Eckehart. Deutsche Predigten und Traktate, hg. und übers. von *J. Quint* (= Diogenes Taschenbuch 202). München 1979, 304.

Richard von St. Viktor: Die erste Art des Schauens »ist in der Vorstellung und gemäß der Vorstellung allein ... In der Vorstellung befindet sich unser Schauen zweifellos dann, wenn in das Blickfeld die Gestalt und das Abbild der sichtbaren Dinge gerückt wird, wenn wir staunend bemerken und aufmerkend staunen, wie zahlreich, wie groß, wie verschieden diese körperlichen Dinge sind, die wir mit körperlichen Sinnen wahrnehmen, wie schön sie sind und wie lieblich; und in all diesem Geschaffenen verehren wir staunend und bewundern wir verehrend die Macht, die Weisheit und die Fülle des Überwesentlichen. Dann aber weilt unser Schauen in der Vorstellung und wird allein gemäß der Vorstellung gestaltet, wenn wir nichts mit Beweismitteln suchen und durch Vernunftarbeit aufspüren, sondern unser Geist frei hierhin und dorthin sich ergeht, wohin das Staunen auf dieser Stufe der Anschauung zieht.«[7]
Die zweite Art des Schauens ist in »der Vorstellung gemäß der Vernunft ... Das geschieht, wenn wir zu dem, was wir in der Vorstellung hin und her gewendet ... den vernünftigen Grund suchen und finden, und den so gefundenen und erkannten in unsere Betrachtung staunend hineinnehmen.«[8]
Die dritte Art des Schauens ist »in der Vernunft gemäß der Vorstellung ... Dieser Art des Schauens bedienen wir uns dann, wenn wir durch das Gleichnis der sichtbaren Dinge zur Schau des Unsichtbaren erhoben werden.«[9]

Johannes Tauler (ca. 1300–1361): »Indes, liebe Kinder, wer sein Faß nicht mit edlem Zyperwein füllen kann, der fülle es wenigstens mit Steinen und mit Asche, damit sein Faß nicht völlig leer und ledig bleibe, und nicht der Teufel drein fahre. Da ist es besser, daß er der Fünfziger viele bete.«[10] »›Ihr Himmel, entsetzt und betrübt euch! Ihr Himmelspforten, öffnet euch über das ungeheuerliche Gebaren meines Volkes: denn zweifach übel haben sie gehandelt; sie haben mich, das lebendige Wasser, verlassen und sich selbst eine Zisterne gegraben, die kein Wasser enthält.‹«[11] Dann fährt Tauler selbst fort: »Was ist das für ein Volk, über das Gott so klagt? Das ist sein Volk, das sind geistliche Leute, die so gänzlich das lebenspendende Wasser verlassen

[7] *Richard von St. Viktor,* Ben.Maj. I,6: PL 196, 70f.; zitiert nach: *P. Wolff/H. Rosenberg,* Viktoriner, 205–207.
[8] Ebd.
[9] Ebd.
[10] *Johannes Tauler,* Die zweite Bekehrung; zitiert nach: *J. Weilner,* Johannes Taulers Bekehrungsweg. Die Erfahrungsgrundlagen seiner Mystik (= Studien zur Geschichte der katholischen Moraltheologie 10). Regensburg 1961, 188f.
[11] *Johannes Tauler,* 18. Predigt (Christi Himmelfahrt I): *ders.,* Predigten I. Vollständige Ausgabe, übertragen und hg. von *G. Hofmann* (= Christliche Meister 2). Einsiedeln 1979, 125.

haben und in deren Grunde so wenig wahres Licht und Leben ist, dagegen aber nur Äußerlichkeiten; und dabei verharren sie gänzlich auf ihrer sinngebundenen äußerlichen Art, ihren Werken und Absichten; alles ist von außen hineingetragen vom Hören oder alles durch die Sinne aufgenommen, in bildhafter Weise; und innen, wo Wasser aus dem Grund herausspringen und quellen sollte, da findet sich nichts, gar nichts! ... Und Gott sagt ihnen nicht zu. Und von dem lebendigen Wasser trinken sie auch nicht, das lassen sie sein. ... Was sich in solchen Zisternen sammelt, fault und nimmt üblen Geruch an; es trocknet aus, und das kommt vom Vorhaben der Sinne. So bleibt im Grunde Hoffart, Eigenwillen, Hartsinn und böses Urteil, schlimme Worte, schlechtes Gebaren und Tadel über den Nächsten nicht aus Liebe und in Sanftmut, sondern da, wo weder Ort noch Zeit dazu ist.«[12]
»Wäre solches Wasser je eurem dürren Grunde entquollen, man fände bei euch keine Unterscheidung der Person, sondern stets wahre göttliche Liebe, herausquellen aus dem Grunde: da gäbe es kein Verkleinern, kein böses Richten, keinen Hartsinn. Solche Fäulnis entkeimt alle den Zisternen.«[13]
Von den Neuplatonikern sagt Tauler: »Das, meine Lieben, kam (ihnen) alles aus dem inneren Grunde zu: sie lebten für ihn, sie pflegten seiner. Es ist doch ein schwerer Schimpf und eine große Schande, daß wir armen Nachzügler, die wir Christen sind und so große Hilfe haben – die Gnade Gottes, den heiligen Glauben, das heilige Sakrament und noch manch andere große Unterstützung –, recht wie blinde Hühner herumlaufen, und unser eigenes Selbst, das in uns ist, nicht erkennen und gar nichts darüber wissen: das ist die Wirkung unseres zerteilten und nach außen gerichteten Wesens, und daß wir zuviel Nachdruck auf die Sinne legen, wenn wir fähig sind, auf unser eigenes Vorhaben, (das Beten der) Vigilien, Psalter und ähnliche Übungen, die uns so stark beschäftigen, daß wir niemals in uns selbst kommen können.«[14]
Über das Verlangen nach der Einkehr sagt er: »Die Begehr aber tut sich um und wird in etlichen so groß, daß sie durch Fleisch und Blut geht, ja durch Mark und Gebein, denn was die Natur leisten kann, das muß es kosten, soll dieser Begehr genug geschehen und die Geburt in Wahrheit gefunden werden.«[15]
»Der Mensch, der sich zuvor wohl geübt und sich in Natur und Geist geläutert hat, soweit es seine (menschliche) Kraft vermochte, dem wird ein liebliches Versinken zuteil; sobald dann die (menschliche) Natur das Ihre tut, sie (aber) nicht mehr weiterkann und auf dem höchsten Punkt (ihres Vermögens) angelangt ist, da kommt der göttliche Abgrund, läßt seine Funken in den Geist stieben, und durch die Kraft dieser übernatürlichen

[12] Ebd. 125f.
[13] Ebd. 126.
[15] *Ders.*, 44. Predigt (Fest des hl. Johannes des Täufers II): *ders.*, Predigten II (= Christliche Meister 3). Einsiedeln 1979, 338f.
[15] *Ders.*, Der Seelengrund; zitiert nach: *J. Weilner*, Bekehrungsweg, 123.

Hilfe wird der verklärte, geläuterte Geist seinem (eigenen) Selbst entzogen und zu einem besonderen, geläuterten, unaussprechlichen Gottverlangen geführt«[16], d. h. Gott im Sinne haben. »Fürwahr, es muß notwendigerweise ein Rücklauf geschehen ..., ein Einholen, eine innere Vereinigung aller Kräfte, der niedrigsten wie der höchsten, eine Zusammenfassung gegenüber allen Zerstreuungen ...«[17]. Tauler warnt davor, die Kehre zulange hinauszuschieben, denn »sind sie alt, der Kopf schmerzt sie, und sie können dem Werk der Liebe und ihren Stürmen nicht mehr genügen.«[18]

Johannes vom Kreuz (1542–1591): »Wohl mögen solche Erwägungen und Bilder und Betrachtungsweisen für Anfänger notwendig sein, um die Seele durch das Sinnliche zur Liebe zu bewegen und zu entflammen. Doch dienen sie auch da nur als entferntes Mittel zur Vereinigung mit Gott, und es müssen die Seelen in der Regel durch sie hindurchgehen, um zum Ziel und in das Gemach der geistlichen Ruhe zu gelangen. Doch muß es auch dabei bleiben, daß sie nur hindurchgehen ... Wo dies jedoch außer acht gelassen wird, geraten manche Seelen auf Irrwege ... Dabei quälen sie sich ab und finden doch sehr wenig oder keinen Genuß ...«[19]. »Die Seele muß es nun so weit bringen, daß sie sich all dieser Vorstellungen und Wahrnehmungen entäußert und auch rücksichtlich dieses Sinnes im Dunkel bleibt, wenn sie zur göttlichen Vereinigung gelangen will.«[20]

Der Versenkungsweg

Richard von St. Viktor: »... der Geist, der nicht in der Erkenntnis seiner selbst lange geübt und ganz erzogen ist, wird zur Erkenntnis Gottes nicht emporgehoben. Vergebens erhebt er das Auge des Herzens zum Schauen Gottes, wenn er noch nicht fähig ist, sich selbst zu schauen. Zuerst lerne der Mensch, sein Unsichtbares zu erkennen, bevor er sich unterfange, das Unsichtbare Gottes erfassen zu wollen. Das erste ist, daß du das Unsichtbare deines Geistes erkennst, bevor du fähig werden kannst zur Erkenntnis des Unsichtbaren Gottes. Andernfalls, wenn du dich nicht selbst erkennen kannst, wie willst du die Stirn haben, zu erfassen, was über dir?«[21]

[16] *Johannes Tauler,* 28. Predigt (Fest der Heiligen Dreifaltigkeit I): *ders.,* Predigten I, 196f.

[17] *Ders.,* 1. Predigt (Weihnachtsfest): *ders.,* Predigten I, 16.

[18] *Ders.,* 44. Predigt: *ders.,* Predigten II, 341f.

[19] *Johannes vom Kreuz,* Verstand und Glaube in ihrer Beziehung zu den Sinneswahrnehmungen: Aufstieg zum Berge Karmel, übers. von *P. Ambrosius/A. S. Theresia* (= Sämtliche Werke I). München 1927, 127–129.

[20] Ebd. 127.

[21] *Richard von St. Viktor,* Ben.Min. 71: PL 196, 51: zitiert nach: *P. Wolff/H. Rosenberg,* Viktoriner, 174f.

(Zu Mt 13,44) »Nun gehe und verkaufe, was du hast, kaufe diesen Acker und suche nach dem verborgenen Schatz! Was du in der Welt begehrst, was du in der Welt zu verlieren fürchtest, das wende freudig auf für die Freiheit des Herzens. Hast du aber den Acker gekauft, so grabe in die Tiefe, und zwar fröhlich, wie die, welche einen Schatz graben ... Man muß aber den Schatz in der Tiefe suchen, weil die Weisheit aus dem Verborgenen gewonnen wird.«[22]

Johannes Tauler: »... der Mensch schlafe oder wache, er wisse es oder wisse es nicht; es hat ein gottförmiges, unendliches, ewiges Rückwärtsschauen auf Gott.«[23] »Dies Gemüt, dieser Grund ist so eingepflanzt, daß die Pflanze ein ewiges Reißen und Ziehen nach sich hin hat«[24].
»In dieser Umkehrung wird der Mensch, wenn er sich hierin lassen könnte, unaussprechlich viel weiter geführt denn in allen Werken und Weisungen und Satzungen, die je und je erdacht oder erfunden wurden. Ja, die hierin recht geraten, das werden die allerminniglichsten Menschen, und es wird ihnen so leicht, daß sie, wenn sie wollen, in jedem Augenblick einkehren und alle Natur überfliegen.«[25]

Die Wesensschau

Jan van Ruysbroek (1293–1381): Wer zur mystischen Vereinigung gelangen möchte, »muß darum mit seinem gesamten und umfassenden Selbst für Gott leben, auf daß er den Gnaden und der Berührung Gottes nachkommen kann und er in allen Tugenden und Andachtsübungen Gehorsam bezeigt.«[26]
Was soll ein Mensch in dieser Lage tun? »Das erste ist, daß er auswendig wohl geordnet sei in allen Tugenden und inwendig unbehindert und von allem auswendigen Wirken derart frei, recht als ob er nicht wirkte; ist er aber von innen durch irgendein Tugendwerk in Anspruch genommen, so machen in ihm die Bilder, und solange dies in ihm dauert, kann er nicht schauen. Das zweite ist, daß er Gott innerlich anhange im Einklang von Denken und Lieben, recht wie ein entzündetes glühendes Feuer, das nicht mehr ausgelöscht werden kann. Im Augenblicke, wo er sein Selbst in diesem Zustand fühlt, kann er schauen. Das dritte ist, daß er sich selber muß verloren haben

[22] *Ders.*, Ben.Maj. III,5: PL 196, 115; zitiert nach: *P. Wolff/H. Rosenberg,* Viktoriner, 242f.
[23] *Johannes Tauler,* Der Seelengrund; zitiert nach: *J. Weilner,* Bekehrungsweg, 108.
[24] Ebd. 109.
[25] *Johannes Tauler,* Die zweite Bekehrung; zitiert nach: *J. Weilner,* Bekehrungsweg, 173.
[26] *Jan van Ruusbroec,* Dat Boecsken der Verclaringhe: *ders.,* Werken III. Tielt 1947, 282; zitiert nach: *J. van Ruisbroeck,* Die Zierde der geistlichen Hochzeit und die kleineren Schriften, hg. und übertragen von *F. M. Huebner.* Leipzig 1924, 73f.

in die Unform und in eine Finsternis, worin der schauende Mensch voll Genießens wie in einer Irre geht und sich selber kreatürlicherweise nicht mehr auffinden kann.«[27] »... dieser Lichtglanz ist derart groß, daß der liebende Gott-Schauer in seinem Grunde, wo er ruht, nichts sieht noch fühlt, als allein ein unbegreifliches Licht.«[28]

Johannes Tauler (zum Evangelium vom Lahmen am Teich Betesda, Joh 5,1-9): »Nun läßt unser Herr aus großer Treue die Leute zuweilen für krank liegen, und sie sind doch ganz gesund und wissen es nicht und halten sich ihr ganzes Leben für krank; denn unser Herr weiß das von ihnen, daß, wüßten sie nur um ihre gänzliche Genesung und Gesundung, sie sich mit Wohlgefälligkeit zu sich selber kehrten; und darum läßt er sie, aus großer Treue, all ihre Tage in Unwissenheit leben, in Furcht, Bedrängnis und Demut, und es steht doch stets so um sie, daß sie nur ungern etwas gegen Gott tun wollen in einem jeden Dinge, das ihnen begegnen oder sie treffen könnte. Wenn nun der herrliche Tag kommt, daß sie der liebe Gott mit sich heimführen will, die Zeit ihres Todes, dann macht er sie diese Unwissenheit und diese Dunkelheit vergessen. Er verfährt mit ihnen so väterlich, tröstet sie und läßt sie oft vor ihrem Tod das empfinden, was sie ewiglich genießen sollen, und so sterben sie denn in großer Sicherheit. Und die ihm dann in dieser Finsternis Treue gehalten haben, die führt er ohne jeglichen Aufenthalt in seine unaussprechliche ewige Freude ein: sie werden in der Gottheit begraben; es sind selige Tote; sie sind in Gott gestorben.«[29]

Das Einheitserlebnis

Johannes Tauler: »Und es ist eine Frage unter den Menschen, ob, wenn der Mensch sich willentlich den Dingen zuwendet, die zerfließen, ob der Geist mit verfließe. Und sie sagen gemeiniglich: Ja. Aber ein edler großer Meister sprach: Wenn der Mensch sich mit seinem ganzen Gemüte und mit seinem ganzen Willen und seinem Geist in Gott wende, so wird alles wiedergebracht in dem Augenblick, da er es verloren hat.«[30]

[27] *Ders.*, Die Gheestelike Brulocht: *ders.*, Werken I. Tielt 1944, 241f.; zitiert nach: *F.M. Huebner* (Hg.), Zierde, 383f.

[28] Ebd.

[29] *Johannes Tauler*, 8. Predigt (Freitag nach dem 1. Fastensonntag): *ders.*, Predigten I, 57f.

[30] *Johannes Tauler*, Die zweite Bekehrung; zitiert nach: *J. Weilner*, Bekehrungsweg, 171 Anm. 539.

Religiöse Erfahrung und Glaube

Hajime Nakamura

ZUM GEGENSTAND VON MEDITATION

1. Die Meditation in der Kulturgeschichte

H. Dumoulin, der über reiche Kenntnisse und durchdringende Einsicht in die westliche Religion verfügt, hat sich seit Jahrzehnten mit der Frage der »Meditation« in der fernöstlichen Religion befaßt und auf diesem früher wenig bekannten Gebiet einen erstaunlichen Beitrag geleistet. Nach östlichem Brauch habe ich diesem großen Gelehrten zur Vollendung seines 77. Lebensjahres diese kleine Abhandlung in japanischer Sprache auf seinem Schreibtisch dargeboten. Ich freue mich darüber, daß sie nun zur Vollendung seines achten Lebensjahrzehnts in deutscher Sprache erscheinen darf.

Daß westliche Gelehrte östliche Gedanken häufig nicht in geeigneter Weise verstehen, ist von östlichen Wissenschaftlern oft angezeigt worden. Müssen wir nicht noch mehr darauf hinweisen, daß westliche Gelehrte nicht selten selbst die Geistesgeschichte des westlichen Mittelalters mit Vorurteilen behandeln? Die wissenschaftliche Literatur über eine besondere Gruppe von Geistesmännern wie Proklos, Dionysios Areopagita, Johannes Skotus Eriugena u. a. ist in Europa nicht umfangreich. Die deutschen Mystiker haben einige Beachtung gefunden, aber haben nicht die heute in den Niederlanden eifrig erforschten holländischen Mystiker immer noch in der allgemeinen Geistesgeschichte kaum einen Platz? Wir meinen die Mystiker am Ende des Mittelalters, die Mystikerin Hadewijch, Jan van Ruysbroek, Valentin Weigel, Daniel von Czepko u. a. Diese Namen begegnen einem kaum in einer allgemeinen Philosophiegeschichte oder einem Lexikon der Philosophie.

Noch mehr habe ich mich darüber gewundert, daß die deutschen Mystiker in Deutschland selbst nicht mehr beachtet werden. Während eines Kongresses der Internationalen Gesellschaft für Mittelalterliche Philosophie im August

1977 in Bonn habe ich dort überall in den Buchhandlungen gesucht, aber kein einziges Buch von Eckehart und anderen Mystikern lag zum Verkauf aus. Hat nicht, weil die Mystik aus dem Blickfeld geriet, im Westen wie im Osten das vergleichende Studium nur wenige Fortschritte gemacht?

Während des Mittelalters war die Mystik eine der großen geistigen Strömungen, die der Herrschaft von Lehramt und Dogma Widerstand geleistet hat. Waren es im Westen die Mystiker, so war es im Osten das Zen. Betont der »Weg des Glaubens« das Sündenbewußtsein, hebt die Meditation die dem Menschen innewohnende Natur des Guten hervor und vertritt die Ansicht, daß die Menschennatur ursprünglich gut ist, östlich gesagt, sie ist von der im Menschen verborgenen Buddha-Natur (skt. *buddhadhātu*) überzeugt.

Der Weg der Meditation wurde seit frühester Zeit gelehrt. Die Bhagavadgītā sagt:

»Wenn so dein Geist, nicht mehr bedrückt
Von alter Überlief'rung Schein,
Gesammelt, unbeweglich ruht,
Dann ist die wahre Andacht dein.«[1]

Dem entspricht, wenn Platon empfiehlt, »die Seele im eigenen Selbst konzentriert zu binden«[2]. Dabei hat er wohl nicht die religiöse Konzentration gemeint. Nach Platon »zeigt die Philosophie der Seele, daß alles auf den Sinnen, dem Gehör und den anderen Organen beruhende Denken mit Falschheit erfüllt ist«[3]. Doch wird hier nicht systematisch über die Meditation gehandelt. Deren Systematisierung ist viel späteren Datums.

Auch Aristoteles hat die Bedeutung der Meditation erkannt. Das Glück existiert im tugendhaften Handeln, vollkommenes Glück im besten Handeln, nämlich im meditativen Handeln. Die Meditation ist begehrenswerter als Krieg oder Staatskunst, ja als alle praktischen Dinge, weil sie Muße schenkt, die Muße aber für das Glück notwendig ist[4].

Ruhe und Harmonie des Herzens werden im Osten wie im Westen angestrebt. Die Bhagavadgītā sagt:

»Wer jede sinnliche Begier,
O Sohn der Pritha, von sich weist,
In sich und durch sich selbst beglückt,
Den, Tapfrer, nennt man fest im Geist.«[5]

[1] II, 53. Zitiert nach der Übersetzung von *R. Boxberger*, neu bearb. und hg. von *H. von Glasenapp*. Stuttgart 1956, 31.
[2] Phaidon 83 A.
[3] Ebd. 83 A–B.
[4] Vgl. *B. Russell*, Philosophie des Abendlandes. Ihr Zusammenhang mit der politischen und der sozialen Entwicklung. Wien 1975, das Kapitel »Aristoteles' Ethik« (193–204), bes. 201.
[5] II, 55; zitiert nach *R. Boxberger / H. von Glasenapp*, 31.

Nach Lukretius brauchen wir, um »jene Schrecken und das ganze religiöse Dunkel zu vertreiben, ... nicht die Strahlen der Sonne noch das Licht des Tages, sondern nur den Blick auf die Natur und ihr Gesetz«[6]. Mit ruhigem, ausgeglichenem Geist soll man, so sagt er, alle Dinge anschauen. Solche Gedanken wurden später auch im Westen übernommen.
In China zielt Laotse diesen Bereich an:

»Der Wissende redet nicht.
Der Redende weiß nicht.
Man muß seinen Mund schließen
und seine Pforten zumachen,
seinen Scharfsinn abstumpfen,
seine wirren Gedanken auflösen,
sein Licht mäßigen,
sein Irdisches gemeinsam machen.«[7]

Dies wird »das Erhabenste auf Erden« genannt; es entspricht der im Yoga gelehrten Zucht der Sinne (*pratyāhāra*).
Die Meditation war für das kontemplative Leben im Mittelalter wesentlich. Die Zen-Buddhisten übten Zazen, die Hindu-Asketen praktizierten Yoga. Die westlichen Mönche meditierten über Gott. Der Ort der Meditation war das Kloster. In Ostasien hat Tao-hsin (580–651) erstmals eine Zen-Halle erbaut. Dem folgten viele nach, nachdem in Indien Shankara (700–750) in einem Bergtal oder an einem nahegelegenen stillen Ort ein hinduistisches Kloster (*matha*) errichtet hatte. Im Westen ist besonders der heilige Benedikt berühmt, der späteren Geschlechtern das Vorbild für Klosterbauten gezeigt hat.
In Indien wird die typische Art der Meditation Yoga genannt. »Yoga« bedeutet sprachlich den Geist konzentrieren und mit einem besonderen Objekt verbinden[8]. Das Wort *yoga* erinnert an eine philosophische Theorie. »Theorie« kommt von dem griechischen Verbum *theorein* (sehen, beobachten); es wird besonders gebraucht für das Anschauen eines Wettspieles durch Zuschauer.
Nach Pythagoras sind die höchsten Menschen die Philosophen, die nur sehen; sie sind vom »Rad der Existenzen« befreite Menschen[9]. Ich erinnere mich, daß Rādhākrishnan einmal sagte, sein Standpunkt gleiche dem von Platon erklärten Standpunkt des Beobachters. Wenn man, dem griechischen

[6] De rerum naturae I, 146; zitiert nach *J. Hirschberger*, Geschichte der Philosophie I. Altertum und Mittelalter. Freiburg u. a. [8]1965, 282.
[7] *Laotse,* Tao te king. Das Buch des Alten vom Sinn und Leben, 56. Aus dem Chinesischen übertragen von *R. Wilhelm.* Neuausgabe Düsseldorf/Köln 1972, 99.
[8] Über Yoga siehe besonders *M. Eliade,* Yoga. Unsterblichkeit und Freiheit. Zürich/Stuttgart 1960.
[9] Vgl. *J. Burnet,* Early Greek Philosophy. New York 1958, 98; auch *B. Russell,* Philosophie, 54f.

Wortsinn folgend, die Bedeutung »die Wahrheit sehen« verlebendigt, besteht jedenfalls keine Schwierigkeit, *»yoga«* mit *»theoria«* zu übersetzen. Die Wurzel des Wortes *yoga* ist dem Wort »stillhalten« nahe. Weil es auf das »Sehen« abzielt, kann man es mit *theoria* übersetzen. Daß der Mensch, während er den Geist zähmt und beruhigt, die Wahrheit sieht, wurzelt in der Tat allgemein in der Struktur des Menschen. Bezüglich dieses Punktes kann man beide »nicht zwei« nennen. Nach Ansicht anderer Gelehrter entspricht die Meditation (*contemplatio*) des Augustinus der griechischen *»theoria«*[10]. Wenn man nach der Entsprechung im Buddhismus sucht, so lautet diese *»jhāna«*. Man kann *jhāna* mit »Träumen« oder »Meditation« übersetzen; in der frühesten buddhistischen kanonischen Schrift *Suttanipāta* kommt das Wort *jhāna* immer im Singular vor. Der Inhalt war einfach, aber im allgemeinen ist er im kanonischen *nikāya* kompliziert; der Inhalt von *samādhi* (jap. *zenjō*) entfaltet sich z. B. in den vier *jhāna*. Der »Erinnerung« an die Vergangenheit kommt das englische Wort *»recollection«* nahe. Im allgemeinen ist die Bestimmung von vielfachen Stufen der Meditation wie im Falle der vier *jhāna* dem Europäer fremd; nur in den Geistlichen Übungen des Ignatius läßt sich Ähnliches vermuten[11].

Es gibt verschiedene Art der Yoga-Praxis. Die geistige Konzentration heißt *rāja-yoga* (königlicher Yoga). Äußere Mittel und Methoden benutzt der *kriyā-yoga* (Yoga der Tat). Dabei hat der Gebrauch von Kunsttechniken zwei Bedeutungen: (1) Die Kontemplation, wobei deren Übung bis zu einer besonderen Technik gesteigert wird, (2) ein philosophisches System, das der Praxis die Grundlage gibt. Dieses wird als eines der sechs orthodoxen Schulen angesehen. Das Wort *yoga* läßt sich nur schwer in europäische Sprachen übersetzen. Zur vergleichenden Erwägung seien Übersetzungen der Bhagavadgītā nebeneinandergestellt: die griechische Übersetzung des Galanos, die lateinische Übersetzung Wilhelm von Humboldts, die deutsche Übersetzung Deussens und die englische Übersetzung Rādhākrishnans:

	Griechisch	*Lateinisch*	*Deutsch*	*Englisch*
yogin (VI,42)	theōrētikós	qui devotione excidit	Yogin	yogin
yoga (II, 53)	theophrosýnē	devotio	Yoga	insight (yoga)
dhyāyan (II, 62)	ho dialogizómenos	meditans	(ein Mensch) denkt	(a man) dwells in his mind

[10] Vgl. *Lord Chalmers,* Buddha's Teaching being the Sutta-Nipāta or Discourse Collection. Cambridge, Mass. 1932, XXff.

[11] Vgl. *K. Schumacher,* Vergleich der buddhistischen Versenkung mit dem jesuitischen Exerzieren. Stuttgart 1928; auch *W. Ruben,* Geschichte der indischen Philosophie. Berlin 1954, 120.

Ich habe Deussens deutsche und Rādhākrishnans englische Übersetzung als repräsentative Übersetzungen angeführt; darüber können zwischen Experten Meinungsverschiedenheiten bestehen. Doch sind die Experten meistens Philologen, ihre Übersetzungen dürften dem ursprünglichen Sinn nahe kommen, geben aber keine Auskunft über den philosophischen Fragepunkt. Demgegenüber mag die Übersetzung der Philosophen einigermaßen gezwungen sein, doch klärt sie zumeist den philosophischen Standpunkt. So gesehen erscheint *yoga* im Ergebnis als ein in europäische Sprachen schwer zu übersetzender Begriff. Der Grieche Galanos hat bei seiner erklärenden Übersetzung der Bhagavadgītā ins Griechische *yoga* jedenfalls oft mit *theōria* übersetzt, auch wenn westliche Wissenschaftler es merkwürdig finden.
Wenn *yoga* wie das moderne Wort *»Theorie«* eine kraftgeladene, gezwungene Form zeigt, so nennt man es *hatha-yoga.* Im Zazen zählt man oft bis 84 Drehungen der Finger in verschiedener Form, *mudrā* genannt[12]. Die buddhistischen Fingerhaltungen haben in dieser Gestalt des *yoga* ihren Ursprung. Die Schule hat eine enge Beziehung zur Sānkhya-Philosophie. Diese asketische Übung ist durch die Manu-Gesetze allgemein bekannt.
Den Laut für »Zen« (im Sanskrit *dhyāna,* vulgär *jhāna*) haben die Chinesen mit einem Schriftzeichen wiedergegeben, dessen Bedeutung »denken«, »im Herzen tragen«, »meditieren« ist. Weil das wiederum nichts anderes ist als den Geist beruhigen und konzentrieren, wurde es auch mit dem Schriftzeichen für »bestimmen«, »fixieren« (jap. *jō*) übersetzt. Indem man beide in eins zusammenfaßt, hat man die Bezeichnung *zen-jō* oder auch *jōryo.* In allen buddhistischen Schulen übt man die Beruhigung und Konzentration des Geistes; in der Zen-Schule wurde diese Übung aber besonders hochgeschätzt.
Im Westen wird Meditation *»meditatio«* oder *»contemplatio«* genannt. Diese lateinischen Wörter wurden im Französischen oder Englischen mit *»meditation«* und *»contemplation«* wiedergegeben. Beide Begriffe werden oft im gleichen Sinn gebraucht. In der modernen Fachsprache wird »Meditation« in der Bedeutung von »den Geist beruhigen, die Bewegungen des Geistes allmählich zum Stillstand bringen« verwandt. Kontemplation kommt häufig in der Bedeutung vor: einen Gegenstand denkend hervorheben und reflektieren. (Dies entspricht der Kontrastierung von Stillhalten und Anschauen im Buddhismus, jap. *shikan.*) In der deutschen Sprache gibt es, wie es scheint, kein geeignetes Wort, das den aus dem Indischen kommenden Terminus *zenjō* ausdrückt. Zur Übersetzung bedient man sich der Wörter »Vertiefung« oder »Versenkung«, die zur Bezeichnung des formhaften Zen geeignet sein mögen, aber das formlose Zen nicht auszudrücken vermögen.
Im allgemeinen Verständnis der Christen entspricht im Westen, wie man wohl sagen kann, dem Zazen das Gebet. Viele westliche Menschen beant-

[12] Vgl. das gut ausgestattete Werk von *E. D. Saunders,* Mudrā. A Study of Symbolic Gestures in Japanese Buddhist Sculpture. New York 1960.

worten die Frage jedenfalls so. Doch wenn man nach einer dem Zen entsprechenden Übung in der Vergangenheit sucht, so dürfte nach Ansicht vieler der Hesychiasmus dem Yoga am nächsten kommen[13]. Auch suchte der heilige Bernhard, wie es heißt, die religiöse Wahrheit nicht im schlußfolgernden Denken, sondern in der subjektiven Erfahrung und Meditation.

Meditation, Zazen, Gebet werden an einem stillen Ort verrichtet. In hinduistischen Klöstern gibt es besondere *brahma*-Mönche, die mit Ausnahme einer kurzen Zeit den ganzen Tag über Stillschweigen und Wortlosigkeit (*mauna*) – dies ist eine seit altersher festgesetzte asketische Praxis – beobachten. Im Westen ist der Trappistenorden besonders für seine Hochschätzung der Ruhe und des Schweigens bekannt. Außerdem wird ganz allgemein in Klöstern, Meditationshallen und Kirchen Ruhe und Schweigen gefordert. Mitglieder religiöser Orden widmen sich jährlich während einer bestimmten Zeit an einem ruhigen Ort in Zurückgezogenheit der Meditation. Dies entspricht dem *»Sesshin«* im Zen. Diese Tradition ist übrigens auch bei amerikanischen Protestanten, nicht nur den Puritanern, in Neu-England erhalten geblieben.

Eine Entsprechung des »Eintretens ins Zimmer« (nämlich des Zen-Meisters) wird in unseren Tagen in buddhistischen Ländern in Südasien praktiziert. Nach Beendigung der Meditation und des *Samadhi* berichten die Mönche über ihre Erfahrungen und über ihre Haltung dem Meister. Wenn die Erfahrungen irrig waren, verbessert er sie. Allerdings gibt es nicht wie beim Zen ein »Prüfen« des Übenden. Auch im Westen gibt es vielleicht ein solches Prüfen nicht.

In Südasien setzt man die Meditation (*dhyāna,* jap. *zenjō*) mit einer Ruhepause drei oder vier Stunden lang fort. Aber die Übung ist nicht so streng wie das *Sesshin* des Zen. Es sind verschiedene Körperhaltungen gestattet. Wenn in der Meditationshalle ein Übender sich gegen die Wand lehnt, so macht dies nichts aus, weil es die Körperhaltung gerade macht. Es kommt auch vor, daß ein Mönch gegen die Wand gelehnt schläft; dies wird freilich nicht für gut erachtet. Den Weckstock zum Aufwecken aus dem Schlaf benutzt man weder in Südasien noch im Westen.

Mannigfache Orte der Meditation werden genannt: »unter einem Baum«, »auf einem Stein«, im Tempel u.a.m. Bei den hinduistischen Klöstern Südindiens baut man einige steinerne Meditationszimmer, manchmal werden auch Kellerräume unter einem steinernen Tempel als Meditationszimmer gestaltet. In Tibet sind z.B. im Tempel Se-ra Meditationsräume an hohem Ort errichtet[14]. Der chinesische Zen-Meister Tao-lin der T'ang-Zeit

[13] Vgl. *C. Regamey,* The Meaning and Significance of Spirituality in Europe and in India: Philosophy and Culture East and West, ed. by *Ch. Moore.* Honolulu 1962, 328.

[14] Vgl. *Ch. Bell,* The Religion of Tibet. Oxford 1931, 26.

und der japanische Heilige Myōe haben auf dem Ast eines großen Baumes sitzend von Blättern umgeben Zazen geübt.

2. Der Gegenstand der Meditation

Die notwendigen Bedingungen für die Praxis der Meditation sind in allen Universal- bzw. Hochreligionen ungefähr gleich. Die Übenden beruhigen und befrieden ihr Herz, halten sich von sinnlichen Vergnügen fern und bemühen sich um geistige Konzentration, sie überlassen ihren Körper der Ruhe. Nur die praktische Methode ist in den Religionen verschieden. Im Westen besteht die Meditation darin, mit frommem Gemüt gesammelt und angespannt Gott zu bedenken und mit der gleichen Geisteshaltung eine religiöse Frage oder ein religiöses Ideal zu erwägen. Der gleiche Charakter zeigt sich in vielen Erwägungen (*upāsana*), die die Upanishaden und die Vedānta-Schule lehren. Sie benutzen Symbole zur Meditation. Das indische Wort *pratīka*, das bei der Meditation »Symbol« bedeutet, ist ursprünglich von dem Wort *prati-vanc* gebildet und bedeutet die uns zugewandte Seite, also die an anderen Punkten nicht zu sehende sichtbare Seite des Gegenstandes. So erklären die Philosophen der Upanishaden oft viele Symbole (*pratīkāni*) des *brahma*, indem sie sagen, diese Symbole drückten den Gegenstand *brahma* in einer mit den Sinnen wahrnehmbaren Gestalt klar aus. Entsprechend findet *brahma* seinen Ausdruck als Bezeichnung oder Wort (Chānd.Up. VII,1 f.), als Bedeutung (*manas*) oder Raum (*ākāśya*) (ebd. III,18), als Sonne (ebd. III,19) oder als Feuer, das im Leib die Verdauung bewirkt (ebd. III,13,8; Brhad.Up. V,9) oder als heiliger Laut *om* (Chānd.Up. I,1). Diese Symbole werden bei der Meditation als *brahma* angesehen. Manchmal lehren sie auch *ātman* in der Größe des Daumens erwägen (Kath.Up. IV, 12.13; VI, 17; Śvet.Up. V, 8; Yahānar.Up. XVI, 3). Diese Lehren der alten Upanishaden wurden auch in der Schule der mittleren Upanishaden praktiziert. Die Beziehung der Symbole zum *brahma* entspricht der vieler Götterbilder (*pratimā, arcā*) zu den durch diese dargestellten Göttern[15].

In alter Zeit faßten westliche Denker Symbole als sichtbare Zeichen einer unsichtbaren Wirklichkeit oder Umgebung auf. Ursprünglich bedeutet »Symbol«, daß ein Gast oder ein Bote das Stück eines Ringes, das er als Beweisstück mit sich bringt, mit der anderen Hälfte, die der Gastgeber oder Empfänger der Botschaft besitzt, zusammenfügen kann (*symballein*). Das »Symbol« dient so dem gegenseitigen Verstehen, das seinerseits auf dem Wiedererkennen des sichtbaren Zeichens beruht[16]. Daß zwischen dem

[15] Vgl. dazu viele Beispiele bei Śankara.

[16] Vgl. *P. Deussen*, The Philosophy of the Upanishads. Edinburgh 1906, 99 f.

Verständnis des Symbols der Inder und dem der Griechen eine Analogie besteht, hat schon der arabische Gelehrte Alberuni aufgezeigt und erörtert[17].

Meditation als Mittel zur Erlangung eines höheren Zustandes des Bewußtseins und der geistigen Funktionen wurde in Indien seit sehr früher Zeit geübt. Es gab sie schon zur Zeit der Induszivilisation. Die Meditationspraktiken haben dann einen außerordentlichen Einfluß auf die buddhistische Übung ausgeübt. Auch werden sie in vielen indischen philosophischen Schulen benutzt. Inzwischen werden sie gar von zeitgenössischen westlichen Denkern beachtet[18]. Die Yoga-Schule erhielt aber auch als philosophisches System schon in früher Zeit ihre Gestalt. Die kanonische Hauptschrift dieser Schule, das Yoga-Sūtra, wurde, wie man annimmt, von dem Philosophen Patanjali nach 450 v. Chr. verfaßt. Im Yoga-Sūtra ist das Erlöschen der geistigen Tätigkeit (*citta-vṛttinirodha*) das letzte Ziel. Die Meditation des höchsten Gottes ist nur eine Vorstufe, um zu diesem Zustand zu gelangen. Die psychologische Reflexion dieses philosophischen Systems vermittelt auch modernen Menschen nützliche Anregungen. Der letzte Bereich des Yoga gleicht sehr dem Erlösungszustand (*nirodha-samapātti*) im Buddhismus. Es ist ein Beispiel dafür, daß der Buddhismus den allgemeinen indischen Yoga in sein System hineingenommen hat. Der Buddhismus hat aber darüber hinaus noch viele andere Meditationsarten entwickelt.

In der seit dem frühen Buddhismus gelehrten *shikan*-Meditation bedeutet *shi (śamatha)* die Stillegung der geistigen Vorstellungen, *kan (vipaśyanā)* das Erwägen der Wahrheit. Deshalb ist *kan* eine Methode, Bilder zu schaffen. So ist das *kan* im Kammuryōjukyō *(Amitāyurdhyāna-sūtra)* die Vorstellung der ausgezeichneten Gestalten des Buddha vom unermeßlichen Leben und des Reinen Landes.

Im südasiatischen Buddhismus bezieht sich *shikan* in späterer Zeit auch auf die Gegenstände (*kammatthāna*) der Übung. Es gibt 40 Arten von *shi (śamatha)*. Atemkontrolle und Beruhigung des Geistes *(ānāpānasati)* sind nur eine der Arten. Sie entspricht der Beherrschung der Atmung (*prānāyāna*) in der Yoga-Schule. Im Englischen muß *shi* auch mit *concentration* wiedergegeben werden. *Kan (vipaśyanā)* wird gewöhnlich mit *visesena passati* erklärt und bedeutet die besondere Findung der Wahrheit oder Wirklichkeit. Ob das im eigenen Geist Gedachte Wahrheit ist oder nicht, kann man durch *kan (vipaśyanā)* wissen. Man unterscheidet vier Arten von *kan.*

Im Theravāda-Buddhismus hat *kan* einen vielfältigen Inhalt. Zur Atemkontrolle und Geistesberuhigung *(shi)* benutzt man viele Gegenstände *(kammatthāna)* der Übung. Das Aufmerken *(satipatthāna)* ist einer von ihnen. Bei der

[17] Vgl. dazu das berühmte Werk über Indien des arabischen Reisenden Alberuni aus dem 11. Jahrhundert.

[18] Vgl. *A. Christy,* The Orient in American Transcendentalism. New York 1932, 199f.

Übung von *shikan* denkt man nicht. Welche Form oder Gestalt sich einer vorstellt, ist je nach dem Übenden verschieden.
In Südasien gibt es beim *shi (śamatha)* auch die Vorstellung des Buddha-Bildes. Dies gab es im Frühbuddhismus nicht. Dagegen gibt es in China keine Vorstellung von Bodhidharma-Bildern, wie man sie in Japan kennt. Im Westen und in Indien bestimmt die Vorstellung eines Symbols oder einer Gestalt die Hauptströmung der Meditation. Vor allem in China und Japan kam das Zen des Nicht-denkens und Nicht-vorstellens *(munen musō)*, bei dem weder Gestalt noch Bild im Denken erscheint, zum Zuge. Das Christentum scheint Gott konkret zu denken. »Heiliger Geist«, »Sohn Gottes« und andere Bezeichnungen zeigen diese Tendenzen. Die jüdische Religion dagegen ist stark von einer negativen Theologie bestimmt. Danach kann man Gott nicht konkret beschreiben. Hier scheinen sich Christen und Juden zu unterscheiden.

3. Das Paradoxe als Gegenstand der Meditation

Im Gegensatz zum bisher Gesagten gibt es Meditationen, die als besondere Form alogische, paradoxe Ausdrücke zu ihrem Gegenstand machen. Dies ist im Zen, besonders im Rinzai-Zen der Fall. Der wesentliche Beitrag des Zen zur Hebung der Religion besteht in seiner besonderen Weise, die Wahrheit zu erfassen und aufzuzeigen. Berühmte Zen-Mönche haben verschiedene Methoden benutzt; in der Überlieferung kommen u. a. Stockschläge, Andonnern, Faustschläge vor.
Bei einer Methode in der Rinzai-Schule, Kōan genannt[19], muß der Übende seinen Geist auf eine paradoxe, alogische Frage konzentrieren. Ein *»Kōan«* ist ursprünglich eine öffentliche, von der Regierung bekannt gemachte Weisung. In der Zen-Schule ist es eine Frage, die der Zen-Übende beständig bedenken und lösen muß. Das Kōan wurzelt praktisch im Wechsel von Frage und Antwort *(mondō)*. Einen beträchtlichen Teil der klassischen Zen-Literatur machen die *mondō* aus. Diese sind kurze Gespräche zwischen Meister und Jünger; dabei geht es nicht um Erörterungen, die leere Unterscheidungen zum Inhalt haben, sondern um besondere Weisen, die Wahrheit und Wirklichkeit aufzuzeigen.

»Ein Mönch fragte Dun-schan: Wenn Kälte oder Hitze kommt, wie weicht man ihnen aus?
Dun-schan erwiderte: Warum wendest du dich nicht einem Ort zu, an dem es keine Kälte oder Hitze gibt?
Der Mönch fragte: Was ist das für ein Ort, an dem es keine Kälte oder Hitze gibt?

[19] Der Begriff *kōan* wird zur Zeit von amerikanischen Gelehrten erörtert. Vgl. dazu *P. Wienpahl:* Philosophy East and West 15 (1965) 135–144.

Dun-schan antwortete: Das ist der Ort, wo, wenn es kalt ist, den Carya (= dich) die Kälte umbringt, und wo, wenn es warm ist, den Carya (= dich) die Hitze umbringt.«[20]

Das Kōan erklärt in alltäglicher Sprache paradox die Wahrheit[21]. Es gibt aber auch Kōan, die logisch gar keinen Sinn haben. Die Antwort entspricht nicht der Frage. Wir legen vor:

»Ein Mönch fragte Dun-schan: Was ist es mit Buddha?
Dun-schan erwiderte: Drei Pfund Hanf.«[22]

Vielleicht ging die Frage von der Voraussetzung aus, daß der Buddha leuchtende Tugend besitzt, aber der Meister zerschlägt eine solche Voraussetzung.
In der islamischen Mystik des Sufismus gibt es auch Aufgaben, um deren Lösung man sich mühen muß. Diese sollen den Kōan des Zen ähnlich sein[23]. Das Zen zerschlägt brutal die gewöhnlichen Begriffe der Menschen. Eine solche Technik schmeckt nach geistiger Schocktherapie. Man benutzt aber das Paradox, weil es schwierig ist, eine Grunderfahrung wie die des Zen in der Form der formalen Logik auszudrücken. Wie paradox solche Gespräche sind, wird auch am folgenden Beispiel sichtbar:

»Den Nan-ch'üan fragte einst Chao-chou: ›Was ist der Weg?‹ Nan-ch'üan sprach: ›Der alltägliche Geist ist der Weg.‹ Chao-chou sprach: ›Muß man sich zu ihm hinwenden oder nicht?‹ Nan-ch'üan sprach: ›Wer sich eigens zu ihm hinwendet, wendet sich von ihm ab.‹«[24]

Wenn man paradoxe Ausdrücke als solche systematisiert, entsteht folgende Form:

»Diese (d. h. meine geistige Natur – H. N.) ist über Lob und Tadel erhaben,
Ihrem Wesen nach ist sie
Wie das Himmelsgewölbe.
Nie entfernt sie sich von hier, sondern ruht
In ewiger Stille.
Wenn ihr sie erst noch sucht, so werdet ihr inne, daß niemals
Ihr sie sehen werdet.

[20] Bi-yän-lu, Nr. 43. Meister Yüan-wu's Niederschrift von der Smaragdenen Felswand, hg. von *W. Gundert,* Bd. II. München 1967, 191.

[21] Vgl. den Essay von *Ch. Morris,* Comments on Mysticism and its Language: A Review of General Semantics 9 (1951).

[22] Bi-yän-lu, Nr. 12. Meister Yüan-wu's Niederschrift, Bd. I. München 1964, 239; vgl. auch Mumonkan. Die Schranke ohne Tor. Meister Wu-men's Sammlung der achtundvierzig Kōan. Aus dem Chinesischen übers. und erl. von *H. Dumoulin.* Mainz 1975, 82 (Nr. 18).

[23] So *A.R. Arasteh,* Implications of Persian Psychology in World Perspective (Mitteilung beim Internationalen Kongreß für Psychologie in Tokyo, August 1972).

[24] Mumonkan, 85 (Nr. 19).

Unmöglich ist es, sie zu ergreifen
Oder etwas von ihr zu verwerfen.
Nur in dieser Weise läßt
Sich erreichen die Mitte
Des Unerreichbaren.
Es schweigt, wenn es spricht;
Und es spricht, wenn es schweigt.
Weit offen steht das große Tor der schenkenden
Wahrheit.«[25]

Manchmal scheinen verschiedene Kōan einander zu widersprechen. Auf die Frage »Was ist der Buddha?« antwortet Ma-tsu einmal: »Der Geist ist der Buddha«; doch bei einer anderen Gelegenheit: »Weder Geist noch Buddha«. Die zwei Aussagen widersprechen offensichtlich einander; doch beide sind nichts anderes als Schiffe, die uns zur Erleuchtung führen sollen. Deshalb ist der formallogische Widerspruch kein Widerspruch.
Manche Kōan lassen sich auch wieder in eine logische Gestalt bringen. »Was warst du, bevor dein Vater und deine Mutter geboren wurden?« Diese Frage wird als berühmtes Kōan vorgelegt. Man kann ihr auch die Form geben: »Was existierte vor der Transzendenz von Raum und Zeit?«[26]
Es ist eine bekannte Tatsache, daß dieselbe Tat oder derselbe Ausdruck vom gleichen Lehrer einmal anerkannt und gelobt, ein anderes Mal geleugnet und verworfen wurde. Als Beispiel führen wir das Kōan vom »Finger des Chü-chih« an:

»Was immer Meister Chü-chih (bezüglich des Zen) gefragt wurde, stets hob er nur einen Finger. Ihm diente ein Knabe, den einmal ein auswärtiger Besucher fragte: ›Was ist die Hauptsache der Lehre deines Meisters?‹ Der Knabe hob den Finger. Als Chü-chih davon erfuhr, schnitt er mit einer Klinge den Finger ab. Der Knabe lief vor Schmerz schreiend davon. Chü-chih rief ihm nach. Als der Knabe den Kopf zurückwandte, hob Chü-chih wieder den Finger. Da faßte der Knabe plötzlich die Erleuchtung.
Als Chü-chih zum Sterben kam, sprach er zu seiner Jüngerschar: ›Ich habe von T'ien-lung das ›Zen des einen Fingers‹ empfangen, ich habe es mein ganzes Leben lang benutzt, aber nicht erschöpft.‹ Als er diese Worte geendet hatte, ging er in die Ruhe ein. Chü-chih's und seines Jüngers Erleuchtung steckt nicht in der Fingerspitze. Wer diesbezüglich begreift, dem sind T'ien-lung, Chü-chih, der Knabe zusammen mit dem Selbst an einem Spieß aufgereiht.«[27]

Hier wird die äußerlich gleiche Handlung bzw. der gleiche Ausdruck einmal abgelehnt, ein anderes Mal bejaht. Das erscheint widersprüchlich. Doch auch in unserem alltäglichen Leben kann die gleiche Handlung je nach der Situation verschiedene Bedeutungen haben. So ist es gut, bei einem geselligen

[25] Zitiert nach *S. Ōhasama / A. Faust*, Zen. Der lebendige Buddhismus in Japan. Darmstadt 1968, 82f. Text in: Taishō Daizōkyō Bd. 48, 396b.
[26] Vgl. dazu *Ch. Morris* (o. Anm. 21).
[27] Mumonkan, 45f. (Nr. 3).

Beisammensein zu lachen; bei einer Totenfeier ist Lachen anstößig. Entsprechend fällt der Meister bezüglich derselben Handlung oder desselben Ausdrucks im Hinblick auf die Situation das passende Urteil. Nur ist für uns die Situation oft schwer zu begreifen.

Durch die Sammlungen von Kōan entstanden zahlreiche Spruchsammlungen des Zen. Eine unter ihnen ist das *Mumonkan*, eine seit altersher in Japan viel gelesene Schrift. Sie ist eine Sammlung des Zen-Meisters der südlichen Sung-Dynastie, mit Namen Wu-men Hui-k'ai (1183–1260), und enthält 48 in der chinesischen Zen-Schule überlieferten Kōan-Beispiele, denen er selbst ein Wort der Kritik bzw. Erläuterung sowie einen Vers hinzugefügt hat.

In der Sōtō-Schule, die den Standpunkt des Zen der der leuchtenden Stille *(Mokushōzen)*, eine Zazen-Übung, ohne etwas zu denken, vertritt, benutzt man keine Kōan, während man in der Rinzai-Schule vom Standpunkt des Kanna-Zen her Kōan verwendet. Es soll etwa 1700 Kōan oder *»Soku«* bzw. *»Wa«*, Worte, die mit *»Kōan«* gleichbedeutend sind, geben. Sucht man einen Meister auf, so wird oft das erste Kōan des Mumonkan »Chao-chou's Hund« mit der Frage des »Nicht« (jap. *mu*) aufgegeben. Der Übende meditiert, während er die Frage beständig im Geist festhält und berichtet dem Meister, was er verstehen und erfahren konnte. Entläßt dieser ihn mit einem »Gut so«, so ist der Übende noch nicht so weit, wird er abgewiesen. Solange er abgewiesen wird, muß er das Kōan des *Mu* weiterüben, auch wenn es viele Jahre dauert. Ein anderes Kōan darf er erst üben, wenn ihm dieses erlaubt wird. (In Korea entspricht der Rinzai-Schule die Schule des Sōkei; es besteht aber kein Unterschied in der Übung des Kōan *Mu*.)

Weil die Kōan vielfach die formale Logik übersteigen, kann auch die Antwort nicht formallogisch bestimmt werden. In Japan sind seit alter Zeit Antwortensammlungen für alle Kōan angefertigt worden, die Übende oft einfachhin auswendig lernten. Sobald der Meister das durchschaut, erlangt der Übende keine Genehmigung[28]. Letztlich bleibt der Grad des Verständnisses und der Erfahrung dem Urteil des Meisters überlassen. Auch der Meister besitzt keine der formalen Logik entsprechenden Normen und Kriterien. Hier mag man fragen: Hat eine solch unlogische Weise in der Gegenwart überhaupt noch einen Sinn? Wenn auch der Meister keine der formalen Logik entsprechende Normen und Kriterien hat, besteht dann nicht die Gefahr, daß die Beurteilung letztlich der Beliebigkeit verfällt?

Man kann den Gebrauch der Kōan mit der Art der Führung in der tantrisch beeinflußten Sahajiya-Sekte des indischen Mittelalters vergleichen. Man erklärte nämlich im Sahajiya-Buddhismus während der letzten Phase des indischen Mittelalters die Lehre mit Ausdrücken, die Rätseln vergleichbar sind. Dies geschah einerseits, um das Geheimnis der Lehre zu wahren,

[28] Zahlreiche solcher Antwortensammlungen erschienen im Japanischen noch in jüngster Zeit. Vgl. auch z. B. *Y. Hoffmann*, Der Ton der einen Hand. Die bisher geheimen Antworten auf die wichtigsten Zen-Kōans. Bern u. a. 1978.

andererseits aber, um die konkrete Einbildungskraft in Bewegung zu setzen und nicht abstrakten Tätigkeitsprozessen zu verfallen. Anders gesagt: Die Meister liebten Rätseln ähnliche Ausdrücke, weil sie so das Geheimnis der Lehre festhalten, jedoch, indem sie mit konkreten Bildern arbeiteten, die Abstraktion vermeiden konnten. *»Sahajiya«* ist eine Abänderung des Sanskritwortes *sahaja* und bedeutet die dem Menschen von Geburt an eigene Buddha-Natur. Solche Gedanken werden auch in der Zen-Schule überliefert. Dort entspricht dem *»sahaja«* genau das »Sehen der Natur und Buddhawerden«. Während in Indien diese Rätseln ähnliche Ausdrucksweise völlig erloschen ist, gewann sie in China mehr und mehr an Verbreitung. Der Grund dafür liegt vielleicht darin, daß diese Ausdrucksweise zur traditionellen Denkart der Chinesen paßt. So ist eine bemerkenswerte Eigenart der chinesischen Denkart die Hochschätzung konkreter, individueller Beispiele. Zwar erscheinen die Chinesen in der metaphysischen Spekulation ungeschickt, doch haben sie in den deskriptiven Wissenschaften, in Geschichte, Topographie u. a., hervorragende Werke hinterlassen. In diesem Punkt unterscheiden sich die Chinesen von den Indern völlig[29]. Sie fühlten sich deshalb auch im indischen Buddhismus bzw. in der indischen Meditation beengt, beunruhigt, nicht an ihrem Platz, während die Lehrweise der Kōan-Sammlungen (jap. *Hekiganroku* oder *Mumonkan;* chin. *Pi-yen-lu* und *Wu-men-kuan*) ihren später angemessen und beruhigend vorkam.
Diese Art der Zen-Übung fand dann weite Verbreitung. In Korea wird der Buddhismus in der Sōkeishū genannten Zen-Schule mit Kōan geübt. In China und in den Kunsthandel treibenden Ländern, auch in Vietnam ist der Einfluß des Rinzai stark; selbst ein mit der Lehre vom Reinen Land vermischtes Zen wird praktiziert, bei dem man zumindest von Zen-Charakter spricht.
Ich weiß nicht, ob es im Westen während des Mittelalters den Kōan ähnliches gegeben hat. Meines Wissens hinterlassen alle mittelalterlichen mystischen Schriften des Abendlandes den Eindruck, aus völlig positiven und völlig negativen Aussagen zu bestehen. Die völlig positiven Aussagen entsprechen in ihrem Stil der klassischen westlichen Literatur. Darin gibt es keine kōanähnlichen Elemente. Deshalb erscheint dem westlichen Menschen das Kōan auch sehr merkwürdig. Es gibt auch keinen Begriff für *»Kōan«* in den westlichen Sprachen, so daß man in ihnen die Wörter *»kōan«* und *»mondō«* benutzen muß.
Dennoch fehlt es an Entsprechungen zum Zen-*mondō* im Westen nicht völlig, auch wenn man sie nicht vorneuzeitlich nennen kann. Unterhält man sich z. B. mit dem modernen holländischen Maler Karel Appel, so ist es, als ob man eine mexikanische Springbohne zu fassen suche. Fragt man ihn: »Wo

[29] Vgl. *H. Nakamura,* Ways of Thinking of Eastern Peoples: India – China – Tibet – Japan. Honolulu ²1964.

bist du geboren?«, so fliegt einem die Antwort entgegen: »Du hast bestimmt hübsche Augen, ein Babygesicht.«

4. Die Meditation *munen musō*

Eine Meditation, die das Nicht-Denken im Geist zum Ideal macht, trat vornehmlich in dem Traditionsstrang in Erscheinung, der zur Sōtō-Schule des Zen hinführte. Als in der Frühzeit des japanischen Buddhismus das Interesse für die Zen-Meditation in der Tendai-Schule erwachte, war wohl zunächst eine Meditationsart vorherrschend, in der über etwas nachgedacht wurde. Als die Zen-Schule selbständig wurde, setzte sich die gegenstandlose Meditation durch. Dabei bedeutet »Nicht-denken« gerade »Nicht-denken«.

»Wer das Nicht-tun keiner Wissenschaft studiert, räumt Trübung nicht aus, und verlangt nicht nach Wahrheit.«[30]

In späterer Zeit strebte die Sōtō-Schule danach, den Zustand des *munen musō* zu erreichen, ohne zu reflektieren. Die praktische Methode des Sōtō-Zen unterscheidet sich erheblich von der Methode des Rinzai-Zen. Zen-Meister Dōgen machte Zazen zum Wesen der Praxis des Zen.

»Weshalb empfiehlt man Zazen so ernstlich? – Weil dieses das richtige Tor zum Buddha-Dharma ist.«[31]

In diesem Punkt stimmt das Zen aller Schulen überein. Doch das Sōtō-Zen geht einen Schritt weiter. Es verwirft das Kōan, weil es sich als »Zen der stillen Erleuchtung« *(mokushōzen)* versteht. Das heißt: Der Übende soll seinen Geist auf keinen Gegenstand hin zu sammeln suchen. Ein sinnloses Bemühen, *munen musō* zu verwirklichen, führt umgekehrt erneut in ein Haften. Dōgen lehrte deshalb:

»Während des Zazen darf man sich nicht bemühen, Buddha zu werden. Überlasse dich der Bewegung deines Geistes!«[32]

Dōgen haßte den Namen »Zen-Schule«. Er verkündete, daß er selbst den richtigen Weg des Buddhismus übermittle. Wenn Leute mit dem Wort »Zen-Schule« den »Weg« abgrenzen wollen, so bedeutet das in der Tat den Weg verlieren. Im Sōtō-Zen betont man deshalb das schweigende Hocken. Das im schweigenden Hocken erlangte Satori ist die Meditation.
Ich weiß auch hier nicht, ob es diese Meditationsart des Zen im Westen gibt oder nicht. Doch heißt es in der Schrift »Die Wolke des Nichtwissens« der englischen Mystik des Mittelalters:

[30] Shōdōka. *Ōhasama/Faust,* Zen, bringen nur eine freie Übersetzung. Text in: Taishō Daizōkyō Bd. 48, 395c (eigene Übersetzung).

[31] Shōbōgenzō, Bendōwa; Text in: Taishō Daizōkyō Bd. 82, 16c (eigene Übersetzung).

[32] Fukanzazengi; Text in: ebd. Bd. 82, 1a (eigene Übersetzung).

»Bemühe dich so eine Weile! Du wirst dich nach der Erhabenheit und Bemühung dieser Übung behaglich fühlen ... Du wirst dich in vollkommener Ruhe befinden. Im Inneren erfüllt dich Licht. Auch wird die Anstrengung völlig oder fast gänzlich verschwinden.«[33]

Solche Sätze kommen der Lehre Dōgens nahe. Ich kenne nicht die Einzelheiten der im Westen geübten Meditation. Die Betrachtung scheint nach katholischer Lehre von kurzer Dauer zu sein. Die griechisch-orthodoxe und die katholische Lehre lehren wohl auch nicht, beim Gebet zu Gott *munen musō* zu werden. In einigen Punkten scheint es Übereinstimmungen mit den in der Neuzeit aufgekommenen Quäkern zu geben. Deren Betrachtung nimmt ziemlich lange Zeit in Anspruch. Wenn einen von ihnen bei der Betrachtung ein Gefühl überkommt, so steht er plötzlich auf und äußert Worte. Beim Zazen des Sōtō-Zen ist solches nicht gestattet.

Es entspricht dies zwar nicht genau dem Ideal des *munen musō,* aber bei den Griechen gab es den Ausdruck: »Wie Tote oder Steine leben«[34]. Auch in der indischen Nyāya-Schule wurde das Ideal der Befreiung so formuliert: »wie ein Stein leben«, oder in der Vedānta-Schule: »ohne Empfindung leben«[35]. Auch das Ideal des Zen-Meisters Shidō Mu'nan war es, »lebend ein Toter werden«[36]. Der um die Zeit Shankaras entstandene Sufismus im Islam übte ebenfalls Schweigen, Fasten und Betrachtung, führte ein Leben absoluter Hingabe, entdeckte im Zustand der Ichvergessenheit »die einzige Wirklichkeit« und erstrebte den Bereich der Vereinigung von Gott und Mensch.

Zusammenfassend kann man über den Gegenstand der Meditation wohl folgendermaßen sagen: In der östlichen und westlichen Meditation ist die Art und Weise, wie der Übende den Gegenstand anschaut, mehr oder weniger ähnlich. Nur die Art des Zen steht beiden genannten Arten scharf gegenüber. Infolgedessen ist bei dieser Frage die Zweiteilung von Ost und West nicht angemessen. Man kann nicht einfachhin urteilen: So ist es im Osten und so im Westen, sondern nur feststellen, daß bezüglich des Denkens eines Gegenstandes bei der Meditation mannigfache Praktiken angewandt werden.

Ich habe mich bei der Erwägung der Frage der Meditation auf den Umgang mit dem Gegenstand der Meditation in Ost und West beschränkt. Die Frage würde ihre Fortsetzung in der Beschäftigung mit der intuitiven Erkenntnis finden müssen.

[33] Zitiert bei *W. Johnston,* The Mysticism of the Cloud of Unknowing. New York 1967, 165f. (eigene Übersetzung).

[34] Platon, Gorgias 494 B.

[35] Māndūkya-kārikā II, 36.

[36] Jishōki (Dharma-Worte des Zen-Meisters Mu'nan). Text im 15. Band der Sammlung Nihon no Zen-goroku (Spruchsammlungen japanischer Zen-Meister). Tokyo 1981, 170 (eigene Übersetzung).

Klaus Riesenhuber

REINE ERFAHRUNG

Im Gespräch zwischen Aristoteles, Nishida und Pseudo-Dionysios

1. Die Frage

Unter den Elementen, die heute die Frage nach einem Zugang zur Transzendenz kennzeichnen, nimmt das Verlangen nach religiöser Erfahrung, zusammen mit dem nach Relevanz des Religiösen für Mitmenschlichkeit und Gesellschaft, eine Schlüsselstellung ein. Auf diesem Verlangen beruht die Suche nach alten und neuen Wegen der Meditation, die bei möglichst geringem dogmatischem Ballast wirklichkeitsgesättigte Weisen menschlich-religiöser Selbstfindung eröffnen sollen.

Was dabei unter der gesuchten »Erfahrung« verstanden wird, dürfte, so unbestimmt-tastend dieser Begriff sein mag, einmal eine Berührung mit tranzendenter Wirklichkeit als solche meinen, wie sie ein dogmatischer Begriff eben aufgrund seiner theoretisch-objektivierenden Struktur nicht zu vermitteln vermag. Damit werden die dogmatischen Formeln nicht auf ihrer eigenen Ebene in Frage gestellt. Vielmehr wird diese satzhaft-intentionale Ebene, auf der der Begriff sich des Besitzes der Wahrheit zu versichern sucht, als unzureichend zur Begründung eines ganzmenschlichen Glaubensaktes betrachtet, über sie hinaus also eine unmittelbare Vergewisserung der Transzendenz in ihrer Wirklichkeitsmacht an sich selbst angestrebt. Wenn sich aber die Suche nach religiöser Wirklichkeit nur aus dem Willen zur Vergewisserung speiste, bliebe sie noch in einem erkenntnistheoretischen, reflexiven und damit schließlich wieder theoretisch-abstrakten Horizont eingeschlossen.

In religiöser Erfahrung wird daher, weiterhin, die lebendige Teilhabe an der Fülle von Wirklichkeit erstrebt. Religöse Erfahrung zielt daher nicht auf Wissen, sondern trachtet sich in ihren eigenen, aus der Transzendenz gespeisten Vollzug zu vertiefen. Wenn so für religiöse Erfahrung die Teilhabe an transzendenter Wirklichkeit, in der der Mensch sein Wesen zu finden und erfüllen zu lassen hofft, wesentlich ist, so läßt sie sich vorläufig als Vollzug des Menschseins aus, in und auf Transzendenz hin bestimmen.

Im folgenden soll dem leitenden Verständnis von Erfahrung in östlicher und westlicher Tradition nachgefragt werden. Nach einem Blick auf den philosophischen Erfahrungsbegriff, der die abendländische Tradition bis heute prägt, soll als Stimme östlichen Denkens der japanische Philosoph Kitarō Nishida (1870–1945), der als der bedeutendste Vertreter eines philosophisch gefaßten traditionell japanischen Denkens gelten darf, zu Wort kommen. Wird sein Denken als Anfrage an die christliche Tradition verstanden, so hat sich zu zeigen, in welchem Sinn im christlichen Denken eine Theorie religiöser Erfahrung entwickelt ist, die östlichen Einsichten entsprechen könnte. Wir beschränken uns dabei auf Pseudo-Dionysios, den Areopagiten, der die griechisch-patristische Lehre vom Weg zur Gottesschau in überhöhender Zusammenfassung der Mystik des lateinischen Mittelalters überliefert, und müssen uns auch hier mit einigen systematischen Hinweisen begnügen. So wird es hier ebenfalls nicht möglich sein, den Dialog auch in umgekehrter Richtung zu führen, nämlich im Ausgang von christlichen Motiven nach ihrer Erfüllbarkeit durch östliche Weisheit zu fragen.

2. Aristoteles' Begriff der Erfahrung

Der allgemeine Begriff der Erfahrung dürfte im europäischen Denken »– so paradox es klingt – zu den unaufgeklärtesten Begriffen ... gehören, die wir besitzen«[1]. Doch greift, geschichtlich gesehen, die philosophische Besinnung auf das Wesen der Erfahrung, etwa bei Thomas von Aquin, Kant und Hegel, auf Aristoteles' Analyse der Erfahrung, wie sie sich auf den ersten Seiten der »Metaphysik« findet[2], zurück und bleibt von diesem Ansatz bestimmt.

Aristoteles sieht in der Erfahrung eine Weise des Wissens und weist ihr damit ihren Ort in den Stufen der Wissensformen an. Wissen wird in allen seinen Formen von dem einen Streben nach Erkenntnis der Wahrheit vorangetrieben; »alle Menschen verlangen von Natur aus danach zu wissen«[3]. Die Erkenntnis geht vom einzelnen, zufällig Gegebenen aus und verwesentlicht sich stufenweise zu höherer Allgemeinheit, Notwendigkeit und Zeitüberhobenheit. Zunächst ist dem Menschen die sinnliche Wahrnehmung gegeben. Da sie vorübergehend, vereinzelt und ungeordnet ist, läßt sich diese Flut von Eindrücken einem aufgelösten, auf der Flucht befindlichen Heerhaufen vergleichen. Im Bemühen um Verständnis wird diese ungeordnete Flucht der Erscheinungen zunächst im Gedächtnis zum Stillstand gebracht und aufgehoben. Die eigentliche Leistung der Erfahrung besteht sodann darin, über Wahrnehmung und bloßes Gedächtnis hinaus in den vielerlei Gedächtniseindrücken das sich Wiederholende als Eigenschaft derselben Sache wiederzuerkennen. Erfahrung erfaßt also innerhalb einer Vielzahl von sinnlichen Wahrnehmungen ein Gemeinsames, Identisches, etwa daß ein bestimmtes Heilmittel dem Sokrates, Kallias und vielen anderen in ihrer Krankheit

[1] *H.-G. Gadamer,* Wahrheit und Methode. Grundzüge einer philosophischen Hermeneutik. Tübingen [3]1972, 329.
[2] *Aristoteles,* Metaphysik A 1, 980a 21 – 982a 1.
[3] Ebd. 980a 21.

geholfen hat. Auf solche Erfahrung stützt sich sodann die eigentliche, vollendete Form der Erkenntnis, das begrifflich gefaßte, in seinen Wesenszusammenhängen verstandene theoretische Wissen (*epistēmē*).

Im Unterschied zur Erfahrung ist das Wissen nicht mehr an beobachtete Einzelfälle gebunden, sondern enthält ein allgemeines Urteil, etwa über die Beziehung einer Art von Heilmittel zu einer Art von Krankheit. Das Wissen ist somit prinzipiell der Erfahrung überlegen, da nur im Wissen das je spezifische Was und Warum, Wesen und Grund der Seienden erkannt werden. Da das Wissen sich, sodann, aufgrund seiner Allgemeinheit in Worte und aufgrund seiner Notwendigkeit in einsichtige Urteile fassen läßt, hat es den Vorzug, sprachlich mittelbar zu sein, also gelehrt werden zu können und damit als intersubjektives Gemeingut Grundlage von Gesellschaft werden zu können. Weiterhin stützt sich alle »Kunst« (*technē*), im Unterschied zur unverstandenen Fertigkeit, auf solches allgemeine Wissen. Wie das Beispiel der Medizin zeigt, ist die Ermittlung des je eigentümlichen allgemeinen Wesens der Seienden durch Vergleich und Unterscheidung einer Vielzahl von Wahrnehmungen für den Menschen notwendig, wenn auch im praktischen Leben, etwa in der Arztpraxis, Erfahrung des einzelnen in seiner individuellen Besonderheit das theoretische Wissen ständig zu ergänzen hat. Erfahrung dient so ebenso der Gewinnung theoretischer Erkenntnis wie der »Kunst« oder Technik, also der Lebenssicherung des Menschen.

Da sich die Erfahrung nur aus dem vergleichenden Durchblick durch viele erinnerte Erfahrungen abstrahieren läßt, realisiert sie sich durch zeitliche Bewegung des Erkennens, die, sofern sie Selbsterkenntnis einschließt, bei Hegel zur Geschichte des Bewußtseins wird. Durch die Bewegung in der Zeit zielt Erfahrung aber auf die Überwindung des jeweiligen Jetzt in die Beständigkeit zeitunabhängigen Wissens hinein. Wie die Zeit aber stets nach vorne offen bleibt, so bleibt auch Erfahrung immer unabgeschlossen, nämlich offen zu unvorhergesehenen Wahrnehmungen. Geschieht in der Erfahrung so der stete, aus sich nie zu vollendende Überschritt zum Wissen, so ist sie eine endliche, in diesem Sinn wesenhaft unreine Erkenntnisweise. So haben Zeitlichkeit und Vermittlung der Erfahrung ihren Sinn darin, den Menschen von der Unmittelbarkeit des ersten Eindrucks zu befreien und ihn auf das an sich Seiende oder Wahre jenseits der Erscheinung hin zu öffnen. Denn im unmittelbaren Eindruck fließen noch die zufällige, zeitbestimmte Erscheinung des Seienden und die unreflektierte subjektive Vormeinung des Menschen ununterschieden ineinander. Erst die vergleichende Abstraktion ermöglicht es, im Gegebenen zwischen dem beständigen Wesen und seinen Erscheinungsweisen, damit zugleich zwischen dem Seienden als wahren Gegenstand und den nur subjektiven Bedingungen seiner Wahrnehmung zu differenzieren.

Erfahrung schließt daher ständig, wie besonders Hegel betonte, das Moment des Noch-nicht-wissens, ja des Mißtrauens und Zweifels gegenüber dem unmittelbar Gegebenen ein. Damit liegt in der Erfahrung selbst schon der Wille zu ihrer Kritik, nämlich zur ausscheidenden Unterscheidung, welches negative Moment jedoch vom Vorgriff auf das an sich offenbare Wesen oder die Wahrheit des Seins getragen ist. Duch den Prozeß der Erfahrung kritisiert also das Bewußtsein die Erscheinung, reflektiert aber darin die eigene Auffassung des Gegenstandes. Dafür ist das Bewußtsein gezwungen, seine Vormeinung, also sich selbst, von der Wahrheit des Seienden abzuheben und gerade so, nämlich indem es sich als Subjekt vom Objekt als Repräsentanten des wahrhaft Seienden unterscheidet, sich ihm als Maßstab seiner Erkenntnis unterzuordnen. Die Subjekt-Objekt-Trennung, wie sie aus der kritischen Erfahrung entspringt, sichert daher nicht nur, cartesianisch oder kantisch, die Selbständigkeit des Subjekts gegenüber dem Andrang des Sinnlichen, sondern ebenso die Wahrheit des Seienden gegenüber der vorläufigen Meinung des endlichen Betrachters, der damit sich selbst ständig auf eine von ihm noch nicht besessene Wahrheit hin relativieren und übersteigen muß, um nur im asymptotischen Zielpunkt mit der Wahrheit oder dem Sein eins werden zu können.

Auf diesem Hintergrund können nun die spezifischen Züge des Erfahrungsverständnisses bei Nishida deutlich werden.

3. »Reine Erfahrung« bei Kitarō Nishida

»Reine Erfahrung« lautet das Grundwort von Nishidas Frühwerk »Untersuchung über das Gute« (*Zen no kenkyū*, 1911). In den späteren Werken läßt Nishida dieses Wort wegen seiner psychologisierenden Beiklänge fallen, doch wird die darin gemeinte Sache damit nicht einfach preisgegeben. Der Begriff klärt und vertieft sich vielmehr im Durchgang durch den von Fichte inspirierten Begriff reinen »Selbstbewußtseins« (*jikaku*, 1917), das seine Wurzel im schöpferischen Willen absoluter Freiheit hat, zur reifen Logik des »Feldes« (*basho*, 1925) oder des absoluten Nichts vor aller Spaltung von Subjekt und Objekt, und dieser Begriff wandelt sich sodann zur Konzeption der »geschichtlichen Welt« (*rekishiteki sekai*, ab 1933) als dialektischer Gegensatzeinheit, in der Wirklichkeit sich selbst bestimmt und ausdrückt, um schließlich in Nishidas letztem Werk (1945) in seiner Bedeutung für eine »religiöse Weltanschauung« behandelt zu werden. – Hier kann es nur darum gehen, unter Beschränkung auf das zwar systematisch unausgereifte, doch in seiner Grundintuition wirkungsmächtige oben genannte Frühwerk die wesentlichen Züge dieses Erfahrungsverständnisses aufzuzeigen.

Wenn damit Nishida Aristoteles gegenübergestellt wird, soll damit nicht gesagt sein, Nishidas Verständnis von Erfahrung sei für ostasiatisches, japanisches oder zenbuddhistisches Denken einfachhin repräsentativ, einmal, weil es sich auch hier um *eine* Auslegung von Erfahrung handelt, so sehr diese gewiß aus Nishidas Zen-Übung – nicht aus dem Studium östlicher

Quellentexte – mitgespeist ist, sodann, weil Nishida sich ständig von westlichem Denken anregen läßt – für den Begriff der reinen Erfahrung etwa von William James und durch ihn vom angelsächsischen Empirismus wie auch von Hegel; schließlich behandelt Nishida im Sinn einer ersten Philosophie Erfahrung zunächst in ihrer allgemeinen, formalen Struktur, um darin doch religiöse Erfahrung als tiefste Erfahrung wie als Kern aller reinen Erfahrung zu meinen.

Nishidas gesamtes Denken ist von der Suche nach der »wahren Realität«, in der Wirklichkeit und ihre Gegebenheit für den Menschen ursprünglich eins sind, bewegt. Wahre Realität erschließt sich nun nicht reiner theoretischer Vernunft, sondern nur reiner Erfahrung. »Erfahren bedeutet, die Wirklichkeit gerade so zu kennen, wie sie ist«.[4] Wirklichkeit liegt demnach nicht jenseits des Bewußtseins, sondern eben in diesem selbst. So gilt »Sein gleich Erkennen«, wobei »gleich« keine Reduktion von Sein auf Erkennen besagt, sondern die dynamische Einheit und wechselseitige Zusammengehörigkeit oder Interpretation von Sein und Erkennen in ihrem eigenen Wesen meint.

Solche Wirklichkeitserfahrung realisiert sich in vielerlei Gestalt, zunächst, mit dem neuzeitlichen Empirismus, als einzelne, gegenwärtige Wahrnehmung. Damit ist die Abhängigkeit der augenblicklichen Wahrnehmung von früheren Erfahrungen nicht bestritten, doch erscheint der vergleichende Bezug auf vergangene Eindrücke, damit Fortschritt in der Zeit, für Erfahrung, soweit sie bewußt ist, als unwesentlich, ja störend, weil jeder intentionale Bezug der Erfahrung auf etwas nicht unmittelbar im Bewußtsein Realisiertes ihre Einheit und Wirklichkeitsdichte, damit ihre Reinheit beeinträchtigen müßte. In der Erfahrung tritt so die aktuale Präsenz, die reine Gegenwart in den Vordergrund. Sofern diese nicht als durch Vergangenheit oder Zukunft bedingt erscheint, ruht sie in sich und wird so auf das Jetzt ewiger Gegenwart hin durchscheinend.

Wie das Paradigma der einzelnen Wahrnehmung, etwa einer Farbe, verdeutlicht, besteht Erfahrung in der unvermittelten Anschauung des konkret Gegebenen. Erfahrend strebt das Bewußtsein nicht danach, im Gegebenen zwischen Wesentlichem und Zufälligem, wahrem Sein und Schein zu unterscheiden, sondern ruht in der Fülle des konkret Erscheinenden. Damit wird aber Erfahrung nicht mehr, wie etwa bei Aristoteles primär als unvollkommene Weise reinen Erkennens, sondern als in sich vollendeter Akt, nämlich als wissender Vollzug von Wirklichkeit als solcher verstanden. Erfahrung dient nicht als Vorstufe der Erarbeitung des allgemeinen und notwendigen Begriffs, sondern ist selbst höchste Form von Leben und Innewerden von Wirklichkeit, gegenüber denen das diskursive Denken zum defizienten Akt verblaßt.

[4] *K. Nishida,* Zen no kenkyū, Zenshū I, Tokyo, Iwanami-Shoten, 1965, 9 (Eigene Übersetzungen).

Da solche Erfahrung nicht mehr von der Frage nach gesichertem, verifizierbaren Wissen dominiert ist, weil sie ihre Gewißheit schon für jeden Zweifel unerreichbar in sich trägt, bleibt Erfahrung nicht auf Sinneserkenntnis eingeschränkt. Sie findet sich vielmehr auch im Denken, Fühlen und, zutiefst, im Wollen, sofern diesen die Einheit des bewußten Vollzugs mit seinem konkreten Gehalt eignet. Schließlich erreicht sie ihre höchste Form in der Erfahrung des Mystikers, die sich in ihrer schlichten Einfachheit mit der Erfahrung des Kindes berührt[5]. Erfahrung ist so die reine Grundform von Bewußtsein überhaupt, das als Wille alle Trennungen überwindet. Nishidas psychologistische Relativierung, ja Aufhebung der Wesensunterschiede von Denken, Wollen und Intuition zielt darauf, die Einheit des ursprünglichen Bewußtseinsaktes herauszuschälen, der alle differenzierte und differenzierende Bewußtseinstätigkeit durchdringt.
Um der unmittelbaren Einheit von Erkenntnisgehalt und selbstbewußtem Aktvollzug, also um der Reinheit der Erfahrung willen ist das Bewußtsein von jedem bloß vermeinten Sinn, von unerfüllter Intentionalität wie bloßem Aktbewußtsein zu reinigen. So zersetzen vergegenständlichende Reflexion und dem Phänomen nachträglich hinzugefügte Interpretation den reinen Ineinanderklang von Akt und Gehalt.
Die Einheit und Einfachheit des Erfahrungsaktes schließt jedoch nicht die inhaltliche Differenzierung der Erfahrung aus, sondern fordert sie vielmehr um der Fülle des vollzogenen Gehalts willen. So konzipiert Nishida, inspiriert von Hegels »Begriff« als dem Konkret-Allgemeinen, das Bewußtsein als ein System spontaner, geschichtlicher Selbstdifferenzierung, das durch Vervielfältigung, Entgegensetzung und Einigung ständig neuer Formen die Entwicklung der Kultur trägt. Alle Unterscheidungen im Bewußtsein, wie die von ideal-real, Denken-Wollen, Subjekt-Objekt, Geist-Natur usw., sind dabei notwendige Stufen, durch die das Bewußtsein zu höheren, umfassenderen Synthesen fortschreitet.
Durch diese spannungsreiche Vielfalt theoretischer, praktischer oder ästhetischer Gehalte wird nun im Grunde nicht das je besondere Wesen der innerweltlichen Seienden sondern die diese Gegensätze entspringenlassende und zusammenhaltende fundamentale Dynamik von Bewußtsein und Wirklichkeit thematisiert. Der Schwerpunkt von Nishidas Erfahrungsbegriff liegt so bei aller Weltimmanenz von vornherein in der Gewahrnis jener »im Hintergrund« aller Erfahrung wirkenden unendlichen Einigungskraft, die Bewußtsein und Welt tragend durchformt, liegt also im religiösen Bereich, wohingegen aristotelisch konzipierte Erfahrung ihren Sinn in Wissen und technischer Verfügung des innerweltlichen Seienden hat.

[5] Vgl. *T. Shimomura*, Nishida Kitarō and Some Aspects of his Philosophical Thought: Nishida Kitaro, A Study of Good, trans. by *V.H. Viglielmo*. Tokyo, Printing Bureau Japanese Government, 1960, 203.

Sofern nun reine Erfahrung die wahre Realität unmittelbar berührt und vollzieht – oder sich von ihr vollziehen läßt –, wird der Rückgang vor die Trennung von Subjekt und Objekt zu ihrer ersten Bedingung. Nur wo die kritische Distanz, nämlich der Spielraum des zweifelnden Denkens für den Vergleich von vielerlei möglichen Vorstellungen erlischt, öffnet sich dem Menschen die eine wahre Wirklichkeit. Diese wahre Wirklichkeit ist nicht mehr Objekt für ein Subjekt, das ihm fragend gegenüberstünde, wird aber ebensowenig phänomenalistisch auf nur subjektives Bewußtsein reduziert. Vielmehr erfaßt das Subjekt, indem es sich völlig in den Gegenstand hineingibt und so als bloßes, reflexives Bewußtsein stirbt, sich selbst im Gegenstand als lebendigen Ausdruck der grundlegenden Wirklichkeit selbst.

Erfahrung erschöpft sich also nicht darin, vom Subjekt erwirkte, getragene und ihm immanente Leistung zu sein, sondern umschließt und trägt im Grunde das individuelle Subjekt selbst. Damit vollzieht aber reine Erfahrung als solche schon die Grundbewegung des religiösen Aktes, der eben in der Umkehr des Bewußtseins in seinen Grund hinein besteht. So gibt sich das Selbst in Gebet, Glaube, Ehrfurcht und Liebe radikal in Gott hinein auf, um, nach dem Wort Jesu, der »reinsten Form des Religiösen«[6], im Verlust des eigenen Lebens das wahre Leben, nämlich Gott als Quelle des Lebens zu finden. Gott ist dabei der Grund und die innere einigende Kraft des Alls, die in der sich entäußernden Aufhellung des tiefsten Bewußtseinslebens gefunden wird.

Damit zeigt sich reine Erfahrung zutiefst als durch Selbstaufgabe gewonnene Teilhabe am Leben Gottes und seiner Beziehung zur Welt. Wie nämlich die Einheit des Bewußtseins und sein differenzierter Gehalt unterschieden sind und doch, unter Priorität der Einheit, zusammengehören, so sind auch Ich und Welt in ihrer Selbständigkeit differenzierter Ausdruck des schöpferisch einenden Lebens Gottes. Indem das Subjekt durch die Hingabe an das Andere seiner selbst in die vom Grunde ausgehende Bewegung einschwingt, findet es erstmals sich selbst. Erfahrung ist daher für Nishida nicht nur gegenständliches Erfassen dessen, was als Wesen schon je gewesen ist (*to ti ēn einai*[7]), sondern Weg der Selbstaufgabe und Selbstgewinnung des Menschen in der Einigung mit der in jedem Gegebenen anwesenden letzten Wirklichkeit.

Wenn es auch Nishida kaum gelungen sein dürfte, seine Schau von Erfahrung in ihrer Einheit von Identität und Unterschied systematisch durchzuarbeiten, so wird doch im Umkreisen des Zielbildes reiner Erfahrung als Tiefenschicht ihr ursprünglich religiöser Charakter offenbar. Dieser religiöse Tiefengrund der Erfahrung wird im Hauptwerk der zweiten Phase von

[6] *K. Nishida,* Zen no kenkyū, 174.
[7] Vgl. *Aristoteles,* Metaphysik A 3, 983a 27–28.

Nishidas Denken, in »Anschauung und Reflexion im Selbstbewußtsein« (1917) unter Hinweis auf Augustinus, Pseudo-Dionysios und Scotus Eriugena thematisiert und zum Begriff mystischer Erfahrung vertieft. Nishidas Hinweis auf die christliche mystische Tradition, insbesondere die negative Theologie, rechtfertigt es, in einem dritten Schritt auf die theologisch-spirituelle Tradition des Christentums einzugehen, die ein vom aristotelischen Erfahrungsbegriff wesentlich unabhängiges Verständnis von Erfahrung entwickelt. Dies erscheint umso angemessener, als sich östliche Weisheit als Heilsweg versteht, so sehr bei Nishida selbst zunächst allgemein philosophische Überlegungen im Vordergrund stehen. Unter den vielfältigen Aspekten geistlicher Erfahrung beschränken wir uns auf die Frage nach ihrer Ungegenständlichkeit, nicht nur weil die Überwindung des Subjekt-Objekt-Gegensatzes ein Grundmotiv von Nishidas Erfahrungsbegriff ist, sondern vor allem um der systematisch fundamentalen Bedeutung dieses Problems willen.

4. Die »Mystische Theologie« des Pseudo-Dionysios

Die gegen Ende des fünften Jahrhunderts anzusetzende kleine Schrift »Mystische Theologie« behandelt die Weisen, wie sich der Mensch dem Geheimnis Gottes erkennend nähern könne, unter der Rücksicht der Prädizierbarkeit von Gott. Damit scheint sich die Untersuchung auf der sprachlogischen Ebene zu halten und die Dimension ursprünglicher Erfahrung nicht zu erreichen. Sofern der Autor aber alles darauf anlegt, die Unfaßbarkeit Gottes für Wahrnehmung, Denken und Sprache aufzuweisen und damit dahin führt, alle dem Menschen möglichen Thematisierungen des Wesens Gottes zu überschreiten, bemüht er sich eigentlich um die von keiner endlichen Gedanken- oder Wirklichkeitsform verdeckte und entstellte, reine Erfahrung des Göttlichen. Der Ausgang von sprachlichen Normen macht deutlich, daß menschliche Erfahrung in ihrer alltäglichen Gestalt sprachgebunden und damit intentional verunreinigt ist. Somit kann sich der Mensch nur im ständigen Überstieg über die Grenzen des eigenen Sprechens und Erkennens der reinen Erfahrung nähern, sie aber nicht als gegeben besitzen. Die von Pseudo-Dionysios gezeichneten Weisen der Näherung zu Gott hin sind daher zwar, dem griechischen Denkansatz entsprechend, vom Erkennen her gefaßt, sind aber schon von ihm selbst als existentiell zu verwirklichende Wege zum Göttlichen intendiert.

Als die zwei grundlegenden Weisen, in denen der Mensch einen thematisch gesetzten, intentionalen Erkenntnisgehalt behaupten kann, werden Bejahung und Verneinung genannt. Das Doppelspiel von Bejahung und Verneinung kennzeichnet menschliche Rationalität, die als endliche ihren Gegenstand außer sich hat und ihm daher indifferent, eben in der gleichwertigen

Doppelmöglichkeit von Bejahung und Verneinung, gegenübersteht. Bejahung und Verneinung richten sich daher von sich aus auf einen intendierten Gehalt, der als solcher den Gegenstand adäquat vorstellt und eben dadurch dem Subjekt die so oder so zu entscheidende Frage nach seiner Wahrheit, nämlich nach seiner Wirklichkeit aufgibt. Der Spielraum möglicher Bejahung und Verneinung öffnet sich so in der indifferenten Sphäre zwischen dem Subjekt und einem ihm intentional zur Verfügung gestellten Objekt. Da nun das Gemeinte als Objekt dem intentionalen Akt adäquat zugeordnet ist, die Bejahung also das Gemeinte in seinem Ansich trifft, die Operation der Verneinung aber die Bejahung in ihr Gegenteil verkehrt, ergibt sich, daß Bejahung und Verneinung sich hinsichtlich desselben Gegenstandes als solchen entgegengesetzt sind und sich daher gegenseitig ausschließen.
Hinsichtlich Gottes als der »über allem stehenden Ursache«[8] gilt jedoch, daß man »in Bezug auf sie alle Aussagen setzen und zugleich verneinen müßte, da sie Ursache von allem ist, und (wiederum) alle in vollerem Sinne von ihr bejahen müßte, da sie über allem überseiend ist, und man (doch) nicht glauben darf, daß die Bejahungen (in Bezug auf sie) den Verneinungen entgegengesetzt sind, sondern sie vor allem (Bejahen und Verneinen) über allen Einschränkungen und über allem Absprechen und Aussagen steht«[9]. Bejahung und Verneinung verlieren demnach angesichts der Transzendenz ihre Gegensätzlichkeit. Wenn dem so ist – der genauere Sinn wird noch zu erfragen sein –, bricht die Transzendenz die Subjekt-Objekt-Beziehung auf, indem sie sich der eindeutigen Darstellung durch einen intentionalen Gehalt, die Möglichkeitsbedingung der Gegensätzlichkeit von Bejahung und Verneinung ist, grundsätzlich entzieht, ohne damit doch Denken und Sprechen zur Sinnlosigkeit zu verurteilen. Der Geist kann so in seiner Doppelmöglichkeit von Bejahung und Verneinung nicht mehr a priori geltender, nämlich in sich alle Möglichkeiten umfassender Spiegel der Wirklichkeit und damit Kriterium ihrer Möglichkeit sein, sondern wird in seiner in sich ruhenden Eigenmächtigkeit destruiert. Denn wäre Transzendenz nichts als Objekt, so könnte sie, da sie in ihrem Was und Daß für den Geist indifferente, kontingente Faktizität wäre, ebensogut bejaht wie verneint werden; doch greifen Bejahung wie Verneinung, bezogen auf Transzendenz als bloßes Objekt, ins substanzlose Leere bloßer Intentionalität.
Sofern aber transzendente Wirklichkeit als allgemeine Ursache allem Bejahbaren und Verneinbaren wie allem Bejahen und Verneinen vorausliegt, also lichtender Ursprung des Erkennens überhaupt ist, ist der Geist auf Transzendenz als Erkenntnisaufgabe unbedingt hingeordnet und kann sich dieser Aufgabe nicht, etwa mit Kant, unter Berufung auf seine Unfähigkeit, sie

[8] *Dionysius Areopagita,* Von der mystischen Theologie, I,2: *ders.,* Von den Namen zum Unnennbaren (hg. von *E. von Ivánka*). Einsiedeln o. J. (1956), 92 (PG 3, col. 1000 B).

[9] Ebd.

gegenständlich zu thematisieren, entziehen. Vor der Statik gegenüberstellenden Beurteilens, die nur für innerweltliche, indifferente Objekte gilt, eignet dem Geist also ein Bezug zur Transzendenz des göttlichen Geheimnisses, der als transzendentaler Ursprung allen Bejahens und Verneinens den Geist selbst konstituiert.

Wird Transzendenz nun im Erkennen thematisiert, so führt das zunächst zum Zerbrechen der umfassenden Normativität gegenstandsbezogener Intentionalität. Der Geist verliert damit die Geschlossenheit einer autonom urteilenden Rationalität, kann aber dieses Scheitern annehmen, also »die sinnliche Wahrnehmung und die Denktätigkeit, alle Sinnendinge und Denkinhalte, alles Nicht-Seiende und Seiende«[10] verlassen, sofern er darin und dadurch als ganzer in die Bewegung des »Über«-sich-hinaus[11] eintreten kann. Durch diese Bewegtheit aus der Transzendenz wird er vom entgegenstellenden, von der Wirklichkeit getrennten Urteilen befreit und in sein ursprüngliches Wesen als Streben[12] eingelassen. So verlangt er in bereitwilliger Passivität danach, »erkenntnislos zum Geeintwerden« »emporgehoben« zu werden[13]. Diese Urbewegung des Geistes realisiert sich zum ausdrücklichen Akt in der Form des Gebets, das um Führung für eben diesen, vom gegenständlichen Erkennen nicht mehr hinreichend leitbaren Akt der Einigung bittet[14], wie im Preisen, das über alles hinaus aufsteigend die Transzendenz und in alles hinein absteigend die Gegenwart des überhellen Lichtes Gottes besingt[15].

In dieser Ekstasis zum göttlichen Geheimnis zeigen aber die zwei Grundfunktionen des Geistes, Bejahen und Verneinen, ihre ursprünglich wesenhaft verschiedene Aufgabenstellung und Arbeitsweise, lösen sie also ihre Paareinheit als Gegensatz auf, um sich als Kräfte der einen Transzendenzbewegung des Geistes neu zusammenzuschließen. Bejahung und Verneinung verlieren nun ihre Gegensätzlichkeit, sofern sie in Bezug auf Transzendenz an der Bewegtheit des Geistes von seinem Grund her und an seiner Bewegung zum Grund hin teilnehmen, also ihren absoluten Setzungscharakter aufgeben und sich in verschiedener Richtung bewegen. Denn die bejahende Prädikation von Gott gründet in der Ähnlichkeit oder Verwandtschaft[16] des Geschöpfs mit Gott, die ihm aus dem Empfang seiner Vollkommenheit aus der göttlichen Fülle zukommt. Sie geht also vom Höheren, Gott Näheren aus und steigt, an verbaler Reichhaltigkeit zu-, an inhaltlicher Fülle abnehmend, zum Niedrigeren, Seinsschwächeren ab; somit vollzieht sie das Ausströmen

[10] Ebd. I,1; 91 (col. 997 B).
[11] Ebd. (col. 997 A).
[12] Ebd. (col. 997 B).
[13] Ebd.
[14] Ebd.
[15] Ebd. II; 94 (col. 1025 B).
[16] Ebd. III; 95 (col. 1033 C).

der göttlichen Güte nach. Hingegen gründet die verneinende Prädikation von Gott in der Unähnlichkeit des Endlichen mit Gott, die ihm aufgrund seiner wesenhaften Nichtigkeit aus sich selbst zukommt. Sie beginnt also dort, wo diese Nichtigkeit manifester ist, beim Niedrigeren, von Gott Entfernteren, und steigt, zunehmend wortkarger, aber indirekt wachsende Seinsmächtigkeit aufscheinen lassend, zum von aller Nichtigkeit und Verneinbarkeit unberührten, daher von der Verneinung an sich selbst nicht mehr thematisierbaren göttlichen Dunkel auf; damit vollzieht sie die strebende Selbstaufgabe und darin Selbstvervollkommnung des Endlichen als solchen in seiner Rückkehr zu Gott mit[17].
Die Verneinung begründet sich also auf das »Ich bin es nicht, doch er hat mich geschaffen«[18], mit dem das Geschöpf auf die Frage des Geistes nach dem Ziel seiner strebenden Erkenntnisbewegung antwortet. In der Begründung der Verneinung relativiert das Endliche sich selbst als Sekundäres auf das Frühere seines Grundes hin und erweist sich darin als Geschöpf. Die verneinende Prädikation, die Gott durch Verneinen der Grenze des Endlichen als das im Grunde Einzige und Unbegrenzte aufscheinen läßt, ist also die Entsprechung des Geistes zu der für das Endliche konstitutiven Selbstrelativierung zu seinem Grund als dem Früheren hin. Sofern dem Geist aber die Endlichkeit als Grenze, die nicht durch einfache formale Abstraktion ins Allgemeine der reinen Form, sondern nur durch Verneinung zu überwinden ist, erscheint, zeigt sich die Undurchlässigkeit des Endlichen, das sich im Beharren auf sich selbst absolut zu setzen droht und damit gerade in seiner gelichteten Erkennbarkeit das überseiende Dunkel verhüllt und verbirgt[19]. Der Geist thematisiert daher Gott indirekt als den je vorausgesetzten, anwesenden und doch unerreichbaren Ursprung, nämlich im Bejahen als jenen, der sich in allem Bejahenswerten bezeugt, und im Verneinen als den, angesichts dessen Transzendenz das Endliche der letzten Nichtigkeit seiner eigenen Vollkommenheit inne ist, ihn also umgekehrt als das »Nicht« gegenüber sich selbst thematisiert, um in der Anerkennung der Überlegenheit dieses »Nicht« gegenüber dem eigenen Sein und Nichtsein (Geist und Sinne) sich selbst strebend um seinetwillen aufzugeben. Gott liegt damit jeweils über das von der Bewegung menschlicher Erfahrung in ihrer Positivität und Negativität Realisierbare hinaus, ist also weder ein Pol in den Gegensatzpaaren noch der Gegensatz selbst, »nicht Gleichheit, nicht Ungleichheit, nicht Ähnlichkeit, nicht Unähnlichkeit«[20]. Damit übersteigt er die Gesamtform dieses Erfahrens in ihrer Einheit von Positivität und Negativität und damit im Gesamt der ihr möglichen Thematisierungen, hebt

[17] Ebd. II und III; 94f. (coll. 1025 B–C, 1033 B–C).
[18] *Augustinus,* Confessiones, X, 6: »Non sumus Deus tuus; quaere super nos«; »Ipse fecit nos.«
[19] *Dionysius Areopagita,* Mystische Theologie II, 94 (col. 1025C).
[20] Ebd. V, 96 (col. 1048A).

sich also von der gesamten Ebene des menschlichen Erkennens als solchen ab: »Daß er nicht Finsternis ist und nicht Licht, nicht Irrtum, nicht Wahrheit.«[21]

Menschliche Transzendenzerfahrung hat sich daher ihrer endlichen Eigenform radikal zu entledigen, ohne diese ihre Unfähigkeit noch einmal dialektisch zur Charakterisierung Gottes, etwa als des Unerkennbaren oder schlechthin Anderen, erheben zu können, da Gott als »über-unerkennbar«[22] auch in der Grenze des Endlichen nicht sich selbst spiegelt. Jede dem Menschen mögliche Erkenntnis-, Denk- und Erfahrungsform bleibt also in dem, was sie an sich erfassen kann, im Bereich des Nachstehenden, ontologisch Sekundären: »Daß es über ihn überhaupt keine Aussage und keine Verneinung gibt, sondern daß wir, wenn wir das von ihm aussagen oder das von ihm verneinen, was unter ihm (wörtlich: nach ihm) liegt, von ihm selbst nichts ausgesagt, nichts verneint haben.«[23]

Nicht nur das objektivierende Erkennen, auch alle vom Menschen anhebende transzendierende Erkenntnisbewegung[24] in ihrer inneren Gespanntheit von Abstieg und Aufstieg, Bejahung und Verneinung kommt daher vor Gott zur Einsicht in ihr Unvermögen und gibt sich als Bewegung, als eigenwilliges Sich-an-Gott-versuchen auf. Erst so geht der Geist, von sich selbst befreit und ganz der Ausstrahlung von Gottes Sein übereignet, im Stillestehen aller Eigenaktivität und damit im absoluten Nichterkennen – sofern Erkennen seinen Gegenstand formt –, in die Gegenwart des einfachen, von allem losgelösten, nur unwandelbar in sich selbst ruhenden Geheimnisses ein. »Und dann macht er sich los von allem, was gesehen werden kann und was sieht, und sinkt hinein in das wahre mystische Dunkel des Unerkennens, ... ganz dem angehörend, der jenseits von allem ist, und niemandem mehr angehörend, weder sich noch einem anderen, geeint mit seinem Höchsten (auf die höchste Weise), mit dem völlig Unerkennbaren, durch das Stillstehen aller Erkenntnis, übergeistig erkennend dadurch, daß er nichts erkennt.«[25]

Reine geistliche Erfahrung ereignet sich somit nicht schon dadurch, daß die Subjekt-Objekt-Spaltung durchschaut ist, sondern ist dem Menschen nur in einer unbegrenzten und radikalen Bewegung des Über-hinaus zum einen Urgrund hin, nämlich im transzendierenden Denken, Beten und Preisen anzielbar, läßt sich aber auch durch diese Akte nicht bewerkstelligen, sondern bleibt in aller Selbstvermittlung und Vermitteltheit des Geschöpfs zu verlangender und doch nicht vorwegnehmender Offenheit die in sich unvermittelte Gabe der Gegenwart Gottes.

[21] Ebd. 97 (col. 1048 A).
[22] Ebd. I, 1; 91 (col. 997 A).
[23] Ebd. V; 97 (col. 1048 B).
[24] Zu dieser Unterscheidung vgl. ebd. I, 2; 91 f. (col. 1000 A–B).
[25] Ebd. I, 3; 93 (col. 1001 A).

Dionysios' neuplatonisch-christliche Sicht der Gotteserkenntnis als Erfahren oder eher »Erleiden des Göttlichen«[26] bildet den Quellgrund des Stromes mittelalterlicher Mystik, der als neuplatonisch inspiriert bekannt ist – von Eriugena über die Viktoriner, Eckhart und seine Schule zu Cusanus – und wird zugleich von Bonaventura, Albertus Magnus und Thomas von Aquin[27] in systematisch geklärter und verwandelter Form in scholastisches Denken eingebracht. Der Aufweis der offenbaren Analogien und vielleicht weniger sichtbaren Differenzen solcher mystischen Theorie zu einer Theorie östlicher Erfahrung – und nur eine vom existentiellen Vollzug gedeckte Theorie, nicht aber unmittelbar die vorverbale Erfahrung selbst kann ins Gespräch eingebracht werden – bedarf der Anstrengung des philosophisch-theologischen Begriffs ebenso wie der strebend-liebenden Einübung in die alles Begreifen tragende und überschreitende Erfahrung selbst.

[26] *Dionysius Areopagita.* De divinis nominibus, II, 9 (PG 3, col. 648B).

[27] Vgl. *K. Riesenhuber,* Partizipation als Strukturprinzip der Namen Gottes bei Thomas von Aquin: Miscellanea Mediaevalia 13/2. Berlin/New York 1981, 969–982.

Horst Bürkle

RATIONALITÄT UND EKSTASE

Wir erleben heute im Umkreis des westlichen Christentums eine eigentümliche divergierende Entwicklung: Auf der einen Seite herrscht eine starke Dominanz des rationalen Elementes in Kirche und Verkündigung, auf der anderen Seite kommt es zu einer neuen Entdeckung des charismatisch-emotionalen Elements in bestimmten Kreisen der Kirche und zu einer neuen Hochschätzung des gefühlsbezogenen Erlebens. Daneben erfreuen sich diejenigen Kreise und Bewegungen außerhalb der Kirche regen Zuspruchs, die jene Dimensionen unseres Menschseins ansprechen, die sich der rein rationalen und verbalen Kommunikationsebene entziehen. Ich denke hier besonders an die zahlreichen von östlichen religiösen Praktiken beeinflußten Zentren und Therapiegemeinschaften. In ihnen spielt das ins Unbewußte, aber eben auch in die psycho-somatischen Bedingungszusammenhänge hinein wirkende ›ekstatische‹ Element eine wichtige Rolle.

Schauen wir über den unmittelbaren Kontext unserer religiösen ›Landschaft‹ hinaus, so begegnen uns außerhalb desselben noch sehr viele elementare Aufbrüche aus einer Dimension, die wir durchaus mit dem Begriff des Ekstatischen belegen können. Mir stehen dabei vor allem zwei Phänomene vor Augen, die mit Fug und Recht als neureligiöse Massenbewegungen bezeichnet werden können.

In *Brasilien* gehört heute – Zahlen lassen sich hier schwer statistisch erheben – vermutlich jeder Fünfte zu einer der dort in den letzten Jahrzehnten rapide um sich greifenden synkretistischen Kultgemeinschaften. Bezeichnungen wie Umbanda, Makumba, Candomblé oder auch andere sind Sammelnamen für eine unüberschaubare Zahl von örtlichen Kultzentren, den sog. ›Terreiros‹. Der jeweilige ›Chef de terreiro‹ ist Zauberpriester im klassischen Sinne des Wortes. Er verfügt über magische Kräfte, vollzieht übernatürliche Heilungen, versetzt seine Medien in ekstatische Zustände, läßt Geister einwohnen und anderes mehr. Die jüngste Dissertation in meinem Institut ist der genauen Untersuchung einer solchen Bewegung im Raume der Hauptstadt Brasilia gewidmet[1]. Dabei zeigt es sich, daß die Anhängerschaft sich keineswegs aus den Kreisen rekrutiert, in denen ursprünglich die afrikanischen Orichas (Ahnengeister) oder die indianischen Kultgottheiten zuhause sind. In Verbindung mit Elementen des europäischen Kardezismus unter bewußter Umdeutung christlicher Heiligengestalten, aber auch der Person Jesu Christi, der Mutter Gottes u. a., zieht eine

[1] *J. Wulfhoist*, Der spiritualistisch-christliche Orden. Ursprung und Erscheinungsformen einer neureligiösen Bewegung in Brasilien. Erlangen 1985.

solche Bewegung Adepten aus den höchsten sozialen Schichten des Landes an.
Eine andere Entwicklung der Rückkehr des Ekstatischen zeichnet sich in den zahlreichen Sonderentwicklungen *im südlichen und westlichen Afrika* ab. Hier brechen ursprünglich afrikanische Phänomene der Stammesreligion wieder auf mit dem Anspruch, die eigentliche und ursprüngliche Gestalt des Christentums darzustellen. Im Mittelpunkt einer solchen nativistischen Separationsbewegung steht – durchaus vergleichbar dem aus Brasilien Berichteten – die charismatische Gestalt des Stifters. Er hat unmittelbare Geisteingebung, hat Auditionen und erlebt Visionen, vollzieht Glaubensheilungen. Dies alles ist begleitet von den typischen ekstatischen Begleiterscheinungen. In ihnen liegen für den afrikanischen Menschen geradezu die Kriterien für die Echtheit des religiösen Erlebens. Die Gottesdienste dieser Gemeinschaften zeichnen sich durch ein starkes emotionales Element aus, das ekstatische Formen annehmen kann. Wenn der Geist über die versammelte Gemeinde kommt, sind Phänomene wie Lallen, Umsichschlagen, zu Boden werfen, Schaum vor dem Mund, aber auch tierische Laute zu beobachten. Dem charismatischen ›Propheten‹ kommt es dann zu, diese Geisterfahrungen zu zügeln und die Ekstase im Zaum zu halten.
Zumindest in Bezug auf die Stifterperson ist im Zusammenhang unseres Themas noch an eine jüngere Entwicklung zu denken, die sich im heutigen *Japan* abzeichnet. Zunehmend seit dem Ende des letzten Weltkrieges – beginnend aber schon vorher – lösen innerhalb des japanischen Buddhismus und Shintoismus einzelne charismatische Gestalten neue Kultbewegungen aus. Die größten von ihnen sind unter dem Namen Sokagakkai und Rissho Kosei-kai bekannt. Aber es gibt deren eine ganze Anzahl kleinerer, weniger bekannt gewordene. Auch hier begegnet uns im Umkreis des Stifters ein starkes ekstatisches Erleben, das sich aber alsbald umsetzt in rationale Kommunikation. Der Gründer kann eine ganze Fülle heiligen Schrifttums verfassen, das das von ihm unter besonderen, eben ekstatischen Umständen Geschaute oder Vernommene anderen zugänglich macht.
Sowohl im Falle der lateinamerikanischen als auch bei den japanischen neubuddhistischen Bewegungen befinden wir uns im neuzeitlichen Milieu einer entwickelten, technisierten und in allen sonstigen Lebensbezügen ›aufgeklärten‹ Welt. Unter den Anhängern finden sich Ärzte, Naturwissenschaftler, Politiker und Militärs. Menschen, die sich sonst durchaus rational zu verhalten wissen, werden hier im Bereich der Religion elementar vom Charakter des Außerordentlichen, des schlechthin Irrationalen und Numinosen erfaßt. *R. Otto* hat in seinen religionswissenschaftlichen Untersuchungen mit Nachdruck auf diese Seite im religiösen Erleben hingewiesen[2].

[2] In seinem grundlegenden Werk über das Irrationale in der Idee des Göttlichen und sein Verhältnis zum Rationalen hat *R. Otto* die für das »Mysterium tremendum«

Für ihn war die rationalisierbare Ebene dessen, was sich für den Menschen in der Religion ereignet, soz. nur die ›Tagseite‹ einer sich darin und dahinter verbergenden mächtigen, für die *ratio* aber eben dunklen Tiefe. Diese Tiefendimension in der Religion – auch in der christlichen – wollte er wieder ernst genommen sehen. Diesem Bemühen um das Verständnis der realen Erscheinungsformen dessen, was er das *tremendum* oder auch das *fascinans* nannte, galten seine Untersuchungen in den ekstatischen und mystischen Erlebnisweisen in den verschiedenen Religionen. Die Theologie seiner und der nachfolgenden Zeit ist mit wenigen Ausnahmen an ihm vorbeigegangen. Sie hatte sich anderen Themen verschrieben, die sich ganz in der lichten Rationalität der ›Tagseite‹ erschöpften. Die historisch-kritische Forschungsmethode, das Thema der Entmythologisierung, die Dialektische Theologie der Barth-Schule – sie und andere Zeitrichtungen drängten die Theologie und ihr zufolge die kirchliche Praxis immer mehr an die Oberfläche rationaler Betrachtung. Was nicht verbalisierbar und auf den Begriff zu bringen war, das sollte und konnte für die theologische Aufgabe außer Betracht bleiben. Von hier aus war dann der Schritt nicht mehr weit in die thematische Engführung der Theologie und kirchlichen Verkündigung durch politische Tagesparolen – soz. der Schritt von der ›Tagseite‹ zur ›Schlagseite‹! Aber ›politische Theologie‹ in welcher Zuspitzung immer (als Theologie der Revolution, der Befreiung oder des Feminismus, der Emanzipation oder der Armut etc.) signalisiert als Endprodukt den Verlust der Religion. Er beginnt jedoch mit der Trennung des Rationalen vom Erlebnisgrund und damit von dem, was im Sinne unseres Themas das ›ekstatische‹ Element in aller lebendigen Religion ausmacht.

Wir wollen uns im folgenden spezifische Formen des Ekstatischen an Beispielen aus dem Hinduismus ansehen und dabei nach dem Verhältnis zum Rationalen fragen. Auf diesem Hintergrund soll uns abschließend die Frage beschäftigen, inwiefern im Christentum die Einheit von Ekstatischem und Rationalem in Gestalt des fleischgewordenen Wortes Gottes ihre abschließende Erfüllung findet[3].

Für den *Yoga* gilt, daß er elementar auf unmittelbare Erfahrung und Praxis angelegt ist. Nicht das Bescheidwissen etwa über die bei Patañjali hochreflektierten mikro- und makrokosmischen Systeme, in die der klassische Yoga als eine Art Initiationsvorgang integriert, nicht die Kenntnis der verschiedenen Modalitäten der Bewußtseinszustände oder andere der indischen spekulativen Weltanschauungstheorie eigenen Betrachtungsweisen sind hier aus-

bezeichnenden Momente des Übermächtigen, Energischen, Schauervollen und des ›Ganz Anderen‹ näher ausgeführt; vgl. *R. Otto,* Das Heilige. München [35]1963, 13–37.

[3] *M. Eliade* hat in seiner grundlegenden Arbeit über Yoga – Unsterblichkeit und Freiheit. Stuttgart 1960 verdeutlicht, wie in den indischen Religionen beide Elemente unseres Themas ineinander liegen.

schlaggebend. Worauf es entscheidend ankommt, ist der Vollzug selber. Er erst verleiht dem Adepten die Möglichkeit des Verwandeltwerdens. Alles kommt hier im Sinne unseres Themas auf das ›Heraustreten‹ aus der vordergründigen Dimension normalen Verhaltens an. Dabei liegt das echt Ekstatische der Yogin-Erfahrung gerade in der Verkoppelung von aktiver Hingabe an die auszuführende Übung und passiver Widerfahrnis der sich darin erschließenden neuen Selbsterfahrung. Beides kommt im ekstatischen Erleben zusammen: Der Mensch unterzieht sich bestimmten religiösen Verrichtungen, aber ihm widerfährt darin auch etwas. Auf letzteres kommt es entscheidend an. Hier liegt soz. das ›Fremderlebnis‹ im machbaren Praxisvorgang. Das Rationale tritt hier zunächst völlig zurück. Es kann sogar in Spannung und Widerspruch treten und damit zum Störfaktor werden. Immer wieder sprechen die klassischen indischen Texte von diesem Vorrang auszuführender Praxis. »Frauensache ist es, die Überlegenheit einer Wahrheit durch diskursive Argumente begründen zu wollen, Männersache, die Welt zu erobern durch deine eigene Macht«[4].
»Durch den *abhyâsa* (= Praxis, Übung, Anstrengung) erlangt man den Erfolg, durch die Praxis gewinnt man die Befreiung. Das vollkommene Bewußtsein erwirbt man durch die Tat. Den Yoga erlangt man durch Handeln *(abhyâsa)* ... Man kann den Tod überlisten durch den *abhyâsa* ... Durch die Praxis gewinnt man die Kraft der Prophezeiung *(vâc)* und die Fähigkeit, durch einfache Willensübungen überall hin zu gelangen, wo man will ...«[5].
Inwiefern der Yoga eine klassische Form ekstatischen Erlebens ist, braucht hier im einzelnen nicht dargelegt zu werden. Was dem Yogi widerfährt, was er ›erlebt‹, welche Verwandlungen er an sich erfährt, all dies ist hinreichend beschrieben und untersucht worden. Für unsere Fragestellung nach dem Verhältnis von Ekstase und Rationalität dagegen ist es wichtig zu sehen, was in diesem Fall zu den Praxis- und Erlebnisweisen die Theorie hinzukommt, sie begründet und erklärt. Worum es im Durchmessen des Außerordentlichen geht, soll durchaus rational dargelegt werden. Die Theorie des Yoga nimmt deshalb einen breiten Raum ein. An Reflexion über die erlösende Praxis hat es nicht gefehlt. Die Theorien erheben durchaus Anspruch auf rationale Schlüssigkeit und Beweiskraft[6].

Schaut man auf die Ekstasetechniken in den Ländern des mahayanistischen Buddhismus, des Tantrismus oder Lamaismus, so zeigt sich auch hier eine

[4] *Tantratattva* I, 125; zit. nach ebd. 47.
[5] *Śiva-Sâṃhitâ* IV, 9–11; zit. nach ebd.
[6] »Die große Bedeutung, welche alle indischen Metaphysiken bis zu der Askesetechnik und Kontemplationsmethode des Yoga der ›Erkenntnis‹ beimessen, erklärt sich leicht aus den Gründen des menschlichen Leidens. Das Elend des menschlichen Lebens rührt nicht von einer göttlichen Strafe oder Ursünde, sondern von der ›Unwissenheit‹ her.« Ebd. 22.

enge Verflechtung des Ekstatischen mit dem die Religionen insgesamt umschreibenden jeweiligen System. Das Einzelerleben bleibt eingeordnet in einen ihn begründenden, sinnvollen Zusammenhang. Erst aus ihm heraus vermag es seine ›soteriologische‹ Bedeutung zu gewinnen. Mag der einzelne ekstatische Vorgang in seiner Besonderheit auf sich zu bestehen scheinen, kommunikationsfähig ist er nur und damit deutbar, insofern er in Beziehung steht zu den das Ganze von Welt und Mensch in der jeweiligen Religion beantwortenden Anschauungen. Hier hat das ›rationale‹ Element seinen unabdingbaren Platz, mag es im Einzelfall bewußt sein oder nicht. Dabei ist unbestritten, daß dieses Element im Hintergrund bleibt. Im Vordergrund steht das elementare Erleben selber, das den Menschen »Tod und Wiedergeburt« an sich erfahren, das ihn die Unterwelt durchmessen läßt oder die Toten zur Sprache bringt. Zweifellos steht hier das Rationale ganz im Dienst des eigentlichen religiösen Erlebens. Es ist soz. das Sekundäre, das ihm seinen ›Sitz im Leben‹, in diesem Fall im übergreifenden Zusammenhang der betreffenden Religion zuweist, zu der es gehört[7].
Wir halten als Fazit unseres kurzen Exkurses in die Welt der östlichen Religionen fest: Das für die religiöse Erfahrung grundlegende ekstatische Element führt zwar nicht in sich bereits, aber in seiner integralen Verklammerung mit der Religion als ganzer immer auch ein rationales Element mit sich. Wie verhält es sich in dieser Hinsicht nun – das sei unsere abschließende Überlegung – im Christentum selber.

Es ist nicht zu übersehen, daß das ekstatische Element wesentlich zur Glaubenserfahrung des Christen dazugehört. Faßt man den Begriff nicht zu eng, so gehören hierher alle im biblischen Bereich uns begegnenden visuellen und auditiven Begebenheiten, aber auch Traumerfahrungen und andere, die Möglichkeiten des Bewußtseins transzendierenden Widerfahrnisse. Wenn der Apostel Paulus davon spricht, daß er »Entrückung im Geiste« erfahren habe, die ihn in himmlische Sphären versetzt hat (vgl. 2 Kor 12,1-4), so haben wir es hier mit einem ausgesprochen ekstatischen Erleben zu tun. Aber auch in der frühen christlichen Gemeinde gehören ekstatische Erlebnis- und Ausdrucksweisen zur gängigen kirchlichen Praxis. Die Glossolalie, die gewiß nicht nur in der Gemeinde von Korinth zu Hause war, aber auch andere Charismen wie das der Prophetie, des Heilens u. a. m. weisen in diese Richtung (vgl. 1 Kor 14,1 ff.; Apg 2,18 u. a.). Alle diese im rationalen Bereich nicht ›aufklärbaren‹ Ereignisse, tragen ekstatische Züge. Sie sind nicht auf die Zeit der Urkirche begrenzt, sondern setzen sich in und durch die Geschichte der Kirche hindurch – wenn auch in veränderter Weise – fort. Die Hagiogra-

[7] »Nach diesen wenigen Auszügen macht man sich einen Begriff von der Umwandlung, die ein schamanisches Schema erfahren kann, wenn es einem komplexen philosophischen System wie dem Tantrismus eingefügt wird.« *M. Eliade*, Schamanismus und archaische Ekstasetechnik. Zürich/Stuttgart 1956, 409.

phien sind Zeugen dieses bleibend bedeutenden ekstatischen Elementes für den christlichen Glauben.

Vom Wesen der christlichen Offenbarung her erfährt nun das Verhältnis von Ekstase und Rationalität seine spezifische und religionsgeschichtlich erfüllende Bestimmung. Das rationale Element tritt nicht nur sekundär zum Zwecke der integralen Verankerung des ekstatischen Einzelerlebnisses in den religiösen Kontext hinzu. Für den christlichen Glauben ist das Rationale dem Ekstatischen gleichwertig und notwendig zugeordnet. Es ist die eine Seite derselben Offenbarungswirklichkeit. Was im Geist erfahren wird, bleibt Teil des geschichtlich in die Erscheinung getretenen trinitarischen Geheimnisses im Sohn. Mit anderen Worten, es kann sich auch in der unmittelbaren Geistererfahrung nichts anderes ereignen als was in Leben und Werk Jesu von Nazareth worthaft wurde. Aber im Logos ist zugleich auch die der vernehmenden Vernunft eigene Rationalität mit beteiligt. Der Logos, von dem das Johannesevangelium (1,1) sagt, daß er *en archē* war, ist zugleich der, der im Wort in der Zeit kerygmatisch wird und damit den Bedingungen der *ratio* sich unterwirft. Damit aber verliert er nie das ihm eigene, aller Vernunft überlegene[8] ekstatische Element. Es wieder zurückzugewinnen und ihm den ihm zukommenden Platz in der kirchlichen Praxis und im Glauben des einzelnen wieder einzuräumen, bleibt eine theologische Aufgabe.

[8] *P. Tillich* zeigt in seiner Systematischen Theologie Bd. I. Stuttgart 1956, 135–142 den Zusammenhang von Offenbarung und Ekstase auf und erinnert an den Charakter der »ekstatischen Partizipation an Christus«, wie sie in der paulinischen Formel des »in Christus sein« zum Ausdruck kommt. »Wie Paulus in diesen Kapiteln zeigt, handelt es sich hier nicht um eine Erkenntnis, die als Resultat der aufnehmenden Funktion des menschlichen Geistes gewonnen wurde, sondern um eine Erkenntnis von ekstatischem Charakter. Schon die von ihm gebrauchte Sprache macht den ekstatischen Charakter von *agape* und *gnosis* deutlich. In beiden ist die rationale Form – einmal des Moralischen, dann des Kognitiven – mit der ekstatischen Erfahrung des Geistes geeint«. Ebd., Bd. III. Stuttgart 1966, 140f.

Eugen Biser

DIE GEBURT DES GLAUBENS AUS DEM WORT

Die Kopfgeburt

Wenn man davon ausgeht, daß der Glaube nicht nur eine wachsende Herausforderung durch außerchristliche Religionen, sondern ebenso auch durch den in neuen Formen wiedererstandenen Mythos zu bestehen hat, ist es angebracht, die längst überfällige Besinnung auf die Entstehung des Glaubens mit einem mythischen Bild zu eröffnen. Es ist das wie kaum eine andere Szene des antiken Mythos sprichwörtlich gewordene Bild von der Geburt der Athene, die gewappnet und kampfbereit dem Haupt ihres Vaters Zeus entspringt. Für diese wunderbare Geburt bieten die alten Mythologen unterschiedliche Deutungen. Nach der einen verschlang Zeus seine erste Gattin Metis, die soviel wie »kluger Rat« bedeutet, um der ihm drohenden Entmachtung durch deren Nachwuchs zu entgehen. Der anderen zufolge wollte er sich dadurch, daß er die zur Fliege gewordene Metis verschluckte, deren Weisheit bemächtigen[1]. In jedem Fall aber mußte ihm Hephaistos den von rasenden Schmerzen gepeinigten Kopf spalten, dem dann Athene mit einem weithin dröhnenden Kampfruf, der Himmel und Erde erzittern ließ, in voller Rüstung entstieg.

In einem eher beiläufigen Werk erfand *Günter Grass* dafür den – freilich bereits von *Walter F. Otto* verwendeten – Begriff ›Kopfgeburt‹, der bei ihm jedoch deshalb negativ besetzt und folgenlos bleibt, weil er den Mythos für widersinnig hält. Im Blick auf die von ihm zum Aussterben verurteilten Deutschen fragt er:

»Gehört nicht Größe dazu, sich aus der Geschichte zu nehmen, dem Zuwachs zu entraten und nur noch Lehrstoff für jüngere Völker zu sein? Da diese Spekuation langlebig zu sein verspricht, ist sie mir Thema geworden. Ich weiß noch nicht: wird es ein Buch oder Film? ›Kopfgeburt‹ könnte der Film oder das Buch oder beides heißen und sich auf den Gott Zeus berufen, aus dessen Kopf die Göttin Athene geboren wurde; ein Widersinn, der männliche Köpfe heutzutage noch schwängert[2].«

Am Schluß seines Essays gibt er dann aber doch, fast erschreckt über das virulente Eigenleben von ›Kopfgeburten‹, zu bedenken:

[1] Dazu *K. Kerényi,* Die Mythologie der Griechen. Darmstadt 1956, 117–127; ferner *W. F. Otto,* Die Götter Griechenlands. Frankfurt 1961, 51–61; außerdem *E. Peterich,* Die Theologie der Hellenen. Leipzig 1935, 302–305.

[2] *G. Grass,* Kopfgeburt oder Die Deutschen sterben aus. Darmstadt/Neuwied 1980, 9.

»Was sich der menschliche Kopf (zu groß geraten) ausdenkt, muß nicht umgesetzt, zur Tat, muß nicht tatsächlich werden. Alle, auch meine Kopfgeburten sind absurd. Deshalb lehnt Sisyphos einen berggängigen Transporter ab. Er lächelt. Sein Stein soll nicht beschleunigt werden. Unmöglich? Wir sind schon zu abhängig von unseren sich selbständig weiterentwickelnden Kopfgeburten ... Nichts weiß ich über Genetik, aber die Genetik weiß mich. Keine Ahnung von Mikroprozessoren, denen meine Ahnung ohnehin keine Ahnung wäre. Mein Protest gegen das Speichern von Daten ist gespeichert. Ich werde gedacht. Nachdem der menschliche Kopf (weil das machbar war) Hirne geboren hat, die nun seiner Kontrolle entwachsen, werden die freigesetzten, selbsttätigen, die demnächst mündigen Hirne den menschlichen Kopf (weil das machbar ist) stillegen, damit er endlich zur Ruhe kommt, Ruhe gibt. Noch denkt er sich aus. Noch folgt er väterlich stolz (und nur mütterlich ein wenig besorgt) den Sprüngen seiner Kopfgeburten in das Versuchsgelände der achtziger Jahre. Wie schnell sie lernen![3]«

Lange vor Grass hatte schon *Ulrich von Wilamowitz-Moellendorff* einzelne Züge des Mythos für einen lächerlichen theologischen Einfall erklärt; doch schlägt durch alle Kritik, selbst noch bei Grass, die unwiderstehliche Faszination durch, die von dem mythischen Bildgedanken ausgeht. Denn das Bild von der Kopfgeburt der Athene spricht zu suggestiv von der Erfahrung, daß Geistiges sich verselbständigen, in einem genealogischen Prozeß sich selbst reproduzieren, im Grenzfall sogar gestalthaft sich gegenübertreten kann, als daß es nicht unmittelbar an die Selbsterfahrung jedes Denkens appellieren würde. Mit sichtbarer Ergriffenheit hat deshalb *Walter F. Otto* den antiken Mythos vom spontanen Hervortreten des Gedankens zu eigenständiger Größe und Schönheit nachgezeichnet und in dieser wunderbaren Geburt den Schlüssel zu den Aktivitäten der Athene, insbesondere aber zur »Poesie ihrer Liebe zu Odysseus«, die dann noch tiefsinniger durch *Hans Urs von Balthasar* gedeutet wurde, gefunden[4]. Tatsächlich gewinnt das Verhältnis des Odysseus zu Athene nur unter der Voraussetzung jene »in der außerchristlichen Dichtung« beispiellose »Zartheit und Ehrfurcht«, die ihm Balthasar attestiert, daß die Göttin mehr ist als nur Idee: mehr im Sinn einer zu spontaner Selbstentschließung fähigen Macht[5]. In ihr ist tatsächlich, wie *Eckart Peterich* von ihr sagt, Metis, das alte göttliche Wort, »auf zauberhafte Weise ... Fleisch geworden, ein Wunsch, ein echtes Ideal, herrliche Gestalt«[6]. In ihrer Klarheit unterscheidet sich Athene von allen vergleichbaren Gottheiten, von der abweisenden Schroffheit der Artemis ebenso wie von der Zwielichtigkeit Appolls, der gleichzeitig Licht- und Todesgott ist. Appoll besagt Glut, Athene Helle, eine verbindende und wärmende, niemals

[3] Ebd. 125f.

[4] Vgl. *W. F. Otto,* Die Götter Griechenlands; *H. U. v. Balthasar,* Herrlichkeit. Eine theologische Ästhetik III/1: Im Raum der Metaphysik. Einsiedeln 1965, 54–59.

[5] Vgl. *H. U. v. Balthasar,* Herrlichkeit, 54.

[6] *E. Peterich,* Die Theologie der Hellenen, 304.

aber versengende Helle. Deshalb ist ihr gleicherweise die scharfblickende Eule wie der silbrig glänzende Ölbaum heilig. Sosehr sie als Göttin des Kampfes den Sieg liebte und deshalb den Beinamen ›Nike‹ trug, schätzte sie an ihren Günstlingen doch am meisten die selbst in der Hitze des Kampfes bewahrte Besonnenheit. Deshalb erfreute sich der ›listenreichste‹ unter den homerischen Helden ihres besonderen Beistands[7].

Kritische Adoption

Anders als *Grass* fanden die Kirchenväter den Mythos von der Kopfgeburt der Athene nicht widersinnig, sondern allenfalls ›verdreht‹, sofern ihrer Meinung nach darin ein ursprüngliches Wissen um göttliche Zusammenhänge wie auch in anderen Szenen des Mythos in entstellender und verzerrter Form wiedergegeben wurde. So hält der Martyrerphilosoph *Justin* den Brauch, Standbilder der Zeustochter Kore an Wasserquellen aufzustellen, für eine irreführende Anspielung auf den Satz des biblischen Schöpfungsberichts, daß der »Geist Gottes über den Wassern schwebte«. Und er fügt hinzu:

»Auf ähnliche Weise verdrehten sie den Sachverhalt, als sie Athene als Tochter des Zeus, freilich nicht aus geschlechtlichem Umgang, ausgaben. Da sie nämlich wußten, daß Gott aus Überlegung durch den Logos die Welt geschaffen hat, erklärten sie Athene zu seinem ersten Gedanken. Uns freilich erscheint es höchst lächerlich, eine Frauengestalt als Abbild des Gedankens hinzustellen. Ebenso widersprechen auch den anderen Kindern des Zeus ihre Taten[8].«

Wesentlich differenzierter verfährt, damit verglichen, *Origenes* in seiner Replik auf den polemischen Vorschlag des Christentumskritiker *Kelsos*, die Christen würden zu einer vollkommeneren Gottesverehrung gelangen, wenn sie sich dazu bereit fänden, auch die Sonne und die Göttin Athene durch Lobgesänge zu feiern[9]. Die Christen seien vielmehr, so Origenes, vom Gegenteil überzeugt; denn sie verherrlichten nur den einen Gott und seinen eingeborenen Sohn, der gleicherweise »Gott und sein Wort« ist. Mit der Sonne, dem Mond, den Sternen und dem ganzen himmlischen Heer zusammen aber besängen sie, in Gemeinschaft mit allen Gerechten, den einen höchsten Gott und seinen eingeborenen Sohn. Zwar könne man sich Athene auch bildlich erklären und unter ihr die »persönlich gedachte Weisheit« verstehen; doch müßte dann erst nachgewiesen werden, daß »ihr Wesen auch tatsächlich dieser bildlichen Ausdrucksweise entspricht«; denn

[7] Dazu *W. F. Otto*, Theophania. Frankfurt/M. 1975, 106f.
[8] *Justin*, Apologia, c. 64.
[9] Vgl. *Origenes*, Adversus Celsum VIII, c. 66f.

wenn es sich herausstellen sollte, daß in ihr nur eine Frauengestalt der Vorzeit zu göttlichen Ehren gelangt sei, käme ihre Verehrung für Christen nicht in Betracht, da diese noch nicht einmal das Recht hätten, »die so mächtige Sonne anzubeten«. Auf jeden Fall aber müsse der Kerngedanke des Mythos, wonach sie »in voller Waffenrüstung aus dem Haupt des Zeus hervorgeht«, von den vielen Zusatzfabeln wie insbesondere der von ihrer versuchten Vergewaltigung durch Hephaistos abgehoben werden, weil kein aufrichtiger Wahrheitssucher etwas Derartiges annehmen könne.
In dieser Replik zeichnet sich auch schon die Spur einer positiven Rezeption ab, die schließlich auf verschlungenen Wegen, die teilweise im Bereich der häretischen Randszene verliefen, zur Gleichsetzung Athenes mit der Gestalt der göttlichen Weisheit (Sophia) führte. Eine nicht unbeträchtliche Rolle scheint dabei, zumindest nach Auskunft des *Hippolyt von Rom*, die Selbstmythisierung des Simon Magus gespielt zu haben, der sich als die Verkörperung des Heiligen Geistes und seine Gefährtin Helena als die von ihm aus der Verirrung zurückgeholte Weisheit (Epinoia) ausgab, gleichzeitig aber auch derselben Angabe zufolge Bildnisse anfertigen ließ, in denen er als Zeus, Helena dagegen als Athene dargestellt war[10]. Wichtiger noch als diese Sinnübertragung scheint für die christliche Rezeption des Mythos jedoch die mit ihm wenigstens ansatzweise gegebene Stadienlehre gewesen zu sein, die sich gleicherweise auf die Vorstellung von der Geburt des Logos wie auf die von seiner offenbarenden Manifestation ausgewirkt haben dürfte.

Die Atemwende

Wenn man dem Wink des *Origenes* folgt und die ›Zusatzfabeln‹ von dem für die christliche Theologie assimilierbaren Kerngedanken des Athene-Mythos abstreift, bleibt tatsächlich ein Bildgedanke, der sich bis in die theologischen Spekulationen *Schellings* hineinverfolgen läßt. Sofern er auf die Vorstellung von der ›Geburt des Logos‹ einging, steht er freilich von vornherein in einem wenigstens partiellen ›Häresieverdacht‹, dem erstmals *Marcell von Ancyra* Ausdruck verlieh, als er die Lehre von einer ›Logosgeburt‹ für schriftwidrig erklärte[11]. Bei diesem Kerngedanken handelt es sich um die Vorstellung von einem Wechsel zwischen ›Selbstausgabe‹ (Diastole) und ›Zurücknahme‹ (Systole) in Gott, der den innersten Rhythmus des menschlichen Gottesverhältnisses bestimmt und in dieser Sicht noch bei *Goethe* nachklingt, am

[10] Vgl. *Hippolyt*, Widerlegung aller Häresien VI, c. 19f, vgl. BKV, Bd. 40, 1922, 155–157.

[11] Nach *R. Seeberg*, Lehrbuch der Dogmengeschichte II. Darmstadt (^{3}1923) 1953, 95f.

schönsten in einem Gedicht aus dem Buch des Sängers des ›West-östlichen Divan‹:

»Im Atemholen sind zweierlei Gnaden:
Die Luft einziehen, sich ihrer entladen;
Jenes bedrängt, dieses erfrischt;
So wunderbar ist das Leben gemischt.
Du danke Gott, wenn er dich preßt,
Und dank ihm, wenn er dich wieder entläßt[12].«

Da die Vorstellung von diesem ›belebenden Wechsel‹ an die von der göttlichen ›eudokia‹ erinnert, mit der sich *Theodor von Mopsuestia*, einer der prominentesten Vertreter der antiochenischen Katechetenschule, zu erklären sucht, daß der allgegenwärtige Gott den nach ihm Suchenden nah, den Widerstrebenden aber fern ist, wird man ihn schließlich auf den emotionalen Antagonismus in der Erfahrung des Heiligen zurückbeziehen dürfen, zumal dieser schon von *Augustinus* unübertrefflich klar angesprochen worden war. Lange bevor *Rudolf Otto* das Heilige in seiner gleichnamigen Schrift (von 1921) als die Spannungseinheit von Mysterium tremendum und Mysterium fascinosum bestimmte, hatte er in seinen ›Bekenntnissen‹ die suggestive Frage gestellt:

»Was ist das für ein Lichtstrahl, der mich trifft, mein Herz durchbohrt und doch nicht verletzt? Ich erschauere und ich erglühe; ich erschauere, weil ich ihm unähnlich bin, und ich erglühe, weil ich ihm ähnlich bin[13].«

Jedenfalls bietet sich von hier aus die Möglichkeit an, den Gefühlskonflikt im Erlebnis des Heiligen auf den schon im Athene-Mythos gegebenen Gedanken an einen ›Phasenunterschied‹ im Geheimnis des Göttlichen zurückzubeziehen, der auf das Stadium des ›Zurückschlingens‹ das der ›Verausgabung‹ folgen läßt. Aus dem ersten erklärt sich dann, vom mythischen Hintergrund her drastisch genug, das Element des Erschauerns, aus dem zweiten das des Entzückens.
Demgegenüber konzentriert sich *Schelling* in seiner gedankentiefen Untersuchung über das ›Wesen der menschlichen Freiheit‹ (von 1809) auf das, was man im Anschluß an einen *Celan*-Titel die ›Atemwende‹ zwischen den beiden Phasen nennen könnte, weil er dort den Ursprung der göttlichen Ideen und damit der Offenbarung vermutet, der bekanntlich das besondere Interesse seiner späten Philosophie galt. Da sich seiner Überzeugung zufolge »ein ewiges Bewußtsein« nicht denken läßt, muß sich der Menschengeist wie in jedem anderen, so auch im göttlichen Leben »Bewegung, Fortschreitung

[12] Der Gedanke kehrt auch in den naturphilosophischen Äußerungen des Dichters wieder, so etwa im Entwurf einer Farbenlehre (1. Abt.); doch bezieht er sich hier primär auf Goethes »innere Geistesoperationen«, insbesondere aber auf das Gestaltungsgesetz des literarischen Schaffens (Tag- und Jahreshefte 1820).

[13] *Augustinus,* Confessiones XI, c. 9; dazu auch die Ausführungen meiner Schrift ›Der schwere Weg der Gottesfrage‹. Düsseldorf 1982, 37f.

bis hin zu jenem Ende« vorstellen, »da Gott ›Alles in Allem‹ ist«[14]. Dieser durch die Endlichkeit des Menschengeistes diktierten Hilfskonstruktion zufolge kommt der entscheidende ›Fortschritt‹ im Gottesbewußtsein aber dadurch zustande, daß in Gott dem Offenbarungswillen ein anderer Wille entgegensteht, der in sein innerstes Wesensgeheimnis zurückstrebt: ein »an-sich-Halten«, das dem göttlichen Drang zur Selbstmitteilung in den Weg tritt, so daß durch diesen fruchtbaren Konflikt ein »reflexives Bild alles dessen« entsteht, was Gottes Wesen in unendlicher Seinsfülle enthält, jetzt, ins Bild verfaßt, aber zum Urentwurf seiner Schöpfung und, radikaler noch, zum Urgehalt seiner offenbarenden Selbstmitteilung wird[15]. Es ist also der Konflikt zweier Liebesweisen in Gott, der sich verausgabenden und mitteilenden und der sich in die eigene Innerlichkeit versenkenden Liebe, der die Welt der Ideen und ihren Inbegriff, die Weisheit, in ihm entstehen läßt. Das ist so deutlich im Rückbezug auf die gnostische Gottesspekulation am Rand des frühen Christentums gesagt, daß der motivgeschichtliche Zusammenhang geradezu in die Augen springt. Eine weniger deutliche Linie führt aber darüber hinaus auf den Mythos von der ›Kopfgeburt‹ der Athene zurück, sofern dem Bild von der verschlungenen Mutter und der ›freigesetzten‹ Tochter bereits der Antagonismus der gegenstrebigen Tendenzen zugrunde liegt. Umgekehrt ist es dann aber so, als habe *Origenes* bereits etwas von dieser Fernwirkung geahnt, als er auf eine Klärung des allegorischen Hintergrunds des Athene-Mythos drängte, weil die Göttin dann bereits als die »persönlich gedachte Weisheit« verstanden werden könne.

Der Absprung

Angesichts der relativ breiten, wenngleich durchweg kritischen Rezeption des Athene-Mythos in der Patristik überrascht es, daß unter den sich anbietenden biblischen Vergleichen nicht auch die Stelle aus dem Weisheitsbuch in Anspruch genommen wird, die im Blick auf die Tötung der ägyptischen Erstgeburt vom ›Sprung‹ des ewigen Wortes von seinem Königssitz berichtet, zumal das Haupt des Zeus gerade die Kirchenväter an die Gipfelhöhe des Weltenbergs erinnert haben dürfte. Doch auch ohne diese zusätzliche Klammer weist die Stelle eine überraschende Motivähnlichkeit auf:

»Als tiefes Schweigen alles umfing und die Nacht die Mitte ihres Laufs erreicht hatte, sprang dein allmächtiges Wort vom Himmel herab, vom

[14] *F. W. J. Schelling*, Das Wesen der menschlichen Freiheit. Düsseldorf 1950 (= Ausgabe Fuhrmans); den zitierten Gedanken entnimmt der Herausgeber Schellings Schrift über ›Die Weltalter‹ (von 1814).

[15] Vgl. ebd. 62.

königlichen Thron, gleich einem gewaltigen Krieger, mitten in das dem Verderben geweihte Land (Weish 18,14f).«

Damit entfiel zwar ein besonders suggestives Bindeglied; doch lag es in der Tendenz der im Motiv der ›Geburt des Logos‹ zentrierten Logosspekulation, daß sie in Richtung auf das in die Welt hineingesprochene Gotteswort fortgeführt wurde. Eine Vorentscheidung dazu war schon gefallen, als die frühen Väter, beginnend mit *Theophil von Antiochien*, zwischen einem ›einbehaltenen‹ *(endiáthetos)* und einem ausgesprochenen *(prophorikós)* Gotteswort zu unterscheiden begannen[16]. Denn nunmehr konzentrierte sich die Frage darauf, wie der Mensch gewordene Logos zum Offenbarer dessen werden konnte, was er als der lebendige Spiegel der göttlichen Ideen von Ewigkeit her war. Dabei stand diesen Theologen von Anfang an vor Augen, daß mit der unendlichen Differenz von göttlichem und menschlichem Geist so etwas wie eine extreme ›Sprachbarriere‹ gegeben war, die im Vollzug des Offenbarungsgeschehens überwunden werden mußte. Sie hatten sogar bereits eine Vorstellung davon, daß diese Überwindung nur auf dem Weg einer, wie sich der Schelling-Kritiker *Kierkegaard* ausdrückte, indirekten Mitteilung, also in Form des ›Paradoxes‹, erfolgen konnte[17]. Doch während Kierkegaard mehr darauf abhob, daß sich der Offenbarer, um seinen Adressaten nicht radikal zu überfordern, einer ›Selbstverhüllung‹ bedienen und deshalb als der ›Gott incognito‹ auftreten mußte, hoben sie mehr auf das damit verbundene Moment der ›Entäußerung‹ (exinanitio) ab, von dem schon im Christushymnus des Philipperbriefs (2,7) die Rede war. Am weitesten geht in diesem Zusammenhang *Hilarius von Poitiers*, der von einer förmlichen ›Abbreviatur‹ des Mensch gewordenen Wortes spricht. Zwar hörte Gott auch in diesem Zustand der Selbstverkleinerung nicht auf, der ewige und unendliche zu sein, der er immer gewesen war; dennoch geht er in seiner Herablassung ganz in die beengenden Bedingungen eines wahren Menschseins ein:

»Zwar stand es in Gottes Macht, etwas anderes zu werden, als das, was er blieb; nicht jedoch, dasjenige nicht mehr zu sein, was er immer gewesen war; als er somit in einem Menschenleben als Gott geboren wurde, hörte er nicht auf, Gott zu sein; und als er sich bis zur Empfängnis, Wiege und Kindheit verkleinerte, verlor er dennoch nichts von seiner göttlichen Macht[18].«

Diese Entäußerung, die Hilarius in der Folge auch als eine demütig-gehorsame Selbstbegrenzung der »unumschreibbaren Kraft« Gottes bezeichnet, geschah im Interesse »unserer Annahme«; doch tat sie der Macht des sich begrenzenden Gottessohnes keinen Abbruch:

[16] *Theophil,* An Autolykos II, c. 10 und 22.
[17] Vgl. *S. Kierkegaard,* Einübung im Christentum. Düsseldorf/Köln 1955, 118–138 (= Ausgabe Hirsch).
[18] *Hilarius,* De trinitate IX, c. 14.

»Denn beim Vorgang dieser erniedrigenden Selbstentleerung behielt er doch die ganze Macht, die diese Entleerung in ihm erfuhr[19].«

Um diesen voll auszuleuchten, bemühte sich die Väter-Theologie in der Folgezeit um den Nachweis, daß Christus gerade auf dem Tiefpunkt seiner Erniedrigung zur allumfassenden Weite seines Heilswirkens gelangte. So trat neben die Vorstellung vom ›Verbum abbreviatum‹ ergänzend diejenige vom ›Verbum extensum‹, die vor allem *Gregor von Nyssa* in seiner ›Großen Katechese‹ entwickelte:

»Da es der Gottheit zukommt, alles zu durchdringen, und sich, der Natur der Dinge entsprechend, in alle ihre Teile hinein auszudehnen ..., will uns das Kreuz durch seine Gestalt, die nach vier Seiten auseinandergeht, darüber belehren, daß er, der im Augenblick seines nach dem göttlichen Heilsplan erlittenen Todes daran ausgestreckt war, derselbe ist, der das Universum in sich eint und harmonisch verbindet, indem er die verschiedenartigsten Dinge zu einem einheitlichen Ganzen zusammenfaßt[20].«

Es blieb einem der großen Programmentwürfe der Barockmalerei vorbehalten, die beiden Positionen durch eine dritte zu ergänzen und so zu einer regelrechten ›Stadienlehre des göttlichen Wortes‹ fortzuentwickeln. Eindrucksvolles Dokument dieser Konzeption ist das von *Franz Georg Hermann* geschaffene Deckengemälde des Bibliothekssaals von Schussenried (von 1757), das alle in den – einstigen – Bücherbeständen repräsentierten Wissenschaften so gruppiert, daß sie den drei auf einer einweisenden Kartusche genannten Stadien des göttlichen Wortes zugeordnet erscheinen. Denn das von Engeln getragene Schriftbild faßt den Gedanken- und Figurenreichtum des Gemäldes in dem knappen, programmatischen Text zusammen:

Verbum
in carne abbreviatum
in cruce extensum
in coelo immensum[21]

Wie der Wissenschaftsbezug des Programmgedankens zeigt, hat sich mit ihm die Frage nach der ›Geburt des Wortes‹ ganz auf die nach seiner Offenbarerrolle, im Grunde sogar schon auf die nach seiner Rezeption in Glaube und Theologie verlagert. Aufs Ganze gesehen ist das ein Konzept, das – mit der einen Ausnahme *Hans Urs von Balthasars* – noch immer auf seine Wiederbelebung im theologischen Denken der Gegenwart wartet. Als Initialstoß dazu kann in der Tat die von Balthasar in seiner Geschichtstheologie ›Das Ganze im Fragment‹ (von 1963) skizzierte ›Lebensgeschichte‹ des göttlichen Wortes gelten, nach der dieses zum Menschen ebenso im Stadium seines Kindseins,

[19] Ebd. XI, c. 48f.

[20] *Gregor von Nyssa*, Große Katechese, c. 32, 2, vgl. BKV, Bd. 56, 1927, 64.

[21] Dazu *A. Kasper*, Der Schussenrieder Bibliothekssaal und seine Schätze. Erolzheim/Württemberg 1954, 28–38.

vor allem im Bild der »Madonna mit dem Kind«, wie in dem seiner Mannesreife, ebenso in seiner Passion wie im Stadium seiner Verherrlichung, also in Auferstehung und Himmelfahrt, redet. »Wie einen stammelnden Laut« vernimmt er das, was ihm das göttliche Kind zu sagen hat; doch redet ihn nicht weniger auch der Gekreuzigte an, so wie ihm »der Auferstandene und der in den unsichtbaren Himmel Entrückte« zuredet; denn:

»Wenn Christus in jedem Stadium seines irdischen Lebens vollgültiges Wort aus Gott ist – nicht nur wo er öffentlich verkündet, sondern auch wo er sich mit Einzelnen unterhält, nicht nur wo sein Wort aufgezeichnet wird, sondern auch in den viel häufigeren Fällen, da es unaufgezeichnet verhallt, nicht nur wo er spricht, sondern auch wo er schweigt oder betet – dann zeigt sich das menschliche Dasein in allem, ›abgesehen von der Sünde‹ (Hebr 4,15) als geeignet, Gott zur Sprache zu dienen. In einem viel höheren Sinn als dem rein-menschlichen ist dann jedes Lebensalter, jeder Zustand des Fleisch gewordenen Wortes endgültige Selbstdarstellung der Fülle Gottes, und in jedem waltet diese Fülle[22].«

Im Interesse einer vollen Rezeption müßte nur noch entschiedener als hier bedacht werden, daß Jesus in der Totalität seines Daseins der Offenbarer des Vaters ist: im aufgezeichneten oder verhallten Wort seiner Verkündigung nicht weniger als in seinem vielfachen, vor allem während seiner Passion durchgehaltenen Schweigen, in seinem helfenden Handeln nicht weniger als in seinem Leiden, vor allem aber in seiner Auferstehung, die zugleich als die Ankündigung des vollendenden ›Schlußwortes‹ seiner Parusie zu gelten hat[22a]. Denn nur auf der Basis eines in diesem Sinn ausgearbeiteten Konzepts seines Offenbarertums wird sich die schon von *Hilarius* geäußerte – und gerade für den theologischen Disput der Gegenwart hochaktuelle – Überzeugung bestätigen lassen, daß der wahre Gottesname trotz aller Vorankündigungen vor Christus unbekannt war. Sosehr dieser Name schon im Schöpfungsbericht erklingt und von Mose bei der Erscheinung am brennenden Dornbusch vernommen wurde, wurde er doch im Vollsinn des Wortes erst durch den mitgeteilt, der auf unfaßliche und unaussprechliche Weise aus Gott geboren ist:

»Dieser Name wird vom Sohn öffentlich gelehrt und denjenigen kundgetan, die ihn nicht kennen. So wird der Vater durch den Sohn verherrlicht, indem er als der Vater eines solchen Sohnes erkannt wird[23].«

Der Ausgriff

Eine zeitgemäße Glaubensbegründung müßte gleichzeitig ›höher‹ und ›tiefer‹ ansetzen als die bisherigen Modelle. Höher, damit der Schatten der

[22] *H. U. v. Balthasar,* Das Ganze im Fragment. Einsiedeln 1963, 270f.

[22a] Näheres dazu in meiner Schrift »Jesus für Christen« (= HerBü 1157). Freiburg 1984, 63ff. 71ff.

[23] *Hilarius,* De trinitate III, c. 17.

Heteronomie, der besonders das Gehorsamsmodell verdunkelte, endgültig beseitigt werden kann. Aber auch tiefer, weil vom Glauben nur so der Anschein einer besonderen Privilegierung ferngehalten werden kann. Im Zeitalter einer neuerwachten ›Fernsten-Liebe‹, die sich ebenso die Not der in fremden Kontinenten Hungernden wie die der religiös Abseitsstehenden zu Herzen gehen läßt, liegt darauf womöglich sogar der stärkere Akzent. Bei näherem Zusehen ist das eine lange vernachlässigte Rück-sicht, von der sich aber schon *Paulus* in den selbstquälerischen Fragen des Römerbriefs umgetrieben zeigt:

»Wie sollen sie den anrufen, an den sie nicht glauben? Wie sollen sie an den glauben, von dem sie noch nichts gehört haben? Wie sollen sie hören, wenn niemand verkündigt? Und wie soll jemand verkündigen, wenn er nicht gesandt ist? (10,14f)[24].«

Was für Paulus zuletzt nur im Rekurs auf die »unerforschlichen Wege« der göttlichen Weisheit und Vorsehung lösbar war (Röm 11,33–36), kann heute ›vordergründiger‹, durch ein entschiedeneres Bedenken des Zusammenhangs von Glaube und Gottesfrage und, was im Grunde dasselbe besagt, von Glaube und Gebet, angegangen werden[25]. Des Zusammenhangs von Glaube und Gottesfrage zunächst, weil die Sache des Glaubens dadurch auf die denkbar breiteste Basis gestellt werden kann. Denn die Gottesfrage stellt schon derjenige, der mit existentiellem Ernst nach dem Sinn seines Daseins fragt[26]. Wie dem nach Gott Fragenden wird auch ihm schon frühzeitig klar, daß ihm mit thetischen Auskünften so wenig gedient ist wie mit gelegentlichen Erfahrungen des Gebraucht- und Bestätigtseins, weil seine Frage ihrer innersten Tendenz zufolge nach einer Antwort verlangt. Weil ihm aber nur mit einer Antwort Genüge geschieht, die gleicherweise zuständlich und unüberholbar ist, sieht er sich auf die Bahn der Gottesfrage verwiesen, von der er mit wachsender Deutlichkeit begreift, daß er sich von Anfang an auf ihrer Linie bewegte. Doch im Gegensatz zu seiner Erwartung, damit in eine leicht zu bewältigende ›Zielgerade‹ einzubiegen, erfährt er jetzt erst, eine wie dramatische Bewandtnis es mit der Gottesfrage hat. Weit davon entfernt, ihr Ziel durch argumentative Schritte zu erreichen, kommt sie diesem zuletzt nur auf dem Weg des Erleidens nahe. Wie selbst noch ihr atheistisches Schattenbild bestätigt, erreicht sie die volle Offenheit für die Antwort, die sie

[24] Dazu die Ausführungen meiner Studie ›Der Zeuge. Eine Paulus-Befragung‹. Graz 1981, 194.230f.; ferner der Beitrag von *F. Hahn*, Zum Verständnis von Römer 11.26a: ›... und so wird ganz Israel gerettet werden‹: Paul and Paulinism. Essays in honour of *C. K. Barrett*. Ed. *M. D. Hooker/S. G. Wilson*. London 1982, 221–236.

[25] Dazu die abschließenden Ausführungen meines Beitrags ›Glaube und Mythos‹: Philosophisches Jahrbuch 91 (1984) 62–81.

[26] Näheres dazu in meiner Schrift ›Der schwere Weg der Gottesfrage‹. Düsseldorf 1982.

erwartet, indem sie sich zum Aufschrei nach Gott steigert[27]. Das aber heißt, daß schon die Gottesfrage demselben Ziel wie der – als Verstehensakt gedeutete – Glaube entgegenstrebt, so daß dieser umgekehrt, was die Frage seiner Anknüpfung anlangt, auf sie zurückweist.
Dasselbe gilt aber auch von seinem Verhältnis zum Gebet. Denn das Gebet ist ›spekulativer‹, als ihm deutungsgeschichtlich in der Regel zugute gehalten wurde. Und auch das gilt in spiegelbildlicher Entsprechung für den Glauben, der strukturell gesehen ungleich ›frömmer‹ ist, als sein durchschnittliches Verständnis von ihm annimmt. Vom Gebet aber sagt schon seine Bestimmung durch *Johannes von Damaskus*, es sei »ein Aufstieg des Geistes zu Gott«[28]. Wenn es sich aber so verhält, vollzieht sich im Gebet jene »Erhebung des Geistes«, die *Hegel* in seinen unabgeschlossenen ›Vorlesungen über die Beweise vom Dasein Gottes‹ (von 1829) als den spekulativen Kern aller Gottesbeweise erkannte[29]. Überragendes Paradigma dessen ist der anselmische Gottesbeweis, den sein Entdecker, mit *Heine* gesprochen, deswegen in einer »rührenden Gebetform« entwickelte, weil er in seinem argumentativen Zentralgedanken nur aus der ›Logik des Gebets‹ begriffen werden kann[30]. Denn es ist gegen die kritischen Einwände – von *Gaunilo von Marmoutier* über *Thomas von Aquin* bis zu *Immanuel Kant* – allen Ernstes zu fragen, ob für die im Gebet waltende ›Logik des Herzens‹ ein als existierend gedachter Gott nicht tatsächlich ›größer‹ im Sinn von ›kompetenter‹ und ›effizienter‹ ist als ein bloß gedachter. Doch wie es sich damit auch immer verhält; auf jeden Fall zeigt dieses Paradigma, daß das Gebet der Gottesfrage ebenso nahesteht wie diese dem Glauben, so daß nun auch Gebet und Glaube in einer unvermuteten Wechselbeziehung erscheinen. Danach ist das Gebet ein impliziter, zumindest aber beginnender Glaube und dieser ein bis in seine letzten Konsequenzen hinein durchgehaltenes Gebet. Voraussetzung dessen ist nur wiederum, daß es im Glauben um das Vernehmen jener Antwort geht, auf die sich Gottesfrage und Gebet, ausdrücklich oder unausdrücklich, zubewegen[31].

[27] »Vielleicht hat da ein Denkender wirklich de profundis gesprochen?« fragt *M. Heidegger* im Blick auf Nietzsches ›tollen Menschen‹, in: Holzwege. Frankfurt/M. 1950, 246.

[28] *Johannes von Damaskus*, Darlegung des orthodoxen Glaubens III, c. 24, vgl. BKV, Bd. 44, 1923, 180.

[29] *G. W. F. Hegel*, Vorlesungen über die Beweise vom Dasein Gottes. Hamburg 1966, 13 (= Ausgabe Lasson).

[30] *H. Heine*, Zur Geschichte der Religion und Philosophie in Deutschland (von 1835): *ders.* (Hg.), Sämtliche Werke IX. München 1964, 250 (= Ausgabe Kaufmann). Wie eine Reihe von Ausgaben bringt auch diese die falsche Lesart »in einer ruhenden Gebetform«; dazu meine Schrift ›Gottsucher oder Antichrist? Nietzsches provokative Kritik des Christentums'. Salzburg 1982, 63–71.

[31] Zur vollen Verdeutlichung dessen müßte nur noch gezeigt werden, daß jedem Gebet, gleichviel wie es jeweils veranlaßt ist, die zweitletzte Vaterunserbitte

Jeder Verständigungsakt führt aus den Tiefen eines Infernos zu den Höhen des Paradieses, das mit dem geglückten ›Einverständnis‹ von Sprecher und Rezipient erreicht ist[32]. Zunächst bricht, freilich ganz unverhofft, ein Abgrund auf, weil Verständigung nur dann zustande kommt, wenn der Rezipient den Sprecher, wenigstens für die Dauer seiner Mitteilung, als Autorität gelten läßt. Das aber ist unweigerlich mit dem Risiko verbunden, von ihm anstelle der erhofften Belehrung und Bestätigung das Gegenteil, ein Wort der Zurückweisung oder gar der Verurteilung gesagt zu bekommen. In diesem Fall wird die Hoffnung, durch das Gespräch dem Elend der Einsamkeit entrissen zu werden, aufs Schwerste enttäuscht; denn der Redende sähe sich in dem Augenblick, da er den Fuß über die Schwelle seiner Individualität setzt, nur um so schmerzlicher auf sich selbst zurückgeworfen.

Aus naheliegenden Gründen, die sich aus dem Offenbarungsanspruch des Christentums ergeben, stand dieses Unterwerfungsmoment auch für die Initiatoren der traditionellen Glaubenstheorie so sehr im Vordergrund, daß sie den Glauben, am nachdrücklichsten in der Definition des Ersten Vaticanums, als reinen Gehorsamsglauben bestimmten, durch den der Glaubende dem sich der Welt mitteilenden Gott die volle Unterwerfung seines Intellekts entgegenbringt. Nachdem schon *Max Weber* voller Ironie von der ›Virtuosenleistung‹ des damit erbrachten Vernunftopfers gesprochen hatte, entstand danach, vor allem im Vorfeld des großen Einbruchs der Kritik gegen Ende der sechziger Jahre, also der Zeit der Studentenrevolte, ein Problemfeld von ungeahnter Komplexität, in das eine Autorität um die andere hineingeriet: die elterliche ebenso wie die schulische, die staatliche ebenso wie die kirchliche. Nun wäre es aber illusionär zu glauben, daß die nach traditioneller Auffassung den Glaubensakt verbürgende Gottesautorität allein von dieser Erschütterung unberührt geblieben wäre. Sie blieb dies so wenig, daß die Autoritätskrise vielmehr hier, im religiösen Zentralbereich, mit am frühesten registriert wurde. In der ihm eigenen Sensibilität für religiöse Spannungsmomente und Noterfahrungen stellte schon *Peter Wust* die Frage, die sich dem heutigen Menschen angesichts der schon seit dem Spätmittelalter, vor allem aber seit *Descartes* und *Kant* betonten Andersheit und Unergründlichkeit Gottes geradezu auf die Lippen drängt, wenn sie dem Verfasser von ›Ungewißheit und Wagnis‹ auch noch als eine Frage von »beinahe unheimlicher Verwegenheit« vorkam:

zugrunde liegt, und daß mit dieser die Urversuchung des Menschen zu Angst und Verzweiflung gemeint ist. Denn davor kann nur derjenige bewahren, der die absolute Alternative zur Kontingenz des Menschen ist, und auch er nur dadurch, daß er sich als die lebendige Antwort auf den Notschrei des nach ihm rufenden Beters erweist.

[32] Näheres dazu in meiner Studie ›Menschsein und Sprache‹. Salzburg 1984.

»Warum ist Gott oben, am Gipfel der Vollkommenheit, und warum nicht wir, die Fragenden, oder warum nicht wenigstens einer von uns? Und warum ist dieses eine höchste Wesen mühelos, kampflos oben, an der Spitze der Seinshierarchie, während wir alle uns mühen müssen in endlos zermürbendem Kampf und in qualvollster Daseinsunruhe?[33]«

Auf das Verstehensproblem zurückbezogen, ist das die quälende Frage, ob wir uns Gott tatsächlich mit dem Vertrauen anheim geben können, in ihm die offenbarende – auch unsere verschwiegenen Möglichkeiten aufschließende – Sinnerfüllung zu finden, oder ob wir uns, indem wir ihn als letzte Sinn- und Seinsinstanz gelten lassen, nicht dem Richterstuhl seiner unvergleichlichen ›Herrlichkeit‹ ausliefern, vor dem nichts bestehen kann. So scheint sich tatsächlich im Augenblick der entscheidenden Annäherung der Abgrund des Infernos unter uns aufzutun.

Vieles deutet darauf hin, daß die Glaubensgeschichte gerade heute an einem ihrer großen Wendepunkte angelangt ist. Das gilt womöglich auch in dem Sinn, daß wir nach fast zweitausendjährigem Schwanken erstmals begreifen lernen, wie sehr die Botschaft Jesu mit ihrer zentralen Stoßrichtung darauf ausgeht, der Menschheit eben diese Sorge abzunehmen. Wenn Gott in seinem gekreuzigten und auferstandenen Sohn definitiv aus seiner Verborgenheit hervortrat, dann im Sinne dieser neuen Erkenntnis nicht, um die Welt, wie noch die Bußpredigt des Täufers annahm, dem Feuergericht seines Zornes zu unterwerfen, sondern um sich ihr als das erfüllende Sinnziel ihrer höchsten Hoffnungen darzustellen. Deshalb beginnt die durch Jesus eröffnete Verständigung mit dem in ihm aufscheinenden und nahegekommenen Gott auch mit dem Wort, das in seinem kindlichen Freimut alle Angst hinter sich ließ: Vater![34] Wer sich diese Anrede im Sinne Jesu zueigen macht, hat es nicht mehr nötig, den ausgestreckten Arm der göttlichen Strafgerechtigkeit mit Hilfe des Lutherschen Fiduzialglaubens, so richtig dieser auch immer gemeint war, zu unterlaufen, weil diese Gottesanrede die Gewißheit einschließt, daß Gott nicht gefürchtet zu werden braucht, sondern so, wie er selbst der vorbehaltlos Liebende ist, geliebt sein will.

Demgegenüber ist die Anwendung dieser Einsicht auf das Glaubensproblem ein Werk unserer Zeit. Sie wurde ermöglicht durch die philosophische Hermeneutik und vollzogen durch die hermeneutische Fundamentaltheologie[35]. Dabei entwickelte jene ein völlig neues Verständnis von Autorität,

[33] *P. Wust*, Ungewißheit und Wagnis. München 1950, 172.

[34] Dazu *G. Bornkamm*, Jesus von Nazareth. Stuttgart 1956, 114–118. 124f.

[35] Dazu *H.-G. Gadamer*, Wahrheit und Methode. Grundzüge einer philosophischen Hermeneutik. Tübingen 1972; *P. Knauer*, Der Glaube kommt vom Hören. Ökumenische Fundamentaltheologie. Graz 1978; *ders.*, Glaubensbegründung heute: Stimmen der Zeit 202 (1984) 200–208; ferner meine Schrift ›Glaubensverständnis. Grundriß einer hermeneutischen Fundamentaltheologie‹. Freiburg/Br. 1950 und ›Glaube nur! Gott verstehen lernen‹ (= Herderbücherei 800). Freiburg/Br. 1980.

nach welchem diese nicht Ausdruck einer Machtposition, sondern Hilfe auf dem Weg zur Wahrheit ist; danach besitzt Autorität primär nicht derjenige, der »an der Macht ist«, sondern der »etwas zu sagen hat«. Das machte sich die hermeneutische Fundamentaltheologie für eine Neukonzeption des Glaubens zunutze. Sie konnte zeigen, daß Gehorsam nur ein Element, nicht schon das Ganze des Glaubens ist, da sich dieser dem im Offenbarungswort zu ihm redenden Gott nur unterwirft, um ihn mit dem, was er ihm zu sagen hat – und das ist nach *Karl Rahner* nicht mehr und nicht weniger als Gott selbst –, verstehen zu können. So ist der Glaube zentral ein ›Gott verstehen‹ und als solcher der lebenslang unabgeschlossene Versuch des Menschen, sich mit Gott »ins Einvernehmen« zu bringen: die ebenso einfache wie befreiende Lösung eines sich heute mit neuer Dringlichkeit stellenden Problems, wenn freilich eine Lösung, die mit ihrer Vorgeschichte bis in die Paulusbriefe zurückreicht.

Die Annahme

An der paulinischen Position gemessen ist der Abstand zwischen dem Offenbarungsgott und dem Hörer seines Wortes freilich immer noch zu groß, als daß das Glaubensproblem damit schon vollständig aufgearbeitet wäre. Denn inzwischen trat auch darin eine Wende der Glaubensgeschichte ein, daß sich der Glaube noch nie so sehr wie heute solidarisch mit allen heilsbedürftigen Menschen und noch nie so wenig als die Sache einer begrenzten Anzahl religiös Privilegierter wußte. Unüberhörbar, als seien sie über die Jahrtausende hinweg ihm zugesprochen, klingen dem glaubensbereiten Menschen dieser Zeit die fast bohrenden Fragen des Römerbriefs im Ohr:

»Wie sollen sie an den glauben, von dem sie nichts gehört haben? Und wie sollen sie hören, wenn niemand verkündigt? (Röm 10,14).«

Es genügt, sich zwei Daten der gegenwärtigen Lebenswelt vor Augen zu halten, um die Aktualität dieser Fragen bestätigt zu sehen. Zum einen wächst in einer fast zur Hälfte von atheistischen Regimen beherrschten Welt die Anzahl derer, die auch von der durch die modernen Medien verbreiteten Verkündigung der Heilsbotschaft nicht mehr erreicht werden: wie sollen sie hören? Und mit der zunehmenden Einsicht in die geschichtliche Tiefendimension der Menschheit stellt sich zum andern die Frage nach dem Heilsbezug der früh- und vorgeschichtlichen Kulturen, von dem des auf mindestens zwei Millionen Jahre zurückzudatierenden Früh- und Vormenschen, dem um seines Menschseins willen wenigstens ein religiöses Grundverhältnis zugesprochen werden muß, ganz zu schweigen.
Im Hinblick darauf tut man gut daran, sich an die ganz offene Form zu erinnern, unter der sich das Buch Hiob den Offenbarungsempfang vorstellt,

da die entscheidende Gestalt- und Wortwahrnehmung hier mit Erfahrungen eines noch unbestimmten Erschauerns und Ergriffenseins beginnt:

»Zu mir stahl sich ein Wort,
von ihm vernahm mein Ohr ein Flüstern,
in Ängsten, bei nächtlichen Gesichten,
wenn Tiefschlaf auf den Menschen fällt.
Ein Schreck ergriff mich und ein Beben,
alle meine Glieder ließ er erzittern;
ein Hauch strich mir übers Gesicht,
es sträubten sich mir die Haare am Leib.
Da stand – aber ich konnte sein Aussehen nicht erkennen;
eine Gestalt vor mir, ein leises Raunen ließ sich hören:
›Ist wohl ein Sterblicher vor Gott im Recht,
oder ein Mensch rein vor seinem Schöpfer?‹ (4,12–17)[36]«

Unversehens stellt sich hier, zumindest vom Rand her, das Bild von der Kopfgeburt der Athene wieder ein. Und diese Erinnerung verdichtet sich, wenn man hinzunimmt, wie sich der Inbegriff der göttlichen Weltenpläne, die Weisheit, im Buch Jesus Sirach vorstellt:

»Aus dem Mund des Höchsten ging ich hervor
und bedeckte die Erde wie ein Nebel.
Auf den Höhen schlug ich mein Zelt auf,
und mein Thron stand auf einer Wolkensäule.
Den Kreis des Himmels umwanderte ich
und in den Tiefen der Urflut ging ich umher,
in den Wellen des Meeres, aus der ganzen Erde,
in jedem Volk, in jeder Nation erlangte ich Besitz (24,3–6)[37].«

Hier tritt die Weisheit nicht nur, wie das Weisheitsbuch sagt, ihrem göttlichen Urheber als der »makellose Spiegel« und das »Abbild seiner Güte« gegenüber (7,26); vielmehr steht sie auch schon, mit dem Fortgang der Stelle gesprochen, im Begriff, »in heilige Seelen einzugehen und sie zu Freunden Gottes und Propheten« heranzubilden (7,27). Es ist nur noch die Frage, wie sich ihr Wirken dort gestaltet, und was bei diesem ›Bildungsakt‹ konkret geschieht.

Auf der Ebene der Offenbarungsempfänger, in der Terminologie *Kierkegaards* ausgedrückt, der »Schüler erster Hand«, antworten darauf die Berichte von den Berufungsvisionen der Propheten, allen voran diejenigen des Propheten *Jeremia*[38]. Obwohl sich dieser im drastischen Sinn des Ausdrucks von Jahwe verführt (20,7) und so mit seinem Prophetenamt mehr geschlagen als ausgezeichnet fühlt, erinnert er sich doch in geradezu nostalgischen Wendungen seiner Beglückung beim Offenbarungsempfang:

[36] Nach *G. v. Rad,* Die Botschaft der Propheten. München/Hamburg 1967, 45f; *ders.,* Weisheit in Israel. Neukirchen/Vluyn 1970, 79f.

[37] Dazu *G. v. Rad,* Weisheit, 208.

[38] Dazu *K. Baltzer,* Die Biographie der Propheten. Neukirchen/Vluyn 1975, 113–128; ferner *G. v. Rad,* Die Botschaft der Propheten, 157–184.

»Fanden sich Worte von dir, so verschlang ich sie.
Dein ›Wort‹ war mir Wonne und Herzensfreude;
denn dein Name war über mir ausgerufen, Jahwe Gott Zebaot! (15, 16).«

Bedeutsam ist in dieser Aussage vor allem der Bildgedanke von der ›Einverleibung‹ des Gottesworts, der im Heilsruf des johanneischen Jesus, gewandelt in die Vorstellung vom ›Trank des Glaubens‹, wiederkehrt[39]. Bevor diese Spur aufgenommen werden kann, muß jedoch zunächst die dabei vorgenommene Übertragung des Offenbarungsempfangs auf den Glaubensakt gerechtfertigt werden. Diese Notwendigkeit besteht auch angesichts der Position Kierkegaards, der in seinen ›Philosophischen Brocken‹ (von 1844) die Differenz zwischen dem Schüler erster und zweiter Hand unter der Voraussetzung, daß Gott selbst »der Lehrer« ist, für gegenstandslos erklärt[40]. Denn eben diese Voraussetzung gilt es, wenn nicht zu begründen, so doch zu verifizieren. Das aber geschieht nirgendwo so ausdrücklich wie bei *Paulus*, der sich ebenso durch Christus ins Gottesgeheimnis eingeweiht weiß, wie er für seine Christus-Verkündigung in Anspruch nimmt, ihrem wahren Sachgehalt gemäß als »das Wort Gottes« gehört und angenommen zu werden (1 Thess 2,13). Das hat für ihn seinen innersten Grund darin, daß ihm in seiner Berufungsstunde, wie er es an zentraler Stelle des Galaterbriefs zum Ausdruck bringt, das Geheimnis des Gottessohnes ins Herz gesprochen wurde; oder jetzt in seinem eigenen Wortlaut:

»Als es aber dem, der mich im Mutterleib erwählt und durch seine Gnade berufen hat, gefiel, seinen Sohn in mir zu offenbaren, damit ich ihn unter den Heiden verkünde, zog ich nicht mehr Fleisch und Blut zu Rat. Auch reiste ich nicht zu denen, die vor mir Apostel waren, nach Jerusalem hinauf; vielmehr begab ich mich nach Arabien und kehrte dann wieder nach Damaskus zurück (Gal 1,15ff)[41].«

Doch sosehr er sich durch diesen ›Zuspruch‹ privilegiert und (nach Apg 10,41) in den Kreis der von Gott erwählten Auferstehungszeugen einbezogen weiß, stellt er sich doch zugleich in vollem Bewußtsein auf die Seite derer, die erst durch das Wort der Verkündigung zum Glauben kommen. So bildet er den Grenzfall, in welchem der Schüler erster und zweiter Hand zur Einheit verschmelzen. Daß das ohne jeden Bruch geschehen kann, erklärt sich aus paulinischer Sicht dadurch, daß beide, der Offenbarungsträger und Auferstehungszeuge wie der auf sein Zeugnis hin Glaubende ein und denselben Lebensinhalt empfangen. Denn der Glaube ist, paulinisch gesehen, von seinem zentralen Inhalt her Auferstehungsglaube, so daß dem Glaubenden, wenngleich auf abkünftige Weise, dasselbe widerfährt, was

[39] Dazu die Ausführungen meiner Schrift ›Älteste Heilsgeschichten. Wege zum Ursprung des Glaubens‹. Würzburg 1984, 96–104.

[40] Vgl. *S. Kierkegaard,* Philosophische Brocken. Reinbek b. Hamburg 1964, 16ff. 52–65 (= Ausgabe Richter).

[41] Näheres dazu in meiner Schrift ›Paulus – Der letzte Zeuge der Auferstehung‹. Regensburg 1981, 29–35.

sich im Berufungserlebnis des Apostels ereignete. Wie ihm dort das Geheimnis des Gottessohns ins Herz gesprochen wurde, so daß für ihn die ganze Lebensaufgabe fortan darin besteht, dieses Geheimnis weltweit zu verkünden, so gilt auch für den Glaubenden:

»Wenn du mit deinem Mund Jesus als den Herrn bekennst und in deinem Herzen glaubst, daß Gott ihn von den Toten auferweckt hat, erlangst du das Heil. Denn mit dem Herzen glaubt man zur Rechtfertigung und mit dem Mund bekennt man zum Heil (Röm 10,9)[42].«

Wenn es sich aber so verhält, kann das ›Wesen‹ des Glaubens auf eine Weise bestimmt werden, die noch nicht einmal einen Schatten von Heteronomie aufkommen läßt. Zwar gäbe es die christliche Glaubensmöglichkeit nie und nimmer, wenn Gott nicht in Christus sein ewiges Schweigen gebrochen und sich der Welt zu verstehen gegeben hätte. So steht und fällt der Glaube, wie schon *Ignatius von Antiochien* sagte, mit Christus, dem »aus dem Schweigen hervorgegangenen Wort« Gottes[43]. Demnach ist Gott für den Glaubenden zwar Autorität, jedoch nicht im Sinne dessen, der über ihn die absolute Macht hat, sondern dadurch, daß er ihm das schlechthin Wichtigste – sich selbst – zu sagen hat, und es ihm auch wirklich zusagt. Indem er sich ihm in der Vielfalt der Offenbarertätigkeiten Jesu, zumal aber in seiner Auferstehung, zu verstehen gab, ›provozierte‹ er im tiefsten Sinn dieses Ausdrucks den Glaubensakt, der sich nun von seiner ganzen Entstehung her als ein Akt gottbezogenen Verstehens erweist[44].
Es liegt auf der Hand, daß sich dieses Verstehen, anders als im Fall eines Wort- oder Textverstehens, nicht auf den engen Rahmen eines kognitiven Aktes beschränkt. Wer sich gläubig auf die Selbstzusage Gottes in Christus bezieht, erstrebt zwar jene intime Mitwisserschaft um das Gottesgeheimnis, die der johanneische Christus den durch und an ihn Glaubenden in Aussicht stellt, am bewegendsten wohl in dem Wort der Hirtenrede:

»Ich bin der gute Hirt; ich kenne die Meinen, und die Meinen kennen mich, wie mich der Vater kennt und ich den Vater kenne; und ich gebe mein Leben hin für meine Schafe (Joh 10,15).«

Doch klingt es schon in dieser Schlußwendung durch, daß es in diesem Verstehen letztlich um eine Lebensbeziehung geht; und das heißt, auf ihren Ursprung zurückbezogen, daß, wer Gott versteht, in seinem gläubigen Verstehensakt die ganze ›Last Gottes‹ (*Görres*) auf sich nimmt[45].
Mit diesem Vorgang hat es aber eine eigentümliche Bewandtnis: Wer die Last Gottes auf sich nimmt, erfährt an sich, je länger desto deutlicher, daß er in

[42] Vgl. ebd. 42–48.
[43] *Ignatius,* Magnesierbrief, c. 8,2.
[44] Dazu nochmals die oben (Anm. 35) gegebenen Literaturhinweise.
[45] Erinnert sei damit an *I. F. Görres* und ihre Schrift ›Von der Last Gottes. Ein Gespräch über den Christen‹. Frankfurt [11]1950.

Wirklichkeit von Gott getragen und angenommen wurde. Doch damit stellt sich der Glaube auch schon als die große Lebenshilfe des heutigen Menschen heraus. Er ist die ihm aus göttlicher Huld erwiesene Hilfe zur Selbsthilfe, Anstoß zur Bewältigung jener entscheidenden Aufgabe, die *Romano Guardini* mit dem Wort von der ›Annahme seiner selbst‹ umschrieb[46].
Im Augenblick, da sich alles geklärt zu haben schien, ist damit tatsächlich ein neues und unerwartet großes Problemfeld angesprochen. Denn was fällt dem heutigen Menschen schwerer als die von Guardini geforderte Zustimmung zur Tatsache seiner Existenz, die ihm gleicherweise von innen – durch Erfahrungen der Identitätskrise – und außen – durch die entfremdenden Lebensbedingungen – erschwert wird? Doch hat diese unerwartete Problematisierung auch einen heuristischen Sinn. Denn sie zeigt, daß mit der Aufgabe der Glaubensbegründung nicht erst dort der Anfang gemacht werden muß, wo die Frage nach der Existenz Gottes und seiner offenbarenden Selbstmitteilung ansteht, sondern vorher schon, wo sich der existentiell verunsicherte, geängstete und von sich abgehaltene Mensch um die »Annahme seiner selbst« bemüht. Im Zusammenhang damit zeigt sich dann aber etwas noch Erstaunlicheres, das aus der Verstehensstruktur des Glaubens folgt. Verstehen ist ein menschliches Grundverhalten, das sich unmittelbar aus dem Selbstvollzug des Menschseins ergibt. Es baut nicht auf Vorleistungen auf, sondern begründet Beziehungen, die es verarbeitet. Es steht in seinem eigenen Licht. So auch hier. Es ist also nicht so, daß der Mensch zuerst mit sich ins reine gekommen sein muß, damit er glauben kann; vielmehr verhält es sich so, daß der Glaube schon hier, am Akt der Selbstverwirklichung, mitwirkt. Mehr noch: die Zustimmung zu sich selbst ist bereits ein Glaube, so daß geradezu gesagt werden kann, daß der Glaube an Gott mit dem Glauben an sich selbst seinen Anfang nehmen muß. Das gilt dann aber auch im umgekehrten Sinn, und das besagt: Wer an Gott glaubt, wird dadurch erst ganz zu sich selbst geführt, bis hinauf zu jener ungeahnten Höhe des Selbstseins, die das leuchtende Wort von der Gotteskindschaft der Glaubenden bezeichnet.

Die Gottesgeburt

Doch auch damit ist das mythische Bild von der ›Kopfgeburt‹ der Athene noch nicht voll eingeholt. Deutlich wurde zwar, daß der Glaube korrespondierend auf den Akt der göttlichen Selbstmitteilung eingeht und insofern aus dem Offenbarungswort hervorgeht. Und dazu bedurfte es noch nicht einmal

[46] Dazu die gleichnamige Guardini-Schrift. Würzburg 1960; ferner die Ausführungen meiner Studie ›Interpretation und Veränderung. Werk und Wirkung Romano Guardinis‹. Paderborn 1979, 81–87.

eines Schlags von jener Wucht, wie ihn Hephaistos gegen das Haupt des Zeus geführt hatte; nein, es genügte von seiten des Menschen der ungleich sanftere Anstoß in Gestalt seiner Gottesfrage, um den zur Entstehung des Glaubens führenden ›Prozeß‹ in Gang zu setzen. Was indessen noch fehlt, ist jenes gestalthafte Moment, das Athene zum lebendigen Spiegelbild ihres Urhebers werden läßt und sich in ihr zärtliches Verhältnis zu ihrem Schützling fortsetzt. Sollte sich das nur auf die ›Geburt des ewigen Wortes‹ beschränken, wie sie sich im Hervorgang der Weisheit aus dem Mund des Höchsten vorausschattet? Sprechen nicht vielmehr schon die Gründe der Symmetrie dafür, daß sich auch der Hervorgang des Glaubens aus dem Wort zu etwas Gestalthaftem verfaßt?

Doch es sind keineswegs nur Gründe der Symmetrie, sondern sachgegebene, die mit dem Wesen des Glaubens – zumindest aus paulinischer Sicht – zu tun haben! Im Grunde ist schon alles mit der Wendung gesagt, daß dem Apostel in seiner Berufungsstunde das Geheimnis des Gottessohns ins Herz gesprochen wurde. Daß er damit tatsächlich einen neuen, alle Sinnerwartung weit übertreffenden Lebensinhalt empfing, sagt er dann auch ausdrücklich, wenn er bekennt:

»Leben – das heißt für mich Christus; und Sterben gilt mir als Gewinn (Phil 1,21).«

Mit dem ihm innerlich gewordenen Christus hat er die definitive Identifikationsmitte gefunden, den Kristallisationskern seiner Existenz, den er im Auge hat, wenn er von sich gesteht: »Doch durch die Gnade Gottes bin ich, was ich bin« (Kor 15,10). Wie ihm Christus zum Lebensinhalt geworden ist, weiß er sich aber auch in ihm aufgehoben und von ihm umhüllt, so daß der Formel ›Christus in mir‹ die dazu spiegelbildliche ›Ich in Christus‹ korrespondiert. In der Paulusschule wurde diese antithetische Formel auch sozialmystisch verstanden und zur Vorstellung von dem die ganze Gemeinschaft der Glaubenden umfassenden, mit ihrem Glauben ›heranreifenden‹ All-Christus entwickelt. In diesem Sinn spricht der Epheserbrief davon, daß die kirchlichen Ämter und Dienstleistungen letztlich dem »Aufbau des Leibes Christi« dienen:

»So sollen wir alle zur Einheit im Glauben und in der Erkenntnis des Gottessohnes gelangen, zur vollen Mannesreife und zum Vollalter Christi (4,12f).«

Neu ist an dieser Vorstellung aber nicht nur die Ausweitung in die sozialmystische Dimension, sondern nicht minder auch der Gedanke an ein Heranreifen zum vollen Altersmaß[47]. Daß diesem Gedanken die Vorstellung von einem durch die Gemeinschaft der Glaubenden gebildeten – und in beständigem Erkenntnisfortschritt begriffenen – Kollektivsubjekt zugrunde

[47] Dazu *A. Wikenhauser*, Die Kirche als der mystische Leib Christi nach dem Apostel Paulus. Münster 1937, 187–191.

liegt, ist im vollen Umfang wohl erst von der romantischen Theologie gesehen und von *Johann Adam Möhler* dahin abgewandelt worden, daß der partikuläre Einzelne unfähig ist, die Größe Gottes zu fassen, so daß es des Zusammenschlusses aller zu einem in Liebe geeinten Ganzen bedarf, wenn der, »der das Ganze schuf«, auf eine ihm angemessene Weise erkannt werden soll[48].

Dagegen hat sich die mystische Theologie, wie *Hugo Rahner* in einem großangelegten Artikel über die ›Gottesgeburt‹ zeigte, die Vorstellung von einem ›Heranreifen zum Vollalter‹ für die Verdeutlichung des Glaubensinhalts zunutze gemacht[49]. Zwischen den Extremen, die entweder von der Geburt des Logos in der Menschenseele, ja sogar von einem »mystischen Wachsen und Sterben des ewigen Wortes« im gottergriffenen Herzen *(Ambrosius)* oder aber von einer ›Umformung‹ des Glaubenden in die Christusgestalt *(Maximus)* sprachen, bildete sich eine mittlere Tradition aus, die den Gedanken des Wachstums im Glauben auf dessen ›leibhaftigen‹ Inhalt bezog. So entwickelte sich, am schönsten bei *Gregor von Nyssa,* die Vorstellung von dem inwendigen Christus, der durch den Glauben im Herzen geboren und durch das Glaubenswachstum zur vollen Mannesreife geführt wird; oder nun wörtlich:

»Das in uns geborene Kind ist Jesus, der in denen, die ihn aufnehmen, auf unterschiedliche Weise heranwächst in Weisheit, Alter und Gnade. Denn er ist nicht in jedem der Gleiche. Nach dem Gnadenmaß dessen, in dem er Gestalt annimmt und nach der Fähigkeit des ihn Aufnehmenden erscheint er einmal als Kind, dann als Heranwachsender und schließlich als Vollendeter[50].«

So tritt der grandiosen Vorstellung von der ›Kopfgeburt‹ der Zeustochter das intime Bild von der ›Herzensgeburt‹ des geglaubten Christus gegenüber. Jene erschreckt, dieses tröstet; jene begeistert, dieses verpflichtet. Denn der ikonographische Unterschied liegt vor allem darin, daß Athene in voller Lebensgröße, gerüstet und kampfbereit, aus dem Haupt ihres Urhebers hervorgeht, während die mystische Geburt Christi im Herzen der Glaubenden, wie es der Eigengesetzlichkeit des Vorgangs entspricht, seine Vergegenwärtigung mit seinem Kindsein beginnen läßt. In Erinnerung an den Kerngedanken der irenäischen Christologie könnte man geradezu von einer ›Rekapitulation‹ seiner Lebensstadien in der Innerlichkeit des Glaubenden sprechen[51].

48 *J.A. Möhler,* Einheit in der Kirche. Tübingen 1843, 100.

49 Vgl. *H. Rahner,* Die Gottesgeburt. Die Lehre der Kirchenväter von der Geburt Christi im Herzen des Gläubigen: Zeitschrift für katholische Theologie 59 (1935) 333–418; dazu *A. Stolz,* Theologie der Mystik. Regensburg 1936, 184f.

50 *Gregor von Nyssa,* Hoheliedkommentar 4 (= PG 44,828 D) nach *H. Rahner,* aaO. 376; dort auch die Hinweise auf die Herkunft und den Fortgang dieser Tradition.

51 Dazu die verdienstvolle Studie von *E. Scharl,* Recapitulatio mundi. Freiburg/Br. 1941.

Dennoch könnte man versucht sein, die Vorstellung als ein allegorisierendes Gedankenspiel abzutun, wenn sie nicht von *Balthasar* offenbarungstheoretisch unterbaut worden wäre[52]. Wenn Jesus, wie eine heute wieder auflebende Einsicht der Vätertheologie besagt, in der Totalität seines Daseins die Selbstoffenbarung Gottes ist, gilt das selbstverständlich auch von den Stadien seiner Lebensgeschichte. Dann eröffnet sein Kindsein einen ebenso tiefen wie unersetzlichen Einblick in das Gottesgeheimnis wie sein jahrzehntelanges Leben in der Verborgenheit und sein öffentliches Wirken im Dienst der wort- und tathaften Reich-Gottes-Verkündigung. Vor allem aber will dann sein vielsagendes Verstummen in der Passion, zusammen mit seinem Todesschrei am Kreuz und dessen todüberwindender ›Erhöhung‹ im Ereignis seiner Auferstehung als eine fortschreitende Einweihung in die »Tiefen der Gottheit« (1 Kor 2,10) verstanden werden[53]. Wenn es sich mit der Selbsterschließung Gottes aber so verhält, muß umgekehrt auch der Glaube die einzelnen Stadien der Lebensgeschichte Jesu reflektierend und nachvollziehend durchlaufen, um so zu seiner Vollgestalt heranzureifen. Je mehr er sich darum bemüht, wird er, wie man auch im Anschluß an ein Newman-Wort sagen könnte, lernen, von der stammelnden ›Knabensprache‹ seines Beginns zur ›Mannessprache‹ der vollen Zustimmung überzugehen[54].
Dem entspricht der nicht minder wichtige Wandel im Verhältnis des Glaubens zu seinem Inhalt. Da dieser, sosehr er als die immer schon erwartete Antwort auf die menschliche Gottesfrage zu gelten hat, doch die freie, ungeschuldete und uneinklagbare Gewährung des Offenbarers bleibt, ist dieses Verhältnis zunächst auf den Ton gehorsamer Unterwerfung unter die Autorität Gottes gestimmt, wenn auch gemildert durch den Gedanken an den hermeneutischen Sinn seiner Überlegenheit. Darin tritt nun dadurch ein radikaler Wandel ein, daß das Autoritätsmoment im Blick auf das Kindsein Jesu ganz in den Hintergrund tritt. Statt dessen werden ganz andere Beziehungsformen ›tonangebend‹: Dankbarkeit, Zärtlichkeit und ein Gefühl von bewundernder Betroffenheit, in das sich sogar eine Spur von Fürsorge einmischt. Ähnliches gilt für das Dunkel der verborgenen Jahre, in das die Frage des Zwölfjährigen – »Wußtet ihr nicht, daß ich dort hingehöre, wo mein Vater ist?« (Lk 2,49) – wie ein Lichtstrahl fällt. Was sodann von der Rekapitulation der Leidensgeschichte in der Innerlichkeit des Glaubenden gilt, wurde kaum einmal bewegender als durch *Johann Georg Hamann* zum

[52] Zum Folgenden nochmals die Ausführungen von *H. U. v. Balthasar,* Das Ganze im Fragment, 268ff.

[53] Daß sich »das Wort Gottes schweigend zum Kreuz führen« ließ, sagt *Cyprian* in seiner Schrift: Vom Segen der Geduld, c. 7, ein Gedanke, der von den heutigen Versuchen einer Rekonstruktion der ältesten Passionsgeschichte eindrucksvoll bestätigt wird; dazu *H. Fischer,* Gespaltener christlicher Glaube. Hamburg 1974, 34f; ferner die Ausführungen meiner Schrift ›Älteste Heilsgeschichten‹, 45–77.

[54] Dazu der Hinweis meiner Schrift ›Glaubensverständnis‹, 36f.

Ausdruck gebracht, der in der Tiefe seines Herzens »die Stimme des Bluts«, vergossen durch den am Kreuz »erschlagenen Bruder«, klagen hörte[55]. Mit der Einkehr des Glaubens in sein Zentralgeheimnis, die Auferstehung Jesu, ist schließlich sogar, zumindest aus paulinischer Sicht, der Gegenpol zur Autorität und Gehorsamsbindung erreicht; denn das ›Urwort‹ dieses Glaubens ist kein anderes als das des von Christus überwältigten, in Dienst genommenen und dadurch doch zugleich endgültig freigesetzten und zu sich selbst gebrachten Apostels: »Bin ich nicht frei?« (1 Kor 9,1). Damit ist nun aber die Besinnung auf die ›Geburt des Glaubens‹ fast unmerklich in die auf die ›Wiedergeburt zur Gotteskindschaft‹ übergegangen. So entspricht es durchaus ihrer Logik. Denn der Glaube ist eine Gottestat am Menschen, die ihrer innersten Absicht zufolge auf seine Erneuerung und Integration abzielt. Umgekehrt wird man von der Wiedergeburt des Menschen nur dann sachgerecht reden können, wenn man den Beitrag der Glaubenskräfte dazu berücksichtigt. Und dafür ist es angebracht, die Sache des Glaubens zurückzuverfolgen bis zu seiner Geburt aus dem offenbarenden Gotteswort.

[55] Nach *G. Baudler,* »Im Worte sehen«. Das Sprachdenken Johann Georg Hamanns. Bonn 1970, 53 f; dazu auch die Ausführungen meiner Schrift ›Der schwere Weg der Gottesfrage‹, 117 f.

Elisabeth Gössmann

ZIRKULÄRES DENKEN UND KOSMISCHE SPEKULATIONEN IM 12. JAHRHUNDERT

Erläutert an Hildegard von Bingen und Alanus von Lille

1. Kosmische Spekulationen und Ethik

Dieses Thema wähle ich vor allem deshalb, weil ich mehrmals Gelegenheit hatte, mit dem durch diesen Band Geehrten die Illustrationen in den verschiedenen Hildegard-Codices unter komparativem Gesichtspunkt zu besprechen, und dabei meine Vermutung bestätigt bekam, daß die zyklischen und kosmischen Spekulationen der benediktinischen Mystikerin »sehr östlich empfunden« sind. Um so bedauerlicher ist es, die kosmische Mystik des 12. Jahrhunderts, zu der viele Namen zu nennen sind[1], auch wenn sie sich nicht wie bei Hildegard von Bingen ausdrücklich in die Form der mystischen Vision kleidet, bisher noch nicht merklich in die komparative Forschung einbezogen zu finden.

Was uns die beiden ausgewählten Gestalten des 12. Jahrhunderts in exemplarischer Weise zeigen können, ist die gerade im Hinblick auf entsprechendes Östliches nicht uninteressante Verbindung von kosmischen Spekulationen und Ethik, von Alanus in der poetischen Form der fingierten Himmelsreise dargeboten, von Hildegard in der Form der Kosmos-Vision mit dem Menschen (oder auch mit der Erde als Eidotter) in der Mitte des (eiförmig vorgestellten) Kosmos. Die poetische Schau des Alanus und die mystische der Hildegard stehen einander näher als bisher angenommen. Beiden geht es auch um das gleiche ethisch-didaktische Ziel: den Menschen zu einer nicht mehr veraltenden Neuheit und Ganzheit zu führen, die ihm an sich «von Natur» gegeben ist, wenn er sich an das durch kosmische Verhältnisse vorgegebene Maß hält, die er aber immer wieder verfehlt, indem er dagegen verstößt. Sofern der Kosmos auch das «Haus» des Menschen ist[2], kann man insbesondere für das 12. Jahrhundert von einer Art Öko-Ethik des Mittelalters[3] sprechen. Verfehlungen des Menschen, die immer in der Verletzung des rechten Maßes liegen, wirken sich negativ auf die kosmischen Kräfte aus. Hildegard stellt das mit einem höchst aktuell anmutenden Bild als »Verunrei-

[1] Vor allem *Bernardus Silvestris, Wilhelm von Conches, Adelard von Bath, Thierry von Chartres, Honorius Augustodunensis.*

[2] Vgl. dazu *Hildegards* Vision der Himmelsstadt, die offensichtlich kosmische Bedeutung hat: Scivias III, Visionen 2–10.

[3] Vgl. meine Abhandlung: Hildegard von Bingen OSB – ein Beispiel von Öko-Ethik im deutschen Mittelalter: Acta institutionis philosophiae et aestheticae Vol. 1, ed. *Tomonobu Imamichi,* Tokyo 1983, 103–110.

nigung der Elemente« dar, die sich wiederum vom strafenden Willen Gottes ergreifen und gegen die Menschenwelt richten lassen. So entgehen christliche Interpreten auch bei Annahme einer gegenseitigen Beeinflussung von Mensch und Kosmos der Gefahr des Determinismus durch räumlich wie zeitlich ausgeprägte zyklische Vorstellungen. Denn entgegen der von der Forschung längst überholten, aber noch verbreiteten Meinung, das zyklische Geschichtsschema finde sich in Antike und Renaissance, während die christliche Tradition von Patristik und Mittelalter ein lineares Geschichtsbewußtsein zeige, wissen wir heute, daß zyklische und lineare Vorstellungen, einander korrigierend und ergänzend, insbesondere die Zeit- und Raumerfahrung des Mittelalters prägten.

Was die Kirchenväter im Namen der christlichen Freiheit und der Allmacht Gottes bekämpft hatten, war die Lehre von einer freiheitszerstörenden Abhängigkeit des Menschen von kosmischen Zyklen sowie die Lehre von der Ewigkeit der Welt. Was sich dagegen im Mittelalter als Bewußtsein einer gegenüber der Antike andersartigen und von dieser durch eine dunkle Zwischenepoche getrennten eigenen Zeit entwickelt, bringt den Aspekt von Wiederkehr und Vergleichbarkeit des Eigenen mit dem Früheren mit sich, wie immer die Wertung auch ausfallen mag.

Alanus von Lille drückt dieses Epochenbewußtsein mit dem kurz zuvor von Bernhard von Chartres im gleichen Sinne (erstmalig?) gebrauchten Bild der Zwerge auf Riesenschultern[4] aus, wenn er die Leistung der eigenen Epoche als *»pigmaea humilitas excessui superposita giganteo«* bezeichnet, also als selbst zwar zwergenhaft, aber dem Riesenwuchs der Antike immerhin aufgesetzt und durch das Emporgetragensein weiterblickend als diese. Aber nicht nur in der zeitlichen, seitdem allgemein üblichen Verwendung kennt Alanus dieses Bild, sondern er wendet es auch auf das makro-mikrokosmische Verhältnis an: *»ut sic pygmaeus fraterculus esset gigantis / maiorisque minor mereatur imagine pingi.«*[5] Wenn Mensch und Kosmos als zwergenhafter und riesenhafter Bruder erscheinen, fehlt das Moment des Aufgesetztseins des Kleineren, so daß die Distanz geringer scheint als beim Epochenvergleich. Die Verwandtschaft mag in der Beseeltheit sowohl des großen Bruders (Weltseele) wie des kleinen liegen, ein vom christlichen Mittelalter ohne Bedenken rezipierter Zug antiker Kosmologie.

2. Das kreisende Rad bei Hildegard

Bei Hildegard übernimmt das kreisende Rad zahlreiche, untereinander sehr verschiedene Funktionen, wobei die kosmisch-naturhafte Zyklik als Bild-

[4] Die Literatur zu diesem Topos ist zu entnehmen aus *P. Kapitza*, Der Zwerg auf den Schultern des Riesen: Rhetorik. Ein internationales Jahrbuch 2 (1981) 49–58.

[5] Vgl. dazu *R. Allers*, Microcosmus. From Anaximandros to Paracelsus: Traditio 2 (1944) 319–409, bes. 361.

spender immer im Hintergrund bleibt. Monate, Jahreszeiten und Jahre zeigen den gleichen Umlauf wie die von ihnen verursachten menschlichen Verrichtungen in einer von der Landwirtschaft geprägten Gesellschaft. Wie die meisten geschichtsphilosophisch Interessierten ihrer Epoche – und nicht erst der Renaissance – setzt auch Hildegard eine dunkle Zwischenepoche an, die von der christlichen Antike, mit dem Ordensgründer Benedikt als Höhepunkt, bis zu ihrer sehr kritisch beurteilten eigenen Zeit reicht. Für die Zukunft hingegen erwartet sie ein voreschatologisches Reich der Gerechtigkeit als Wiederkehr des apostolischen Zeitalters. Die negativ bewertete Gegenwart ist für sie Zeit der Wiederkehr der Evasschuld, daher *tempus muliebris debilitatis,* wie die künftige Friedenszeit eine Wiederkehr des aus der Morgenröte der jungfräulichen Stärke hervorgegangenen *Sol Christus* bringt[6]. Diese heilsgeschichtlich-typologische Zyklik rechnet also mit einer analogen Wiederkehr von Heils- wie Unheilszeiten. Wie hier bei Hildegard steht die Zyklus-Metaphorik des 12. Jahrhunderts, die auch wellen- oder spiralenhafte Vorstellungen einschließt, für den Strukturvergleich von alter und neuer Zeit. Dieses Schema liefert bei Hildegard auch die Erklärung dafür, daß es Fortschritt im Alten Testament und Dekadenz in der Kirchengeschichte gibt, worunter sie leidet, ohne verzweifeln zu müssen. Neben dem Bild der einmaligen Umdrehung des Rades für die Gesamtgeschichte, bei dem es sich aber nicht um Zyklik handelt, kennt Hildegard auch das Symbol des kreisenden Lichts für die Ewigkeit des göttlichen Bereichs, bei dem es keinen Anfang und kein Ende gibt. In ihrer Schrift *Scivias* wird das Wirken Gottes in der Welt als Einfluß des ewigen Lichtkreisens beschrieben, das die Welt zur Vollendung führt. Dieses wird aber genau unterschieden vom kosmischen Kreisen als Ursache des Zeitenlaufs, das für Hildegard nicht mit der Schöpfung, sondern mit dem Sündenfall beginnt und mit dem Eschaton zum Stillstand kommt, – eine erhebliche Abweichung gegenüber antiken Vorstellungen.

Besonders in Hildegards *Liber vitae meritorum*, einer von der *Psychomachia* des Prudentius inspirierten Tugend- und Lasterlehre in visionärer Form, ist das kreisende Rad ein anthropologisch-ethisches Symbol. *»Cum Deus hominem creavit, ut rotam in spiritu vitae eum circuire fecit, unde etiam ad eum saepissime recurrit.«* Des Menschen ständig geforderte Entscheidung zwischen *»bona«* und *»mala scientia«* läßt ihn *»in rota scientiae«* leben. Er dreht sich gemäß den festgelegten Heils- und Unheilsbedeutungen der Himmelsrichtungen bald nördlich, bald östlich, dann wieder zum Süden und zum Westen. Neben der gesamten Heilsgeschichte hat jeder Mensch seine eigene, in der die Chance für das Gute ebenso wiederkehrt wie die

[6] Vgl. dazu meine Abhandlung über Hildegard von Bingen und Elisabeth von Schönau: Frauenmystik im Mittelalter, hg. v. *P. Dinzelbacher/D.R. Bauer*. Stuttgart 1985, 24–47.

Möglichkeit des Abfalls. Da der Mensch nicht passiv ist, ist er selbst es, der das Rad seiner Erkenntnis dreht[7].

Neben diesem Kreislauf des Guten und Bösen kennt Hildegard im gleichen Werk auch rein negative wie rein positive Zyklik. Das Laster des Zorns erscheint als sinnloses Kreisen in sich selbst, ähnlich wie das der Unbeständigkeit unter dem zu jener Zeit weit verbreiteten Symbol des fatalen Rades, da es auf keinem festen Punkt ruhen kann. Diesem *circulus vitiosus* setzt Hildegard jedoch den Kreislauf der guten Werke als Abbild der zirkulierenden Ewigkeit des göttlichen Bereichs gegenüber. Dem goldenen Kreis eines Rades gleicht für sie der eschatologische Mensch. Dementsprechend läßt sie den eschatologischen Christus die nunmehr abgeschlossene Heilsgeschichte als das Rad bezeichnen, das er gegen die List der Schlange in Umlauf gesetzt habe. Der Kreislauf der *restitutio* überwindet den der Adamsschuld als der sich in ihrem Verfall überlassenen Weltbewegung[8].

3. Der Mensch im Kosmos

In ihrem letzten Werk *De operatione Dei* ist jedoch bei Hildegard die kosmische Zyklik am deutlichsten als ethische beschrieben. Hildegard schaut den Menschen mit ausgebreiteten Armen wie ein Kreuz inmitten des kosmischen Rades. *»Sicut firmamentum sole et luna confirmatur, ita et homo scientia boni et mali hac et illac versatur.«*[9]

Auch die kosmische Spekulation des europäischen Mittelalters läßt also, wie es in ähnlicher Weise im Konfuzianismus und Taoismus der Fall ist, das Haupt des Menschen den Himmelskreisen, die Augen den Gestirnen, die Ohren der Luft, die Arme den latera mundi, das Herz der Erde und die Füße den Flüssen entsprechen. Damit aber ist kein Anlaß gegeben, in eine komparative Euphorie zu verfallen. So muß zunächst auf den großen Unterschied in der Bedeutung der Zentralstellung des Menschen hingewiesen werden.

Nach altasiatischen Vorstellungen ist es zumeist die Herrschergestalt, die den Kosmos durch ihre Mittelstellung gleichsam zusammenhält und somit eindeutig eine Position der Würde einnimmt. Im europäischen Mittelalter vor der kopernikanischen Wende ist die Zentralstellung des Menschen allenfalls ambivalent, insbesondere dann, wenn die Menschengestalt in der

[7] Zur festgelegten Bedeutung der Himmelsrichtungen vgl. *B. Maurmann*, Die Himmelsrichtungen im Weltbild des Mittelalters. Hildegard von Bingen, Honorius Augustodunensis und andere Autoren. München 1976. Zu den zyklischen Vorstellungen in Hildegards Liber vitae meritorum vgl. bes. ed. Pitra, Monte Cassino 1882, 114. 168. 109. 38f.

[8] Vgl. bes. ed. Pitra, aaO., 162. 196. 174. 223. 239.

[9] PL 197, 761.

Form des Kreuzes inmitten des Kosmos erscheint. Denn wie Rudolf Allers unter Berufung auf Lovejoy gezeigt hat, kann die zentrale Stellung des Menschen im All auch geradezu das Gegenteil einer ehrenhaften Position bedeuten, und zwar vor allem, weil diese Position am weitesten entfernt ist vom *Empyreum*[10].

Es gehört aber gerade zu dieser Ambivalenz, daß antike wie östliche Bedeutungselemente mitschwingen bei der geo- bzw. anthropozentrischen Anordnung des Kosmosbildes im Mittelalter.

Ein anderes retardierendes Moment gegen vorschnelle komparative Begeisterung liegt darin, daß Hildegard in ihren Visionsbeschreibungen Wert darauf legt zu betonen, daß sie das Weltenrad mit der Menschengestalt darin vor der Brust Gottes schaut. Dem folgt auch die Illustration des Codex von Lucca genau, obwohl er nicht mehr zu Lebzeiten Hildegards entstanden ist. *F. Saxl* nennt unter den möglichen Quellen dieser Illustration die bereits verchristlichten byzantinischen Genesis-Illustrationen, wo auch Gott die kosmischen Sphären gleichsam umarmt. In Hildegards Konzeption, zu der es in ihrer Zeit verschiedene Varianten gibt, findet er wieder stärker spätantike Elemente vor: »But Hildegard goes a step further. Instead of drawing merely an analogical picture of a central figure surrounded by outer spheres she attempts to represent specific relations by adding radial lines. The rays of the sun are connected with the head of the figure, those of the moon with its feet. This is an application of late antique astrological doctrine, and here is the point where Hildegard departs from the pattern of early Christian iconography. Is it true that some early mediaeval pictures, themselves based on classical models, represent the effects of the winds, but no illuminated manuscript exists comparable to Hildegard's second vision which represents the influence of the sky on the lives and sufferings of the mortal inhabitants of the earth. (...) There is no doubt that, in addition to what she took from the early mediaeval Christian tradition, Hildegard must have known late antiquity, or as we may briefly call it, hermetic material.«[11]

Ohne auf die umstrittene Frage der Herkunft von Hildegards makro-mikrokosmischen Vorstellungen einzugehen, sei nur hingewiesen auf einen gewissen Gegensatz zwischen dem Einlaß astrologischer Elemente in ihr Kosmosbild einerseits und ihrer beständigen Warnung vor Magie andererseits. Wir haben hier eines der noch nicht restlos geklärten Probleme ihres Menschen- und Weltbildes vor uns. Die Verchristlichung des antiken Kosmosdenkens ist in allen Einzelheiten bei ihr greifbar, aber sie vollzieht sich nicht immer sanft und fugenlos, sondern hinterläßt manchmal Risse und Sprünge. Ein besonders gelungenes Beispiel ist ihre Deutung der Parallele zwischen den sieben gleichmäßig voneinander entfernten Punkten an Schä-

[10] *R. Allers,* Microcosmus, 400f.
[11] *F. Saxl,* Lectures 1. London 1957, 63.

del und Stirn des Menschen und den durch gleiche Zwischenräume am Firmament voneinander entfernten sieben Planeten als makro-mikrokosmische Manifestation der sieben Gaben des Heiligen Geistes[12].
Einen ebenso geglückten Verchristlichungsversuch sieht Marie-Thérèse d'Alverny in der von Hildegard selbst als Liebe Gottes interpretierten Feuerkraft, die den Kosmos umfängt, worin unverkennbar die Attribute der antiken Konzeption der *anima mundi* aufgehoben seien. »Au-dessus de la tête de la Force ignée apparaît la face mystérieuse de l'Ancien des jours. La Vie cosmique d'Hildegarde, puissance et ardeur de la charité de Dieu, n'est pas éloignée de la force vitale de Jean Scot, effet de la bonté divine. Et bien qu'elle paraisse plus chrétienne que platonicienne, un détail rappelle les attributs de l'Ame du monde. La moniale, tout comme Bernard Silvestre, lie la *rationalitas* aux astres.«[13]
Der Mensch, der nach Hildegard die Maßverhältnisse des Kosmos an seinem Leibe trägt[14], hat von Natur ein rudimentäres Wissen über die daraus folgenden geistigen Kräfte und ethischen Regeln, was ihn aber nicht davon entbindet, sich zeitlebens durch intensives Studium im Buch der Schöpfung wie im Buch der Offenbarung weiter dafür zu sensibilisieren. Denn auch die großen Züge der Heilsgeschichte sieht sie in das Buch der Schöpfung eingeschrieben. In der 3. Vision des 1. Buches von *Scivias* etwa glaubt sie, an der Konstellation der Planeten den seit Anbeginn der Schöpfung bestehenden Plan der Menschwerdung des Logos ablesen zu können, und nimmt so in etwa die später durch Duns Scotus berühmt gewordene Lehre von der Menschwerdung auch in Absehung vom Sündenfall vorweg. Ebenso findet sie zahlreiche Zeugnisse für das Seufzen der Kreatur und ihr Harren auf Teilhabe an der Herrlichkeit der Kinder Gottes (Röm 8,19–23) im Kosmos.

4. Heilsgeschichte im Kosmos

Transpositionen der Heilsgeschichte ins Kosmische, die nicht einmal der Timaeus-begeisterten und oft als »rationalistisch« bezeichneten Schule von Chartres fremd sind, finden sich auch bei Alanus, der bei allem Unterschied der Allegorese zwischen ihm und der etwas älteren Hildegard im Interesse für kosmische Spekulationen mit ihr übereinstimmt. Nach Christel Meier geschieht dies bei beiden »in Anlehnung an die wissenschaftlichen Vorstel-

[12] PL 197, 819f. Zu den Einzelheiten der makro-mikrokosmischen Entsprechungsverhältnisse bei Hildegard, De operatione Dei, Visionen 3 – 5, vgl. meine Abhandlung: Maß- und Zahlangaben bei Hildegard von Bingen: Miscellanea mediaevalia 16/2. Berlin 1984, 294–309.

[13] *M.-Th. d'Alverny*, Le Cosmos symbolique du XIIe Siècle: Archives d'histoire doctrinale et littéraire du moyen-âge 18 (1953) 31–81, Zitat: 80.

[14] Vgl. dazu *R. Allers*, Microcosmus, 378.

lungen ihrer Zeit vom Aufbau des Kosmos«. Eine besondere Korrespondenz entdeckt sie zwischen Hildegards Gestalt der kosmischen Weisheit in *De operatione Dei* und der personifizierten *Natura* in Alans *De planctu naturae* und seinem *Anticlaudian*: »Hildegards Weisheit, die für die Erhaltung des Kosmos zuständig ist wie Alans *Natura* als *vicaria Dei*, trägt wie diese Kleider, die den gesamten sichtbaren Kosmos abbilden. Hier wie dort geht es um das Problem, daß unter allen Kreaturen allein der Mensch die Gesetze seiner Erschaffung nicht erfüllt hat, sowie darum, wie eine Wiedergutmachung im kosmischen Rahmen geschehen könne. Diese Gemeinsamkeit der Autoren ist nicht nur partiell-inhaltlicher Art; sie ist auf den gesamten Allegorieentwurf zu beziehen. Die Totalität des kosmischen Bezugsrahmens, die integrierende, zentrierende und stabilisierende Potenzen hat, mag im allegorischen Visionswerk Hildegards und im allegorischen Epos Alans Gleichgewicht und Homogenität bestärkt haben.«[15]

Die Klage der Natur in *De planctu naturae* betrifft den vom Menschen verursachten Verlust der makro-mikrokosmischen Integration, allegorisch angedeutet durch den Riß im Gewand der *Natura* gerade an der Stelle, wo der Mensch abgebildet ist[16], während ihre Krone in unverminderter Schönheit erstrahlt. Marie-Thérèse d'Alverny beschreibt dieses Kleinod mittelalterlicher Allegorese folgendermaßen: »Il (sc. Alanus) la (sc. *Natura*) présente bien comme reine de l'univers, celle qui le domine entièrement et dont le ciel étoilé constitue la couronne, cette couronne (...), faite de douze pierres précieuses du zodiaque, entourées de sept autres pierres en mouvement, qui correspondent aux planètes.«[17] Die Forschung nimmt an, daß Alanus, vielleicht mit dem Schicksal Abaelards vor Augen[18], den Ausdruck *»anima mundi«* vermeidend, mit seiner *Natura* diese gemeint hat[19].

Eben von dieser *Natura*, bei der die christliche Interpretation der *anima mundi* als *spiritus sanctus*[20] – und damit ein älteres Verständnis von Geist als weiblicher Kraft? – mitgespielt haben mag, geht bei Alanus der Impuls zur Überwindung der Desintegration von Makro- und Mikrokosmos aus, der Drang zur nicht mehr veraltenden Erneuerung. Die ursprünglich vollkom-

[15] *C. Meier*, Zwei Modelle von Allegorie im 12. Jahrhundert: Das allegorische Verfahren Hildegards von Bingen und Alans von Lille, in: *W. Haug* (Hg.), Formen und Funktionen der Allegorie. Symposion Wolffenbüttel 1978. Stuttgart 1979, 70–89, Zitat: 85.

[16] Vgl. dazu *W. Wetherbee*, The Function of Poetry in the De planctu naturae of Alain de Lille: Traditio 25 (1969) 87–125, bes. 101.104.

[17] *M.-Th. d'Alverny*, Maître Alain – Nova et vetera: *M. de Gandillac/E. Jeauneau* (Hg.), La Renaissance du 12e Siècle. Paris 1968, 117–145, Zitat: 129.

[18] So *R. Allers*, Microcosmus, 360.

[19] *M.-Th. d'Alverny*, Maître Alain, 129.130, macht auf den geringfügigen Gebrauch von »anima mundi« bei Alanus aufmerksam.

[20] Zu deren zunächst unbestrittener Hinnahme und dann Ablehnung vgl. *R. Allers*, Microcosmus.

mene Analogie von menschlicher Konstitution und Ordnung des Universums – man denke nur an Alans berühmten »Rhythmus«:

Omnis mundi creatura
Quasi liber et pictura
Nobis est, et speculum...[21]

– ruft auch bei Alanus den Gedanken einer Korrespondenz zwischen Schöpfung und Inkarnation hervor. Wie er den Jahreszeitenzyklus den heilsgeschichtlichen Stadien angleicht (Winter: *ante legem*, Frühling: *sub lege*, Sommer: *sub gratia*, Herbst: *sub specie aeternitatis*)[22], so ist ihm auch die kosmische Entsprechung zu den Hauptereignissen der Heilsgeschichte geläufig[23]. Aber warum, so kann man fragen, besteht dann noch die Notwendigkeit der Reintegration? Warum bedarf es einer *restitutio* der *restitutio?*

Wie bei Hildegard, so muß es auch bei ihm eine große Enttäuschung über den Ablauf von Profan- wie Kirchengeschichte gegeben haben und gerade deshalb den Impuls, beides zu verändern. Damit sind wir am Ausgangspunkt von Alans Epos.

5. Die Himmelsreise bei Alan

Alans *Anticlaudian*[24], der zur damals beliebten literarischen Gattung der Himmelsreisen gehörte, wird oft als Vorläufer von Dantes *Paradiso* bezeichnet. Die abschließende Trinitätsvision *Dantes* ist auch von Hildegard antizipiert worden[25] und erweist sich, ebenso wie Hildegards *Liber vitae meritorum*, in der Personifizierung geistiger Kräfte von positiver wie negativer Bedeutung als abhängig von der *Psychomachia* des Prudentius.

In seinen kosmischen Vorstellungen fußt das Werk jedoch auf dem des Chartrensers Bernardus Silvestris *De mundi universitate*, dessen beide Bücher *Megacosmus* und *Microcosmus* die Erschaffung der unbelebten und der außermenschlichen belebten Kreatur sowie in sehr eigenständiger Weise die Erschaffung des Menschen beschreiben. Auch arabische Quellen scheint Alanus gekannt zu haben[26]. Sein *Anticlaudian* versteht sich als mittelalterli-

[21] PL 210, 579f.

[22] Vgl. dazu *A. Demandt*, Metaphern für Geschichte. München 1978, 142.

[23] Vgl. dazu *W. Wetherbee*, Function of Poetry, 114.118.120.

[24] Ed. *R. Bossuat*, Paris 1955. Vgl. auch *M.-Th. d'Alverny*, Textes inédits. Paris 1965.

[25] *M. Böckeler*, Hildegard von Bingen. Wisse die Wege. Scivias. Salzburg 51963, 156: »Alsdann sah ich ein überhelles Licht und darin eine saphirblaue Menschengestalt, die durch und durch im sanften Rot funkelnder Lohe brannte. Das helle Licht durchflutete ganz die funkelnde Lohe und die funkelnde Lohe ganz das helle Licht. Und [beide,] das helle Licht und die funkelnde Lohe, durchfluteten ganz die Menschengestalt, [alle drei] als *ein* Licht wesend in *einer* Kraft und Macht.«

[26] Vgl. dazu *M.-Th. d'Alverny*, Maître Alain, 128, und *P. Duhm*, Le Système du Monde III. Paris 1915, 223–230.

ches Gegenstück zur Schilderung des ganz und gar schlechten Menschen in dem Werk des Claudianus *In Rufinum*, wo die Furie Alecto alle verderblichen Geister herbeiruft, um den Weltfrieden unter der Regierung des Kaisers Theodosius zu stören, was dem mit allen Lastern ausgestatteten Rufinus auch gelingt.

Durch seine Umkehrung dieser spätantiken Dichtung im *Anticlaudian*, der den Typ des neuen Menschen vorführt, dem Wissen und Tugend dazu verhelfen sollen, die kosmische Harmonie in der menschlichen Gesellschaft widerscheinen zu lassen, erweist Alanus sich selbst als aufmerksamer Schüler des älteren Dichters. Als moderner Dichter aber ist Alanus, durch »Aufsitzen auf dessen Schultern« trotz der eigenen Zwergenhaftigkeit, wie die mittelalterliche Demutsformel unterstellt, diesem an Weitsicht überlegen[27].

Die Fabel des *Anticlaudian* und ihre tiefere Bedeutung ist kurz folgende: *Natura* möchte einen vollkommenen Menschen hervorbringen und damit ihre früher begangenen Fehler wiedergutmachen. Sie ruft deshalb ihre Schwestern zur Beratung zusammen. Fünfzehn von ihrem eigenen Licht umstrahlte Frauengestalten versammeln sich in der in einer Ideallandschaft mit ewigem Frühling liegenden Residenz der *Natura*. Es sind *Concordia, Copia, Favor, Iuventus, Risus, Pudor, Modestia, Ratio, Honestas, Decus, Prudentia, Pietas, Fides,* die Reichtum ausstreuende *Virtus* und mit einigem Abstand *Nobilitas*.

Die Wände des Palastes der *Natura* sind geschmückt mit den Fresken von Wissenschaftsbegründern wie Aristoteles, Plato, Seneca, Ptolemaeus, Cicero, Vergil, sowie von mythologischen Gestalten mit besonderen Fähigkeiten wie Herkules, Odysseus u.a. und schließlich von Kaiser Titus als idealem Herrscher – allesamt Hervorbringungen der *Natura*. Aber auch die Bilder ihrer Fehlleistungen sind nicht unterschlagen: vor allem der Christenverfolger Kaiser Nero.

In diesem Szenarium erhebt sich *Prudentia* mit der Waage in der Hand und gibt zu bedenken, daß der Kreis der Versammelten zwar befähigt sei, den Körper des geplanten vollkommenen Menschen zu bilden, seine Seele aber nur Gott zu formen vermöge. *Ratio*, die ältere Schwester der *Prudentia*, deren Attribut drei Spiegel sind, gibt den Rat, eine Gesandtschaft zu Gott zu schicken, und empfiehlt *Prudentia* dafür. Diese läßt sich von *Concordia*, auf deren Gewand befreundete Paare wie Jonathan und David abgebildet sind, zur Annahme des Auftrags überreden.

Prudentia befiehlt nun sieben jungen Mädchen, als welche leicht die sieben freien Künste zu erkennen sind, den Wagen für die Himmelsreise zu bauen. *Grammatica, Logica* und *Rhetorica* stellen Deichsel und Achse des Wagens

[27] Vgl. zu Alanus in seinem Selbstverständnis als »moderner« Dichter einer von der Antike verschiedenen neuen Epoche meine Studie: Antiqui und Moderni im Mittelalter. Eine geschichtliche Standortbestimmung. Paderborn 1974, im Register unter Alanus.

her, *Geometrie* und *Algebra*, *Musik* und *Astronomie*, sind für die Räder verantwortlich. Was sie vermitteln, wird im Mittelalter als Naturerkenntnis gewertet, auch im Falle der sermonikalen Künste, wie der mit der Grammatik verbundenen Autorenlesung aus Dichtung und Geschichtsschreibung und der mit der Rhetorik verbundenen Ethik. Darin liegt für Alanus die Befähigung der *artes* zur Herstellung des kosmischen Wagens.

Das Zusammenfügen der Teile des Wagens ist die Arbeit der *Concordia. Ratio* spannt dem Wagen fünf Pferde vor, denn zur Naturerkenntnis gehören die fünf Sinne, und verrichtet selbst – unter Anspielung auf das berühmte platonische Gleichnis – den Dienst der Wagenlenkerin für *Prudentia*. Diesen Dienst kann sie aber nur während der Reise durch die verschiedenen Sphären des ptolemäischen Weltbildes bis zum Scheitelpunkt des Firmamentes erfüllen, denn die Fähigkeit der *Ratio* hat Grenzen. Im ersten ihrer drei Spiegel, dem gläsernen, sieht sie, wie aus Materie und Form die Verbindung aller Einzeldinge entsteht, der zweite, silberne Spiegel zeigt ihr auch die Lösung dieser Verbindung, die Rückkehr der Materie zur Urmaterie und der Form zu ihrem Ursprung. Im dritten, ihrem goldenen Spiegel, erblickt sie den Gott der Philosophen als Ursprung und Ziel des makro-mikrokosmischen Seins – weiter aber führt ihre Erkenntnis nicht. *Prudentia* mit ihrem Wagen berührt also die höheren Luftregionen, die Mond- und die Sonnensphäre, sodann die Zirkulationsbahnen von Venus und Merkur und schließlich die von Mars, Jupiter und Saturn. Mit dem Fixsternhimmel erlischt jedoch die Führungskraft der *Ratio*, und vier der Sinnenpferde versagen ihren Dienst.

Der von Angst erfüllten *Prudentia* erscheint eine Jungfrau, deren Glanz die Sterne verblassen läßt, in der Rechten ein Buch, in der Linken ein Szepter. Auf ihrem von Minerva gewebten Kleid ist das Mysterium der Trinität angedeutet. Sie zeigt der *Prudentia*, die nur das Pferd namens *Auditus* weiter mitnehmen darf, von hier an den Weg, während *Ratio*, bedeutungsvoll, mit dem Wagen des menschlichen Wissens von der Natur und den übrigen vier Sinnenpferden zurückbleiben muß.

Prudentia, die »jüngere Schwester« der *Ratio*, aber darf weiterziehen, wohl nur deshalb, weil sie über das Rationale hinaus die Kraft zur Verwirklichung des Guten darstellt und im 12. Jahrhundert besonders als die Fähigkeit gilt, das rechte Maß zu finden und auch einzuhalten. Daher gilt als ihr Attribut die (uns in anderem Zusammenhang geläufige) Waage. *Prudentia* ist, philosophiegeschichtlich gesehen, aus der Tugend der *discretio* (bei Hildegard die Mutter aller Tugenden) hervorgegangen und so insbesondere eine kosmisch belangvolle Tugend, die Kraft der Berücksichtigung und gerechten Abwägung aller kreatürlichen Verhältnisse. Als natürliche Ausrüstung für den Menschen ist sie auch Anknüpfungspunkt für den Glauben.

Aber *Prudentia* kommt noch einmal in eine kritische Situation, als sie das Innere des Empyreums betritt. Ihre neue Begleiterin muß ihre Schwester

Fides um Hilfe rufen, von der *Prudentia* einen Spiegel erhält, in dem sie den überwältigenden Anblick des Empyreums zu ertragen vermag. Sie sieht in ihm die Geheimnisse des Ratschlusses Gottes und schließlich die Trinität im Bild von Quelle und Sonnenstrahl.

Die Interpreten sind sich einig, daß es sich bei der ersten der beiden Begleiterinnen der *Prudentia* um die Theologie handelt, obwohl sie nicht wie die zweite, die *Fides*, deutlich beim Namen genannt wird. Dies erklärt sich daraus, daß Alanus in seinen philosophisch-theologischen Schriften die Theologie, entgegen allgemeinerem Gebrauch, zwischen *ratio* und *fides* ansiedelt[28]. So ist es nicht zu verwundern, wenn auch in seinem *Anticlaudian* die *Fides* höher und dem Geheimnis Gottes näher steht.

Von ihren beiden Begleiterinnen geführt, tritt *Prudentia* vor den Thron Gottes und trägt ihm Plan und Bitte der *Natura* vor. Gott bildet die Seele für den vollkommenen Menschen nach der besten aller Ideen aus seinem Geiste (*Noys* = *nous*). Die Parzen weben ihr ein glückliches Geschick, und nachdem *Noys* sie mit Himmelstau gesalbt hat, bringt *Prudentia* sie, die Warnungen Gottes vor den kosmischen Gefahren beherzigend, unversehrt zu *Natura*, die ihr aus den vier Elementen einen vollkommenen Leib bildet, worauf *Concordia* die Vereinigung vollzieht. Der neue Mensch, ein junger Mann, erwacht zum Leben. Aber erst jetzt wird die Warnung Gottes vor den kosmischen Gefahren akut.

Alecto, als eine der Furien die Mitregentin der Unterwelt, ruft die verderblichen Kräfte zusammen, um den neuen Menschen zu vernichten. Es gelingt ihm aber, unterstützt von der Schar der guten Kräfte der *Natura*, in zahlreichen Einzelkämpfen die Schar der Alecto zu besiegen. Er wird Herrscher über diese Erde, in der ein neues goldenes Zeitalter der Harmonie anbricht, dessen Kennzeichen es ist, daß die Rose ohne Dorn blüht und die Felder ihre Früchte ohne menschliche Mühsal bringen.

Der die Dichtung beschließende Kampf von Tugenden und Werten gegen Laster und Unwerte ist ein deutlicher Nachklang der alten Vorstellung von großen katastrophischen Auseinandersetzungen einander entgegengesetzter kosmischer Kräfte[29]. Diese Auseinandersetzung wird hier jedoch schon eingegrenzt auf fördernde und hindernde Realitäten in der menschlichen Gesellschaft. Der Kampf wird entschieden zugunsten der Bestimmung des neuen Menschen, um so eine Wiederkunft des Goldenen Zeitalters der Harmonie und des Friedens herbeizuführen. Alans neuer Mensch, eindeutig als männlich bestimmt, ist also die ideale Herrschergestalt mit der Berufung, die ebenfalls nicht kampflos ermöglichte kosmische Harmonie in der menschlichen Gesellschaft aufscheinen zu lassen durch Überwindung der

[28] Vgl. dazu *E. Gössmann*, Glaube und Gotteserkenntnis im Mittelalter: HDG I/2 b. Freiburg 1971, 43–54.

[29] Vgl. dazu *R. Allers*, Microcosmus, 345.394; *M.-Th. d'Alverny*, Maître Alain, 134.

Gegenkräfte in diesem Kampf: Die Zwietracht wird vernichtet, die Armut, einschließlich ihrer Gefährten Hunger und Durst, das soziale Elend also, wird unter den Füßen der Pferde zertreten – angesichts der heutigen Weltlage immer noch ein utopisches Programm. Der neue Mensch soll zwar durch den Einen, aber doch in allen Gliedern der Gesellschaft Wirklichkeit werden. Wie sein pessimistisches Vorbild, das Werk Claudians, repräsentiert Alans Epos deutlich die politische Version der makro-mikrokosmischen Spekulationen des Mittelalters[30]. Dies hat Michael Wilks 1977 zu der These geführt, daß Alanus sich mit der Schilderung des neuen Menschen an den jungen König Philipp II. wendet, um ihm eine Art Fürstenspiegel vor Augen zu halten und so die Panegyrik mit kosmologisch begründeter moralischer Wegweisung zu verbinden[31].

6. Frau und Mann

Aber wer ist der inmitten der kosmischen Kreise geschaute Mensch bei Hildegard? Eindeutig als männlich identifizieren läßt er sich nicht, denn Hildegard berücksichtigt ausdrücklich die Verschiedenheiten des weiblichen vom männlichen Körper bei ihrer Erklärung der Entsprechungen zwischen den einzelnen kosmischen und leiblichen Zonen. Man kann ihren Kosmosmenschen also getrost als androgyn bezeichnen, auch bei Bedenken seiner Kreuzform, denn der »alter Christus« ist allemal als kollektiv aufzufassen. Selbst wenn, wie im 12. Jahrhundert mehrfach belegt, zwischen dem aus vier Elementen bestehenden Menschenleib und den vier Buchstaben des ADAM eine Korrespondenz gesehen wird, widerspricht das nicht einer kollektiv-androgynen Bedeutung des Kosmosmenschen. Denn Hildegard liebt es, beide Geschlechter sowohl unter weiblichen wie männlichen Symbolgestalten zusammenzufassen, was sie jeweils im sprachlichen Ausdruck deutlich macht[32].

Alanus wie Hildegard zielen also mit der Darstellung des Einen auf die Gesamtheit der menschlichen Individuen, wobei Alanus – vielleicht mehr als die sonst ihre Herkunft aus feudalen Kreisen nicht verleugnende Hildegard – als Weg zu diesem Ziel die patriarchale Herrschaftsform des Mittelalters sieht.

In ihrer Visionsreihe von der kosmischen Stadt hat Hildegard geradezu ein retardierendes Moment gegen mittelalterlichen Feudalismus zu setzen gewußt, indem sie den Abstand zwischen dem den Adel und dem das hörige Volk versinnbildenden Gebäudeteil sehr gering ansetzt (nur die Handbreite

[30] Vgl. dazu *R. Allers*, Microcosmus, bes. 338.368.
[31] *M. Wilks*, Alan of Lille and the New Man: *D. Baker* (Hg.), Renaissance and Renewal. Oxford 1977, 137–157.
[32] Vgl. dazu meine in Anm. 6 angegebene Abhandlung.

eines Kindes) und so beide nahe aneinanderrückt[33]. Soweit mir bisher ersichtlich, ist mittelalterliches Kosmosdenken nicht mißbraucht worden zur unverrückbaren Festlegung von Geschlechterrollen oder zur ungerechten Bevorteilung sozialer Schichten[34], eine Gefahr, die an sich dem politischen Kosmosdenken immanent ist und vom japanischen Neokonfuzianismus bei seiner Legitimierung sozialer Hierarchien keineswegs immer vermieden wurde[35].

[33] Vgl. dazu meine in Anm. 12 angegebene Arbeit, bes. 300.

[34] Allerdings bildet auch die kosmisch interessierte Genesisdeutung keine Ausnahme von der allgemein frauendiskriminierenden Exegese von Gen 2 und 3 in der Schultheologie. So bezeichnet etwa Wilhelm von Conches die Elementenmischung bei der Erschaffung der Frau als ungleichmäßiger und unvollkommener gegenüber der des Mannes. Vgl. dazu *H. Liebeschütz*, Kosmologische Motive in der Bildungswelt der Frühscholastik: *F. Saxl* (Hg.), Vorträge der Bibliothek Warburg 1923–24. Leipzig/Berlin 1926, 128. Hildegard von Bingen pariert derartige Lehren in ihrer Zeit, indem sie die Erschaffung der Frau aus bereits beseelter Leibesmaterie als Vorzug deutet und darauf die größere Kunstfertigkeit der Frau zurückführt, ein Gedanke, der in der Tradition der Bibelexegese von Frauen und frauenfreundlichen Männern die Jahrhunderte hindurch begegnet. Vgl. dazu die Einleitung zu Band 1 des von mir herausgegebenen Archivs für philosophie- und theologiegeschichtliche Frauenforschung, München (iudicium) 1984.

[35] Vgl. dazu besonders *W. W. Smith*, Confucianism in Modern Japan: Tokyo [2]1973 und die zahlreichen Arbeiten von *M. Maruyama*, z. B. Studies in the Intellectual History of Tokugawa Japan. University of Tokyo Press, 1974.

Fernöstliche Wegweisungen

Julia Ching

KONFUZIANISCHE SPIRITUALITÄT

In der Einleitung zu seiner *History of Chinese Philosophy* diskutiert Fung Yu-lan das relative Fehlen eines Interesses an philosophischer Methodologie einerseits und das starke Interesse an praktischen »Methoden der Selbstkultivierung« in der chinesischen Philosophie andererseits. In seinen eigenen Worten:

»Chinesische Philosophen haben zum größten Teil Wissen nicht als etwas in sich Wertvolles angesehen und deshalb auch nicht Wissen um des Wissens willen gesucht; selbst im Sinne eines Wissens jener praktischen Art, das eine direkte Bedeutung für das menschliche Glück haben dürfte, haben chinesische Philosophen es vorgezogen, dieses Wissen auf das aktuelle Verhalten, das direkt zu diesem Glück führen würde, anzuwenden als, wie sie es ansehen würden, leere Diskussionen darüber zu halten.«[1]

Nach ihm ist es traditionellerweise das chinesische philosophische Ideal gewesen, »Weise-sein nach innen und König-sein nach außen« zu erlangen, mit anderen Worten, eine weise und menschliche Person zu werden mit weisen Anlagen und der Fähigkeit, der Welt Ordnung zu geben – selbst wenn das die kleinere Welt menschlicher Beziehungen betrifft, in die der Weisheitsuchende persönlich einbezogen ist:

»Weil chinesische Philosophen besondere Aufmerksamkeit dem Weg, ›innerlich weise‹ zu werden, schenken, sind ihre Methoden der Selbstkultivierung *(hsiu-yang)*, d.h. die sogenannten ›Studienmethoden‹ *(wei-hsueh)* sehr detailliert und vollständig. Obwohl diese nicht Philosophie im westli-

[1] *Fung Yu-lan*, Chung-kuo che-hsüeh shih. Shanghai 1935, 8f. (Einführung). Übersetzt nach der englischen Übersetzung in: *D. Bodde*, A History of Chinese Philosophy. Vol. I: The Period of the Philosophers. (Beiping 1937) Princeton, N.J. 1952, 2.

chen Sinn genannt werden mögen, hat China in dieser Hinsicht einen Beitrag zu leisten.«[2]

Eine solche Reflexion auf die Methoden der Selbstkultivierung, welche die chinesische Philosophie anzubieten hat, findet sich auch in der westlichen Tradition, jedoch viel stärker in ihrer streng *religiösen* Entwicklung als in ihren philosophischen Traktaten. Ich beziehe mich hier besonders auf die *Spiritualität* der westlichen religiösen Traditionen, die nicht adäquat in die Philosophie selbst integriert worden sind, selbst wenn die religiöse – und mystische – Erfahrung häufig als Basis der philosophischen Reflexion gedient hat. Das Wort »Spiritualität« wird relativ selten gebraucht und oft mißverstanden, manchmal gar mit dem Wort »Spiritismus« verwechselt, das es mit der Kontaktaufnahme mit den Geistern von Verstorbenen zu tun hat. »Spiritualität« ist gewöhnlich mit der Theologie assoziiert, »spirituelle Theologie« gelegentlich als eine andere Bezeichnung für die »aszetische und mystische Theologie« gebraucht worden und das in der Regel im Kontext des Christentums. Hier hat es die Bedeutung mit dem Leben des *Geistes* zu tun, das aszetische und mystische Leben eingeschlossen. In jüngerer Zeit ist das Wort auch beim Studium der geistlichen Lehren der nicht-christlichen Religionen gebraucht worden, wobei nicht nur Judentum und Islam, sondern auch Hinduismus und Buddhismus eingeschlossen sind. Wie aber steht es um den Konfuzianismus und den Neo-Konfuzianismus?

Konfuzius als Modell

Konfuzius war nicht nur ein Philosoph; er war auch eine große geistliche Persönlichkeit, ein beispielhaftes Individuum. In einem großen Ausmaß hat er seine philosophische Botschaft verkörpert: Er *war* seine Botschaft. So bleibt er ein Modell und eine Inspiration, auch wenn seine Philosophie sich nicht länger des Schutzes der politischen Institutionen erfreut. Seine zentrale Lehre ist die des *jen*, verschieden übersetzt als Güte, Wohlwollen, Menschlichkeit, Herzlichkeit. Ursprünglich war dieses eine partikuläre Tugend, die Freundlichkeit, die den *gentleman* in seinem Verhalten Untergebenen gegenüber auszeichnet. Konfuzius verwandelte sie in eine universale Tugend, die den vollkommenen Menschen, den Weisen, *ausmacht*. Er definiert sie als Liebe zu anderen, als persönliche Integrität und Altruismus. Die Philosophie des Konfuzius gründete eindeutig in der Religion – der ererbten Religion des Herrn-in-der-Höhe oder des Himmels, der höchsten und persönlichen Gottheit, obwohl er in bezug auf Gott und das Leben nach dem Tode weitgehend Stillschweigen beobachtet (Gespräche XI.11). Er macht klar, daß es der Himmel war, der ihn beschützte und ihm diese Botschaft gab (Gespräche VII.23). Er glaubt, daß Menschen einem höchsten

[2] *Fung Yu-lan*, Chung-kuo che-hsüeh shih, 10. (Eigene Übersetzung)

Wesen gegenüber verantwortlich sind (Gespräche III.13), auch wenn er einen gewissen Skeptizismus hinsichtlich der Geister zeigt (Gespräche VI.20). Bezeichnend ist der Akzent, den Konfuzius auf die Riten legt, zumal Riten, die von menschlichen Beziehungen, eigens zwischen den Aristokraten, bestimmt sind. Das chinesische Wort für Ritus *(li)* bezieht sich etymologisch auf die Worte »Anbetung« und »Opfergefäß« mit einem eindeutig religiösen Unterton. Der Ahnenkult war vom Ritus umgeben; so war es auch mit der Verehrung, die dem Himmel als dem Höchsten Herrn (*Shang-ti*, d.h. Herr-in-der-Höhe) gezollt wurde. Der Begriff schloß aber schließlich alle gesellschaftlichen, habituellen Praktiken ein, die selbst die Natur des Gesetzes annahmen, als ein Mittel, sich in der Tugend zu üben und das Böse zu vermeiden. Und er bezieht sich auch auf den Anstand, d.h. auf das anständige Benehmen. Anstand bringt allerdings die Gefahr einer rein äußeren Übereinstimmung mit dem gesellschaftlichen Brauch mit sich, wie auch das Ritual rein äußerlich vollzogen werden kann ohne eine innere Haltung des Respekts. Doch Konfuzius betont sehr die Notwendigkeit, die rechten inneren Einstellungen zu haben, ohne die Anstand zur Heuchelei wird (Gespräche XV.17). Indem Konfuzius die moralische und geistliche Vollkommenheit als das menschliche Ideal anbot, hat er ein Erbe hinterlassen, das ewig und universal ist, auch wenn seine kulturellen Annahmen ihre entsprechenden Grenzen haben.

Als Lehrer von Schülern praktizierte Konfuzius die Kunst der geistlichen Führung, indem er seine Jünger mahnte, die Ausuferungen ihrer Temperamente zu zügeln, indem sie gewisse Anstrengungen in der Selbstkontrolle, unterstützt von der Praxis der Selbstüberprüfung, unternahmen. Er gibt den allgemeinen Rat: »Triffst du jemanden, der besser ist als du, dann versuche ihm nachzueifern! Triffst du jemanden, der nicht so gut ist wie du, dann schau in dich und erforsche dein eigenes Selbst!« (Gespräche IV.17) Und sein Schüler Tseng-tzu beschreibt drei Punkte der täglichen Selbstprüfung: »Habe ich in meinem Umgang mit anderen mein Bestes getan? Bin ich in meinem Verhalten meinen Freunden gegenüber zuverlässig gewesen? Und habe ich anderen weitergegeben, was ich selbst nicht praktiziert habe?« (Gespräche I.4)

Der folgende Text gibt uns eine Beschreibung von Konfuzius' eigener geistlicher Entwicklung:

»Mit fünfzehn habe ich mein Herz auf das Lernen (d.h. ein Weiser zu werden) gesetzt; mit dreißig wurde ich sicher; mit vierzig hatte ich keine Zweifel mehr; mit fünfzig verstand ich den Willen des Himmels; mit sechzig war mein Ohr auf die Wahrheit eingestellt; mit siebzig konnte ich dem Verlangen meines Herzens folgen, ohne die Grenze zu überschreiten.« (Gespräche II.4)

Dies ist die Beschreibung eines Mannes, der bewußt sein inneres Leben kultivierte und seinen Geist übte, die Wahrheit zu erfassen, und sein Herz, den Willen des Himmels zu ergreifen, bis auch seine Instinkte umgestaltet waren und er die Dinge des Geistes schätzen lernte. Doch die Erwähnung des Himmels geschieht diskret. Die Worte des Konfuzius zittern nicht unter einem leidenschaftlichen Verlangen nach der Vereinigung mit dem Himmel oder mit Gott, wie es die Worte vieler westlicher Mystiker tun.

Die Entwicklung der konfuzianischen Spiritualität

In den Jahrhunderten, die unmittelbar dem Konfuzius und Menzius folgten, ist die konfuzianische Spiritualität repräsentiert durch eine Betonung des *li* (Ritual) und *yüeh* (Musik), während der religiöse Glaube an Gott als den Herrn-in-der-Höhe oder den Himmel an Bedeutung verlor. Im Hinblick auf die Riten bezieht sich Hsün-tzu (3. Jahrhundert v.Chr.) auf Praktiken wie die Opfer, die ein Regent dem Himmel darbrachte, auch wenn er persönlich seinen Unglauben gegenüber dem Himmel als einem übernatürlichen Sein oder einer übernatürlichen Macht bekannte. Er spricht auch von den den Ahnen dargebrachten Opfern, von Hochzeiten und Beerdigungen mit einer gewissen Beachtung der *Ästhetik* der Riten, den Details der Rubriken wie auch einem Sinn für Balance und Schönheit:

»Riten kürzen, was lang ist, und dehnen aus, was zu kurz ist; sie tilgen das Zuviel und reparieren den Mangel, verlängern die Formen der Liebe und Ehrfurcht und bringen Schritt um Schritt die Schönheiten des eigenen Verhaltens zur Vollendung. Schönheit und Häßlichkeit, Musik und Weinen, Freude und Trauer sind Gegensätze, und doch machen Riten von all dem Gebrauch, bringen sie weiter und verwenden sie zu ihrer Zeit.«[3]

Für Hsün-tzu dient die Musik denselben Funktionen wie die Riten und gewöhnlich in Verbindung mit ihnen. Bei der Musik beziehen sich die alten Chinesen auf eine Einheit von instrumentaler und vokaler Musik und Rhythmen mit Versen und Tanz. Die konfuzianische Schule liebte vor allem die formale Musik, die bei Ahnen- und anderen religiösen Opfern aufgeführt wurde[4]. In Hsün-tzus Worten gesagt: »Musik *(yüeh)* ist Freude (*lo*, eine andere Lesart desselben chinesischen Schriftzeichens), ein Gefühl, das den Menschen zu bestimmten Zeiten unweigerlich befällt. Da der Mensch nicht umhin kann, Freude zu empfinden, muß seine Freude eine Äußerung in der Stimme und einen Ausdruck in der Bewegung finden.«[5] Im Buch der Riten, einem Text, der den unleugbaren Einfluß Hsün-tzus zeigt, hebt das Kapitel über die Musik diese ebenfalls als eine Hilfe hervor, das innere Gleichgewicht und die innere Ruhe zu erlangen – die Reflexion der Harmonie eleganter

[3] Hsün-tzu, Book 19.
[4] Vgl. *H.H. Dubs*, Hsün-tze: The Moulder of Ancient Confucianism (1927). Taipei 1966, 162–163. 199.
[5] Hsün-tzu, Book 20.

Musik. Entsprechend »gehört es zur menschlichen Natur wie vom Himmel, daß er bei der Geburt still ist«. Im Prozeß seines Wachstums erfährt er äußere Einflüsse und antwortet auf sie, indem er »Sympathien und Antipathien« zeigt. Solange diese nicht durch ein inneres Prinzip ordentlich reguliert sind, läuft er die Gefahr der Selbstentfremdung, indem er sich seinem ursprünglichen, tieferen Selbst entfremdet und so seines »himmlischen Prinzips« *(T'ien-li)* verlustig geht. Doch Musik und Riten sorgen dafür, daß der Mensch diese innere Harmonie, die eine Reflexion der Harmonie zwischen Himmel und Erde ist oder doch sein sollte, aufrechterhält oder wiederherstellt.

»Harmonie ist das, was hauptsächlich in der Musik gesucht wird: Sie folgt hierin dem Himmel und offenbart den geist-ähnlichen ausgedehnten Einfluß, der diesem eigentümlich ist. Unterscheidung ist das, was hauptsächlich in Zeremonien gesucht wird: Sie folgen darin der Erde und offenbaren den geist-ähnlichen zurückwirkenden Einfluß, der für sie charakteristisch ist. Von hier aus machen Weise Musik in Antwort auf den Himmel, sie gestalten Zeremonien in Übereinstimmung mit der Erde. In der Weisheit und Vollständigkeit ihrer Zeremonien und Musik können wir die richtungsweisende Kraft des Himmels und der Erde erblicken.«[6]

Die Lehre des Gleichgewichts und der Harmonie

Emotionale Harmonie und psychisches Gleichgewicht – die Harmonie, die eher der Proportion als der Abwesenheit der Leidenschaften zukommt, – sollten der Eckstein der konfuzianischen Spiritualität und das Wesen der konfuzianischen Meditation selbst werden. Hier ist das *Chung-yung* oder die Lehre des Mittels, ein anderes Kapitel des Buches der Riten, besonders hilfreich. Es spricht von zwei Zuständen des Geistes oder Herzens, dem »vorher bewegten« Zustand vor dem Entstehen der Gefühle und dem »nachher bewegten« Zustand. Entsprechend dieser Lehre liegt das *Mittel* in der *Harmonie* der *entstandenen* Gefühle, die Ähnlichkeit mit dem Gleichgewicht des früheren Zustandes hat. Das Kapitel fährt fort mit der Feststellung, daß diese Harmonie den Menschen in Berührung mit den Prozessen des Lebens und der Kreativität im Universum bringt:

»Während es keine Erregungen von Vergnügen, Zorn, Trauer und Freude mehr gibt, kann vom Geist gesagt werden, er befinde sich im Zustand des Gleichgewichts *(chung)*. Wenn diese Gefühle in Bewegung gebracht sind und in dem ihnen zukommenden Ausmaße wirken, ergibt sich daraus das, was Zustand der Harmonie *(ho)* genannt werden kann. Dieses Gleichgewicht ist die starke Wurzel von allem unter dem Himmel. Laßt die Zustände des Gleichgewichts und der Harmonie in Vollendung bestehen, und eine

[6] Übersetzt nach der englischen Übersetzung von *J. Legge*, Li Ki (= Sacred Books of the East 28). Oxford 1885, 103.

glückliche Ordnung wird herrschen in Himmel und Erde, und alle Dinge werden wachsen und blühen.«[7]

Die philosophische Annahme hinter solch einer Spekulation ist die traditionelle Korrelation zwischen dem Mikro- und Makrokosmos, zwischen den inneren Werken des menschlichen Geistes und Herzens und den kreativen Prozessen des Universums im großen. Die mystische Dimension ist offenkundig. Und während die Bedeutung des Wortes »Himmel« in den früher zitierten Texten ambivalent ist, gibt es einen klaren Ausdruck der Überzeugung, daß emotionale Harmonie den Menschen für etwas öffnet, das größer ist als er selbst. Was dies ist und wie emotionale Harmonie zu erlangen ist, bleibt unklar. Doch ist es keine Überraschung, daß solch ein Text einen Anstoß zur Entwicklung einer Meditationsform geben sollte, die spezifisch konfuzianisch genannt werden kann.

Die neo-konfuzianischen Beiträge

Eine lange Zeit verging, bis daß die konfuzianische Spiritualität ihre endgültige Gestalt erlangte – durch das Werk der neo-konfuzianischen Philosophen der Sung- (960–1279) und Ming-Dynastien (1368–1644). Ihre Beiträge kamen teilweise als Antworten auf den Buddhismus, seine Philosophie und Spiritualität. Die Antworten selbst wurden in konfuzianischen Begriffen artikuliert, auch wenn die neue Weltsicht buddhistische und taoistische Einflüsse reflektiert. An Stelle des frühen Glaubens an eine höchste und personale Gottheit finden wir ein pantheistisches oder – sollten wir sagen: – panentheistisches Universum mit dem Himmel als einer unpersönlichen oder transpersonalen Kraft[8]. Wir finden in ihren Schriften auch eine reife Lehre der geistlichen Kultur, die auf die Erlangung der Weisheit ausgerichtet ist. Dies läßt sich besonders durch die Sprache der Spiritualität erkennen, die die neo-konfuzianische Bewegung entwickelte. Es handelt sich um eine Sprache, die gewöhnlich von konfuzianischen Texten abgeleitet ist, auch wenn die Worte selbst erst zu einem viel späteren Zeitpunkt technische Begriffe wurden. Es ist eine Sprache konfuzianischer Inspiration, obgleich es buddhistische Resonanzen gibt. Trotz der Dynamik der Sprache der Spiritualität, die eine Analyse und Klassifizierung schwierig macht, werden wir nun die Worte unter den zwei Kategorien »Verminderung« und »Wachstum« prüfen, um die Eigentümlichkeit der neo-konfuzianischen Spiritualität deutli-

[7] Nach der englischen Übersetzung von *J. Legge*, The Chinese Classics. Vol. I: Confucian Analects, the Great Learning, and the Doctrine of the Mean. Oxford [2]1893–95, 384–385.

[8] Es gab immer solche, die fortfuhren, an eine höchste persönliche Gottheit zu glauben wie Huang Tsung-hsi (1610–1695). Vgl. seinen kleinen Traktat »P'o hsieh lun« (Gegen perverse Theorien) in: Li-chou yi-chu hui-k'an. Shanghai 1910.

cher zu verstehen. Diese Unterscheidung ist vorwiegend heuristischer Art, da in geistlichen Begriffen die zwei Kategorien auf paradoxe Weise konvergieren: geistliches Wachstum ist nur möglich, wenn es funktional von einem gewissen Grad der Selbstverleugnung begleitet ist.

Die Sprache der Verminderung oder Selbstverleugnung

In den Gesprächen XII.1 definiert Konfuzius die Tugend des *jen* als »Selbst-Eroberung« *(k'o-chi)* um der »Wiederherstellung des Anstandes« *(fu-li)* willen. Dies ist ein Beispiel für das, was mit der Sprache der Verminderung oder des »Verzichtes« gemeint ist. Es ist das, was natürlicherweise der Selbstprüfung folgt – ein reinigender Effekt. Befragt, welches die Schritte einer solchen Selbstbeherrschung sind, nennt Konfuzius die »Bewachung« der eigenen Sinne:

»Schau nicht auf das, was dem Anstand widerspricht;
höre nicht auf das, was dem Anstand widerspricht;
sag nicht, was dem Anstand widerspricht;
mache keine Bewegung, die dem Anstand widerspricht.«

Die Neo-Konfuzianer haben diese Lektion nicht vergessen. Sie erkannten die Notwendigkeit, »das himmlische Prinzip zu bewahren und die menschlichen Leidenschaften auszurotten« *(ts'un T'ien-li, ch'ü jen-yü)*. Sie übten auch die Kunst der »Selbstprüfung« *(hsing-ch'a)*, wörtlich: »des In-sich-Schauens und Über-sich-Wachens«, selbst durch eine häufige »geistliche Rechenschaftsablage« über sich selbst. Wir kennen auch aus Biographien die Disziplin, die sie befolgten, in einigen Fällen unter Einschluß solcher Übungen wie die Führung eines detaillierten geistlichen Tagebuches, in die entdeckte Fehler und gemachte Vorsätze genau niedergeschrieben wurden. Solche Entwicklungen zeitigten als Begleiterscheinung die Praxis, in die Klassiker die Lehre einer Askese hineinzulesen und den Alten die Tugenden einer solchen Askese zuzuschreiben. In der Biographie T'ang Shun-chihs in der *Ming-ju hsueh-an* z.B. bezieht sich Huang Tsung-hsi auf den König T'ang, den dynastischen Gründer der Shang, von dem es hieß, er habe »in Erwartung der Morgendämmerung aufrechtgesessen«[9], auf Wu-ting oder König Kao-tsung, einen seiner Nachfolger, der »für drei Jahre Schweigen beobachtete«, angeblich während einer Trauerzeit[10], und auf Konfuzius, der »keinen Geschmack für Fleisch hatte für drei Monate« (Gespräche VII.13), als Beispiele der Ehrfurcht und Selbstdisziplin. Er befolgte natürlich eine Interpretation, die durch eine lange Reihe von Exegeten begründet wurde.

[9] Vgl. *J. Legge*, The Chinese Classics. Vol. III: The Shooking, or the Book of Historical Documents. Oxford 1865, 202.

[10] Vgl. ebd. 466.

Und doch, wenn wir den klassischen Text (das Buch der Geschichte) sorgfältiger lesen, sind wir nicht so sicher, daß diese solch gute historische Beispiele der Askese selbst waren. Die Kontexte scheinen nahezulegen, daß König T'ang früh aufstand, um vom Tageslicht zu profitieren, daß Wu-tings Schweigen bemerkt wurde, *nachdem* die Trauerzeit vorüber war[11], und sogar das Ergebnis einer Krankheit gewesen sein mag, sicher aber, daß Konfuzius seinen Geschmack für Fleisch verloren hat, weil er so von der *shao*-Musik begeistert war, als er den Staat Ch'i besuchte, und so kaum einen Akt der Abtötung geübt hat[12]. Die Tradition aber, die Klassiker *in asketischer Weise* zu lesen, und die Sprache der Verminderung, die diese Lektüre erzeugte, bezeugen die Bedeutung der Askese in der konfuzianischen und noch mehr der neo-konfuzianischen Tradition.
Trotzdem sollten wir uns daran erinnern, daß die konfuzianische und neo-konfuzianische Askese eine Disziplin der Mäßigung blieben, die nicht zur Flucht in die Wüsten inspirierten oder eine monastische Bewegung erzeugten. Die konfuzianische Lehre richtete sich auf die Kontrolle der Leidenschaften, nicht auf ein Leben, als existierten die Leidenschaften nicht. Außerdem wurde die konfuzianische Askese stets um eines höheren Zieles willen praktiziert, nämlich dem Ziel, den einzelnen für andere menschlicher zu machen, im Dienste einer größeren Gruppe, der Familie und der Gesellschaft.

Die Sprache des Wachstums

Die Schule des Konfuzius hat stets das »Menschlich-werden« *(jen)* als Prozeß geistlichen Wachstums angesehen. Dies bekam eine besondere Bedeutung, als das Wort *jen* unter buddhistischem Einfluß den Sinn von »Saat« annahm, mit einem Potential für Wachstum und Reifung[13]. Bei den Neo-Konfuzianern wurde das Wort *jen* austauschbar mit dem Begriff »himmlisches Prinzip« *(T'ien-li)*. Um *menschlich* zu werden – ein vollkommenes menschliches Wesen –, muß man das himmlische Prinzip in Geist und Herz »bewahren« *(ts'un)* und »ernähren« *(yang)*. Sein Wachstum bewirkt eine Teilhabe an den kosmischen Lebens- und Wachstumsprozessen – wiederum

[11] Vgl. ebd. 248. So findet die Antwort des Konfuzius an Tzu-chang im Hinblick auf die »universale« alte Praxis einer dreijährigen Trauer nach dem Tode der Eltern keine Unterstützung durch den Text, wie er uns heute vorliegt. Kuo Mo-jo schlägt die Möglichkeit vor, daß Wu-ting, von einer Krankheit getroffen, nicht sprechen konnte. Vgl. sein Buch Ch'ing-t'ung shih-tai (Die Bronzezeit). Shanghai 1951, 137–141.

[12] Es ist sogar möglich, daß Konfuzius vom *Studium* dieser Musik absorbiert war. Vgl. *Kuo Mo-jo*, Ch'ing-t'ung shih-tai, 200.

[13] *W.T. Chan*, The Evolution of the Confucian Concept *jen*: Philosophy East and West 4 (1955) 295–319.

eine mikro-makrokosmische Parallele. Wie aber ist dieses Wachstum zu pflegen? Zu diesem Punkt geben die verschiedenen Philosophen nicht immer dieselben Antworten. Chu Hsi (1170–1200), verantwortlich für die Synthese des neo-konfuzianischen Denkens der Sungzeit, bietet die doppelte Formel *chü-ching ch'iung-li* – festhalten an der Anlage zur Ehrfurcht und ausgiebig die Prinzipien *(li)* der Dinge verfolgen. Die Formel verbindet spirituelle und intellektuelle Kultur.

Die Lehre der Ehrfurcht

Die Tatsache, daß Wissenschaftler den Begriff *ching* mit Ehrfurcht, Ernst, Fassung übersetzt haben, zeigt die Schwierigkeit, seinen chinesischen Gebrauch im allgemeinen und die von Chu intendierte Bedeutung im besonderen zu erklären. Der Gebrauch des Wortes läßt sich in verschiedene konfuzianische Texte hinein verfolgen, darunter das Buch der Geschichte, wo die alten weisen Könige häufig als »ehrfurchtsvoll gehorsam« gegenüber dem Herrn-in-der-Höhe oder dem Himmel beschrieben werden, während ihre Nachkommen ermahnt werden, eine solche Ehrfurcht nachzuahmen. Bei Konfuzius wird das Wort mehr mit Rücksicht auf einen selbst als auf ein höheres Wesen verwendet: »In der Zurückgezogenheit gelassen wohlwollend sein, im Kontakt mit anderen sehr ehrlich sein« (Gespräche XII.19)[14]. Das Buch der Wandlungen fährt in derselben Richtung fort, wenn es sagt: »Der edle Mensch praktiziert Ehrfurcht, um die innere Geradheit zu erhalten, und Gerechtigkeit, um die äußere Korrektheit sicherzustellen.«[15] Chu Hsi spricht von »festhalten an der Ehrfurcht«, indem er es als Aufrichtigkeit und Freiheit von Zerstreuung *(chu-yi wu-shih)* bestimmt und es der buddhistischen Praxis geistiger Wahrheit *(hsing-hsing)* vergleicht. Er assoziiert es auch besonders mit der Lehre des *shen-tu* (»Wachsamkeit in Einsamkeit« oder wachsam sein über sich, während man allein ist) im Rahmen der Lehre vom Mittel. Doch warnt er seine Jünger vor einer toten Ehrfurcht, die den Geist nur wachsam hält, ohne auf die moralische Praxis zu achten. Für Chu Hsi weist »Ehrfurcht« auf den Prozeß, in dem die ursprüngliche Einheit des Geistes bewahrt und im eigenen Handeln offenbar gemacht wird. So gibt er der Bedeutung des Wortes eine Tiefe und Dimension, die sie aus dem früheren, gelegentlichen Gebrauch im konfuzianischen Denken zu einer Lehre der persönlichen und geistlichen Kultur wandelt. In seinen Worten:

[14] Nach der von *J. Legge*, Chinese Classics I, 271, angepaßten englischen Übersetzung.

[15] Kommentar zum Hexagramm Nr. 2. Nach der englischen Übersetzung von *J. Legge*, Yi King (= Sacred Books of the East 16). Oxford ²1899, 420.

»Ehrfurcht bedeutet nicht, man habe steif in Einsamkeit dazusitzen, die Ohren nichts hörend, die Augen nichts sehend, der Geist an nichts denkend ... Sie bedeutet vielmehr, einen Sinn der Behutsamkeit und Wachsamkeit zu haben und nicht zu wagen, sich gehen zu lassen ...«[16]

Die Praxis der Ehrfurcht ist sehr ähnlich der »Sammlung« in der westlichen christlichen Spiritualität. Das lateinische Wort *recollectio*, das im Deutschen mit »Sammlung« wiedergegeben wird, wird gewöhnlich im Sinne von »Erinnerung« verstanden. Als *terminus technicus* der Spiritualität bezieht der Begriff sich jedoch auf die »Sammlung« der inneren Fähigkeiten, indem man sie schweigen läßt und in einer Atmosphäre des Friedens und der Stille »gesammelt« hält als Vorbereitung auf das formale Gebet und als Bemühen, die Wirkungen eines solchen Gebetes zu verlängern. In einem Werk über die christliche Spiritualität sagt J. Leclercq[17]:

»Das moderne Leben macht uns die Sammlung schwer.« (127) »Sammlung setzt innere und, als Vorbedingung dazu, auch äußere Ruhe voraus.« (129) »Die Sammlung ist die erste Vorbedingung zu einem innerlichen Leben. Durch sie entfaltet sich dieses wie von selbst. Nur in innerer Ruhe, in Schweigen und Einsamkeit, kann der Mensch zu sich selber und zu Gott kommen. Wir bedürfen der innern Ruhe, um uns selber zu finden, uns in den Griff zu bekommen, uns zu weiten. Die Seele formt sich in der Stille.« (126)

Der eigentlich chinesische Begriff für »Sammlung« ist jedoch *shou-lien* (wörtlich: »zusammensammeln«). Er hat auch die praktische Bedeutung von »eine Ernte einsammeln«, doch hat seine Verwendung in der neo-konfuzianischen Spiritualität ihn zu einem *terminus technicus* gemacht. Chu Hsi spricht von der für Wissenschaftler bestehenden Notwendigkeit, »sich stets gesammelt *(shou-lien)* zu halten, ohne sich zu gestatten, zerstreut zu werden«[18]. Chu Hsis Vorgänger Ch'eng Yi (1033–1107), der vor ihm der Lehre von der Ehrfurcht Ausdruck gegeben hatte, hatte gesagt: »Die Kultur *(han-yang)* erfordert die Praxis der Ehrfurcht.« Der Begriff *han-yang* schließt die Bedeutung »Ernährung« ein. Der Sucher nach Weisheit muß die Samenkörner der Güte in Geist und Herz ernähren: die Ehrfurcht bezieht sich auf diesen Prozeß der Ernährung und auf das Ziel der emotionalen Harmonie – den beständigen Geisteszustand, der für den Weisen charakteristisch ist.

[16] Chu-tzu yü-lei (Aufgezeichnete Gespräche). Reprint Taipei 1970, 12:10b. Übersetzt nach der angepaßten englischen Übersetzung von *W.T. Chan*, A Source Book in Chinese Philosophy. Princeton, N.J. 1964, 607.

[17] *J. Leclercq*, Leben in Gott. Das innerliche Leben (= Christliche Lebensgestaltung III). Luzern/München 1957. Wir zitieren mit Seitenzahl im Text.

[18] Chu-tzu-yü-lei, 12:2b.

Der konfuzianische Begriff für Meditation lautet »stillsitzen« *(ching-tso)*. Er verrät starke taoistische und buddhistische Einflüsse, indem an Chuang-tzus »sitzen und vergessen« *(tso-wang)* und die buddhistische Übung des *dhyana* (Meditation), von denen sich die Bezeichnung *Ch'an* oder Zen herleitet, erinnert. Chu Hsi hatte Erfahrung sowohl in taoistischen wie in buddhistischen Praktiken der Meditation. Doch unternahm er auch besondere Anstrengungen, die Besonderheit der konfuzianischen Meditation und ihren Unterschied von der taoistischen und buddhistischen Meditation aufzuzeigen. Für den Taoisten oder Buddhisten ist sie eine Übung, in der der Geist sich auf ein Objekt konzentriert, sich selbst eingeschlossen, unter Ausschluß aller zerstreuenden Gedanken und in der Absicht, innere Einheit zu erlangen, und – zumal im Falle des Taoisten – mit dem Motiv, die Gesundheit zu erhalten und das Leben zu verlängern. Für den Konfuzianer geht es um das Verlangen nach Einheit und Harmonie zusammen mit der Erkenntnis des *moralischen* Selbst, der eigenen Stärken und Schwächen, im Hinblick auf die Erlangung der Selbstverbesserung durch die Übung der Tugenden und die Überwindung der Laster.

Chu Hsi mißt einige Bedeutung dem Stillsitzen bei, vor allem insofern als es eine vollere Offenbarung des himmlischen Prinzips im Inneren möglich macht. Dabei ist eine zyklische Bewegung impliziert: die Rückkehr zur ursprünglichen Natur, die Wiedererlangung der Quellen des eigenen Seins und die Ermöglichung des Eindringens des Zustandes der psychischen Einheit und Harmonie in das tägliche Leben. Er sieht sie als von der buddhistischen Praxis der »Innenschau« verschieden an, welche eine Beziehung nur zu sich selbst und nicht zur weiteren Welt hat:

»Nach der buddhistischen Lehre soll man den Geist mit dem Geist suchen, den Geist mit dem Geist entfalten. Dies ist wie der Mund, der am Mund nagt, oder das Auge, das in das Auge schaut. Solch eine Handlungsweise ist bedenklich und bedrückend, solch ein Weg gefährlich und hemmend, solch eine Praxis prinzipienleer und enttäuschend. Sie (die Lehren) mögen wie unsere (konfuzianischen) klingen; sie sind in Wirklichkeit ganz anders.«[19]

Im Laufe der Entwicklung hat die konfuzianische Meditation mehr und mehr einen von der taoistischen und buddhistischen Meditation verschiedenen Charakter angenommen. Sie ist nicht nur eine Gewissenserforschung.

[19] Kuan-hsin shuo (Über die Betrachtung des Geistes). Chu-tzu wen-chi (Gesammelte Werke des Chu Hsi). Reprint Taipei 1972, 67:21b. Übersetzt nach der angepaßten englischen Übersetzung von *W.T. Chan*, Chinese Philosophy, 604. Es sollte uns nicht überraschen, daß *Leclercq*, Leben in Gott, 32, auch sagt: »Betrachtung, Sammlung, Gebet geben unserer Seele Auftrieb und Licht; ein ausschließlich dem Nachsinnen gewidmetes Leben jedoch bringt die Seele in Gefahr, sich abzukapseln und einem ebenso gefährlichen wie raffinierten Egoismus zu verfallen.«

Sie ist definitiv auf ein höheres Bewußtsein hingeordnet, indem es sich vom Selbst und seinem Verlangen leermachte. Als eine Form innerer Konzentration steht die konfuzianische Meditation irgendwie zwischen zwei anderen Formen: der intellektuellen Anstrengung des diskursiven Denkens und der moralischen Bemühung, sich zu versichern, daß es kein Denken gibt. Die konfuzianische Meditation sucht Frieden, ohne der menschlichen Natur Gewalt anzutun. Sie macht nicht die Erlangung eines Zustandes intellektueller und emotionaler Leidenschaftslosigkeit erforderlich. Gedanken mögen kommen und gehen; sie brauchen keine Zerstreuungen zu werden, es sei denn, man schenkt ihnen Beachtung.

Die Ausweitung der Erkenntnis

Ein Problem, das häufig in den verschiedenen geistlichen Traditionen auftritt, ist der Platz, der der intellektuellen Kultur zugewiesen wird. In der westlichen christlichen Spiritualität ist es formuliert in der Frage nach dem Primat des Intellekts oder des Willens in der Vereinigung der Seele mit Gott, mit den Dominikanern, die den Intellekt, und den Franziskanern, die den Willen bevorzugen. Die dominikanische Spiritualität ist daher stärker intellektorientiert, während die franziskanische handlungsorientiert ist und in diesem Sinne als anti-intellektuell beschrieben werden kann. An einem Ort wie Jerusalem läßt sich das um so deutlicher beobachten, als die Dominikaner dort ihre Ecole Biblique haben, während die Franziskaner sich in besonderer Weise der Sorge um die Pilger widmen.
Während das Wort *hsüeh* (wörtlich: Lernen) im Konfuzianismus eine weitere Bedeutung hat und sich besonders auf das »Lernen, ein Weiser zu werden«, bezieht, gibt es dennoch in der konfuzianischen Spiritualität eine bemerkenswerte und bezeichnende intellektuelle Dimension. Diese ist der Satz des Großen Lernens – die Ausweitung der Erkenntnis durch die Erforschung der Dinge *(ko-wu chih-chih)*. Es ist ein Satz, der sich vor allem in der Philosophie des Chu Hsi entwickelt hat und das Lernen als »Beschäftigung mit den Prinzipien« *(ch'iung-li)* erklärte. Im Mittelpunkt steht die Suche nach Erkenntnis, besonders des intellektuellen Verständnisses des Wesens aller Dinge, wobei im Wort »Dinge« nicht nur die objektive Welt außerhalb des Geistes, sondern auch die subjektive Welt der menschlichen Beziehungen und Affären gemeint ist. Wie Chu Hsi es sagt:

»Wenn wir unsere Erkenntnis bis zum äußersten ausdehnen wollen, müssen wir die Prinzipien aller Dinge erforschen, mit denen wir in Kontakt kommen. Denn der Geist des Menschen ist dahingehend geformt, daß er erkennt, und die Dinge der Welt haben alle ihre Prinzipien. Solange die Prinzipien nicht erschöpft sind, ist die Erkenntnis noch nicht vollkommen.«[20]

Nach Chu Hsi muß der Student vom Bekannten zum Unbekannten voranschreiten, indem er beim Wissen, das er bereits von den Prinzipien der Dinge besitzt, ansetzt und seine Untersuchung fortsetzt, bis die Aufgabe beendet ist. Dies geschieht wie ein plötzlicher Durchbruch, eine Erfahrung innerer Erleuchtung, am Ende eines langen und beschwerlichen Prozesses der Suche und Anstrengung.

»Nachdem er sich auf diese Weise lange Zeit angestrengt hat, wird er sich plötzlich im Besitz einer weiten und weitreichenden Durchdringung finden. Die Qualitäten aller Dinge, der inneren und äußeren, feinen und groben, werden dann alle ergriffen sein, und der Geist in seiner ganzen Substanz *(t'i)* und seiner Beziehung zu den Dingen *(yung)* wird völlig offenbar werden. Dies wird die Erforschung der Dinge genannt; dies wird die Vollendung der Erkenntnis genannt.«[21]

So modifiziert, wenn der Geist auf die Erkenntnis der Wahrheit der Prinzipien hingeordnet ist, die Wahrheit selbst auch den Geist, indem sie ihn offen und strahlend macht. Hier beobachten wir eine Kreisbewegung vom Geist zu den Dingen und von dort zurück zum Geist, doch nicht direkt vom Geist zum Geist. Außerdem wird die Erkenntnis nicht um ihrer selbst willen ersehnt, sondern in der Regel, um sachgerecht zu handeln, zumal durch moralisches Verhalten.

Deshalb stellt sich auch in der neo-konfuzianischen Spiritualität das Problem: Wie wichtig ist das Buchwissen oder das intellektuelle Streben für das Verlangen nach Weisheit? Chu Hsis Zeitgenosse und Rivale Lu Chiu-yüan (1139–93) und der spätere Wang Yang-ming (1472–1529) erläuterten das Problem, das mit jeder Lehre verbunden ist, die dem intellektuellen Verlangen eine zu starke Priorität zuerkennt: Es macht notwendigerweise aus allen Weisen Intellektuelle und diejenigen, die keine Möglichkeiten zum Studium haben, zu Unterprivilegierten auch im Verlangen nach Weisheit. Lu und Wang betonen mehr die moralischen und existentiellen Aspekte der Spiritualität, indem sie das Buchstudium fast für eine Zerstreuung im Hinblick auf das Verlangen selbst ansehen. Während ihre Einflüsse einen starken Eindruck hinterließen, ist die konfuzianische Spiritualität hauptsächlich eine Spiritualität der Intellektuellen geworden, die die Lektüre der Klassiker selbst zu einer spirituellen Übung machte.

Und die Mystik?

Die Spiritualität betrifft die Erfahrungen des »inneren Menschen«, und diese mögen auch mystische Erfahrungen einschließen. Im Judentum, Christentum und Islam werden diese gewöhnlich bestimmt im Sinne des Bewußtseins

[20] Dies ist dem Kommentar über das Große Lernen entnommen, übersetzt nach der angepaßten englischen Übersetzung von *J. Legge*, Chinese Classics I, 365.
[21] Ebd. 365–366.

der Seele von ihrer eigenen Vereinigung mit Gott, einer Vereinigung, in der beide unterschieden bleiben, auch wenn die *Erfahrung* sehr intensiv und unaussprechlich ist. Die konfuzianischen Klassiker geben Zeugnis von einer tiefen Spiritualität, die Mystik nahelegt. Sowohl das Buch der Dichtung wie das Buch der Geschichte repräsentieren die alten Weisheitskönige als Partner im Dialog mit dem Herrn-in-der-Höhe oder dem Himmel, ja als zu verehrende *Söhne* des Himmels, die von ihm ihre Instruktionen und Gebote empfangen und Segen und Schutz erbitten. Dieses erscheint stärker verbunden der Tradition der jüdischen Könige und Propheten als der der mystischen Individuen, die sich an die Kontemplation des Göttlichen verloren haben. Doch die *unterscheidend* konfuzianische mystische Tradition läßt sich besser im Buch des Menzius entdecken und in jenen Kapiteln in rituellen Texten, die weniger von den Riten als solchen als vielmehr von den inneren Dispositionen des Geistes und Herzens sprechen[22]. Menzius spielt bei der Gegenwart im Herzen auf eine Gegenwart an, die noch größer ist als es selbst. Nach ihm führen die Erkenntnis und Erfüllung des eigenen Geistes und Herzens zur Erkenntnis und Erfüllung der eigenen Natur und zum Dienst des Himmels:

»Für den Menschen bedeutet seinem Herzen die volle Verwirklichung zu schenken seine eigene Natur verstehen; ein Mann, der seine eigene Natur versteht, versteht den Himmel. Indem er sein Herz bewahrt und seine Natur nährt, dient er dem Himmel.« (7A:1)

Menzius' klare Philosophie setzte eine intensive Suche nach dem Absoluten bei den verschiedenen Neo-Konfuzianern frei, vermutlich unter einem gewissen buddhistischen Einfluß. Wir besitzen eine Beschreibung der Erfahrung einer mystischen Erleuchtung (1593) von Kao P'an-lung während seiner Reise nach Südchina, zunächst mit dem Schiff, dann auf dem Land. Er berichtet von seiner strikten Tagesordnung, selbst als er auf dem Schiff war, wie er während des halben Tages die Meditation übte und während des anderen halben Tages Bücher las und das für eine Zeit von etwa zwei Monaten:

»Immer wenn ich mich unwohl fühlte während der Meditation, würde ich einfach all den Instruktionen Ch'eng Yis und Chu Hsis folgen – in allem, was die Aufrichtigkeit, Ehrfurcht, Konzentration auf die Stille, die Beobachtung der Freude, des Zornes, der Trauer und des Vergnügens angeht, bevor sie entstehen, das Sitzen in Schweigen, um den Geist zu reinigen und in mir das himmlische Prinzip zu verwirklichen ... Ob ich stand oder saß, aß oder ruhte, ich würde diese Gedanken nicht vergessen. Nachts zog ich mich nicht aus, und schlief nur, wenn ich todmüde war. Sobald ich erwachte, kehrte ich zur Meditation zurück und wiederholte und vollzog abwechselnd diese verschiedenen Übungen. Wenn der *ch'i* des Geistes klar und friedlich war, schien er Himmel und Erde zu füllen. Doch solch ein Bewußtsein hielt nicht an ...«[23]

[22] *J. Ching*, Confucianism and Christianity. Tokyo 1977, 159–160.

Die unsagbare Erfahrung kam während seiner Betrachtung der Natur, als er in einer Wirtschaft, wahrscheinlich in Fukien, war.

»(Die Wirtschaft) hatte einen kleinen Speicher, der auf die Berge schaute, mit einem Sturzbach dahinter. Ich kletterte dort hoch und war hocherfreut. Rein zufällig sah ich ein Wort Ch'eng Haos (1032–1085): ›Unter hundert Beamten, einer Myriade von Dingen und hunderttausend Waffen, mit Wasser zum Trinken und einem gebeugten Arm als Kissen kann ich noch voll Freude sein. (Gespräche VII.15) Die Myriade von Dingen stammt von Menschen; in Wirklichkeit gibt es kein Ding.‹[24] Plötzlich verstand ich den Sinn dieser Worte und sagte: ›Das ist es. In Wirklichkeit gibt es kein Ding!‹ Und als dieser eine Gedanke fortwirkte, war alle Verwirrung gebrochen. Es war plötzlich, als ob eine Last von einhundert Pfund plötzlich von der Seele gefallen wäre, als ob ein Blitzstrahl den Körper durchdrungen und den Verstand durchbohrt hätte, und ich tauchte ein in die Harmonie mit der Großen Verwandlung, bis daß da keine Unterscheidung mehr war zwischen Himmel und Mensch, außen und innen.«[25]

Der Text ist das Zeugnis einer persönlichen Erfüllung, die nicht ohne ernsthafte Bemühung erreicht wurde, doch als Erfahrung heiter und einfach – eine Erfahrung der Selbsttranszendenz und des Bewußtseins des Aufgehens in der Natur. Der interessante Gedanke von Ch'eng Hao, der Anlaß zu diesem Erwachen wurde, ist bemerkenswert, da er die konfuzianische mystische Erfahrung in ein Leben voll von Aktivität gründet, während er die zentrale Einsicht selbst in einer Sprache der Verneinung, die an die buddhistische Philosophie erinnert, zum Ausdruck bringt. Die konfuzianische Meditation entwickelte sich schließlich in einer Tradition, der das monastische Leben unbekannt war. Sie repräsentiert wesentlich eine Laienspiritualität. Die konfuzianische Mystik ist Sache eines Menschen, der weiß, wie man Kontemplation und Aktion, das Innere und Äußere vereint, wobei die äußere Aktivität Ausdruck innerer Haltungen und des Urquells der eigenen Intentionen ist. So befähigt die konfuzianische Mystik den Menschen, den äußerst dynamischen Charakter des himmlischen Prinzips im Inneren, kraft dessen die Vögel fliegen, die Fische schwimmen und Menschen die Tugend lieben, wahrzunehmen. Dies ist die wahre Bedeutung der Einheit des Menschen mit Himmel und Erde und allen Dingen.

Was ist konfuzianische Spiritualität?

Die Last dieses Beitrags war es, eine Antwort auf diese Frage mit Hilfe des Arguments zu geben, daß das Trachten nach Weisheit, welches das Herz-

[23] *Huang Tsung-hsi*, Ming-ju hsüeh-an, 58:17a. Übersetzung nach der englischen Übersetzung von *R. Taylor : J. Ching/Ch. Fang* (ed.), The Records of Ming Scholars (im Druck).

[24] Erh-Ch'eng ch'üan-shu, 6:3a.

[25] *Huang Tsung-hsi*, Ming-ju, 58:17a.

stück des Konfuzianismus darstellt, nur in Beziehung zum »inneren Leben« des Geistes, zur persönlichen Disziplin und manchmal zur mystischen Erfahrung verstanden werden kann. Das ist, als ob man sagte, der Konfuzianismus ist nicht zu verstehen, wenn wir nicht einige Sympathie und Wertschätzung für seine Lehren und Methoden der geistlichen Kultur haben. Ich habe deshalb zu zeigen versucht, wie der weltliche Charakter der konfuzianischen Tradition, der historisch die Entwicklung jeder monastischen Bewegung, mit der asketische und mystische Disziplinen gewöhnlich verbunden sind, ausschloß, dennoch die Entwicklung eines spirituellen Horizonts zuließ, wie er auch in den anderen großen religiösen Traditionen der Welt zu finden ist. Ich habe denn auch hoffentlich zeigen können, daß dieser Horizont so zentral für den Konfuzianismus ist, wie der Glaube an Gott es für Judentum und Christentum ist. Sicherlich ist es eine Spiritualität, die eigentümlich konfuzianisch ist, unabhängig von einem Gottesglauben, wie wir ihn in der christlichen oder jüdischen Spiritualität finden, aber sie verneint Gottes Existenz auch nicht. Es ist eine Spiritualität, die »das innere Weise-sein und das äußere König-sein«, ein Leben der Kontemplation und ein Leben der Aktion vereint. Es ist eine Spiritualität, die den moralischen Werten und der sozialen Verantwortlichkeit, der Kultur und dem Leben verpflichtet ist. Sie entdeckt die Transzendenz in der Immanenz, das Absolute im Relativen, das Konstante im Wechselhaften, den Sinn in jedem Moment der Zeit.

Ich behaupte nicht, daß der Konfuzianismus eine Antwort auf jedes Problem und nicht auch seine inhärenten Begrenzungen hat. Im Gegenteil, ich glaube, daß der Konfuzianismus alle Begrenzungen hat, die menschliche Systeme besitzen – selbst die, die von den Besten von uns geschaffen sind. Die Begrenzungen des Konfuzianismus sind jedoch einer anderen Studie vorbehalten, so daß diese nur den Horizont der »Spiritualität«, den wir im Konfuzianismus entdecken können, und den Sinnhorizont, den diese Spiritualität uns finden helfen kann, nahezubringen sucht. Selbst für den in höchstem Grade *spirituellen* Konfuzianer schafft das Leben auch weiterhin Probleme. Tatsächlich kann der Konfuzianismus die Probleme menschlicher Existenz nicht *lösen*; er kann uns nur helfen, die Weisheit und Kraft zu finden, um mit ihnen fertig zu werden, jene Probleme nicht ausgeschlossen, die wir niemals verstehen werden. Wir dürfen aber die Hoffnung haben, daß wir, wenn wir dem geistlichen Weg, den der Konfuzianismus vorstellt, folgen, bessere Menschen werden: nicht notwendig Weise, doch vielleicht menschlichere Personen.

Wolfgang Bauer

DAS »ALLEIN« ALS EINE METAPHER DES »ICH«

1. »Ich« und »Wir«

Es gehört zu den allgemein bekannten Eigentümlichkeiten des klassischen Chinesisch, daß es wegen seines Mangels an grammatikalischen Formen die Funktion, die die einzelnen Worte im konkreten Satzzusammenhang erfüllen, im wesentlichen nur durch die Stellung auszudrücken vermag. Das gilt weitgehend auch für die Pronomina, obwohl bei ihnen, wie eine Vielzahl von Spezialuntersuchungen gezeigt hat[1], eine gewisse Differenzierung im Gebrauch noch bis in die frühe klassische Sprache hinein nachweisbar ist und hier den Rückschluß auf die Existenz von klaren grammatikalischen Unterscheidungen im archaischen Chinesischen zuläßt, sei es in Gestalt von »Subjektskasus« und »Objektskasus«, sei es in Gestalt von »neutralen«, »attributiven« und »nicht attributiven« Ausdrücken. Bemerkenswerterweise scheint jedoch selbst bei den Pronomina des archaischen Chinesisch eine andere Trennung, nämlich die zwischen Singular und Plural nicht (oder mindestens nicht mehr) bestanden zu haben, obwohl sie von so elementarer Bedeutung ist, daß umgekehrt sicherlich nicht aus Zufall eine Art Regrammatikalisierung der Sprache im Mittelalter gerade hier mit am allerfrühesten (nämlich mit der Verfestigung der Partikel *-men*[a]) begann. Am schwerwiegendsten ist diese Unklarheit natürlich beim Verschwimmen von Singular und Plural in der ersten Person. Für das klassische Chinesisch hat allerdings offenbar die Tendenz bestanden, eine (ursprünglich anders geartete) Differenzierung zwischen *wo*[b] und *wu*[c] dergestalt einzusetzen, daß *wo* die erste Person in einer spezielleren, *wu* in einer allgemeineren Weise zum Ausdruck brachte, was im einen Falle eben eher auf die Bedeutung »ich«, im anderen auf die Bedeutung »wir« hinauslief. Und was das archaische Chinesische betrifft, so stellte A.C. Graham, der sich wiederholt mit den frühesten Lautungen und Bedeutungen der Pronomina beschäftigte, bei der Untersuchung von Inschriften und frühen Texten fest:

»The distinction between individual *yü*[d] and *chen*[e] (the king divining) and collective *wo* (the royal house) is quite clear in Shang inscriptions, and in Western Chou inscriptions only partially obscured by the tendency for *wo* to encroach on *yü*. That *yü* is the pronoun likely to be used when the speaker is calling attention to himself as an individual remains in the *Shu-ching*[f] ... and

[1] Eine gute Zusammenfassung der verschiedenen hier entwickelten Theorien, an die sich dann eine eigene Wertung und eine neue Beurteilung anschließen, findet sich bei *A.C. Graham*, »The archaic Chinese pronouns«: Asia Major N.S. 15 (1969/70) 17–61.

even in classical literature. ... *Wo* on the other hand remains the pronoun for an impersonal »oneself«[2].«

Alle diese Feststellungen lassen sich aber tatsächlich nur mit einer gewissen Wahrscheinlichkeit und keineswegs mit Sicherheit treffen. Im *Shih-ching*[g] beispielsweise, das ja genauso wie das *Shu-ching* noch der frühklassischen Sprache zuzurechnen ist, findet sich eine ganze Reihe von Liedern, in denen das Wort *wo* gerade die Singularität der von sich selbst sprechenden »ersten Person« höchst dramatisch zum Ausdruck bringt. Das gilt etwa für die beiden folgenden Strophen, in denen die Worte, die in der meisterhaften deutschen Übersetzung von Victor von Strauß einem chinesischen *wo* entsprechen, in der Wiedergabe hier typographisch hervorgehoben sind:

»Hoch wuchs sie auf, die Stabwurz da – / Nicht Stabwurz, Rainfarn sollt es sein. / Ach, ach, mein Vater, meine Mutter! / Ihr zogt *mich* auf mit Müh und Pein. // ... O Vater, und du zeugtest *mich*, / O Mutter, und du säugtest *mich*; / Ihr streicheltet, ihr nährtet *mich*, / erzoget *mich*, belehrtet *mich*, // Umwachtet *mich*, umwehrtet *mich*, / Trugt, wenn ihr gingt und kehrtet, *mich!* / O könnt ich euch die Güte danken, / Den hohen Himmel ohne Schranken! // Schroff ragt des Südgebirgs Gestein, / Und grimmig braust der Wind darin, / Im Volk ist keiner unbeglückt; / Warum bin elend *ich allein (wo tu*[h]*)*? // Rauh starrt das Südgebirg daher, / Es braust der Wind und wütet sehr. / Im Volk ist keiner unbeglückt, / Nur *ich allein (wo tu)* vermag nichts mehr. //[3]«

»Stark fiel der Reif zur Sommerszeit; / *Mein* Herz ist weh vor Traurigkeit. / Des Volks verleumderisch Gerede, / Es wächst und mehrt sich weit und breit. / Gedenk *ich*, wie *allein* ich steh, / Zergrämt mein Herz Bekümmertheit. / Ach weh, wie *mein* verzagtes Herz / Hinsiechet am geheimen Leid! // ... Dort haben sie den besten Wein, / Dazu die schönsten Gasterein, / Sie laden alle Nachbarn ein. / die Vettern preisen's allgemein; / Und denk *ich*, wie *allein (wo tu)* ich steh, / Ist mein betrübtes Herz voll Pein. //[4]«

Es kann bei diesen beiden Texten sicherlich nicht der geringste Zweifel darüber bestehen, daß es sich um eine einzige sprechende Person handelt. Denn ihre Verlassenheit, ihre Einzigartigkeit ist ja das eigentliche Thema der beiden Lieder, und sie wird ja auch ausdrücklich noch durch die wiederkehrende Wortkombination »ich allein« *(wo tu)* unterstrichen. Diese Kombination, die im *Shih-ching* noch an anderen Stellen auftritt, bekommt, etwas

[2] Ebd. 52. Graham führt insgesamt nicht weniger als neun Worte auf (ihnen entsprechen elf Zeichen, die sich aus Doppelschreibungen ergeben), mit denen in verschiedenen Texten und verschiedenen Funktionen im archaischen Chinesisch die erste Person ausgedrückt werden konnte.

[3] Ode Nr. 202. *V. von Strauß* (Übers.), Schi-king. Das kanonische Liederbuch der Chinesen. Heidelberg 1880, 334–335 (Orthographie modernisiert). Vgl. auch die wissenschaftlich natürlich sehr viel abgesichertere Übersetzung von *B. Karlgren,* The Book of Odes. Stockholm 1950, die auf seinen umfangreichen Untersuchungen in den Jahren 1942–46 aufbaut, 151–153.

[4] Ode Nr. 192, *V. von Strauß*, Schi-king, 309–312; *B. Karlgren,* Book of Odes, 134–138.

überspitzt ausgedrückt, geradezu die Funktion eines »Singularpartikel«, durch die das Einzel-Ich dem »Volk«, den »vielen«, den »allen anderen« gegenübergestellt wird.
Die philosophische Dimension, die dieser melancholischen Selbsteinschätzung bereits innewohnt, kommt in dem bekannten Abschnitt 20 des *Tao-te-ching*[i] zum Vorschein, der früher verschiedentlich als eine Art Selbstdarstellung Lao-tzus aufgefaßt wurde[5]. Die unübersehbare Ähnlichkeit dieses Abschnittes mit den entsprechenden Klagen im *Shih-ching* legt jedoch nahe, daß es sich dabei – wie ansatzweise eben schon im *Shih-ching* selbst – um eine Art stilisierte Selbstbeklagung handelt, die zwar durchaus noch die echte, ursprünglich dahinterstehende Empfindung ausdrücken mochte, mit Sicherheit aber nicht mehr frei formuliert war: In der Übersetzung von Richard Wilhelm liest sie sich folgendermaßen:

»Die Menschen der Menge sind strahlend, / wie bei der Feier großer Feste, / wenn man im Frühling auf die Türme steigt: / *Ich allein (wo tu)* bin unschlüssig noch ohne Zeichen für mein Handeln, / Wie ein Kindlein, das noch nicht lachen kann! / Ein müder Wanderer, der keine Heimat hat! / Die Menschen der Menge leben alle im Überfluß: / *Ich allein* bin wie verlassen! / Wahrlich, *ich* habe das Herz eines Toren! / Chaos, ach Chaos! / Die Menschen der Welt sind hell, so hell: / *Ich allein* bin wie trübe! / Die Menschen der Welt sind so wißbegierig: / *Ich allein* bin traurig, so traurig! / Unruhig, ach, als das Meer! / Umhergetrieben, ach, als einer, der nirgends weilt! / Die Menschen der Menge haben alle etwas zu tun: / *Ich allein* bin müßig wie ein Taugenichts! / *Ich allein* bin anders als die Menschen: / Denn ich halte wert die spendende Mutter. /[6]«

Arthur Waley ging in seiner Interpretation dieses Abschnitts so weit, in ihm die ritualisierte Beschreibung des Taoisten schlechthin zu sehen, die eben nicht zuletzt in der Distanz zur Gesellschaft bestehen sollte und ihn damit auf das »Alleinsein« festlegte[7]. Und es ist in diesem Zusammenhang sicher-

[5] Vgl. hierzu *W. Bauer*, »Icherleben und Autobiographie im Älteren China«: Heidelberger Jahrbücher VIII (1964) 12–40, hier Seite 30, Anm. 17.

[6] *R. Wilhelm* (Übers.), Lao Tse, Tao Te King. Das Buch des Alten vom Sinn und Leben. Jena 1911, 22. Angesichts der Tatsache, daß das Shih-ching immerhin zwei Lieder enthält, in denen das Wort »allein« in dem geschilderten trauernden Sinne auch zwei Männern in den Mund gelegt wird, von denen der eine beklagt, daß er (im Gegensatz zu »allen anderen Menschen«) ohne Brüder, der andere, daß er ohne Vater und Mutter habe aufwachsen müssen (Oden Nr. 119 und 202) wäre es möglich, daß die Erwähnung der »spendenden Mutter« (unter der natürlich das Tao zu verstehen ist) gerade an dieser Stelle nicht zufällig erfolgt, sondern die Eingebundenheit des Taoisten in eine Familie höherer Ordnung demonstrieren soll, die dann eben notwendigerweise mit dem Ausscheiden aus gewöhnlichen Familienbeziehungen verbunden ist. Vgl. hierzu auch die Tao-te-ching-Stelle in Anm. 8.

[7] Vgl. hierzu *A. Waley*, The Way and its Power. London 1949, 160–161 und 168, und *J.J.L. Duyvendak*, Tao Te Ching. The Book of the Way and its Virtue. London 1954, 56.

lich nicht ohne Bedeutung, daß im *Tao-te-ching* auch dem Tao selbst die Qualität zugeschrieben wird, »allein stehend« *(tu li*[j]*)* zu sein – die einzige Stelle übrigens, in der das Wort *tu*[k] »allein« sonst noch in dem Buch auftaucht[8].

2. Das »Allein« als Stufe auf dem Weg zum Selbst

Solange der Begriff »allein« jedoch lediglich als Apposition zu dem Wort »ich« in Erscheinung trat, blieb seine philosophische Konnotation selbst in einem Text wie dem *Tao-te-ching* weitgehend verborgen und höchstens indirekt erschließbar. In verschiedenen anderen Texten, die bei aller Uneinheitlichkeit ihres Inhalts bezüglich dieser Stellen wahrscheinlich ebenfalls aus dem 3. vorchr. Jh. stammen, tritt das »Allein« jedoch allmählich immer deutlicher als ein eigener Terminus technicus zutage, der durch die ihn umgebenden Termini auch einen bestimmten Stellenplatz erhält. Recht aufschlußreich sind hierbei jene Passagen, in denen das »Allein« Teil eines »Kettenarguments« ist, wie es in dieser Periode gerne gebraucht wurde. Denn hier wird ihm auch eine eindeutige Position in einer geschlossenen Wertehierarchie zuerkannt. Eine dieser typischen Stellen findet sich im Buch *Kuan-tzu*[l]*:*

»Nur der Heilige *(sheng-jen*[m]*)* erlangt das Tao der Leerheit. Deshalb heißt es: »Er sitzt neben einem und ist doch schwer zu ergreifen«. Was alle Welt heutzutage als das einzig Wichtige empfindet, ist das »Essentielle« *(ching*[n]*)*. [Aber in Wirklichkeit ist dieses nur relativ. Denn] legt man das Wollen *(yü*[o]*)* ab, so ist man allumfassend *(hsüan*[p]*)*, und ist man allumfassend, dann erst ist man auch still *(ching*[q]*)*. Ist man still, so ist man essentiell, und ist man essentiell, dann erst ist man auch *allein* stehend *(tu li)*. Ist man *allein (tu)*, so ist man klar *(ming*[r]*)*, und ist man klar, dann erst ist man auch geistig *(shen*[s]*)*. Und [erst] Geistigkeit ist der höchste Wert[9].«

Die hier beschriebene Steigerung geistiger Qualitäten besitzt zwar durchaus noch einige Beziehungen zur menschlichen Gesellschaft, besonders am Anfang, wo von dem – aber eben nur äußerlichen – Streben »aller Menschen« nach dem »Essentiellen« die Rede ist. Aber in der daran anschließenden Satzfolge wird eben das »Essentielle« selbst relativiert und als eine bloße Station auf dem Weg zur Geistigkeit als dem »höchsten Wert« überhaupt dargestellt, zu der nun eben auch das »Allein« oder das »allein Stehen«

[8] Tao-te-ching, Abschnitt 25, *R. Wilhelm*, Lao Tse, 27 (verbessert): »Es gibt etwas, von ungeordneter Beschaffenheit, / das vor Himmel und Erde bestand. / So still! so leer! / *Allein* steht es und kennt keinen Wechsel. / Es wandelt im Kreise und kennt keine Unsicherheit. / Man kann es fassen als die Mutter der Welt. / Ich weiß seinen Namen nicht. / Ich bezeichne es als ›Sinn‹ (Tao). /«

[9] Kuan-tzu (ed. *Chu-tzu chi-ch'eng*), ch. 13, Abschnitt 36 (Hsin-shu, shang), 220.

gehört. Dabei verdient besondere Beachtung, daß der Ausdruck *tu* hintereinander zuerst noch als Apposition zu dem Wort »Stehen« auftritt, sodann aber bereits ganz selbständig als eigener Begriff.
Dieser entscheidende Übergang ist in zwei Stellen, die zu den späteren Teilen des Buches *Chuang-tzu*[t] gehören, bereits vollzogen[10]. Die eine erzählt von einem Besuch des Konfuzius bei Lao-tzu, der erst mit einiger Verzögerung zu einem Gedankenaustausch führte, weil Lao-tzu in einer Art Meditation »völlig bewegungslos dasaß« und »nicht einmal mehr wie ein menschliches Wesen aussah«. Als er schließlich erwachte, sagte Konfuzius zu ihm: »Gerade noch sah dein Körper so reglos aus wie ein vertrockneter Baum, so als hättest du alle Dinge vergessen, von allen Menschen Abschied genommen, so als stündest du im *Allein (li yü tu*[u]*)*«, worauf Lao-tzu erwiderte, daß er »seinen Geist im Anfang der Dinge habe wandern lassen«[11]. Die andere Stelle berichtet über eine graduelle Initiation, die ein legendärer Taoist namens Nü-yü[v] seinem Schüler Pu-liang I[w] habe angedeihen lassen:

»Ich bemühte mich um ihn und gab ihm meine Erklärungen, und nach drei Tagen vermochte er sich des Reiches *(t'ien-hsia*[x]*)* zu entäußern. Nachdem er sich des Reiches entäußert hatte, bemühte ich mich weiter um ihn, und nach sieben Tagen vermochte er sich der Dinge *(wu*[y]*)* zu entäußern *(wai*[z]*)*. Nachdem er sich der Dinge entäußert hatte, bemühte ich mich weiter um ihn, und nach neun Tagen vermochte er sich des Lebens *(sheng*[aa]*)* zu entäußern. Erst aber nachdem er sich des Lebens entäußert hatte, vermochte er das Eintauchen [der Sonne] als [neuen] Morgen [zu verstehen] *(ch'ao ch'e*[ab]*)*[12]. Nachdem er das Eintauchen [der Sonne] als [neuen] Morgen verstanden hatte, vermochte er [sein] *Allein* zu erblicken *(chien tu*[ac]*)*. Nachdem er [sein] *Allein* erblickt hatte, vermochte er Vergangenheit und Gegenwart zu nichten *(wu ku-chin*[ad]*)*. Und nachdem er Vergangenheit und Gegenwart genichtet hatte, vermochte er dort einzutreten, wo weder Tod mehr ist noch Leben[13].«

[10] Außer an den beiden im folgenden behandelten Stellen tritt bei Chuang-tzu das Wort *tu* »allein« auch noch an einer ganzen Reihe von anderen im philosophisch-religiös relevantem Sinne auf. Sie sind aber nicht ganz so eindeutig, wie die hier zitierten.

[11] Chuang-tzu chi-shih[bu], Kap. 21 (T'ien Tzu-fang), 310–311, übers. *B. Watson,* The Complete Works of Chuang Tzu. New York 1961, 224–225; übers. *R. Wilhelm,* Dschuang Dsi. Das Wahre Buch vom Südlichen Blütenland. Jena 1920, 157–158.

[12] Der schwierige Ausdruck *ch'ao-ch'e* wird von Watson übersetzt als: »...he was able to achieve the brightness of the dawn«, von Wilhelm als: »...könnte er klar sein wie der Morgen«. *Ch'e,* dessen wörtliche Bedeutung eigentlich »eindringen« ist, wird von den chinesischen Kommentatoren tatsächlich ziemlich einstimmig als »hell« interpretiert und gleichzeitig mit der Überwindung des Todes in Zusammenhang gebracht. Da das Wort u. a. aber auch das »Einbrechen« des Abends bezeichnet (so in der Verbindung *ch'e-yeh*[br]*)*, scheint es mir plausibler, diese Bedeutung zugrunde zu legen als eine völlig isolierte, sonst nirgends belegte einzuführen; sie ergibt gerade im Zusammenhang mit der Umwertung des Todes einen guten Sinn.

[13] Chuang-tzu chi-shih, Kap. 6 (Ta tsung shih), 114–115, übers. *Watson,* 83. Vgl. auch übers. *R. Wilhelm,,* Dschuang Dsi, 50, in der allerdings der Sinn untergeht:«... in dieser Morgenklarheit könnte er den Einzigen sehen«.

Die »Entäußerungen« *(wai)*, von denen hier die Rede ist, veranschaulichen indirekt natürlich nichts anderes als den fortschreitenden seelischen Konzentrationsprozeß, der mit dieser Initiation verbunden ist. Das »Allein« bezeichnet dabei noch nicht den Kern dieser Verinnerlichung, sondern eine Art Tor, das auf die letzten Stadien hinführt, ganz ähnlich, wie das ja schon in der *Kuan-tzu* Stelle der Fall war. Die gleiche Position nimmt das »Allein« auch in einer Passage des Buches *Hsün-tzu*[ae] ein, die wahrscheinlich erst später als der übrige *Hsün-tzu*-Text entstanden ist[14] und damit wiederum in die gleiche Zeit fällt wie die anderen soeben zitierten Stellen aus der philosophischen Literatur. Dort heißt es:

»[Himmel, Erde und die Vier Jahreszeiten] besitzen Beständigkeit, weil sie ihre Wahrhaftigkeit *(ch'eng)* aufs äußerste gesteigert haben. So wird [auch] der Edle, wenn er die Tugend aufs äußerste gesteigert hat, bei [aller] Schweigsamkeit belehren, und er wird Liebe anziehen, ohne groß zu geben, und wird Ehrfurcht einflößen, ohne Wutausbrüche zu haben. Tatsächlich, dieses förderliche Schicksal widerfährt ihm, weil er auf sein *Allein* acht gibt *(shen ch'i tu*[af]*)*. Der [Edle], der sich gut versteht auf die Verwirklichung des Taos, [weiß]: Ist er nicht wahrhaftig, so ist er nicht *allein*; ist er nicht *allein*, so [erreicht] er nicht die Form *(hsing*[ag]*)*; und [erreicht] er nicht die Form, so werden ihm die Leute, selbst wenn er [die Ideale] in seinem Herzen entwirft, in seiner Miene zeigt und und in seinen Worten äußert, dennoch nicht gehorchen oder ihm, sollten sie ihm doch gehorchen, [innerlich] mißtrauen. [Denn selbst] Himmel und Erde, so groß sie auch sein mögen, könnten nicht die Zehntausend Wesen wandeln*(hua*[ah]*)*, wenn sie nicht wahrhaftig wären. Und so weiß auch der Heilige: Ist er nicht wahrhaftig, so vermag er die zehntausend Menschen nicht zu wandeln ... Tatsächlich, es ist also die Wahrhaftigkeit, an der der Edle festhält, und sie ist die Grundlage, auf der er die Geschäfte regelt. ... Wenn er, an [der Wahrhaftigkeit] festhaltend, [die Macht] gewinnt, so ist er leicht *(ching*[ai]*)*; ist er leicht, so geht er [im] *Allein (tu hsing*[aj]*)*[15]; wenn er, [im] *Allein* gehend, [die Wahrhaftigkeit] nicht aufgibt, dann erst ist er erlöst *(chi*[ak]*)*. Und entfalten sich in diesem Erlöstsein seine Gaben bis zum letzten, und kehrt er, eine lange Veränderung vollziehend,

[14] *H.H. Dubs* läßt in seiner Übersetzung, The Works of Hsüntze. London 1928, das dritte Kapitel des Buches Hsün-tzu aus, mit der Begründung: »[It]does not seem to be genuine. Its vocabulary is similar but simpler than that of Hsüntze« (53, Anm. 1). *H. Köster*, der in seiner vollständigen Übersetzung Hsün-Tzu (Kaldenkirchen 1967) auch dieses Kapitel bringt, faßt das »Alleinsein« als ein bloßes äußeres Phänomen auf und übersetzt daher *shen tu* als »sorgsam auf die Persönlichkeitsbildung achten, auch wenn man allein ist«. Das später ohne das vorgesetzte Wort *shen* auftretende *tu* übersetzt er gleichfalls im Sinne von *shen tu* als eine Art dafür verwendete verkürzte Ausdrucksweise (Seite 25).

[15] Alternativübersetzung: »Er handelt [im] Allein« oder, einfacher, er »geht (oder handelt) allein«. Der Ausdruck *tu hsing*, der hier nicht verfolgt werden soll, findet sich schon im Shih-ching, er spielt dann in Kuan-tzu, verschiedentlich parallel gebraucht mit dem ähnlichen Begriff *yeh hsing*[bw] »bei Nacht (also ungesehen) gehen«, »bei Nacht handeln« eine erhebliche Rolle und figuriert schließlich, basierend auf einem Li-chi-Zitat, als Überschrift von Biographien von »Einzelgängern« seit dem Hou-Han shu in einer ganzen Reihe von Dynastiegeschichten.

nicht mehr zu seinem Anfang zurück, dann erst hat er die Wandlung *(hua)* [erreicht][16].«

3. Das »Allein« als Einswerdung mit dem Himmel

Diese Stelle im Buch *Hsün-tzu* ist in doppelter Weise bedeutsam: Zum einen, weil nicht allein der Konzentrierungsprozeß geschildert wird, der in der »Wahrhaftigkeit« (oder auch in der »Wahrheit«) seinen letzten Höhepunkt findet (so wie im »Geistigen« oder »Göttlichen« *(shen)* bei *Kuan-tzu*, und im Bereich dessen, »wo weder Tod mehr ist noch Leben« bei *Chuang-tzu*), sondern auch die wieder nach außen fließende Entwicklung, die es dem »Heiligen« und dem »Edlen« gerade aufgrund der vorangegangenen Konzentrierung auch erlaubt, das Volk zu regieren – ein nun eben »konfuzianisches« Anliegen, das bei *Kuan-tzu* höchstens angedeutet ist und bei *Chuang-tzu* völlig fehlt. Zum anderen taucht aber hier bei *Hsün-tzu* erstmalig die Wortkombination *»achtgeben auf* das Allein« *(shen tu)* auf, welche mehr als alle anderen Kombinationen in die Philosophie Eingang fand[17]. Sie spielt auch in einem Manuskript eine Rolle, das 1973 aus einem 168 v. Chr. geschlossenen Grab bei Ma-wang-tui (Hunan) zutagegefördert wurde und, äußerlich als eine Art Anhang zum *Tao-te-ching* aufgemacht, sich seinem Titel *(wu hsing*[al]*)* nach mit den Fünf Wirkkräften *(wu hsing)* beschäftigt[18]. Es handelt sich dabei jedoch nicht um die Fünf »Elemente«, die sonst ja gewöhnlich mit diesem Terminus bezeichnet werden, sondern um fünf geistige Qualitäten, die innerlich oder äußerlich wirken können, nämlich: Menschlichkeit *(jen*[am]*)*, Weisheit *(chih*[an]*)*, Rechtlichkeit *(i*[ao]*)*, Sittlichkeit *(li*[ap]*)* und Heiligkeit *(sheng*[aq]*)*. Der gemeinsame Ausdruck für die ersten vier von ihnen – so heißt es gleich eingangs in dem relativ langen und sehr spekulativen Text – sei »Gutheit« *(shan*[ar]*)*, der für alle fünf zusammen dagegen »Tugendkraft« *(te*[as]*)*. Denn – so wird etwas später dargelegt – »Gutheit« sei das Tao des Menschen, »Tugendkraft« aber das Tao des Himmels. Mit dem Hinzutreten der »Heiligkeit« ereignet sich also ein

[16] Hsün-tzu chi-chieh, ed. *Chu-tzu chi-ch'eng*, Kap. 3 (Pu-kou p'ien), 29–30.

[17] Speziell mit diesem Ausdruck befaßte sich Shimamori Tetsuo[by], »Shintoku no shisō«[bz] (Die Idee des »Achtgebens auf das Allein«): Bunka[ca] (Tōhoku Daigaku Bungaku-kai) 42 (1979) 145–158 (englische Zusammenfassung 254), sowie *W. Bauer*, »›Vorsicht beim Alleinsein‹ und ›Beobachtung des inneren Selbst‹«: *D. Eikemeier u. a.* (ed.), Ch'en-yüeh chi. Tilemann Grimm zum 60. Geburtstag. Tübingen 1982, 313–331.

[18] Für eine gute Übersicht von diesem Manuskriptfund in westlicher Sprache vgl. *M. A. N. Loewe*, »Manuscripts found recently in China. A preliminary Survey«: T'oung Pao 63 (1977) 99–136. Inzwischen liegen schon viele detaillierte Studien über einzelne Texte oder Textgruppen dieses Fundes in ostasiatischen und in westlichen Sprachen vor, bisher jedoch noch nicht über die Wu-hsing-Schrift.

qualitativer Sprung, in dem auch die vier »Gutheiten« vom Menschlichen zum Himmlischen transzendieren, da der Mensch in der Heiligkeit die Vereinigung mit dem Himmel erfährt. Um dieses Transzendieren der vier »Gutheiten« in die Einheit einer höheren Ordnung zu demonstrieren, die sich eben in dem Augenblick vollzieht, da die fünfte, die »himmlische« Qualität der Heiligkeit hinzutritt, verwendet der Text Gedichte aus dem *Shih-ching* als Gleichnisse, und zwar in einer Form, die recht weit hergeholt wirkt, tatsächlich aber schon seit der Kompilierung des *Shih-ching* bei Argumentationen ganz gebräuchlich war. Die relevanten Passagen des Textes, der in Grundaussageteil und Interpretationsteil zerfällt, sind wegen verschiedener Lücken, die durch Schäden an dem Manuskript entstanden sind, und natürlich auch wegen der Schwierigkeit der Gedankenführung nicht immer einwandfrei verständlich; der Hauptgedanke tritt aber doch recht deutlich hervor:

[GRUNDTEXT]: »Die Turtel ist im Maulbeerbaum, / Und sieben Junge zog ihr Nest. / Ein Edler ist mein hoher Herr, / Der nie vom Einen Rechten läßt./«[19]: Erst wenn man [also] einszumachen vermag, vermag man ein Edler zu werden. [Denn] der Edle gibt acht auf sein *Allein.* – »Schwalb und Schwalbe fliegen aus. / Ungleich in den Flügelschlägen. / Diese Junge zieht nach Haus, / Weit mit ging ich auf den Wegen; / Schau ihr nach, seh sie nicht mehr, / Weine Tränen gleich dem Regen. /«[20]: Erst wenn man [also] die Flügelschläge ungleich zu machen vermag, vermag man die Trauer aufs höchste zu steigern. [Denn] der Edle gibt acht auf sein *Allein.* – Im Vollbringen der »Gutheit« besitzt der Edle etwas, womit er beginnt, und etwas, womit er endet. Im Vollbringen der »Tugendkraft« [aber] besitzt er zwar [ebenfalls] etwas, womit er beginnt, aber nichts [mehr], womit er endet. ...

[AUSLEGUNG] : ... »Die Turtel ist im Maulbeerbaum« [darf] man direkt verstehen[21]. »Und sieben Junge zog ihr Nest« ist dagegen [angesichts der Tatsache, daß] die Turtel [normalerweise] nur zwei Junge hat und [trotzdem] von sieben die Rede ist, eine metaphorische Ausdrucksweise *(hsing-yen*[at]*)* (Lücke).. ist Rechtlichkeit. Das besagt: Das, womit er diese Rechtlichkeit wirken läßt, ist das Einsmachen des Herzens *(i-hsin*[au]*)*. »Erst wenn man [also] einszumachen vermag, vermag man ein Edler zu werden«: »Man vermag einszumachen« besagt, man vermag das Viele einszumachen. »Das Viele einszumachen« [aber] besagt, daß man die Fünf einsmacht. »Der Edle gibt acht auf sein *Alleinsein*«: »Er gibt acht auf sein *Allein*« besagt, er löst sich von den Fünf und gibt acht auf sein Herz. Das [aber] heißt: (Lücke) [Erst wenn man achtgibt auf sein Herz] bedeutet dies »Einsmachen«. »Einsmachen« [aber] besagt, daß man, von den Fünf [ausgehend], das Herz (Lücke)

[19] Shih-ching, Ode 152. Übersetzungen nach *V. von Strauß,* Schi-king, 236, sprachlich leicht verändert. Vgl. auch die Übersetzung von *B. Karlgren,* Books of Odes, 95–96.

[20] Shih-ching, Ode 28. Übersetzung nach *V. von Strauß,* Schi-king, 95–96, sprachlich leicht verändert. Vgl. auch die Übersetzung von *B. Karlgren, Books of Odes, 15–17.*

[21] Bei der Übersetzung dieser Passage bin ich Herrn Dr. Michael Friedrich, München, für Hinweise dankbar.

[einsmacht], erst dann bedeutet dies ein Einsmachen der »Tugendkräfte« und nichts anderes eben als »Tugendkraft«. »Tugendkraft« ist soviel wie Himmel, [denn] der Himmel eben ist nichts anders als »Tugendkraft«[22]. »Schwalb und Schwalbe fliegen aus. / Ungleich in ihren Flügelschlägen/«: »Schwalb und Schwalbe« ist eine metaphorische Ausdrucksweise *(hsing-yen)*. Sie besagt, daß [die Schwalben] einander zum Meere [hin] begleiten. Gleichnishaft beschreibt sie [hiermit] diese Veränderung, die nicht [bloß] auf [Wesen mit] Flügeln bezogen ist. »Diese Junge zieht nachhaus, / Weit mit ging ich auf den Wegen; / Schau ihr nach, seh sie nicht mehr, / Weine Tränen gleich dem Regen./«: »Erst wenn man [also] die Flügelschläge ungleich zu machen vermag, vermag man die Trauer aufs höchste zu steigern« besagt [eben]: Aufs höchste steigern. »Die Flügelschläge ungleich machen« besagt, daß [die Trauer] nicht auf die Trauerkleider bezogen ist. Gerade wenn sie nicht [mehr] bezogen ist auf die Trauerkleider, vermag man die Trauer aufs höchste zu steigern. Wenn dagegen Trauerrituale aufgestellt und Kleidervorschriften erlassen werden, so erleidet die [wirkliche] Trauer Schaden. Das besagt: Das aufs höchste gesteigerte Innere hat keinen Bezug mehr auf das Äußere, und [eben] dies heißt: *»Allein«. Allein«* aber bedeutet: Sich lösen vom Körper *(she t'i[av])*[23]. »Im Vollbringen des ›Guten‹ besitzt der Edle etwas, womit er beginnt, und etwas, womit er endet« besagt, daß er mit seinem Körper beginnt und mit seinem Körper endet. »Im Vollbringen der ›Tugendkraft‹ [aber] besitzt er zwar [ebenfalls noch] etwas, womit er beginnt, aber nichts [mehr], womit er endet«: »Er hat etwas, womit er beginnt« besagt, daß er mit seinem Körper beginnt. »Er hat nichts, womit er endet« [aber] besagt, daß er sich [schließlich] von seinem Körper löst und sein Herz *allein* sein läßt[24].

Mit diesem Text erreichte die Lehre von dem »Allein« sicherlich einen ersten Kulminationspunkt. Das »Allein« ist nicht mehr bloß eine (wenngleich entscheidende) meditative Stufe in der zum Kern des Ichs vordringenden

[22] Die erste Phase dieser in drei Schritten verlaufenden Selbstvollendung soll offenbar in der Konzentrierung des »Herzens« *(hsin)* bestehen. Sie wird zu der Treue des »hohen Herrn« zum »Einen«, wie sie das Shih-ching besingt, in Beziehung gesetzt: Nur durch diese innere Treue gewinnt er überhaupt erst auch seine äußere Einzigartigkeit. Diese Konzentrierung wird durch das Bild der »Turtel« (wörtlich des Shih-chiu-Vogels), die ihre Jungen im traut vereinigenden Nest behütet, vor Augen geführt.

[23] Die zweite Phase besteht im Erkennen der Ungleichgewichtigkeit, die die Konzentrierung auf das »Eine« notwendigerweise im Verhältnis zu allem mit sich bringt, was eben nicht diesem »Einen« zugehört. Diese Ungleichgewichtigkeit wird durch die schiefen Flügelschläge der Schwalben, von denen das Shih-ching spricht bildhaft wachgerufen. Der Abschiedsschmerz bei der Tennung zweier eng miteinander befreundeten Frauen, der den Hintergrund des Gedichtes bildet, ruft wiederum die Idee der Einsamkeit wach: hier in einer anderen, oberflächlich gesehen negativen, in Wirklichkeit aber zur Vertiefung führenden Form.

[24] Die dritte und letzte Phase beschreibt – nun ohne einen Rekurs auf das Shih-ching und seine naturnahe Bildhaftigkeit mehr – die Loslösung des endgültig auf das »Eine« konzentrierten »Herzens« vom Körper und sein damit verbundenes Eingehen in eine Sphäre der »Endlosigkeit«. Text in *Kou-chia wen-wu-chü ku-wen-hsien yen-chiu-shih[cb] ed.*, Ma-wang-tui Han-mu po shu[cc], Bd. 1. Peking 1980, 17–19.

Selbstversenkung, sondern es wird zu einer Metapher für das »Einswerden«, das »Einssein« des Heiligen. Ähnlich wie verschiedenfarbiges, in sein Spektrum zerlegtes Licht (um ein Bild zu gebrauchen, das den chinesischen Philsosophen damals natürlich noch nicht zur Verfügung stand) wieder seine ursprüngliche, sonnenhafte, vom Himmel stammende Weißheit zurückgewinnt, sobald alle Farben sich vereinen können, so gewinnt der Heilige in der durch das »Allein« versinnbildlichten Vereinigung der fünf »Tugendkräfte«, wie bei der Hinzufügung der fünften, der Heiligkeit, schlagartig deutlich wird, seine himmlische Qualität zurück und vermag damit alles Körperliche abzustreifen.

Es ist verständlich, daß diese Überzeugung, aus deren Perspektive die vier konfuzianischen Grundtugenden ja nur noch einen vorläufigen, gleichsam propädeutischen Wert beanspruchen dürfen, kaum allgemein angenommen werden konnte: Paßte sie doch tatsächlich höchstens in das Umfeld der taoistischen Schriften, mit denen zusammengebunden der *Wu-hsing*-Traktat ja erschien (selbst wenn er sich, nicht nur was den Begriff des »Allein« anging, in seiner Auffassung selbst von *Tao-te-ching* noch erheblich unterschied), nicht aber zu den konfuzianischen welcher Provenienz auch immer. Für den Versuch, das Zurückschreiten zum »Allein« zwar in seinem Wert zu belassen, es aber nicht als das einzige Lebensideal zu akzeptieren, bot sich an, auch die umgekehrte Entwicklungsrichtung, nämlich die der Entfaltung, in ihr Recht einzusetzen, was indirekt ja auch schon der *Hsün-tzu*-Text getan hatte[25]. Dies geschah in aller Form im Kapitel »Li-ch'i[aw]« des *Li-chi*[ax]. Dort lesen wir die Sätze:

»Daß man im Rituellen die Vielheit hochschätzt, geschieht, wenn man sein Herz nach außen gehen läßt: Die Tugendkraft entfaltet sich, dehnt sich aus auf die zehntausend Wesen und verleiht [so] der Vielfalt der Wesen ihre große Struktur *(ta li*[ay]*)*. Wie sollte man, da dem so ist, umhin können, die Vielheit hochzuschätzen? Deshalb freut sich der Edle an seiner Entfaltung. Daß man [andererseits] im Rituellen die Geringheit hochschätzt, geschieht, wenn man sein Herz nach innen gehen läßt: [Hier] ist die Schöpfungs[energie] der Tugendkraft am höchsten, [verwirklicht] in ihrer essentiellsten und subtilsten [Form], so daß von allen Wesen, die man in der Welt sieht, keines in seiner Tugendkraft an sie heranreicht. Wie sollte man, da dem so ist, umhin können, die Geringheit hochzuschätzen? Deshalb gibt der Edle acht auf sein *Allein*[26].«

Die Einstellung des Edlen gegenüber dem Sein wird hier einem geistigen Atmen vergleichbar: Er beobachtet die bunte Ausfaltung der Tugendkraft in

[25] Vgl. o. S. 182f. Die nahe innere Beziehung, die zwischen der Lehre Hsün-tzus, bei dem das »Ritual« ja das Zentrum des Denkens einnimmt, und dem Li-chi besteht, ist evident und oftmals hervorgehoben worden.

[26] Li-ch chi-shuo[cd], ed. *Chung-kuo hsüeh-shu ming-chu*, Kap. 5 (=Nr. 10), 135. Vgl. auch die Übersetzung von *J. Legge:* The Li Ki (Sacred Books of the East, Bd. 27–28). Oxford 1885, Bd. 27, 401–402.

allen Dingen mit Entzücken, und die Freude, die er daraus bezieht, entstammt nicht zuletzt der Entspannung, die damit einhergeht. Demgegenüber hat die Konzentration auf das »Allein«, die ihn, wie es in der Beschreibung von Lao-tzus Meditation bei *Chuang-tzu* heißt, zum »Anfang der Dinge« führt und tatsächlich mit dem im Abschnitt 20 des *Tao-te-ching* geschilderten Gefühl der Einsamkeit einhergeht, etwas Ernstes, Strenges an sich, das eben in dem Begriff des »Achtgebens« seinen Niederschlag findet.

4. Die Doppeldeutigkeit des »Achtgebens auf das Allein«

Die soeben zitierte Stelle war jedoch nicht die einzige, in der der Begriff des »Allein« im *Li-chi* – und damit eben auch erstmals in einem konfuzianischen Klassiker – auftauchte. Zwei andere einschlägige Stellen, die jedoch zu den Kapiteln *Ta-hsüeh*[az] und *Chung-yung*[ba] gehörten, die sich in der Sung-Zeit verselbstständigten und damit zu Klassikern eigener Ordnung (unter den »Vier Büchern«) wurden, zogen sogar ungleich mehr Aufmerksamkeit auf sich und sorgten dafür, daß das »Allein« in der Kombination mit dem Wort *shen*[bb] »achtgeben auf« zu einem festen, wiederholt diskutierten Begriff wurde. Auch hinter diesen Textstellen steckt mehr oder minder deutlich der Gedanke einer gegenständigen Extraversion und Introversion der Seelenhaltung. Sie wird aber auch mit einem dementsprechend doppelten Zustand des Seins in Beziehung gesetzt, überdies aber, was noch wichtiger ist, mit einer doppelten Bewertung des »Alleins« selbst. Diese doppelte Bewertung führte zu einer unstreitig ganz bewußt gesetzten Doppeldeutigkeit in den beiden entscheidenden Textstellen, die zunächst allerdings weniger auf die Doppeldeutigkeit des Wortes »allein« zurückgeht, als auf die des vom Begrifflichen her bereits tatsächlich darauf angelegten Wortes »achtgeben *(shen)*: läßt es sich doch (genauso wie das deutsche Äquivalent) positiv oder negativ interpretieren, nämlich sowohl als »seine Aufmerksamkeit konzentrieren auf« als auch als »Vorsicht walten lassen gegenüber«.
Bei der infrage stehenden Stelle des *Ta-hsüeh* handelt es sich streng genommen nicht um diesen Text selbst, sondern um den ihn begleitenden Urkommentar, der dem Konfuzius-Schüler Tseng-tzu[bc] zugeschrieben wird. Die Grundidee des *Ta-hsüeh* basiert bekanntlich auf dem Kettenargument, daß die Errettung der Welt durch eine Abfolge von Kultivierungsschritten erreicht werden könne, die, von Innen nach Außen fortschreitend, nacheinander bestünde im »Untersuchen der Dinge«, im »Erweitern des Wissens«, im »Wahrmachen des Denkens«, im »Geraderichten des Herzens«, im »Kultivieren der Person«, im »Ordnen der Familie«, im »Sichern des Staates« und schließlich im »Erreichen des Friedens für die ganze Welt«. Der Urkommentar zum dritten Kultivierungsschritt, in dem das Denken auf die Wahrheit ausgerichtet werden soll, lautet folgendermaßen:

»Was heißt »sein Denken wahrmachen«? Es heißt: Betrüge dich nicht selbst. [Dein Gefühl muß so unmittelbar werden] wie der Abscheu vor Gestank, wie die Anziehung durch Sexualität. Dazu sagt man Selbstbescheidung. Deshalb gibt der Edle unbedingt acht auf sein *Allein*. Es gibt nichts Ungutes, was ein kleiner Mensch, wenn er müßig zurückgezogen lebt *(hsien-chü*[bd]*)*, nicht anstellen würde. Wenn er aber einen Edlen zu Gesicht bekommt, so wird er sich sofort verstellen, sein Ungutes verstecken und sein Gutes herauskehren. Wenn man dann aber doch sein [wirkliches] Selbst entdeckt, so als sähe man seine Lunge und seine Leber, was hat dann [seine Verstellung] noch für einen Sinn? Dazu sagt man: Was wahrhaftig ist im Inneren, das gestaltet sich im Äußeren. Deshalb gibt der Edle unbedingt acht auf sein *Allein*. Tseng-tzu vermerkte [hierzu]: »Was zehn Augen sehen, worauf zehn Finger deuten – streng wird es [beachtet]. [Nur] Reichtum [aber] schmückt das [den Blicken entzogene] Privatgemach, nur Tugendkraft [entsprechend auch das den Blicken entzogene] Selbst. [Erst] wenn das Herz sich [unbesorgt] ausdehnen [kann, darf auch] der Körper dick sein. Deswegen macht der Edle seinen Sinn wahr.«[27]

Es fällt sofort auf, daß in diesem Text die zusammenfassende Formulierung: »Deshalb gibt der Edle unbedingt acht auf sein Allein« zweimal erscheint und damit vor zwei ganz verschiedenen Formen des Betrugs bei der Einschätzung der eigenen Person warnt, die beide dem »Wahrmachen der Gedanken« im Wege stehen, nämlich erstens vor dem *Selbst*betrug und zweitens vor dem Betrug an *anderen*. Die Abwehr der ersten Gefahr erfordert das »Achtgeben auf das Allein« in Form einer Art Gewissenserforschung[28], die die Echtheit der Motive beim eigenen Handeln klarlegt: interpretierend ließe sich dieser Satz auch in die Worte fassen: »Deshalb muß der Edle aufmerksam seine innersten Gedanken beobachten, bei denen er sich mit sich allein ist«. Die Abwehr der zweiten Gefahr dagegen bezieht sich auf Situationen, wo man »müßig zurückgezogen lebt« und sich von niemandem beobachtet glaubt. Hier ließe sich der Satz freier übersetzen in der Form: »Deshalb muß der Edle mit besonderer Vorsicht auf sein moralisches Verhalten bedacht sein, wenn er nicht im Blick der Öffentlichkeit steht und ein Privatleben für sich alleine führt.« Hinter dieser Warnung steckte möglicherweise auch eine Warnung vor jedem einsiedlerhaften Privatleben überhaupt und damit insofern auch eine antitaoistische Attitüde, als gerade diese Lebensform ja vom Taoismus propagiert wurde. Ansonsten aber

[27] Vgl. auch die Übersetzung von *J. Legge*, The Chinese Classics, Neuaufl. Hongkong 1960, Bd. 1, 383–385, die auch den chinesischen Text wiedergibt.

[28] Vgl. in diesem Zusammenhang den fesselnden Aufsatz von *M. Hisayuki*[ce], »›Anshitsu wo azamukazu‹ no kotoba ni tsuite[cf]« (Über den Ausdruck »Nicht Betrügen im Dunklen Raum«): Tōhō shūkyō[cg], 50 (Oktober 1977) 1–21 [englische Zusammenfassung im Anhang (1)–(2)]. Zum religiösen Bekenntnis in China allgemein vgl. *Wu Pei-yi*, »Self-examination and confession of sins in traditional China«: Harvard Journal of Asiatic Studies. 39 (1979) 5–38, sowie (mit Betonung der Entwicklungen im chinesischen Buddhismus) *Rhi Ki-yong*, Aux Origines du Tch'an-houei (Thèse du Doctorat, l'Université de Louvain 1960). Seoul 1982.

herrscht bei allen aus dem *Li-chi* stammenden Textstellen, in denen das »Achtgeben auf das Allein« empfohlen wird, eher die Tendenz, der aktiven und der passiven Grundhaltung dem Leben gegenüber gleichermaßen ihr Recht zuzuerkennen.
Das läßt sich auch an der einschlägigen Stelle des *Chung-yung* ablesen, die so raffiniert angelegt ist, daß gerade die relevanten Passagen doppelt ausgedeutet werden können. In die Übersetzung einer westlichen Sprache ist diese Doppeldeutigkeit allerdings nicht hinüberzuretten. Die beiden möglichen Versionen werden deshalb im folgenden dort, wo sie voneinander abweichen, nebeneinander aufgeführt:

»Das Tao darf auch nicht für einen einzigen Augenblick aufgegeben werden; denn könnte es aufgegeben werden, so wäre es nicht das Tao. Deshalb ist der Edle

vorsichtig und achtsam gegenüber [all dem in seinem innersten Herzen], was er nicht erspähen, und ehrfürchtig und angstvoll gegenüber [dem], was er nicht erlauschen kann. Denn nichts ist sicht[bar] beim Verborgenen, nichts ist bemerk[bar] beim Winzigen. Deshalb ist der Edle aufmerksam gegenüber seinem *Allein*.

vorsichtig und achtsam [in einer Situation], wo er nicht erspäht, und furchtsam und angstvoll [in einer Lage], wo er nicht erlauscht werden kann. Denn nichts ist sicht[barer] als das Verborgene, nichts ist bemerk[barer] als das Winzige. Deshalb ist der Edle aufmerksam bei seinem *Allein-[sein].*

Solange [die Regungen von] Entzücken und Wut, von Trauer und Freude noch nicht aufgebrochen sind, spricht man vom [Zustand der] »Mitte« *(chung*[be]*)*. Sind sie aber aufgebrochen und alle in ihr rechtes Maß gerückt, so spricht man vom [Zustand der] »Harmonie« *(ho*[bf]*)*. Die »Mitte« ist die große Wurzel der Welt. Die »Harmonie« ist das durchgängige Tao der Welt. Erreicht man »Mitte« und »Harmonie« in ihrer höchsten Vollendung, so finden Himmel und Erde darin ihren Platz, und die Zehntausend Wesen darin ihren Unterhalt[29].«

Eine Schlüsselrolle spielt in diesem Text das Begriffspaar »verborgen« *(yin*[bg]*)* und »winzig« *(wei*[bh]*)*. Würde man nur den Satz betrachten, in dem das »Verborgene« als das sichtbarste und das »Winzige« als das auffallendste bezeichnet wird, so könnte man glauben, daß die äußere Form des »Alleins«, also das physische Alleinsein, doch in erster Linie angesprochen und mit einer konfuzianisch gestimmten moralischen Warnung versehen werden soll. Da aber gerade die Begriffe »verborgen« und »winzig« im *Tao-te-ching* als Epitheta für das im Grunde unbenennbare Tao genannt werden, das »nicht erspäht und nicht erlauscht« werden kann[30], ist die Verbindung zur

[29] Vgl. auch die Übersetzung bei *J. Legge*, Chinese Classics, Bd. 1, 383–385, die auch den chinesischen Text wiedergibt.

[30] Vgl. hierzu im Tao-te-ching namentlich die beiden Abschnitte 14 und 41. Abschnitt 14 lautet in der (leicht veränderten) Übersetzung von *R. Wilhelm* am Anfang: »Man schaut nach ihm und sieht es nicht *(pu chien*[cb]*)*:/ Seine Name ist:

taoistischen Selbstversenkung nicht weniger eindeutig hergestellt. Wie schon in der zuerst zitierten *Li-chi*-Stelle war also auch diese im *Chung-yung* so komponiert, daß sie bewußt beiden Haltungen einen Wert zusprach: sowohl derjenigen, die sich auf die allem vorangehende »Mitte« konzentriert, den Ursprungspunkt des Lebens, wo die Gefühle noch alle in eins zusammenfallen, als auch jener anderen, die sich auf die »Harmonie«, das entfaltete Leben, einläßt und dort die Vielzahl der einander widersprechenden Gefühle miteinander in Einklang, und damit ebenfalls in eine Einheit, wenngleich anderer Ordnung, zu bringen sucht.

5. Einsamkeit und Einssein

Trotz dieser im *Ta-hsüeh* und *Chung-yung* vorgenommenen, wahrhaft genialen inhaltlichen Versöhnung und sprachlichen Verschmelzung zweier an sich gegensätzlicher philosophischer Einstellungen, waren spätere Interpretatoren doch bewußt oder unbewußt vielfach bestrebt, die feine Balance, die die beiden Texte hergestellt hatten, wieder nach ihrer eigenen Seite hin zu verschieben. Da diese zwei Schriften ein ungeheures Prestige besaßen, wurde um ihre Interpretation bei den hier behandelten Passagen (wie ja auch sonst) hartnäckig gerungen, und zwar nicht bloß in den beiden letzten vorchristlichen Jahrhunderten, sondern noch bis in die Gegenwart hinein[31]. Diese spätere Wirkungsgeschichte soll hier nur mit ein paar Beispielen angedeutet werden.

Einen besonderen Akzent scheint anfangs jene Auslegung erfahren zu haben, die mehr auf die Warnung vor dem Alleinsein hinauslief und genau genommen die spätere Interpretation war, die erst im *Ta-hsüeh* und *Chung-yung* auftaucht. Die Mahnung, sich in der Öffentlichkeit nicht anders zu geben als im privaten Bereich, steht vielleicht sogar in Beziehung zur religiösen

Gleich*(i[ci])*./ Man horcht nach ihm und hört es nicht *(pu wen[cj])*:/ Sein Name ist: Fein *(hsi[ck])*./ Man faßt nach ihm und ergreift es nicht *(pu te[cl])*:/ Sein Name ist: Winzig *(wei[cm])*./ Diese drei kann man nicht trennen. / Sie sind vermischt und bilden Eines. / ...«. *(R. Wilhelm*, Lao Tse, 16). Im Abschnitt 41 findet sich die Passage: »Das Tao ist verborgen *(yin[cn])* und hat keinen Namen *(wu ming[co])*.«

[31] Eine ganz neue Form der Interpretation klassischer chinesischer Texte, die hier eine Rolle spielt, ist ihre Übersetzung in westliche Sprachen durch chinesische Gelehrte. Durch sie wird, bewußt oder unbewußt, oft eine bestimmte Geistestradition weitergetragen, die durchaus nicht die einzige zu sein braucht. Vgl. hierzu beispielsweise die Arbeit von *Tu Wei-ming*, Centrality and Commonality. An Essay on Chung-yung. Honolulu 1978, in der, was den Begriff »Allein« angeht, nur durch die Übersetzung (2–4) die neokonfuzianische Interpretation des Begriffes in der idealistischen Form, wie sie etwa Liu Tsung-chou vertreten hatte (vgl. unten S. 192) weiterüberliefert wird. Es wurde aber auch noch unmittelbar über das »Allein« spekuliert, so etwa von *Chang Ping-lin[cp]* (1868–1936) in seinem Ch'iu shu[cq], dessen 29. Kapitel sich mit der »Aufhellung des *Allein*« beschäftigt. (Ch'iu shu, ed. *Chung-kuo hsüeh-shu ming-chu*, 109–111).

Beichte, die (vielleicht schon unter buddhistischem Einfluß) spätestens seit dem 2. Jh.n.Chr. im religiösen Taoismus nachweisbar ist[32]. Einen interessanten Schlüsseltext für die Interpretation des »Achtgebens auf das Allein« in dieser Richtung, die dafür die mit dem »Allein« ursprünglich verbundene Idee einer Innenschau fast völlig vernachlässigt, stellt das *Hsin-lun*[bi][33] dar. Dieses Werk mit einer umstrittenen Autorenschaft, das wahrscheinlich aus dem 6. nachchr. Jh. stammt, enthält ein ganzes Kapitel, das mit »Achtgeben auf das Allein« überschrieben ist und sich eindeutig auf die entsprechende Stelle des *Chung-yung* bezieht. Das geht namentlich aus dem ersten Satz hervor, in dem allerdings der zentrale Begriff Tao durch das Wort »das Gute« *(shan)* ersetzt ist. Wir lesen da:

»Das Gute ist das Allumfassendste des Verhaltens, es darf auch nicht für einen einzigen Augenblick aufgegeben werden; denn könnte es aufgegeben werden, so wäre es nicht das Gute. Der Mensch muß gut sein, genau so wie er für seinen Kopf einen Hut braucht und für seine Füße Schuhe. Trüge er keinen Hut, so würde er zu den Yüeh-Barbaren gehören, trüge er keine Schuhe, so hielte man ihn für ein Mitglied der I-Stämme. Wenn nun aber jemand das Gute in der Öffentlichkeit pflegte, das Schlechte aber, wenn er sich zurückgezogen hat, so wäre er wie jemand der Hut und Schuhe trägt im hellen Sonnenschein, barhäuptig und barfuß aber durch die Nacht wandert. Duftende Pflanzen aber hören doch auch nicht auf, köstlich zu riechen, wenn sie in Höhlen wachsen, Bergströme werden doch auch nicht weniger klar, wenn sie ihren Weg durch tiefe Schluchten bahnen. Warum sollte deshalb ein Mensch in dunkler Zurückgezogenheit seine Zurückhaltung aufgeben, nur weil er in Verborgenheit lebt? Deshalb ist er vorsichtig und achtsam an einem Platz, den [fremde] Augen nicht sehen, und furchtsam und angstvoll an einem Platz, den [fremde] Ohren nicht erreichen können. Er sitzt allein in seinem Zimmer so, als empfinge er Gäste, und er betritt unbehauste Gegenden so, als begegnete er dort Menschen.«

Nach der Aufzählung einer großen Zahl von Beispielen aus der Vergangenheit, in der redliche Menschen diese Einstellung vorgelebt haben, kommt der Text letztlich zu dem Schluß:

»Alle diese Leute waren vorsichtig, während sie sich in verborgener und niedriger Position befanden, und sie nahmen sich die Gutheit zum Kopfkissen, während sie in der Zurückgezogenheit lebten.«[34]

Auch Chu Hsi[bj] sieht in seinem Kommentar zum *Chung-yung* in dem »Allein« eher einen konkreten Platz als einen Seelenzustand. Aber er läßt es

[32] Vgl. hierzu auch die in Anm. 28 genannte Literatur.

[33] Das Werk läuft auch unter dem erweiterten Titel Liu-tzu Hsin-lun[cr] »Die neuen Diskussionen des Meisters Liu«. Es wird verschiedenen Gelehrten mit dem Familiennamen Liu zugeschrieben: Liu Hsin[cs] (gest. 23 n.Chr.), Liu Hsieh[ct] (geb. ?465), Liu Hsia-piao[cu] (?6.Jh.) und Liu Chou[cv] (fl.550) sowie auch dem Kommentator des Buches Yüan Hsia-cheng[cw] (7.Jh.). Vgl. *A. Forke*, Geschichte der mittelalterlichen chinesischen Philosophie. Hamburg ²1964, 250–260.

[34] Hsin-lun (ed. *Han-Wei ts'ung-shu*), Kap. 2, 6b–7b.

doch, anders als das *Hsin-lun*, durchaus im Sinne der Doppeldeutigkeit des *Chung-yung* offen, ob dieser Platz, wo man »allein« ist, nur in der äußeren Situation oder im Inneren des eigenen Herzens zu suchen ist. Er schreibt:

»›*Allein*‹ bedeutet [hier] eine Stelle, die niemand anders kennt außer man selbst allein. Das heißt, daß auch wenn sich die Spuren [einer Tat] im Dunkeln verlieren oder [eine Angelegenheit] so unbedeutend erscheint, daß sie sich nicht nach außen hin manifestiert, dennoch das Selbst davon auf subtile Weise berührt wird. Auch wenn niemand sonst davon erfährt, das Selbst *allein* empfindet es.[35]«

In der dem Realismus Chu Hsis entgegengesetzten, wenngleich in gewisser Weise komplementären idealistischen Richtung des Neokonfuzianismus gelangte jedoch, was wenig verwunderlich ist, die andere, wahrscheinlich ursprünglichere Interpretation des »Allein« wieder zum Durchbruch, in der es das Tor zum eigentlichen inneren Ich darstellt. Das »Allein« besaß in ihr naturgemäß einen viel höheren Stellenwert, und so war es denn auch ein Philosoph dieser Schule, bei dem es als selbstständige Idee die größte Beachtung fand, die ihm je zuteil wurde: Liu Tsung-chou[bk] (1578–1645)[36]. In Schriften dieses Gelehrten, die (wie ja die der meisten Neokonfuzianer) als Sammlungen von Aperçus abgefaßt waren, kreisen die Überlegungen immer wieder beharrlich um das »Allein«. Auch Liu Tsung-chou erkennt und unterstreicht die Doppelbedeutung des Begriffs im *Ta-hsüeh* und im *Chung-yung*, den für ihn als Neokonfuzianer maßgeblichsten beiden Texten. Aber er verschiebt den Gegensatz zwischen dem inneren, seelischen »Allein« und dem äußeren, physischen auf eine etwas andere Ebene, die allerdings tatsächlich auch schon im *Chung-yung* vorgeprägt war: nämlich auf den Gegensatz zwischen einem vor-emotionalen Zustand der »Mitte« von höchster Potentialität, in dem sich alle Qualitäten in absoluter Verdichtung noch gegenseitig aufheben, und einem nach-emotionalen der »Harmonie«, in dem sie in aller ihrer Vielfalt aktualisiert und zugleich in einer wohlfunktionierenden Welt zusammengefügt sind: Er schreibt:

»Das Wort *»allein«* hat [an sich] einen neutralen Stellenwert *(hsü wei*[bl]*)*. Vom Wesen der »Natur« *(hsing t'i*[bm]*)* aus betrachtet spricht man von ihm [wie das *Chung-yung* im Sinne von]: »Nichts ist sicht[bar], nichts ist bemerk[bar]«. Das ist [der Zustand], wo Wünsche und Gefühle noch nicht aufgebrochen sind, so daß selbst Gespenster und Geister es nicht erkennen können. Vom Wesen des »Gemütes« *(hsin t'i*[bn]*)* aus betrachtet aber spricht man von ihm [wie Tseng-tzu in seinem Kommentar zum *Ta-hsüeh* im Sinne von]: »Zehn Augen [sehen es], zehn Finger [deuten auf es]«. Das ist die Zeitlichkeit, wo Wünsche und Gefühle bereits aufgebrochen sind und unser »Gemüt« *allein*

[35] Chung-yung chih-chu[cx] (ed. *Ssu-pu pei-yao*), 1b–2a. Vgl. auch *J. Legge*, Chinese Classics. Bd. 1, 284, Anm. 3.

[36] Über Liu Tsung-chou vgl. *A.W. Hummel* (ed.), Eminent Chinese of the Ch'ing Period. Washington 1943, 532a–533a.

[um sie] weiß *(wu hsin tu chih[bo])*. Und doch ist es so, daß das Wesen der »Natur« im Wesen des »Gemütes« seinen sichtbaren Ausdruck findet.[37]«

Die Verbindung zwischen den beiden Ebenen des »Allein« wird hier also aus der inneren Beziehung abgeleitet, die nach der idealistischen neokonfuzianischen Lehre in ganz analoger Weise auch zwischen den beiden Grundeigenschaften des Menschen, seiner »Natur« und seinem »Gemüt«, bestehen sollte: Die vom Himmel eingegossene, aufs Gute hin ausgerichtete »Natur«, die zunächst nur potentiell vorhanden ist, aktualisiert sich in seinem spontan auf die Verwirklichung des Guten hin ausgehenden »Gemüt«. Der Begriff »Gemüt« (oder »Herz«, *hsin[bp]*) gab dem idealistischen Zweig des Neokonfuzianismus konsequenterweise ja auch seinen Namen; in ihm berührten sich die naturhaften »himmlischen« und die spezifisch menschlichen Aspekte des Guten.
Auf diese Weise gewinnt bei Liu Tsung-chou aber auch das »Allein« einen zusätzlichen Doppelaspekt, nämlich einen kosmologisch-ontologischen gegenüber dem (schon immer erkannten) psychologisch-ethischen. So kommentiert Liu Tsung-chou in einem Essay, der mit »Verschiedene Überlegungen über das *Ta-hsüeh«* betitelt ist, ausführlich den im *Ta-hsüeh* beschriebenen Weg zum inneren Selbst, der sich aus dem Streben nach der »Kultivierung der Person« ableitet. Er vermerkt dabei:

»Will der Mensch seine Persönlichkeit moralisch pflegen, so muß er bei seiner Seele, seinen Gedanken und seinem Wissen beginnen. Schließlich aber gelangt er an einen Punkt, wo er nicht mehr weiter vorankommen kann, wo er bei der Erforschung seines Selbst an eine Grenze stößt. Es ist so verborgen, so winzig! Dieser verborgene, winzige Platz trägt den Namen *Allein*. Was aber ist dieses *Allein*? Es enthält an sich nicht ein einziges Ding, aber doch sind in ihm alle Dinge gegenwärtig. Es ist der Kristallisationspunkt des Höchsten Guten *(chih shan[bq])* ... Das *Allein* ist die Grundlage [aller] Dinge *(wu chih pen[br])*.[38]«

An einer anderen Stelle zieht er dann sogar eine direkte Parallele zwischen der berühmten, von Chou Tun-i[bs] (1017–1073), dem Vater des Neokonfuzianismus, bewußt paradox gefaßten Definition des Absoluten als des »Höchstlosen und doch Allerhöchsten« *(Wu-chi erh t'ai-chi[bt])* und der eigentümlichen Doppelnatur des »Allein«, die sich in den beiden schon vom *Chung-yung* beobachteten verschiedenen Formen des »Einsseins«, der der »Mitte« und der der »Harmonie« manifestiert. Die Phase der »Mitte«, so stellt Liu Tsung-chou fest, tendiere zur Hervorbringung der Yang-Kräfte und dementsprechend auch zur Bewegung, die Phase der »Harmonie« umgekehrt zur Hervorbringung der Yin-Kräfte und zur Stille[39]. Hiermit

[37] Chi-shan hsüeh-an[cy], in Ming-ju hsüeh-an[cz] (ed. *Chung-kuo hsüeh-shu ming-chu*), Kap. 62, Abschnitt »Yü-lu«, 677.
[38] Chi-shan hsüeh-an, Kap. 62 (Abschnitt »Ta-hsüeh tsa-pien[da]«), 713.
[39] Chi-shan hsüeh-an, Kap. 62 (Abschnitt »Yü-lu[db]«), 678.

gewinnt das »Allein«, über seine kosmologische Bedeutung hinaus, tatsächlich kosmische Dimensionen. Es wird andeutungsweise zur Metapher nicht nur für das menschliche Ich, sondern auch für das »Eine« schlechthin, das nach neokonfuzianischer Überzeugung eben in Gestalt des »Höchstlosen und doch Allerhöchsten« Ursprung, Ziel und tragenden Grund des Seins darstellt.

In der Philosophie Liu Tsung-chous, am Ende der langen, verschlungenen Wanderung, die der Begriff des »Allein« durch die chinesische Geistesgeschichte nahm, beginnen sich also, deutlicher noch als in den Texten des 2.Jhs. v. Chr., die Grenzen der beiden extremsten »Einsamkeiten« zu berühren: die des gänzlich auf sich selbst eingegrenzten Ichs und die des grenzenlosen Seins als ganzem. All und Allein fallen in Eins zusammen.

a 惘　b 我　c 吾　d 余　e 朕　f 書經
g 詩經　h 我獨　i 道德經　j 獨立
k 獨　l 管子　m 聖人　n 精　o 欲
p 宣　q 靜　r 明　s 神　t 莊子　u 立
於獨　v 女偊　w 卜梁倚　x 天下　y 物
z 外　aa 生　ab 朝徹　ac 見獨　ad 无古今
ae 荀子　af 慎其獨　ag 形　ah 化　ai 輕
aj 獨行　ak 濟　al 五行　am 仁　an 智　ao 義
ap 禮　aq 聖　ar 善　as 德　at 興言　au 一心
av 舍體　aw 禮器　ax 禮記　ay 大理　az 大
學　ba 中庸　bb 慎　bc 曾子　bd 閒居　be 中
bf 和　bg 隱　bh 微　bi 新論　bj 朱熹　bk 劉
宗周　bl 虛位　bm 性體　bn 心體　bo 吾心
獨知　bp 心　bq 至善　br 物之本　bs 周敦
頤　bt 無極而太極　bu 莊子集釋　bv 徹夜
bw 夜行　bx 荀子集解　by 島森哲男　bz 慎
獨の思想　ca 文化　cb 國家文物局古文
獻研究室　cc 馬王堆漢墓帛書　cd 禮記
集説　ce 宮川尚志　cf 「暗室を欺かず」
の語について　cg 東方宗教　ch 不見
ci 夷　cj 不聞　ck 希　cl 不得　cm 微　cn 隱
co 無名　cp 章炳麟　cq 訄書　cr 劉子新論
cs 劉歆　ct 劉勰　cu 劉孝標　cv 劉晝　cw 袁
孝政　cx 中庸　cy 蕺山學案　cz 明儒學案
da 大學雜辨　db 語錄

Thomas Immoos

ARCHETYPEN RELIGIÖSER ERFAHRUNG IM SHINTŌFEST

I. Das archaische Weltbild Japans

Japan ist ein altes Bauernland. Damit der in die Erde gelegte Same sprießt und zur Ähre reift, bedarf es des Zusammenspiels von menschlicher Arbeit und kosmischen Kräften. Die Lebensform des Bauern ist wesentlich stationär. Mensch und Pflanze sind an den Ort gebunden und erleben gemeinsam den jährlichen Vegetationszyklus von Saat zur Ernte. Der Bauer lebt in enger Gemeinschaft mit der Pflanze, so daß ihr Lebenskreis von Saat zur Ernte sich auch in seinem Leben spiegelt. Seine Jahresfeste folgen dem Vegetationszyklus. Das Gefühl, anonymen Naturkräften ausgeliefert zu sein, die für das Leben des Bauern wie seiner Pflanzen ausschlaggebend sind, ließen jenes Gefühl der Abhängigkeit von geheimnisvollen Mächten in der Natur entstehen, das für Japan typisch ist.

Der archaische Mensch findet sich im Zentrum eines dichten Gewebes von Beziehungen, die das ganze Universum durchwalten mit Kräften und Energien, die sowohl segnend, als auch verheerend in Erscheinung treten können. Immer droht Chaos: das befruchtende Wasser kann losbrechen in Hochflut. Erdbeben, Taifune, Vulkanausbrüche gefährden die Errungenschaften der Kultur. Das Chaos muß daher geordnet, muß in einen Kosmos verwandelt werden, und das ist möglich durch das richtig vollzogene Ritual. Ritual ist Grenzziehung gegen das Chaos, Bannung, Abwehr, aber auch Aufbau einer geordneten, den Menschen freundlichen Welt. Nicht umsonst heißen in Japan solche Künste und Techniken: Weg. Selbst für Religion kannte man früher kein anderes Wort als Weg des Buddha, Weg der Götter. Für die ordnende Macht im Kosmos kannten die Chinesen das Wort *Tao*, auch hier liegt die Urbedeutung des Wegs vor. Das Zeichen 道 zeigt einen Häuptling mit Kopfputz, der seinem Stamm vorausgeht, und das heißt, daß, da die Wege geöffnet, die Welt in Ordnung ist. Dieses vormoderne, vortechnische Weltbild, das Japan mit dem alten China und Korea teilt, wurde kaum je in theoretischer Sprache formuliert, sondern ist im *Drōmenon* praktisch ausgeübt, wie die kultische Handlung in den griechischen Mysterien hieß. Weltdeutung erfolgt durch den Kult. Ihm liegt ein kompliziertes System von logisch zusammenhängenden Auffassungen zugrunde, eine archaische Metaphysik. Die Objekte der äußeren Sinneswelt und menschliche Akte tragen demnach ihren Wert nicht in sich selbst, sondern erwerben ihn nur durch ihre Teilhabe an einer sinnestranszendenten Realität,

d. h. sie sind ihrem Wesen nach Symbole. Dinge oder Menschen dienen der Erscheinung überirdischer Wesen (Theophanie, Hierophanie), oder sie besitzen *Mana*, die geheimnisvolle, alle Wesen durchdringende magische Kraft, die Welt stiftet, oder sie erinnern an mythisches Geschehen in der Urzeit, das sich im Gedächtnis erneuert. Alle drei Funktionen können auch verbunden sein im gleichen Menschen, Ding oder Handlungsablauf. Die kultische Mahlzeit *Naorai* z. B. ist nicht einfach der Genuß von Reiswein *(Miki)* und Reiskuchen, sondern stellt die Mahlgemeinschaft mit den Göttern und Ahnen her und eint auch die Gemeinde *(Ujiko)* unter sich; dadurch wird sie Symbol der Gottbezogenheit der Gemeinde, des Stammes. In diesen Handlungen vollzieht sich die Lebens- und Wertorientierung der Gemeinschaft aus dem eigenen Kulturzusammenhang. In den Göttern *(Kami)* treten die alle Welt durchwaltenden Mächte *(Toku)* in Erscheinung. Die Götter wesen gewöhnlich entrückt in den großen eindrucksvollen Erscheinungen der Natur, in den gewaltig ins Jenseits ragenden Bergen, die die Achse der Welt versinnbilden, in den Segen spendenden Wasserfällen und Flüssen, in Regen, Blitz und Donner, in mächtigen Bäumen, im geheimnisvoll raunenden Hain. Der Jahresgott *(Toshigami)* selbst wohnt in den Ähren des Reisfeldes. Aber auch die Ahnen werden den Göttern zugezählt. Der Strom des Lebens rauscht ohne Unterlaß durch die sich ablösenden Generationen, wie durch den Kreislauf von Blühen und Vergehen im Wechsel der Jahreszeiten. Auch Menschen mit außerordentlichen Kräften, Talenten und Leistungen können als Götter verehrt werden.

Die Götter aber sind hierzulande nicht allmächtig oder unfehlbar, allwissend und absolut, sondern jeder Gott erfüllt eine ihm zugeordnete Funktion mit beschränkter Kraft, die auch Fehler und Versagen zuläßt. Jeder hat seine eigene Wahrheit; hier herrscht kein absoluter Wahrheitsbegriff. Vor allem aber sind die Götter nicht mit jenen Attributen ausgestattet, die wir mit dem Begriff des Heiligen verbinden. Es gibt nicht nur böse Götter, sondern in jedem Gott, jedem Totengeist und deshalb logischerweise auch in jeder Naturerscheinung können wir die *Aramitama* und die *Nigimitama* unterscheiden, die wilde und die milde Seele. *Aramitama* versinnbildet die zerstörerische, böse Möglichkeit der Naturkräfte, aber auch die rächende Gesinnung unbefriedigter Toten *(Goryō)*. Sinn und Zweck des Rituals ist die Verwandlung der wilden in die milde Seele, auf Griechisch die Verwandlung des Chaos in den Kosmos.

Gegen das Drohende des Chaos weiß man sich vor allem zu schützen durch Binderituale mit Strohseilen, *Shimenawa* geheißen. Was gebunden und verknüpft ist, verliert viel von seiner unheimlichen Macht und wird den Menschen freundlich gemacht. Binden und Lösen sind urtümliche Kulthandlungen. Wenn am Jahresende die *Shimenawa* gelöst werden, kehrt die Welt ins urtümliche Chaos zurück und wird im Neujahrszeremoniell wieder als Kosmos rekonstituiert.

In diesem Weltbild spielt der Mensch eine überragende Rolle, weil er im Makrokosmos den Mikrokosmos darstellt, in dem alle Organe in symbolischer Beziehung zu den Phänomenen der Natur stehen. Hier trifft sich der fernöstliche »Universismus«, wie der holländische Gelehrte *J.J.M. de Groot* das archaische Weltbild nannte[1], das den gemeinsamen Untergrund bildet, aus dem Taoismus in China, Schamanismus in Korea und Shintō in Japan erwuchsen, mit der esoterischen Tradition des Westens, wie sie im Neuplatonismus, in der Alchemie und Astrologie Gestaltung fand. Nach dem Taoismus entsprechen das Haupt des Menschen dem Himmel, seine Füße der Erde, seine Augen Sonne und Mond, seine Adern den Flüssen, seine Blase dem Ozean, sein Haar den Planeten und Sternen, und wenn er die Zähne knirscht, bedeutet das Donnerrollen. Durch diese zentrale Stellung im Kosmos wird der Mensch selbst zum Symbol, zum Abbild, Sinnbild des Universums.

In der Mitte des geheimnisvollen Gewebes stehend, das alle Wesen durch ein System von Korrespondenzen vereint, obliegt ihm die Funktion, die Ordnung des Kosmos zu erstellen und zu wahren durch die richtige Ausübung des Rituals. Diese Funktion kommt ihm zu durch sein *Toku*, das wir als *Mana* deuten können. Dieses polynesische Wort entstammt einem Weltbild, das auf Magie beruht. Wer diese Kräfte von Natur oder von Amts wegen besitzt oder durch Übung erworben hat, kann die Welt ordnen und beherrschen. Diese Aufgabe kommt in erster Linie dem Herrscher zu (*Wang* = König), 王, denn er ist die Zentralsäule (der Längsstrich), die Himmel, Mensch und Erde verbindet und eint (die drei Querstriche). Die Aufgabe der Regierung ist nicht in erster Linie politische, militärische oder soziale Herrschaft, sondern die Erhaltung der kosmischen Ordnung durch das Mana des Herrschers. Darum verrichtet der Kaiser noch heute die Gebete in die vier Himmelsrichtungen in der Neujahrsnacht (Rekonstituierung des Universums) und opfert je eine Flasche mit weißem und schwarzem Sake (Reiswein), d. h. er *bewirkt* die rechte Mischung von Sonnenschein und Regen durch sein Charisma. Wie der Berg der Angelpunkt des Universums ist, »die Weltachse«, ist der Kaiser der Angelpunkt der Gesellschaft. Beide garantieren und symbolisieren die Sicherheit des Kosmos.

Dieses Weltbild enthält demnach eine sehr differenzierte archaische Ontologie; sie enthält ein System sinnvoller Aussagen über die letzte Realität; diese verweisen allerdings nicht auf einen übersinnlichen Bereich, sondern sind nur auf die hiesige Welt bezogen. Im japanischen Mythos entsteht die Welt aus der sexuellen Vereinigung der Götter, nicht durch den Schöpfungsakt eines allmächtigen, transzendenten Gottes. Deshalb sind Götter, Menschen und Naturdinge nicht durch Wesensunterschiede getrennt. Gott und Natur, aber auch Gut und Böse, Wahr und Falsch gehen in Nuancen ineinander

[1] Vgl. *J.J.M. de Groot*, The Religious System of China. Leyden 1892.

über. Ohne diese Vorstellungen kann man die grundlegenden Ideen des japanischen Festes *(Matsuri)*, soweit sie auf Agrikulturmagie beruhen, kaum verstehen. Durch antizipative Magie werden am Neujahr die Arbeitsprozesse für die Reispflanze vorausgenommen, um durch das freigewordene *Toku (Mana)* den gewünschten Ablauf zu sichern durch Vorwegnahme *(Yojutsu)* im Ritual, wofür man ein neues Wort »Vor-ah*m*ung« prägen muß.

II. Struktur des Matsuri

Das *Matsuri* ist die hohe Zeit, da die dünne Scheidewand zwischen den Entrückten und den Lebenden fällt. Die Ahnen kehren zu dem mit Banden des Blutes verbundenen Dorf zurück und treffen sich mit den Ihrigen im heiligen Hain. Aber auch die Götter der Natur und die Heroen der Geschichte offenbaren sich unter der Sonne des Festes. *Marebito* werden diese aus dem Elysium von Jenseits des Meeres oder aus Himmelsgefilden erscheinenden oft genannt; d.h. seltene Gäste, die Glück bringen. Das *Matsuri* ist ein religiöses und kulturelles Phänomen, das für Japan typisch ist und das in den Dorfgemeinschaften auf dem Land sich in außerordentlich mannigfachen Formen entfaltet hat. Wer die Theologie des Shintō erfassen will, muß die Vorstellungen hinter den Riten des *Matsuri* analysieren.

Das Wesen des *Matsuri* ist die Erneuerung der Lebenskraft zwischen Göttern und Menschen einer bestimmten Gemeinschaft und Generation. Diese Erneuerung geschieht durch symbolische Handlungen, durch die die Gemeinde Götter herbeiruft, begrüßt und unterhält, so daß der Gott (oder die Götter) seine (ihre) segnende, belebende Macht zugunsten der Gemeinschaft ausübt (bzw. ausüben).

Nur während des Festes treten die Götter in Erscheinung, indem sie vom Körper eines Menschen Besitz ergreifen. Während des Jahres sind sie sonst nur im Kultsymbol (Spiegel, Schwert, Stein u.a.) gegenwärtig. Oft sind es Knaben, *Chigo* genannt, die als göttliche Verkörperung während des Festes nicht mehr die Erde berühren dürfen, sondern auf Kultwagen, Pferden oder dem Rücken ihrer Väter reiten. Anderswo stellt der älteste Mann des Dorfes den »lebenden Gott« *(Ikigami)* dar und führt Kulthandlungen aus. Aber auch in der Maske wesen die Götter, und ihre Träger offenbaren ihren Mythos im Kultdrama, das einen wesentlichen Bestandteil des Festes bildet. Das Kultdrama ist hier ein wichtiger Hilfsbegriff. Der archaische Mensch ist kein Philosoph, sondern ein Mann des Handelns. Er drückt seine Wünsche gegenüber höheren Mächten weniger in Worten als vielmehr in mimetischen Tänzen aus. Er spielt vor, was er wünscht. Daraus entsteht das *Drōmenon* der griechischen Mysterienreligionen, und daraus das *Drama*. Das Kultdrama ist die im Ritual erfolgende Darstellung tiefgefühlter Wünsche durch vorausnehmende »Imitation« der erhofften Abläufe (»Vor-ah*m*ung«).

Der Prototyp dieser Vorahmungsmagie ist der Tanz der Göttin *Uzume no Mikoto* vor der Felsenhöhle, der die darin verborgene schmollende Sonnengöttin herauslockt und damit die Lebenskraft der Sonne für die ganze Welt restauriert *(Iwato Biraki)*. Kein Wunder, daß *Uzume* heute als göttliche Urmutter aller Schauspieler gilt.

Das Kultdrama im *Matsuri* läuft in fünf Akten ab, die wir auch vom klassischen Dramenmodell her kennen: Reinigung, Herbeirufung, Opfer, Einigung, Verabschiedung. Zuerst werden durch symbolische Handlungen (Wischen, Waschen, Besprengung) der Festort und die Teilnehmer von Sünden und Verunreinigungen befreit, dann der hohe Gast herabgerufen (durch Musik, kultischen Ruf *[»Keihitsu«]*, der unserem Jodel oder Betruf über den Alpen verwandt ist), dann werden Speiseopfer, Reiswein und sehr oft Kultdramen dargebracht. Durch Gebet und Kultmahl wird die enge Gemeinschaft zwischen Gott und Gemeinde betont; zuletzt wird die Gottheit wieder feierlich verabschiedet. Es liegt auf der Hand, daß in diesem Ablauf des Festes Weltdeutung primär durch Handlung und nicht durch Aussage erfolgt. Das Zeremoniell öffnet eine Perspektive, innerhalb derer sich die Welt auf spezifische Weise zu sehen und zu verstehen gibt im Tun. Shintō ist in extremem Ausmaß eine nicht verbalisierte Religion.

Nun aber zeigt sich vor allem bei den größeren Festen in den wichtigen Tempeln eine Dualität in den Praktikanten und im Ablauf der Kulthandlung. Die eine Komponente nennt *Sonoda* (nach dem Paradigma des Kandaschreins in Tōkyō, einem der drei großen Schreine des alten Edo) »Ritual«[2]. Er versteht darunter den feierlichen zeremoniellen Vollzug festgelegter Kulthandlungen durch eine bestallte Priesterschaft, wie sie oben kurz skizziert wurden. Der Höhepunkt des Rituals sind die Prozession mit dem Kultsymbol, das die Realpräsenz des Gottes darstellt, vom Schrein, wo es während des Jahres im Allerheiligsten verborgen weilt, zu einem provisorischen Schrein (*Otabisho* = Reiseort), wo der Gottheit Opfergaben dargebracht werden, und die Rückkehr zum Hauptschrein. Man könnte in diesem feierlichen Ritual der Priesterschaft die Parallele zu dem von *Nietzsche* beschriebenen Apollinischen der griechischen Religion sehen.

Dieses wird aber ergänzt durch das Dionysische, was *Sonoda* »Festlichkeit« nennt, durch symbolische Handlungen, die durch Spontaneität, Konfusion und dionysischen Lebensrausch gekennzeichnet sind und vom Volk ausgehen. Hier bricht durch die vom konfuzianischen Ethos geprägte strenge Formenwelt des Alltags spontan urtümliche Lebensfreude, der Hang zu Rausch und Orgie, zur Aufhebung aller Formen und Gesetze durch. Auch hier sind fünf Akte zu unterscheiden: 1) Reinigung durch Bad und Askese, so daß der Gott von den Teilnehmern Besitz ergreifen kann, 2) Besitzergreifung

[2] Vgl. *M. Sonoda*, The Traditional Festival in Urban Society: Japanese Journal of Religious Studies, 1975, 103f.

des Gottes von symbolischen Fahrzeugen, z. B. *Mikoshi*, tragbaren Tabernakeln oder Kultwagen, um in den Lebenskreis der Gemeinde einzutreten, 3) rhythmische Handlungen, die die Kraft des Gottes in Rufen, Schreien und heftigen Schüttelbewegungen zeigen, 4) die kollektive Ekstase, in der jeder Unterschied zwischen Zuschauern und Ausführenden überwunden wird, weil nun die Lebenskraft des Gottes alle durchdringt, 5) Beruhigung der Teilnehmer und des Gottes. (Im *Hanamatsuri*, das in verschiedenen Dörfern der Präfektur Aichi ausgeübt wird, endet dieser Ablauf mit einer rituellen Orgie, in der alle im Kult verwendeten Gegenstände zerstört werden.)
Dieses kultische Handlungsgefüge versinnbildet in beiden Abläufen den Übergang der Lebenskraft des Gottes in die Gemeinde. Der Gott offenbart nicht in erster Linie sein Wesen, sondern seine Wirkweise, seine Energie *(Toku, Mana)*. In der jährlichen Wiederkehr im Fest erneuert die Gemeinschaft ihre eigene Lebensenergie durch Teilnahme an dieser Gotteskraft. Durch das Miteinander und Gegeneinander der beiden Handlungsabläufe entsteht eine dramatische Spannung, die mit Spiel und Gegenspiel im Drama zu vergleichen ist.
Das wichtigste Ereignis findet im *Otabisho* statt, dem provisorischen Schrein, wo beide Gruppen sich sammeln zum Opferdienst. Dem Gott werden aber nicht nur Reis, Reiswein, Früchte usw. dargebracht, sondern auch das Kultspiel (*Kagura* = Schreintanz, *Nō*, *Kabuki*, Puppenspiel), und sportliche Aufführungen wie Wettspiele, Rennen, *Sumō* (Ringen) gelten als Opfergabe. Der provisorische Schrein steht mit Vorliebe an dem Ort, wo der Gott einstens sich zuerst geoffenbart hatte, so z. B. vor der altehrwürdigen Kiefer *(Yōgōmatsu)* am Eingang des Kaguraschreins. Auf diesem Höhepunkt des Festes erneuert auch der Gott seine Lebensenergie durch die Rückkehr an den Ort seiner ersten Theophanie und durch die von der Kultgemeinde dargebrachten Opfer. Das Kultdrama heißt in diesem Zusammenhang: *Kami-asobi*, Spiel zur Unterhaltung des Gottes, denn es wird nicht zur Unterhaltung der Zuschauer geboten. Der gute Wille des erneuerten Gottes wird sich nun im Segen und Wohlergehen für die Gemeinde erweisen.

III. Archetypen im Matsuri

1) Rückkehr zu den Ursprüngen

Wenn der Grundgedanke des *Matsuri* die Erneuerung der Lebenskraft für Gott, Mensch und Natur ist, wählt der Japaner seit urdenklichen Zeiten einen archetypischen Weg zu diesem Ziel: die Rückkehr zu den Ursprüngen. Shintō ist eine kosmische Religion, d. h. es geht ihr um die jährliche

Erneuerung des Vegetationszyklus von Saat, Blühen, Reifen und Ernte, die sich darstellt in der Herabkunft des Jahresgottes *(Toshigami)* vom Berg in das Reisfeld am Mondneujahr und im Herbst als sein Abschied in die Berge, wo er den Winter verbringt. Auf diese Weise erklärt Japan das Absterben und die Neubelebung der Vegetation. Im Nahen Osten mußte der Jahresgott bzw. der König als sein Stellvertreter sterben und wiedergeboren werden. In Japan dreht sich das Rad jedes Jahr um die eigene Achse. Ursprünglich war mit dem Schriftzeichen für Jahr wohl der Lebenskreis der Reispflanze gemeint, d. h. ihr Vegetationszyklus von Saat zur Ernte, nicht zwölf Monate.

Die Rückkehr zu den Ursprüngen ist ein Gesundbrunnen für die Erneuerung der geistigen Kräfte. In der Vergangenheit sind die Archetypen beheimatet, denn das Unbewußte bewahrt die vergessenen Inhalte der Menschheitserfahrung auf. Sie versinnbilden seelische Energie, auf die der Einzelne wie die Gemeinschaft nicht verzichten können. Die Integration dieser Energie in das Bewußtsein, wodurch sie sich fruchtbringend entfaltet, ist deshalb von größter Bedeutung. Das *Matsuri* ist die Methode, wie die Gemeinde diese Integration vollzieht.

So kehren in Japan viele in die Städte abgewanderte junge Menschen zum *Matsuri* in die alte Heimat zurück, um wieder in den mächtigen Strom der Vergangenheit einzutauchen und die Entfremdung des Stadtmenschen zu überwinden.

Tiefen Eindruck machen auf mich Szenen aus einem Dokumentarfilm, der junge Leute aus Otsugunai (Iwate) zeigt, wie sie Trommeln und Pfeifen nach Tōkyō mitnehmen und über den Dächern der Stadt ihre Kulttänze *(Yamabushi-Kagura)* üben. Manche Teilnehmer der gescheiterten Radikalenbewegung von 1969–1971 wandten sich traditionellen Künsten zu, nicht zuletzt alten kultischen Tänzen.

Wiedergeburt durch Eintauchen in den Gesundbrunnen der mythischen Vergangenheit ist für den Japaner ein ganz natürlicher Gedanke, der in Krisenzeiten sich unwillkürlich äußert. Seine Kultur enthält einen großen Reichtum an therapeutischen Prozessen. So erklärte mir der Dorfarzt beim Neujahrsfest von Kamimura (Nagano): »Beim Matsuri kehrt man zu seinem primitiven Selbst zurück, spontan, frei, das Leben genießend, und kann alles andere vergessen. Man taucht ins *Matsuri* ein, wie die Ahnen durch alle Jahrhunderte hindurch.«

Vor allem im Neujahrsritual kehrt man in der kritischen Zeit der langen, kalten Nächte zu den allerersten Ursprüngen zurück, ins pristine Chaos, durch Lösung aller *Shimenawa*. Besonders eindrücklich ist das Lösen bei den mit dicken Strohseilen verbundenen Felsen im Meer bei Futamigaura, die das Urgötterpaar *Izanami* und *Izanagi* verkörpern. Im Volksmund heißen sie *Myōtoiwa*, Felsenehe. Die Idee der Heiligen Hochzeit *(Hierogamos)*, die allen Wesen Gedeihen und Fruchtbarkeit verleiht, ist durch dieses Strohseil, das beide Felsen verknüpft, versinnbildet. Das tonnenschwere Seil wird jedes

Jahr am 5. Januar unter großem Aufwand neu um die Felsen geschlungen. Durch die Lösung der *Shimenawa* wird nicht nur das vergangene Jahr aufgehoben, sondern die Zeit überhaupt: das Chaos bricht wieder herein. *Masao Oka* erklärt das Neujahrsritual mit dem Begriff *Tama*, die geistige Substanz, die im Menschen, in Totenseelen und Göttern west; wenn der Winter sich zum Frühling wendet, wird dieses *Tama* unruhig und will den Körper verlassen; darum drängen die Toten zu den Lebenden zurück[3]. Das Neujahrsritual soll die *Tama* wieder an den Körper binden. Im Grunde ist darin das Gleiche ausgesagt wie in meiner Terminologie »wilde« und »milde Seele«. Dieser Gedanke liegt offenbar einem merkwürdigen Ritual auf der Insel Kamishima bei Nagoya zugrunde, wo alles Brauchtum besonders treu überliefert ist. In der Neujahrsnacht kommen die Männer zu einer Art *»Bōnenkai«* zusammen. Dieser landesweit übliche Brauch bedeutet: »das Jahr vergessen«. Im Gespräch, beim Essen und Trinken, werden die unangenehmen Ereignisse des vergangenen Jahres der Vergessenheit überantwortet. Dabei flechten sie einen Ring von etwa zwei Meter Durchmesser aus kurzen Stäben. Dieser wird in weißes Papier gepackt und mit feinen Hanffasern gebunden. Von Zeit zu Zeit werfen ihn die Männer laut schreiend an die Decke. Während des folgenden Kultmahls ist der Ring als Göttersitz *(Yorishiro)* im *Tokonoma*, einer Ziernische des Zimmers, aufgestellt. Früh am Neujahrsmorgen stellen sich alle Männer im Hafen in Zweierreihe auf, bewaffnet mit einem Speer, der mit weißen Papierstreifen verziert ist. Vier junge Männer tragen den Ring im Lauf vorbei. Die Männer werfen nun die Speere gegen den vorbeischwebenden Ring: sie töten die alte Sonne. Auch dies ist Rückkehr ins Chaos. Deshalb wird auch am Jahresende das alte Feuer im Herd ausgelöscht. Das Chaos droht um diese Zeit vor allem in Gestalt der bösen Geister, die deshalb in Exorzismen gebannt werden. Auch die Toten kehren nun auf Besuch zurück. Am bekanntesten ist das Namahagefest in Akita, wo die Ahnen in furchterregenden Masken erscheinen, um die Nachkommen vor Gericht zu ziehen; das Lötschental im Wallis (Schweiz) kennt diese Gestalten mit gleichen Masken, zur gleichen Zeit, mit gleicher Bedeutung.

Das Neujahr beginnt dann mit allerhand Riten, die die Wiederherstellung des Kosmos versinnbilden, die Neugeburt des Lebens. Der Kaiser verrichtet die Gebete in die vier Himmelsrichtungen *(Shihōhai)* und errichtet dadurch das Reich neu durch Wiederholung des kosmogonischen Mythos. Die *Shimenawa* binden die wilde Seele *(Aramitama)* erneut zur milden Seele *(Nigimitama)*. Die *Kadomatsu*, ein Gebinde aus Kiefern und Bambus an den Hauseingängen, die langes Leben versinnbilden, beschwören durch »Vorahmung« die neue Lebenskraft herauf. Das neue Feuer wird im Herd entzündet, das neue Wasser aus den Brunnen geschöpft.

[3] Vgl. *M. Oka*, unveröffentlichtes Manuskript.

Am 2. Januar sollen dann Träume von Glück und Wohlergehen das Schatzschiff mit den Gaben der sieben Glücksgötter herbeirufen. In der mythischen Zeit enthüllten sich die Seinsgestalten zuerst; jede Rückkehr zu den Ursprüngen ist daher letztlich eine Wiederholung archetypischer Erfahrungen.

Eine andere Form der Rückkehr zu den Ursprüngen ist ohne Zweifel im Spiel im Fackeln-*Matsuri*, das in rund hundert Dörfern um die Stadt Omihachiman am Biwasee im April begangen wird[4]. Nach althergebrachten Regeln bauen die Sippenhäupter Kultmale aus Schilf, Bambus, Stroh und Raps, die während des Festes als Göttersitz dienen, wo der Lokalgott für kurze Zeit Wohnung aufschlägt. Am Ende wird der Göttersitz dem Feuer überantwortet. Für kurze Zeit leben in diesen kunstvoll aufgebauten, oft in abstrakten Formen sich ergehenden Kultsymbolen die alten Mythen wieder auf: Sonnenspeere ragen, juwelenbesetzte Spiegel leuchten, Sonnenräder werden herumgetragen, Wettkämpfe ausgetragen. Mehrköpfige Riesenschlangen werden entzweigeschnitten, Drachen speien Feuer, brennende Meerfische erhellen die Nacht. Laternenschiffe kreuzen auf ekstatischen Wogen, heilige Bäume wachsen an einem Tag auf, und all diese Herrlichkeit wird lodernd wieder ins Nichts zurückgenommen. Wer dächte da nicht an die Erzählung von den »Schilfgefilden« im Gründungsmythos?

Nach dem dreistöckigen Weltbild des Mythos wohnen die Götter in der hohen Himmelsebene, die Menschen im Schilfgefilde und die Toten in der Unterwelt. Alle drei Zonen sind zusammengehalten durch die Weltachse. Als *Ninigi* auf Befehl der Sonnengöttin *Amaterasu* in diese Schilfebene herabsteigt, ist sie noch chaotisch; seine Aufgabe besteht darin, sie in das Land der Reiskörner zu verwandeln. Die Kultmale aus Schilf lassen diese mythische Urwelt wieder aufleben, für die kurze Zeit des rituellen Gedächtnisses im Fest, bis sie den Flammen überantwortet werden.

2) Orientierung, Heiliger Hain, Lichtung, Vierung

Bali kennt eine seltsame Methode der Hinrichtung. Der zum Tod Verurteilte wird in den Urwald geführt und dort solange im Kreis herumgedreht, bis er den Orientierungssinn völlig verloren hat. In diesem Zustand überantwortet man ihn seinem Schicksal. Der Verlust der Orientierung im Universum ist gleichbedeutend mit der Rückkehr ins urtümliche Chaos; für den Unglücklichen bringt sie den Tod.

Der Wald war schon für die Germanen das Niemandsland, das Totenreich, die Grenze zu einer anderen Welt, ein Abbild des Chaos, aber auch die Grenze zur Welt der Götter und der Toten. Das alte Japan muß den Wald ähnlich erlebt haben.

[4] Vgl. dazu *R. Egenter*, Taimatsu Matsuri. Swissair Gazette, Aug. 1981, 10.

Jedes Shintōfest beginnt mit der Errichtung eines heiligen Bezirks. Vier Bambusstämmchen, denen die obersten Blätter belassen sind, werden im Quadrat in den Boden eingelassen und mit Strohseilen *(Shimenawa)*, an denen weiße, zeremoniell eingeschnittene Papierstreifen flattern, verbunden. Weißes Papier ist ein Symbol göttlicher Präsenz, weil Gott und Papier *Kami* heißen. So entsteht ein *Niwa* (Garten), der heilige Raum, in den die Götter herbeigerufen werden können. In Kamimura (Nagano) gibt man sich außerordentliche Mühe, reine Erde dafür bereitzustellen. Zwölf Männer tragen auf dem Rücken solche unbenützte Erde von zwölf Himmelsrichtungen, die die Tierkreis-Zeichen und die zwölf Monate symbolisieren, herbei. Aus dem Chaos ist ein »Garten« herausgeschnitten, der die umhegte, geschützte Mitte der Welt darstellt; er wird sofort durch Reinigungszeremonien und Exorzismen gegen die drohenden Mächte des Bösen, des Nichts gebannt.
So entsteht ein Innen *(uchi)* gegen das Außen *(soto)*, in dem sich nun das Mysterium der Herabkunft der Götter im Fest vollziehen kann. Großartig ist dieser Ritus entfaltet in Suwa, im Ombashira-Fest, wenn alle sieben Jahre gewaltige Baumstämme in den Bergen gehauen und ohne Rollen nur durch Menschenkraft zu den vier Schreinen in Kami- und Shimo-Suwa geschleppt werden, um dort das sakrale Gebiet um die Schreingebäude neu zu erstellen. Mehrere Monate nimmt dieses Fest die Bewohner in Anspruch, und aus der Fremde kehren dann viele heim, um durch ihre Teilnahme sich innerlich zu erneuern. Die Römer nannten diese *lucus*, »heilige Hege«, dem Ursinn nach »Lichtung« von *lucere* = leuchten. Das althochdeutsche Wort bewahrt den Ursinn als »bewachsene Lichtung« im Wald. Im allgemeinen wird dieses Wort später für den »heiligen Hain« gebraucht. Dies entspricht der Urbedeutung von *Yashiro*, dem japanischen Wort für Schrein, denn auch der Shintō kannte vor Einführung des Buddhismus keine aufwendigen Kultgebäude, sondern nur den *Niwa* (Garten), oder in dauernder Form die *Iwakura*, die »Steinhege«, wenn die Umfriedung aus einer niedrigen Steinmauer gefügt ist.
Das hier jederzeit leicht zu beobachtende Ritual ist ein allgemeingültiger archetypischer Topos. Das Griechische kennt das Wort *temenein* für schneiden, absondern, abstecken, als Grenze annehmen. Das ist genau der Vorgang mit dem Abstecken der vier Himmelsrichtungen. Damit geschieht die erste Orientierung im Chaos. Das Wort enthält *oriens*, den Osten als Richtung des Sonnenaufgangs. Mit seiner Festlegung entsteht eine Welt.
Der so abgesteckte Raum heißt nun auf Griechisch *temenos* »ein abgesondertes Stück Land«. Es wird ursprünglich gebraucht für das Krongut, welches einem Herrscher aus dem Allgemeinbesitz *(Allmeind)* verliehen wurde, sodann für das einer Gottheit geweihte Land, für den heiligen Hain. Davon leitet sich auch das lateinische *templum* ab, der geweihte, heilige Raum, die Weihestätte; ursprünglich war das wohl auch eine von Bäumen umfaßte

Lichtung; erst später ging das Wort auf *Kultbauten* über. Aber auch das Wort *tempus* entstammt der gleichen Wurzel *tem*; wir können schließen, daß die Urbedeutung die durch das Ausscheiden aus dem Chaos oder aus der profanen Welt geschaffene heilige Zeit und den heiligen Raum bezeichnet, d.h. Zeit und Raum des *Matsuri.*

Der gleiche Vorgang vollzieht sich auch im Rundtanz *Mai*, der von *mau*, kreisen, abgeleitet ist. Durch die Kreisbewegung wird ein Innenraum von der profanen Welt abgegrenzt, in dem sich die Herabkunft des Göttlichen ereignen kann. Der Ablauf des Tanzes schafft zugleich die heilige Zeit.

Mit Lichtung, Wald und Weg dazu ist ein Grundgesetz aller japanischen Kunstübung ausgesprochen. Zauberer, Tänzer, Maler, Bildhauer, sie entstammen alle dem gleichen Geschlecht und erfüllen die gleiche Berufung. Sie sind Grenzgänger, Bannmeister des Chaos; sie wissen den Weg.

Der heilige Weg führt in Ise aus der profanen Welt über Brücken, an reinigenden Wassern vorbei, vielfach gewunden in die geheimnisvolle Nacht des Hains, der, von Hecken umfriedet, von der Alltagswelt (= *pro-fanum* = vor dem Heiligtum) abgesondert ist. Stufen steigen auf, ein Tor führt zum Allerheiligsten: eine weite von Sonne durchflutete *Lichtung*, in der sich die Begegnung mit dem Göttlichen ereignet. Diese offene Lichtung erinnert an das *Mu* (Nichts), in dessen Anblick die Buddhisten die Erleuchtung erfahren. Die einfachen Naturdinge: Baum, Pfeiler, Stein werden für den Pilger am Ende seines Weges transparent auf eine verborgene Wirklichkeit hin, d.h. sie setzen Zeichen, sind Symbol. Eindrucksvoll verkündet hier die Natur in der Anordnung von Weg, Wald und Lichtung, daß sie heiligen Wesens ist und über sich selbst hinausweist. Die Lichtung ist Offenbarung des Göttlichen. Schon in dieser denkbar einfachsten Kultanlage ist das Wesen der Religion zeichenhaft ausgedrückt, und zwar in einfacher Form, die für alle Zeiten und Kulturen Gültigkeit hat; gerade einen solchen Sachverhalt bezeichnen wir als Archetyp.

Die Schaffung des *Niwa* durch die vier Pfosten und die Strohseile ist Voraussetzung, daß überhaupt »Kultur« entsteht. Das europäische Wort stammt vom lat. *colere* = behauen, bearbeiten, und ist ursprünglich auf Garten und Feld bezogen, und belegt dann ein ausgedehntes Wortfeld von Ackerbau treiben, wohnen, Sorge tragen, schmücken, verehren, anbeten, feiern. Das Hauptwort *Cultus* meint dementsprechend Pflege, Bearbeitung, Anbau, Kultur, dann aber auch Bildung, Verehrung (des Königs, Gottes). In jener Erstellung des *Niwa* zu Beginn des *Matsuri* glaubt man, diesem lateinischen Wortfeld folgend, geradezu Zeuge des Anfangs der Menschheitskultur zu sein. Wahrhaftig Rückkehr zum Ursprung!

Kann es da noch wundern, daß der Paradiesgarten von vier Strömen umflossen war, die einen gemeinsamen Ursprung hatten im Lebensquell (Gen 2,10–15). Die Erde als Garten ist die vom Menschen gehegte Natur, geschützt, umfriedet, mitten im drohenden Chaos von Wüste und Wald. Die archäologische Ethnologie stellt fest, daß die Gartenkunst als Spitzenleistung des praktischen Willens zur Kulturleistung und Erdgestaltung im 4. Jahrtausend vor Christus den Ägyptern und Sumerern gelang. Der Pharao, der als Sohn des Gottes Osiris galt, der die Fluren des Nils befruchtete, zog jedes Jahr *vier*mal den Pflug um das Land des Osiris, wie der japanische Kaiser in der Neujahrsnacht das *Shihōhai*-Gebet in die vier Himmelsrichtungen verrichtet.

3) Mitte, Berg, Lebensbaum

Bei der Gestaltung des *Niwa* ließ ich bis jetzt einen wichtigen Aspekt aus. Zu den vier Himmelsrichtungen kommt nämlich im Einklang mit dem chinesischen Denken eine fünfte hinzu, die Mitte, die oft durch einen fünften, etwas höheren Bambusstamm markiert und mit den vier Himmelspfosten ebenfalls durch *Shimenawa* verbunden ist. Er versinnbildet die Mitte der Welt, die Weltachse, und wird deshalb *Yama*, Berg genannt: oft wird sein Platz sogar durch den Lebensbaum, *Sakaki* oder *Matsu* eingenommen. In der Ikonographie des Paradieses muß man sich den Lebensbaum auf dem Berg stehend vorstellen. Deshalb können diese beiden Vorstellungen miteinander verquickt werden. Auch ein anderer Bestand des Paradieses entstammt dieser Vorstellung: Der Lebensquell entspringt auf dem Scheitelpunkt des Berges, oder der Lebenstau tropft von den Zweigen des Lebensbaums herab und sammelt sich in der Tiefe der Unterwelt zum Quell oder Brunnen. Eine einzigartige Kombination der Vorstellungen von Baum und Berg findet sich auf einem Bild des *Tamamushi*-Altars im Hōryūji in Nara. Der Weltberg Sumi sieht aus wie ein fossilierter Baumstamm, dessen Zweige verschiedene Stockwerke bilden. Der Gipfel sowohl wie die Zweige tragen kultische Gebäude, wohl Wohnungen der Götter.

Das ostasiatische Denken liebt es, die Welt nach fünf Einheiten zu ordnen: die pentatonische Tonleiter kennt nur fünf Töne, das Spektrum nur fünf Farben, und die Welt besteht aus fünf Elementen: Feuer, Wasser, Holz, Metall, Erde. Auch in der Fünfheit liegt ein Archetyp des weltordnenden Denkens vor.

Im alten China mußte die Halle, in welcher der Kaiser sich aufhielt, in der Himmelsrichtung des gerade herrschenden Elements liegen. Die Farben seiner Pferde, Fahnen, Gewänder, des Schmucks mußten dem Element entsprechen (Holz – grün, Feuer – rot, Erde – gelb, Metall – weiß, Wasser – schwarz). Ihr Zusammenspiel, auch hier in Gegensätzen sich bewegend, ist Ursache aller Weltabläufe, bis zum Schicksal des Einzelnen, und alles hängt davon ab, ob sie in richtiger Ordnung zueinander stehen. Dies zu sichern ist Aufgabe des Rituals. Wie tief diese Denkform der Fünfheit im Volksglauben verwurzelt ist, erhellt aus der Gründungslegende des Dorfes Kamimura in

Nagano. Jäger waren die ersten Bewohner. Sie trafen in den Bergen sechs Männer und eine Frau, deren Anführer, ein ehrwürdiger Greis, um Herberge bat. Er erklärte, sie seien vom Kaiserhof in Nara nach Azuma (Kantō) verbannt worden, hätten aber den Weg verloren. Die Jäger luden sie in ihr Lager ein. Die Fremden unterrichteten sie im Ackerbau, und so entstand langsam das Dorf. Sie verehrten fünf Götter: Wasser, Feuer, Holz, Erde, Metall. Vor beinahe 1000 Jahren kam ein anderer Besucher, ein Hofbeamter aus Kyoto, namens Kumano Sennin, der einige Zeit im Dorf verbrachte und schenkte dem Schrein fünf Masken zur Verwendung beim *Matsuri*, offenbar zur Darstellung der fünf Götter. Diese Masken sind bis heute im Schrein aufbewahrt.

Der *Niwa* des *Matsuri* betont die Mitte. Der Berg (oder Baum) dient da während des Festes als Göttersitz *(Kamiza)*, denn die Götter lieben seit alten Zeiten diese Objekte als Wohnung. Natürlich erinnert man sich sofort an den Mythos, wie das Urgötterpaar auf die Insel Onogoro herabstieg, den Himmelspfeiler errichtete, ihn in entgegengesetzter Richtung umwandelte und dann das Brautlager feierte. Das Umwandeln des Himmelspfeilers (oder eines zentralen Objektes) als Hochzeitsritus ist auch außerhalb Japans weit verbreitet; *Nelly Naumann* hat das Material in einer ausgezeichneten Habilitationsschrift gesammelt und beurteilt[5]. Im Gegensatz zu manchen japanischen Forschern sieht sie darin nicht einen alten Hochzeitsritus, auch faßt sie den Pfeiler nicht als Ahnenpfosten auf. Vielmehr ist nach ihr die Episode der Umwandlung des Himmelspfeilers Teil eines kosmogonischen Mythos. Der Pfeiler soll die Urinsel im Urmeer befestigen und dadurch ein Weltzentrum schaffen. Der Kosmos wird zuerst durch die Errichtung eines Hauses als Mikrokosmos geschaffen; um den Zentralpfeiler bildet die durch acht Pfosten gegliederte Außenwand den mythischen Palast, der heute noch im Großen Schrein von Ise genau nachgebildet ist. Der Zentralpfeiler versinnbildet die Himmel und Erde verbindende Weltachse. Die Idee des Weltberges und der Weltachse ist so wohlbekannt und so weitverbreitet, daß wir hier auf weitere Beispiele verzichten. Wir erwähnen nur den indischen Götterberg Sumeru, den griechischen Olymp sowie die Tempelanlagen von Angkor Wat und Borobodur als architektonische Gestaltungen dieser Idee.

Diese Weltachse erfuhr eine bedeutungsvolle Funktionserweiterung in der vertikalen Kosmologie, die *Masao Oka* beschreibt, im Glauben, daß Götter vom Himmel auf Bergspitzen, in Wälder oder auf Bäume herabsteigen. Im innerasiatischen Bereich bildete sich daraus der Mythos, wonach der Urkönig vom Himmel mit Hilfe einer Leiter oder eines Seils auf eine Bergspitze herabgestiegen sei und von dort seine Herrschaft angetreten habe. *Manabu Waida* hat dafür, von Tibet ausgehend, die Belege auch für Korea und Japan

[5] Vgl. *N. Naumann*, Das Umwandeln des Himmelspfeilers (= Asien Folklore Studies 5). Tokyo 1971.

zusammengetragen. Der Enkel der Sonnengöttin *Ninigi* steigt so auf den Gipfel des Berges Takachiho herab und übernimmt die Herrschaft. Der Ursprungsmythos des Kaiserhauses verstärkt auf diese Weise noch die Funktion der Weltachse, der Mitte.
Ein einfaches Modell dieses Weltbildes zeigt das Zeichen 工, die Weltachse, die Himmel und Erde verbindet. Wenn die Tänzer darum den Rundtanz vollziehen, halten sie »vorahmend« das ganze Universum in geregelten Bahnen, sichern sie den Sternenlauf, den Wandel der Jahreszeiten und der Stunden. Das ist die archetypische Aufgabe der Schamanen, die durch dieses Zeichen 巫 benannt werden. Schon auf minoischen Fingerringen sind Mädchen zu sehen, die im Frühling vor der Göttin diesen *Syrtos* genannten Rundtanz ausüben, die Umkreisung der Mitte als Vorahmungsritual. Ihr Zentrum enthält in der Regel eine Figur von höchstem religiösem Wert, wie z.B. *Vairocana Dainichi Nyorai.* Auch das europäische Mittelalter kennt solche Andachtsbilder, in denen Christus im Zentrum steht, umgeben von den vier Evangelisten.
Die Bildelemente, meist in Vierzahl geordnet im Quadrat oder im Kreis, sind deutlich auf die Mitte bezogen, wo die Hauptfigur plaziert ist. Die ganze Anordnung drückt die Ganzheit und den Weg dazu aus. In der Umkreisung der Mitte, für die der Rundtanz das gestische, das *Mandala* das bildliche Symbol liefert, ist die Aufgabe ausgedrückt, die Teilsysteme der Psyche zu einer übergeordneten Einheit zu vereinen. Der magische Kreis zieht die Grenzen um den inneren Bezirk der Persönlichkeit, um das Ausströmen der seelischen Kräfte, d.h. die Auflösung ins Chaos, zu verhüten. Der Weg zum Selbst kann nur erfolgen, wenn zwei Bedingungen erfüllt sind, 1) die Absonderung des heiligen Bezirks, 2) die Konzentration auf die Mitte. Der Mensch muß genau das in seiner Seele vollziehen, was am Anfang des *Matsuri* mit der Errichtung des *Niwa* geschieht. Das Kreisen um die Mitte zeigt die Belebung aller hellen und dunklen Kräfte der menschlichen Natur, die Integration der psychischen Gegensätze an; entscheidend aber ist, daß dieser Prozeß niemals vom Bewußtsein gesteuert werden kann, sondern sich in der Seelentiefe vollzieht.

4) Lebenswasser, Lebensquell, Yudate

Zur archetypischen Ausstattung des Paradiesgarten gehört neben dem Lebensbaum auch der Quell, aus dem Lebenswasser strömt; beide sind nach alten Überlieferungen auf dem Weltberg zu finden. *J. Maundeville* faßt im 14. Jahrhundert solche Berichte zusammen: »Das indische Paradies liegt auf dem höchsten Berg der Welt. Und an der höchsten Stelle des Paradieses, in seinem Mittelpunkt, ist ein Brunnen, der Ursprung von vier Strömen, welche entgegengesetzte Länder durchlaufen.« Schon die Genesis berichtet, daß das Paradies von vier Strömen umfaßt sei. *I. Hori* hebt hervor, daß im Bergkult Japans der Gedanke, Berge seien Wasserscheide oder Wasserschlösser, weit verbreitet ist und deshalb Regenzauberrituale an oder auf Bergen vollzogen werden[6]. Das Lebenswasser ist demnach ein Geschenk der Berge.

Den Mythos des heiligen Lebenswassers fand ich am schönsten ausgedrückt im *Yudate-Kagura* (Heißwassertanz)[7], wie er noch in der Gegend um Kamakura vollzogen wird.

Wasser bedeutet, nach *M. Eliade*, die reine Potentialität, die Quelle jeder möglichen Existenz. Als Prinzip alles Möglichen und Formlosen, als Grundstoff jeder kosmischen Manifestation, als Behälter aller Samen, symbolisiert Wasser die *Materia prima*, von der alle Formen ausgehen und zu der sie wieder zurückkehren durch Regression oder Auflösung. Es enthält die Potentialität aller Formen in ihrer ungebrochenen Einheit. Eintauchen in das Wasser bedeutet die Rückkehr in eine Existenz, die der Form vorausgeht, eine vollständige Regeneration, Neugeburt; denn Immersion heißt Auflösung aller Formen. Auftauchen aus dem Wasser ist eine Wiederholung des Schöpfungsaktes. Seit prähistorischen Zeiten wurden Wasser, Mond und Weib zusammengebracht als Mutterschoß der Fruchtbarkeit für Mensch und Universum.

Feuer wiederum ist die zeugende, inspirierende Macht, die die reine Potentialität des Wassers aktiviert. Es bedeutet Leben im eminenten Sinn, besonders in seinem schnellen, heftigen Ablauf. In seinen ehrfurchtgebietenden Manifestationen von Sonne, Blitz und Flamme spendet es die Wärme, die für jeden Lebensprozeß unerläßlich ist. Der frühe Mensch entdeckte die Ähnlichkeit der Flamme zur Hitze und zum Feuer der Sonne und nahm an, der Sonnengott steige in die Flammenlohe herab oder der Feuergott sei ein Vasall des Sonnengottes. Das Feuer ist intim; es lebt mitten im Herzen, als Leidenschaft und Liebe. Es ist zugleich universal, als Sonnenlicht. Es ist in besonderer Weise doppelwertig: zugleich gut und böse, lebenspendend und verderbend.

Jedes Element besitzt seinen eigenen Kult und Ritus. Im *Yudate-Kagura* aber vereinen beide ihre Kraft. Genau wie im Paradiesgarten wird der Kessel unter dem *Yama* (Berg) in der Mitte des *Niwa* (Garten) aufgestellt. Wasser wird über einem Holzfeuer zum Sieden gebracht, dann vom Priester mit einem Bambuswedel über sich selbst und die Gläubigen verspritzt. Diese einfachen Zeremonien sind eingebettet in eine Reihe von kultischen Tänzen *(Kagura)*. *Yudate* bildet heute noch einen wichtigen Bestandteil der Zeremonien bei den jährlichen Festen der Shintōschreine in der Gegend von

[6] Vgl. *H. Ichiro*, Folkreligion in Japan. Tokyo 1968.

[7] Vgl. *Th. Immoos*, Das Mysterium von Feuer und Wasser im Schinto Ritual (Yudate-Kagura): Vermittlung zwischenkirchlicher Gemeinschaft. Schöneck-Bekkenried 1971, 143.

Kamakura, Yokosuka, Miura, Kanazawa und Yokohama, d.h. in der Präfektur Kanagawa.
Drei Gottheiten spielen in diesem Ritual eine Rolle. Der Lokalgott *(Ubusuna-no-Kami)*, dem der Ritus dargebracht wird, und die Götter von Wasser und Feuer. Zur Eröffnung rezitiert der Priester ein Gebet *(Norito)*, und die Musikanten spielen eine *Hayashi* genannte Melodie. Es handelt sich dabei um die Herabrufung der Götter *(Kami-oroshi)*, mit der jede Shintōfeier beginnt. Die folgenden Zeremonien, besonders die Tänze und Spiele, dienen der Unterhaltung der herbeizitierten Götter, die nun dem Feste auf ihrem Göttersitz beiwohnen *(Kami-asobi)*. Am Schluß werden sie feierlich aufgefordert, wieder an ihren gewöhnlichen Aufenthaltsort zurückzukehren *(Kami-okuri)*. Unsere Aufmerksamkeit gilt hier aber den spezifischen Wasserriten des 2. Teils, dem *Kami-asobi*.
Das heiße Wasser wird durch Eingießen von *Miki* (Reiswein) geheiligt, denn die Reisähre galt von alters her als Wohnsitz des Jahresgottes. Diese Quintessenz der lebenspendenden Pflanze ist daher ein mächtiges Gefäß für *Mana*, die alles durchdringende, geheimnisvolle Urkraft. Früher wurde dieser Trank nur für das Fest gebraut. In der Berauschung erfährt man in geheimnisvoller Weise die Besessenheit durch den Gott.
Mit dem Wedel aus weißem Papier *(Gohei)*, der als Göttersitz dient, umkreist der Priester im Rundtanz den Kessel. Die Kreisbewegung ist jene magische »Vorah*m*ung«, die den geordneten Umlauf der kosmischen Kräfte sichert. Das von monotoner Musik getragene Kreisen mag aber auch den Verlust des Eigenbewußtseins und den Übergang in die Ekstase, die Besitznahme durch den Gott, erleichtert haben. (Die Ekstase wird heute bewußt vermieden.) Anschließend opfert der Priester das heiße Wasser aus dem Kessel dem Lokalgott. Es wird zum Kochen des »roten Reises« für das Kultmahl verwendet, das dann Priester und Gemeinde mit den Göttern vereint. Nachher vollzieht er durch Rühren mit einem Bambuswedel oder dem Gohei-Stab im Kessel Divination über die künftige Ernte, je nach der Zahl, Form und Bewegung der aus dem kochenden Wirbel aufspringenden Tröpfchen (»Blüten des heißen Wassers« genannt).
Aus Dokumenten der Edozeit ist ersichtlich, daß früher ein reiches Angebot von Kulttänzen und Spielen (darunter auch *Nō*-Spiele) durch Erheiterung der Götter die Wirksamkeit des Rituals verstärkten.
Daß es hier zunächst um Reinigung *(Misogi)* geht, ist unmittelbar einleuchtend, denn Lustration ist eines der wesentlichsten Mysterien des Shintō. Der »Sitz im Leben« ist das Reinigungsbad des Göttervaters *Izanagi* im Meer nach seiner Rückkehr aus dem Totenland. Die früheste Schilderung eines solchen Rituals findet sich in einem Text um die Mitte des 9. Jahrhunderts – es wurde erst später mit dem Kulttanz verbunden, und zwar zuerst im großen Schrein von Ise. Der urtümliche Sinn ist in den archaischen *Hanamatsuri* der Mikawagegend (auf der Grenze zwischen der Präfektur Aichi,

Nagano und Shizuoka) besonders klar zu erfassen[8]. Das Fest, das heute noch in zweiundzwanzig Weilern der einsamen Berggegend überlebt, ist eigentlich ein Neujahrsritual, das dem archaischen Vegetationskult zugehört; intentional ist es auf die Neubelebung des Jahresgottes durch Vorahmungszauber ausgerichtet.

Die erste Zeremonie besteht in der »Bewillkommnung des Wassers«. Die Kultbeauftragten begeben sich in Prozession zu einem Bach oder Wasserfall, der seit alters her als heiliger Ort gilt. Dort wird ein kultisches Bad genommen und dann das für die Yudatezeremonie verwendete Wasser feierlich in das Dorf geleitet. In der Toyamagegend von Nagano sind es Kinder, die das heilige Wasser holen. Zur Weihung des Wassers zeichnet man mit der Spitze des *Gohei*-Stabes Schriftzeichen, denen eine magische Wirkung zugeschrieben wird, in das Wasser, z. B. Himmel und Wasser, Mond und Wasser. Lustration ist so offensichtlich eine in den ältesten Traditionen des Shintō wurzelnde Funktion dieses Rituals, daß sich weitere Zeugnisse dafür erübrigen.

Durch die Aufnahme des *Yudate*-Ritus in den Komplex der Schreintänze von Ise trat ein Bedeutungswandel ein, indem die Funktionen des Opfers, des Gebetes und der magischen Anwendung vom Kulttanz auch auf den *Yudate*-Ritus übergingen. Japan kennt zwei verschiedene Traditionen des Kulttanzes *(Kagura)*, die von den uralten Hauptschreinen von Izumo und Ise ausgehen und sich über das ganze Land verbreitet haben. *Y. Honda* sieht in der Verbindung von Kulttanz und *Yudate* das Charakteristikum des *Ise-Kagura*. Im Heiligtum der Sonnengöttin wurden Kulttänze von alters her von Priestern und Jungfrauen als Opfer und Gebet dargebracht. Die ältesten Dokumente erwähnen sie um 981 und 1099. Die Texte der dabei gesungenen Kultlieder erwähnen als Anliegen reiche Ernte, langes Leben, kriegerische Erfolge, Frieden für die Bürgerschaft. Diese Anliegen gingen offenbar auch auf die *Yudate*-Zeremonie über[9].

Die Sitte, *Kagura* als Opfergabe den Göttern zu weihen, nahm erst in späterer Zeit größere Ausmaße an, wie *Y. Honda* vermutet im 17. Jahrhundert. Aus dem Jahre 1595 ist z. B. eine große Feier im Gionquartier von Kyōto bekannt, wo mit zwölf Kesseln *Yudate*-Opfer für die Genesung des erkrankten Shoguns Hideyoshi dargebracht wurden[10].

Einen anderen Aspekt deckt *M. Nishitsunoi* in seiner umfassenden Darstellung der Kulttänze auf. Er weist darauf hin, daß der heutige Gebrauch des Schriftzeichens *yu* für »heißes Wasser« eine spätere Entwicklung darstellt. Ursprünglich bezeichnet das Wort *yu* einfach Wasser, wie das moderne

[8] Vgl. *N. Matsudaira*, Les Fêtes Saisonnières au Japon (Province de Mikawa). Paris 1936.

[9] Vgl. *Y. Honda*, Rikuzenhama no Hoin-Kagura. Tokyo 1934: *ders.*, Kagura. Tokyo 1966.

[10] Vgl. *M. Nishitsunoi*, Kagura Kenkyū. Tokyo 1966.

mizu, und diese Bedeutung lebt weiter in der Verbindung *yumizu*. Im Kult bedeutet es *dem Gott geweihtes Wasser*. Daran knüpfte sich der Glaube an das Lebenselixier, das »Chrysanthemenwasser«, das ewige Jugend zu verleihen vermag. Der Glaube an diesen Lebensstrom ist mit archaischen Riten und Glaubensvorstellungen in Verbindung mit Fruchtbarkeitsriten assoziiert und fand über die *Dengaku* (Reisfeldmusikspiele) des Mittelalters auch Eingang ins klassische Theater, wo der Stoff in Stücken wie *»Kikusui«* (Chrysanthemenwasser) thematisiert wird.
Wasser als Mutterschoß und Lebensstrom ist eine archetypische Vorstellung, die weltweit anzutreffen ist. Deshalb spielt es auch im Brauchtum des Kindbettes in Japan eine mehr als nur medizinisch erklärbare Rolle; ebenso dient es zur Verjüngung der Greise. Der bejahrte Kaiser unterzog sich zur Verjüngung einer Zeremonie, wobei er mit solchem geweihten Wasser übergossen wurde. Die Assoziation der Wiedergeburt aus dem Wasser ist heute noch mit der *Yudate*-Zeremonie verbunden. Das schließt die obigen zwei Deutungen nicht aus. Japanische Feste und ihre Riten zeichnen sich gerade dadurch aus, daß in ihnen Vorstellungen und Riten aus ganz verschiedenen Kulturtraditionen und Zeitaltern ohne Versuch zur Ausgleichung nebeneinander bestehen.
Soweit konnte ich in der Deutung des *Yudate*-Rituals mit Hilfe der japanischen Gewährsmänner kommen. Sie geben das Selbstverständnis der heutigen Gelehrten und Priester wieder. Die Frage ist allerdings gerechtfertigt, ob damit die ganze Sinnfülle ausgeschöpft ist. Mir scheint nun, daß sich eine weitere, heute vergessene Schicht erschließen läßt, wenn man nach der Natur der am Ritual beteiligten Gottheiten von Wasser und Feuer fragt. Der Feuergott wird identifiziert mit *Hi-no-kafu-tsuchi-no-kami*, die »Feuerschein-Geistgottheit«. Nach der ältesten Mythologie im *Kojiki* verbrannte er bei seiner Geburt den Schoß der Göttermutter *Izanami* und verursachte dadurch ihren Tod. Die Wassergottheit aber ist weiblich, *Mitsu-ha-no-me-no-mikoto*, ein anderes von den zahlreichen Kindern *Izanamis*, entstand aus ihrem Urin nach der Geburt des Feuergottes. *D. Philippi* möchte ihren Namen übersetzen mit: »Wasserpflanzen-Göttin«[11]. Die Göttin könnte einer Reiskultur, die ein Irrigationssystem kannte, angehören.
Aus diesem Sachverhalt glauben wir schließen zu können, daß eine vergessene Dimension des *Yudate*-Ritus der *Hierogamos* ist, die heilige Hochzeit kosmischer Mächte. Dieser archetypische Ritus ist aus vielen Kulten, besonders aus den Mysterienreligionen der ganzen alten Welt, als Bestandteil des Vegetationskultes bekannt. Im *Yudate*-Ritus sind es die kosmischen Kräfte des Wassers und Feuers, die sich im *Hierogamos* vereinen. Daß ihr Zusammenwirken für die gedeihliche Entfaltung allen Lebens notwendig ist, braucht gar nicht weiter erörtert zu werden. In dem Zusammenspiel von

[11] Vgl. *D. Philippi*, Kojiki (Übersetzung). Tokyo 1967.

yang (Licht) und *yin* (Dunkel), dem belebenden Feuergeist und dem formlosen Ur-Stoff, von positiver Hitze und negativer Kälte, von Sonne und Mond strömt der Lebensprozeß.

5) *Agōn, Wettkampf*

K. Yanagawa äußert in seiner Untersuchung über das *Gion-Matsuri* von Aizu Tajima seine Verwunderung darüber, daß in gleichen *Matsuri* zwei antithetische Prinzipien koexistieren können[12]. Er weist darauf hin, daß der Wettstreit zwischen zwei Festwagen in den engen Straßen oft zu Tätlichkeiten führt, die dem Fest den Namen *Kenka-Matsuri* (Streitfest) geben. Dieser Begriff ist aber auch anderswo verwendet. Geradezu gefürchtet sind die Kämpfe zwischen den Kultwagen während des *Chichibu*-Nachtfestes, wenn sie im Wettlauf einen Hang hinabschießen. Mit Verwundeten, sogar Toten wird wie eine Selbstverständlichkeit gerechnet, sofern die zahlreich eingesetzte Polizei nicht allzu starke Exzesse verhüten kann. Solche Streitigkeiten sind keineswegs eine Entgleisung, verursacht durch zuviel Miki-Genuß, sondern gehören zum Wesen des Festes. Wir haben schon oben ausgeführt, daß die Aufhebung der alltäglichen Ordnung einen wichtigen Aspekt des Festes bildet.

Im vorigen Kapitel betonten wir, daß im japanischen Weltbild sich die Lebensprozesse im harmonischen Ausgleich zwischen *Yin* und *Yang* vollziehen, deren schönstes Symbol die Heilige Hochzeit ist. Es ist daher nicht zu erwarten, daß hier wie im griechischen Fest, das in der Tragödie seinen Höhepunkt findet, die Gegensätze der menschlichen Existenz bis in die letzten, grausamen Abgründe aufgerissen werden, wie etwa in »König Ödipus«. Das tragische Denken ist in der unter dem Einfluß des Taoismus auf Harmonie ausgerichteten Welt Ostasiens, wo das *Akirame* (Resignation) der frevlerischen Selbstbehauptung vorgezogen wird, nicht zu erwarten. Trotzdem gehört der *Agōn*, der Wettkampf, zu den Archetypen des *Matsuri*. Er ist in mannigfachen Formen landauf-landab zu finden, als Seilziehen, Bootrennen, Wettlauf, Pferderennen, Pfeilschießen, sogar als Wettkampf im Nōspiel zwischen zwei Gilden in Kurokawa oder im Zerhauen von zwei Strohschlangen durch zwei Gruppen von jungen Männern aus dem Osten und Westen der alten Hauptstadt Kyōto. In dem Bauerndorf Kurokawa sind alle Häuser bzw. Familien in die Gilden *Kamiza* oder *Shimoza* eingeteilt, die sich beide auf den gleichen Shintōschrein als Mittelpunkt beziehen. Nicht nur im Raum, sondern auch in der Zeit, im Jahresablauf, wird das Leben der beiden Weiler in einem anderswo kaum mehr möglichen Ausmaß vom *Matsuri* aus gestaltet; denn die Aufrechterhaltung der hochstehenden

[12] Vgl. *K. Yanagawa*, Theological and Scientific Thinking about Festivals: Japanese Journal of Religious Studies, 1974, 5.

Nōaufführungen und das Fest sind nur möglich, wenn die Gemeinde als Ganzes zu den recht großen Opfern an Zeit und Geld bereit ist. Man denke nur daran, daß die Frauen für 1000 Personen die Kultmahlzeit bereiten müssen. Die Verteilung der Rollen und sonstigen Aufgaben, die Wahl der zwei *Toya* (Ältesten), in deren Haus die Feier stattfinden wird und die während eines Jahres als *Ikigami* (lebende Gottheit) gelten, die Proben der Schauspieler und Musikanten ziehen sich über Monate dahin; sie erreichen den Höhepunkt um das Mondneujahr, heute am 1. und 2. Februar. Das Fest dauert zwei Tage und eine ganze Nacht. Nur hier wird noch wie in alten Zeiten das volle Programm von fünf Nōspielen und vier Kyōgenkomödien durchgehalten[13].
Das Grundmuster des Rituals sind Wettläufe und Kampfspiele zwischen den beiden Gilden *(Za)*. Dem siegenden Weiler wird als Preis im kommenden Jahr eine besonders reiche Ernte zuteil. Die Freisetzung von *Mana* wirkt magisch zur Stärkung der Lebenskraft und zum Gedeihen der Reispflanze. Der Kampf wird in diesem Sinne auch als Divination verstanden, um den Willen der Gottheit zu erkennen. Der Antagonismus der beiden Weiler und Gilden wird in alle denkbaren Richtungen ausgetragen. Das Kultsymbol ist ein großer Fächer, der im *Kamiza* männlich, im *Shimoza* weiblich vorzustellen ist. Die Feier beginnt am Abend mit einem Stampftanz eines noch nicht schulpflichtigen Knaben. Im *Kamiza* stellt er einen Jungen dar und preist den Shintōschrein, während er im *Shimoza* ein Mädchen spielt und den buddhistischen Tempel preist; beide aber beten um gute Ernte und Frieden im Reich. Dieser Stampftanz soll schamanistischen Ursprungs sein und aus Zentralasien stammen.
Beide Gilden führen dann zwei verschiedene Programme durch, unterbrochen vom Kultmahl und reichlichem Sakegenuß.
Am nächsten Morgen versammeln sich beide Gilden unterhalb des Schreins. Im Wettlauf rennen beide Gruppen die steilen, verschneiten Steinstufen hinan und müssen den Fächer durch je eine Öffnung in der geschlossenen Tür in den Schrein schaffen. Anschließend messen die Gilden nochmals ihre Kräfte in einer Aufführung im Schreingebäude. Am Schluß klettert je ein Vertreter der zwei Gilden an einem Pfeiler hinauf, gefolgt von je einem Helfer, der ihm beisteht, um den heiligen Fächer an den Dachbalken zu befestigen. Der letzte Kampf besteht darin, einen riesigen, mit Tauen befestigten Reiskuchen *(Mochi)* aus dem Balkengerüst hinabzuwerfen. Immer wieder wird der Sieger mit lauten Schreien begrüßt.
Dieser Archetyp des Agōn bildet das Grundmuster des Festes überhaupt und erklärt, dank seiner Ausführlichkeit, die Funktion dieses Elements im *Matsuri*. Es geht hier gar nicht in erster Linie um Sieg oder Niederlage,

[13] Vgl. *Th. Immoos*, Kurokawa Nō, Ritual Folk Shinto Drama. Swissair Gazette, August 1981.

sondern der symbolische Ausdruck der Dualität in Göttern und Natur ist das eigentliche Grundprinzip solcher Feste. Das Ausspielen der Gegensätze erleichtert ihre Harmonisierung.
Eine rein phänomenologische Betrachtung der japanischen Gesellschaft stellt sehr rasch fest, daß hier der einzelne einem außerordentlichen Druck von seiten der Gesellschaft ausgesetzt ist. Über das an sich schon strenge Gerüst der konfuzianischen Ethik lagern sich noch die rein japanischen Verpflichtungen von *Giri-Ninjō* (Loyalität und Menschlichkeit) und das ganze Gespinst von *Kao*-Rücksichten (Gesicht). Nietzsche würde diesen ganzen Ordnung, Maß und Harmonie stiftenden Komplex als das Apollinische bezeichnen. Im Fest aber bricht nun der Schatten der japanischen Psyche auf in einem echt dionysischen Ausbruch der Lebenslust. Dazu gehören die Exzesse des *Kenka-Matsuri*. Sie sind alle *Matsuri*, die mit Erscheinungen von Dämonen zu tun haben. Der Agōn ist therapeutisch notwendig für die unter allerhand Zwängen gedrückte Psyche des Japaners.

6) Mitternachtssonne[14]

Die Zerrissenheit des Menschen ist schmerzvolles Schicksal, aber stellt nicht das Ideal dar. Die Erinnerung an das Paradies hält das Wissen von einer harmonischen Freundschaft aufrecht und belebt die Hoffnung auf eine Wiederherstellung des Idealzustandes. Der Ausdruck dafür ist der Archetyp der Mitternachtssonne.
Ich stieß auf diesen Topos zuerst in *Zeamis Kyuishidai*, wo die höchste Blume in der Entfaltung des Nōspielers umschrieben wird mit dem aus Zentexten *(Musō Kokushi* und andern) geschöpften *Kōan*: »In Shiragi leuchtet die Sonne um Mitternacht«. Offensichtlich entspricht der Ausspruch nicht einer Erfahrung, denn abgesehen vom Polargebiet, das *Zeami* nicht kannte, scheint die Sonne nie um Mitternacht. Vielmehr sind Tag und Nacht als archetypische Gegensätze konstituiert. Was kann der Satz nun bedeuten? *Zeami* meint ohne Zweifel einen Höhepunkt der Nōkunst, die vollkommene Mischung von *yin* und *yang* (Licht und Schatten) in der Aufführung. Diese Elemente müssen vom Spieler je nach der Tageszeit und nach der Stimmung der Zuschauer richtig dosiert werden. Damit ist aber der Sinn gewiß nicht erschöpft.
In der Parabel von den klugen und törichten Jungfrauen kehrt der Bräutigam gerade um Mitternacht heim und will dann im hellen Licht der Lampen empfangen werden (Mt 25,1–13). Auch nach Lk 12,35–40 kehrt der Hausherr vom Hochzeitsfest um Mitternacht zurück nach Hause und will von den wachsamen, getreuen Knechten im Fackellicht empfangen werden. Die Weihenacht, sonnenhell erleuchtet, ist die wahre Stunde des Festes.

[14] Dazu *ders.*, Die Sonne leuchtet um Mitternacht. Ein literarischer und religionsgeschichtlicher Topos in Ost und West: Analytische Psychologie 6 (1975) 482.

Deshalb begeht die katholische Liturgie in der Mitternachtsmesse die Erinnerung an die Geburt Christi, der das Licht der Welt ist.
Nun verstehen wir, warum das feierlichste und geheimnisvollste aller Shintōfeste, das *Niinamesai*, im Kaiserpalast gerade um Mitternacht bei Fackelschein begangen wird. Der Kaiser selbst bringt als Oberpriester der Nation die ersten Reisgaben dar. Nach *M. Anesaki*[15] ist der Ritus dermaßen esoterisch, daß nicht einmal der Name der Gottheit, die die Opfer empfängt, ausgesprochen werde. Es ist aber ohne Zweifel die Sonnengöttin selbst. Das *Niwabi* (Gartenfeuer) brennt hier die ganze Nacht, die Menschen reinigend, den Göttern die Wege weisend, die Lebenskraft stärkend, und kultische Musik und höfische *Kagura* werden der Sonnengöttin durch die Nacht dargebracht.
Das große Feuerfest, das in der Nacht vom 22. zum 23. Oktober in Kurama stattfindet, ist die volkstümlichste Version des gleichen Festes. In den Straßen lodern mächtige Holzstöße. Von Sonnenuntergang an tragen Knaben Fackeln durch das 3 km lange Dorf. Um elf Uhr setzt sich hoch vom Schrein am Berghang die Fackelprozession der Jünglinge, die sich zuvor durch ein Bad im kalten Bach gereinigt haben, in Bewegung. Um Mitternacht werden dann die Götter des Berges in zwei gewaltigen *Mikoshi* (Tabernakeln) im Feuermeer der Fackeln über steile Steintreppen zum *Otabisho* im Dorf getragen, wo die ganze Nacht hindurch den Göttern Opfergaben und Tänze dargebracht werden. Bis zum zehn Kilometer entfernten Kyōto soll der erhellte Nachthimmel sichtbar sein.
Mir will nun scheinen, daß der Mensch seine Zerrissenheit zwischen Gegensätzen als Grundbefindlichkeit seiner Existenz erfährt, weil der Lebensstrom unaufhörlich zwischen Tag und Nacht, Sommer und Winter, Mann und Frau, Himmel und Erde, Leben und Tod, Gott und Mensch dahinströmt, weil er auch im Innern den Kontrast von Vernunft *(Ratio)* und Intuition, von Gut und Böse, von Bewußt und Unbewußt durchleben muß. Er weiß aber auch, daß dies nicht der ideale Zustand ist. Vielmehr bildet die Suche nach Wiederherstellung jener ursprünglichen Einheit eines der großen Themen der Religion und der Kunst. Der Archetyp der Mitternachtssonne drückt diese tief eingewurzelte Sehnsucht nach Vereinigung der Gegensätze aus. Am *Niinamesai*, wo sich in der dankbaren Gesinnung über die gute Ernte Mensch und Göttin besonders nahe kommen, ist dieses Ritual ganz besonders am Platz.

IV. Gedanken zu einer Theologie des Shintō

Die vorausgehenden Analysen dürften erweisen, daß der Shintō eine differenzierte archaische Ontologie enthält, wenn sie auch nie in theoretische

[15] Vgl. *M. Anesaki*, History of Japanese Religions. Tokyo 1963; *R. Sieffert*, La fête du feu de Kurama. Bulletain Maison Franco-Japonaise. Tokyo 1952.

Begriffe gefaßt ist, sondern in Symbol, Mythos und Ritus sich entfaltet. Diese vormoderne Weltanschauung umfaßt ein System von sinnvollen Aussagen über eine letzte Realität, wobei diese allerdings nicht auf einen transzendentalen Bereich verweisen, sondern sich rein auf die hiesige Welt beschränken.

Daß man dieses Gefüge von Riten, Mythen und Gebeten als Religion bezeichnen muß, wird heute kaum mehr in Frage gestellt. Die fast ein Jahrhundert lang dauernde Diskussion über diese Frage ist heute abgeschlossen. Sie war von Anfang an politisch motiviert und entsprang nicht religionsgeschichtlichen Fragestellungen. Die heutigen Gelehrten an der Shintō-Universität Kokugakuin sind sich klar darüber, daß Shintō im freien Wettbewerb mit anderen Religionen, ohne staatliche Krücken, nur eine Zukunft hat, wenn er sich bewußt als Religion versteht und systematisch seine Weltanschauung, seine »Theologie«, in Worte faßt.

Meiner Ansicht nach bietet der Begriff des Kultmysteriums dafür den besten Ansatz. Die obige Analyse dürfte zeigen, daß die Riten des Shintōfestes Parallelen in den antiken Mysterienreligionen aufweisen, wenn auch der begrenzte Raum nicht gestattete, dies näher auszuführen.

Wenn in der Forschung angenommen wird, alle Religionen seien im Frühstadium Mysterienreligionen gewesen, bedeutet das wohl, daß die Geheimnisse des Lebens, seiner Entstehung, seiner Entwicklung, seines Endes, aber auch die tief verwurzelte Sehnsucht nach seiner Erneuerung über den Tod hinaus, in symbolischen Riten Ausdruck fanden, die eine Annäherung an die Gottheit, sogar das Erlebnis der wesenhaften Identität mit dem Gott und dadurch der Überwindung des Todes ermöglichten, ohne daß sie in Worte gefaßt worden wären. Mysterien wurzeln in den Fruchtbarkeitskulten und handeln von personifizierten Naturmächten, die als Götter verehrt werden. Der Ablauf des Vegetationsjahres wird für die Welt- und Daseinsdeutung vorbildlich. All dies ist für Japan relevant.

Das Mysterium bedeutet im Shintō nicht in erster Linie ein *Arkanum*, obwohl gewisse Riten, vor allem solche, die mit dem Kaiserhaus in Beziehung stehen, geheim gehalten werden. Das Kultmysterium enthält ein System von Zeremonien, die den Teilnehmer, und das ist meist die Gemeinde als Ganzes, mit der Gottheit in Beziehung setzen und deshalb einen verborgenen, tieferen Sinn zugleich offenbaren und verhüllen. In diesen Riten bereitet sich die Gemeinde auf die Ankunft des Gottes vor (Reinigung, Fasten, Exorzismus u.a.), erfährt sie die Theophanie und die Darstellung des Kultheros in Tanz und Spiel, die oft der Offenbarung seines Mythos dienen. Durch das Mysterium erneuert sich die Lebensenergie des Gottes, der dann seine Kraft in Natur und Gemeinde wirken läßt. Die Nacht ist die Zeit der Mysterien, wo die Schwelle des rationalen Denkens herabgesetzt ist und die Mächte des Unbewußten wirken. Die symbolische Handlung der Weihenacht wendet sich stark an Gefühl und Phantasie und hebt die Teilnehmer über ihr individuelles Sein hinaus zur Teilhabe am Geschick des Gottes, das in der Anamnese heraufbeschworen wird. Mit den antiken Mysterien teilt Shintō das Bewußtsein, daß hier ein Gemeinschaftserlebnis sich vollzieht, das Einheit stiftet zwischen dem Dorf, den Ahnen und den Lokal- und Naturgottheiten. Als kosmische Religion bettet der Shintō seine Feste in den Ablauf des Vegetationsjahres ein. Stiftung der Gemeinschaft durch das Fest erfolgt schon rein aus der Tatsache, daß die Vorbereitung und Durchführung eines Festes auf die opferreiche Mitarbeit der Gemeinde angewiesen ist. Ohne Zweifel ist hier das starke Gemeinschaftsbewußtsein des japanischen Volkes religiös verwurzelt, das sich in der modernen Industriegesellschaft als Fähigkeit zu *Teamwork* und Loyalität zur Firma äußert. Meines Wissens wurde der Versuch, den schnellen Aufstieg Japans aus der totalen Niederlage und die Stiftung neuen Lebens, die Erneuerung der sozialen Lebenskraft des Volkes, bis zu den Erfolgen des Wirtschaftswunders, die Japan an die zweite Stelle der freien Welt katapultierten, aus diesen religiösen Hintergründen zu erklären, nie unternommen. Im Gegenteil: Shintō wurde, dank seiner Verbindung mit dem Militärregime und dem imperialistischen Denken seit der Meijirestauration, für die Niederlage mitverantwortlich gemacht und in die Defensive gedrängt. Trotzdem durchwirkte er das Leben des japanischen Volkes, prägt er aufs tiefste seine Art der Welterfahrung und Lebensbewältigung.

Abschließend muß man fragen, was die religiösen Archetypen des Shintō für die Inkulturation des Christentums im japanischen Volk bedeuten; doch scheint auch dieses Problem kaum je durchdacht worden zu sein. Jedenfalls bestehen nicht einmal Ansätze zu einer Inkulturation der Liturgie, wie sie etwa in Indien, Indonesien und Afrika versucht werden. Gerade weil Shintō archetypische Erfahrungen aus uralten religiösen Überlieferungen mit großer Treue aufbewahrt, lassen sich Parallelen zu unserer Liturgie in überraschendem Ausmaß feststellen.

- Das auch in Japan abgeschaffte *»Asperges me«* erfüllt das Bedürfnis für Reinigung, Lustration zu Beginn des *Matsuri*. Die Orationen entsprechen in ihrem dreifachen Aufbau aus *appellatio* (Anrufung), *memoria* (Anamnese der Heilstaten) und *invocatio* (Bitte in bestimmten Anliegen) genau der Struktur der *Norito*, nur daß diese viel länger ausfallen.
- Die Epiklese des Kanons ist eindeutig das, was im Shintōritual am Anfang des Zeremoniells steht: die Herabrufung des Gottes, *Kamioroshi*.
- Das Kultmahl *Naorai* entspricht in seiner Symbolik unserer Eucharistie: im Reiswein und in der aus Reis zubereiteten *Mochi* oder *Sekihan* lebt der Jahresgott, der in der Reisähre gegenwärtig ist. Das Mahl verbindet die Gemeinde untereinander und mit dem Gott, stiftet Einheit, erneuert die Lebenskraft und überwindet die Gott-Entfremdung der Welt.

Interessant ist auch die Auffassung, daß das Kultsymbol, in dem der Gott während des Jahres im Tempel gegenwärtig ist, sei es ein Spiegel wie in Ise oder ein Schwert wie in Nagoya, keineswegs als Fetisch aufgefaßt werden darf, weil nicht dem materiellen Objekt Verehrung gezollt wird, sondern dieses »Realsymbol« im Sinne der antiken Mysterien ist, d. h. die Realpräsenz des Gottes einschließt. Diese Erkenntnis wäre wichtig für die Diskussion über die Eucharistie mit evangelischen Theologen; denn *Zwinglis* Deutung: »*nur* Symbol« müßte überprüft werden im Licht der Überlieferung, daß schon in den antiken Mysterien die Kultsymbole die Realpräsenz der Gottheit implizierten, was auch von der Eucharistielehre der Urkirche gilt, wie *A.v. Harnack* bestätigt hat[16]. Wenn *O. Casel* in den Mysterienkulten der Antike eine Vorbereitung für das christliche Kultmysterium sah im Sinne einer Sensibilisierung für symbolische religiöse Riten, so daß diese in unvollkommener, vielleicht sogar verzerrter Form vorausnahmen, was sich in der christlichen Liturgie in Klarheit und Vollkommenheit darstellte[17], müßte man wohl auch den Riten des Shintō, wie sie sich vor allem im *Matsuri* äußern, mehr Aufmerksamkeit von seiten der Theologen und Liturgiker schenken, als dies bisher geschah.

[16] Vgl. das 10. Kapitel »Die Mysterien und Verwandtes«: *A.v.Harnack*, Lehrbuch der Dogmengeschichte. Bd. 2. Tübingen [5]1931, 437–490.

[17] Vgl. *O. Casel*, Das christliche Kultmysterium. Vierte durchges. und erw. Auflage, hg. v. *B. Neunheuser*. Regensburg 1960.

Yoshinori Takeuchi

DER NEUE BUDDHISMUS DER KAMAKURAZEIT

Vorbemerkung

Nach der Tradition ist der Buddhismus 552 über Korea in Japan eingeführt worden. Die frühen Perioden des japanischen Buddhismus werden nach den jeweiligen Haupt- bzw. Regierungsstädten benannt:

- In der *Narazeit* (710–784) kam es zur Ausbildung von sechs Schulen bzw. »Sekten«, Jōjitsu, Sanron, Hossō, Kusha, Ritsu und Kegon, die jedoch außer den beiden letzten später untergegangen sind.
- In der *Heianzeit* (794–1185) – Heian ist der alte Name des heutigen Kyōto – wurden zwei neue Schulen gegründet, deren Wurzeln wie in fast allen anderen Fällen (von Nichiren abgesehen) im kontinentalen, zumal im chinesischen Buddhismus zu suchen sind:

• *Tendai*, in Südchina von Chih'i (531–597) gegründet, in Japan eingeführt von Saichō (posthumer Name: Dengyō Daishi) (767–822), mit seinem Zentrum auf dem Hieiberg im Nordosten Kyōtos.

• *Shingon*, von Kūkai (posthumer Name: Kōbō Daishi) (774–835) gegründet, mit seinem Zentrum auf dem Kōyaberg südlich von Osaka.

- In der *Kamakurazeit* (1185–1333), in der die politische Macht wesentlich bei den Shōgunen und der Bakufu (wörtlich: »Zeltregierung«, weil die Militärs ihre Regierung in gewissem Sinne von den Zelten aus, d. h. auf ihren Kriegszügen ausübten) lag, wurde der traditionelle Buddhismus durch drei eigenständige Bewegungen überlagert, von denen im Beitrag die Rede ist:

• *Amidabuddhismus* (jap. *Jōdo* = Reines Land): Im Mittelpunkt steht die Ausrufung des Amida Buddha (jap. *nembutsu*). Frühe Vertreter dieser Richtung, die ihr Ziel mit Hilfe der »anderen Kraft« (jap. *tariki*), nämlich Amidas, verfolgt, sind Genshin (942–1017), Yōkan (1032–1111) u.a.; die entscheidenden Gründergestalten der Kamakurazeit sind Hōnen (1133–1212), auf den sich die Jōdo-Schule beruft, und Shinran (1173–1262), sein Schüler, der die modifizierte bzw. radikalisierte Jōdo-Shin-Schule, die »wahre Reine Land-Schule« gründete.

• *Zenbuddhismus*: In der Sicht der Amidagläubigen im Vertrauen auf die »eigene Kraft« (jap. *jiriki*) sucht der meditative Buddhismus vornehmlich im Anschluß an Eisai (1141–1215) in der Rinzai-Schule oder an Dōgen (1200–1253) in der Sōtō-Schule den Weg zur Erleuchtung zu weisen.

• *Nichirenbuddhismus*: Nach dem Gründer Nichiren (1222–1282) benannt, steht im Mittelpunkt der religiösen Praxis die wiederholte Rezitation des Titels des Lotussūtras (jap. *daimoku*).

Mit der Kamakurazeit nimmt die Geschichte des japanischen Buddhismus irgendwie eine neue Wende. Im Buddhismus dieser Zeit zeigt sich ein Geist, der völlig verschieden ist von dem der früheren Zeiten – man könnte von einem Unterschied in der Vorwegnahme des Lebens sprechen oder auch vom Aufbruch einer resoluten Einstellung zu Leben und Tod –, und wir werden entsprechend Zeuge eines Gestaltwandels im Klima der Kultur. Oder – um es nochmals anders zu sagen – man bekommt das Gefühl, daß sich ein entscheidender Wandel in der spirituellen Atmosphäre bemerkbar macht, – ein Wandel, wie wenn der Winter in den Frühling übergeht, eine Umgestaltung, die die Menschen in gleicher Weise in sich selbst und in den Bedingungen der Natur, die sie umgibt, spüren und sie in einem bestimmten Augenblick sagen läßt: »Der Frühling ist gekommen.« Wenn wir in einer solchen Zeit heute eine violette Blume im Garten entdecken, können wir sicher sein, daß da morgen bereits drei oder vier hier und dort verstreut erscheinen.

1. Die drei Erben Hōnens

Der Geist des Kamakura-Buddhismus zeigt erstmals sein Gesicht im religiösen Bewußtsein Hōnens (1133–1212). In diesem Sinne ist auf Hōnen nicht nur als Gründer der Jōdo- (= Reine Land-) Schule zu achten, sondern er ist auch die erste Persönlichkeit, die auf wunderbare Weise den vollen Charakter des Buddhismus dieser Zeit repräsentiert. In der Erfahrung und im Denken Shinrans (1173–1262), Dōgens (1200–1253) und Nichirens (1222–1282) – drei religiöse Führergestalten, die ein halbes bis zu einem ganzen Jahrhundert später geboren wurden, – war der Strom des buddhistischen Gedankenguts, das das Wesen nicht nur des Kamakura-Buddhismus, sondern des ganzen nachfolgenden japanischen Buddhismus bestimmte, praktisch bereits voll entwickelt.

Alle drei waren Erben des Geistes Hōnens, jeder auf seine Weise und unabhängig davon, ob er Hōnens Standpunkt bejahte oder es vorzog, ihn völlig abzulehnen. In gewissem Sinne zeigen sich die charakteristischen Züge des Kamakura-Buddhismus noch konkreter und ausgeprägter in diesen drei Nachfolgegestalten als in ihrem Vorläufer Hōnen. Man kann sich so überlegen, ob man nicht, wenn das ganze Feld des Geistes des Buddhismus der Kamakurazeit abgeschritten werden soll, besser diese Aufgabe auf die Weise angeht, daß man sich von drei Seiten her einen Überblick verschafft, mit den drei Persönlichkeiten als Bezugspunkten. Ja, es wäre sogar gerechtfertigt, diese selben drei Persönlichkeiten als Koordinaten eines Überblicks über den ganzen japanischen Buddhismus unter Einschluß der Vor- und Nach-Kamakurazeit zu benutzen. Zugleich müssen wir uns allerdings über eines im klaren sein: Suchen wir nach einem Punkt, der alle Züge der

Kamakurazeit in einem sammelt und zusammenfaßt, so müssen wir zu Hōnen zurückkehren.
An dieser Stelle muß ich selbst mich beschränken, so daß ich so vorgehe, daß ich die Aufmerksamkeit auf Shinran konzentriere, aber zugleich die dynamische Beziehung zwischen den zuvorgenannten Persönlichkeiten voraussetze.

a. Shinran und Dōgen

Die enge Beziehung Shinrans zu Hōnen braucht hier nicht heruntergespielt zu werden, doch selbst in Dōgens Fall kann vorausgesetzt werden, daß er Hōnens Lehre ziemlich gut kannte, unter anderem durch einen Schüler des gelehrten Chōsai (der selbst ein Jünger Hōnens war), der später zu ihm kam. Daß Dōgen nichtsdestoweniger das Nembutsu als das »Quaken der Frösche« (jap. *kawazu no koe no sewashiki*) schmähte, geht auf die Tatsache zurück, daß er unfähig war, in ihm einen religiösen Ausdruck von einer Reinheit und Direktheit zu entdecken, die seinem eigenen »Nur sitzen« (jap. *shikan taza*) verwandt war, sondern stattdessen in ihm eine Religiosität erblickte, die voll von magischen, meditativen und ethischen Vermischungen war, gegen die er glaubte ankämpfen zu sollen. Mit anderen Worten, er entdeckte in Hōnens Nembutsu nicht jene Geradlinigkeit, Einfachheit und Reinheit des Herzens, die Shinran als »Nur Nembutsu« (jap. *tada nembutsu shite*) bezeichnete.
Trotzdem zeigen die folgenden Sätze aus Dōgens Kapitel »Geburt und Tod« *(Shōji)* in seinem Werk *Shōbōgenzō* eine klare geistliche Verwandtschaft zwischen Hōnen und Shinran: »Das gegenwärtige Leben, Geburt und Tod, selbst ist das Leben des Buddha. Wenn du versuchst, es mit Widerwillen zurückzuweisen, so verlierst du damit das Leben des Buddha. Wenn du in ihm verweilst, indem du dich an Geburt und Tod klammerst, so verlierst du ebenfalls das Leben des Buddha, da Geburt und Tod ⟨nur⟩ der Weg, Buddha zu sein, sind. Du kannst den Geist des Buddha nur erlangen, wenn es weder Haß noch Verlangen nach Geburt und Tod gibt. Doch versuche es nicht mit deinem Geist abzuwägen oder in Worten zu äußern! Wenn du einfach beides, Leib und Geist, freiläßt und vergißt und dich selbst in das Haus des Buddha wirfst und wenn dein Tun aus der Richtung des Buddha kommt und du ihm einfach folgst, dann bist du ohne Kraftanstrengung und ohne langes Nachdenken frei von Geburt und Tod und wirst Buddha.«[1] Ob man diese Worte als dem Ideal der Anderkraft Hōnens und Shinrans nahe liest (wie D.T. Suzuki es getan hat) oder als von völlig anderer Art ansieht (mit S. Hisamatsu), hängt zu einem guten Stück davon ab, wie man das

[1] *Dōgen*, Shōbōgenzō (= Schatz der Erkenntnis des Wahren Gesetzes), Kapitel: Shōji (= Geburt – Tod). Eine englische Übersetzung von *M. Abe* findet sich in: The Eastern Buddhist (Kyōto) N.S. V/1 (May 1972) 75ff.

Verhältnis von Selbstkraft und Anderkraft versteht, wie man das Wesen von Dōgens Zen begreift oder schließlich wie man die Anderkraft bei Hōnen und Shinran interpretiert.
So kann man, auch wenn gewiß Probleme bestehen bleiben, von der Tatsache überrascht sein, daß es eine gewisse fundamentale Gewahrnis gibt, die Dōgen auf der einen und Shinran auf der anderen Seite gemeinsam ist – zumindest, sofern man sich nicht zu sehr an begriffliche Definitionen hängt, sondern stattdessen auf die reine Anderkraft oder das authentische Bewußtsein der Selbstkraft in der Richtung eines Gefühls schaut und dieses Gefühl in einer weiten und tiefen historischen Sicht zu erfassen sucht – einem Horizont, der sich nur durch religiöse Geschichtlichkeit eröffnet.

b. Shinran und Nichiren

Nichiren begann seine religiöse Erziehung mit einem Studium der Tendai-, Jōdo- und Shingonlehren. Sein Ausgangspunkt ist dem Hōnens sehr ähnlich. Doch die entsprechenden Richtungen, in die diese zwei über diesen Punkt hinausgehen, liegen einander diametral gegenüber. Als ein Mann, der im Kantōgebiet aufwuchs, stand er nicht sehr unter dem Einfluß der Denkweisen und des Lebensstils des Hieizan, jenes Zentrums des japanischen Tendai-Buddhismus auf dem Berg Hiei im Nordosten Kyōtos, von dem Hōnen, Shinran und Dōgen sich zu lösen hatten. Dies erklärt, warum seine »Lotuslehre nach dem Tendai« zu einer Idealisierung reinerer Natur wurde. Als Personifizierungen dieses Ideals erkannte Nichiren nur Tendai Daishi (d.i. der japanische Titel des chinesischen Mönchs Chih'i [531–597]), Dengyō Daishi (= Saichō [767–822]) und sich selbst an.
In Nichirens Zeit, ungefähr einhundert Jahre nach Hōnen, hatte sich das Machtverhältnis zwischen dem alten und neuen Buddhismus – der erste ursprünglich der Verfolger, der zweite der Verfolgte – bereits verlagert. »In den Kennin-Jahren (1201–1204) wurden Hōnens Nembutsusekte und Dainichis Zensekte gegründet ... und seitdem haben diese beiden Lehren das Land erfüllt. Die Art, in der die Gelehrten der Tendai- und Shingonsekte den prominenten Anhängern der Nembutsu- und Zensekte schmeichelten, glich der Art eines Hundes, der mit seinem Schwanz seinen Herrn anwedelt, oder einer Ratte, die vor der Katze zittert« – so drückte Nichiren es auf seine extreme Weise aus[2]. Inmitten dieser Situation flammte Nichirens Haß gegen Hōnen stark auf, so daß er ihn so tadelte: »Wenn wir das barmherzige Herz des Buddha betrachten, das alle seine Kinder durch die Verkündigung des Lotussūtra zu erleichtern wünscht, so finden wir, daß diese Barmherzigkeit so stark ist wie das Herz der Eltern, die das große Leiden ihres einzigen Sohnes beobachten. Hōnen, weit von einer Sympathie für dieses Herz des

[2] Aus *Nichiren*, Kaimokushō (= Augenöffner) II.

Buddha entfernt, möchte das Tor des Lotus kräftig schließen und es für das Volk unmöglich machen einzutreten. Dies ist ein unbarmherziges Verhalten, wie wenn man ein idiotisches Kind betrügt und dafür sorgt, daß es seinen Schatz wegwirft.«[3] Auf solche Weise machte Nichiren Hōnen verabscheuungswürdig und vervielfältigte er seine Anwürfe gegen ihn in seinen Schriften. Trotzdem können wir erkennen, daß Nichirens Haltung gegenüber dem Lotussūtra völlig mit Hōnens Haltung gegenüber Amida Buddha und seinem heiligen Namen übereinstimmte. Nichiren zeigt das klar, wenn auch unabsichtlich, in Sätzen wie den folgenden: »Unter den Namen der vielen Buddhas ist der des Amida am weitesten verbreitet. Der erste, der diesen Namen verbreitete, war Genshin (942–1027). Er schrieb das Buch *Ojōyōshū* (Die für die Wiedergeburt wesentlichen Lehren), und ein Drittel aller Japaner begannen Nembutsu zu üben. Der zweite, Yōkan (gest. 1111) veröffentlichte sein Buch *Ojōjūin* und feierte das Ritual der Wiedergeburt im Reinen Land. Nun wurden bereits zwei Drittel der Japaner Amidagläubige. Schließlich schrieb Hōnen sein *Senjaku hongan nembutsushū* (Sammlung von Sätzen über das Ausgewählte Erste Gelübde und Nembutsu), und daraufhin begannen alle Japaner, den Namen Amidas zu rezitieren. Deshalb sind es nicht nur Hōnens Schüler, die Amidas Namen rezitieren. Die genaue Bedeutung der Rezitation des Namens Amidas besteht in der Rezitation des *Titels* der drei Hauptsūtren der Schule des Reinen Landes (da im Titel eines jeden dieser Sūtren der Name erwähnt wird). War nicht die Verbreitung des Titels der Sūtren, die in der Ordnung niedriger standen als das höhere und in vollem Maße authentische Mahāyāna-Sūtra, einfach eine Einführung zur Verbreitung des letzteren? Leute, die etwas Verstand haben, können das einsehen ... Vom Anfang des japanischen Buddhismus (d. h. von der Zeit der Kaiserin Kinmei) bis heute hat es noch niemanden gegeben, der den Titel des Saddharma-pundarika-Sūtra als *Namumyōhōrengekyō* rezitiert und verehrt hat. Wenn die Sonne scheint, verschwinden alle Sterne, und wenn der weise König erscheint, verschwinden alle törichten Könige. Wenn das authentische Sūtra verbreitet wird, hört die Verbreitung der quasi-authentischen Sūtren auf. Wenn der weise Mann den Titel des Lotussūtra rezitiert, werden alle – auch die Törichten – ihm folgen. Es ist wie der Schatten, der einem Körper folgt, und wie die Echos, die einer Stimme folgen. Zweifellos ist Nichiren der höchste Vollstrecker des Lotussūtra.«[4]

Nichiren beschreibt hier das »Rufen des Amidanamens« als identisch mit der Rezitation der Titel der drei Sūtren der Reine Land-Sekte: dem *Daimuryōjukyō* (Größeres Sūtra des ewigen Lebens), dem *Kanmuryōjukyō* (Meditationssūtra über das ewige Leben) und dem *Amidakyō* (Amidasūtra). Bei dieser Gelegenheit müssen wir zu den Eingangssätzen von Shinrans *Kyō-*

[3] Ebd.

[4] Aus *Nichiren*, Senjishō (= Schrift über die Wahl der Zeiten).

gyōshinshō zurückkehren, wo es heißt: »Die wahre Lehre ist ins Licht gerückt im Größeren Sūtra des ewigen Lebens ... So sehen wir, daß das Hauptthema dieses Sūtra Nyorais (= Amida Buddhas) Ursprüngliches Gebet *(Hongan)* ist und daß seine Substanz (*tai*, »Leib«) im Buddhanamen besteht.«[5] Shinran betont hier nachdrücklich, daß der »Leib« des *Muryōjukyō* der heilige Name ist. Gibt man zu, daß damit das Sūtra und der heilige Name austauschbar sind, so kann der Übergang vom heiligen Namen zum Titel des Sūtra oder *Daimoku* als nur ein weiterer Schritt auf derselben geraden Linie gesehen werden[6].

Damit soll nicht unterstellt werden, Nichiren habe Shinrans *Kyōgyōshinshō* gelesen. Jedoch alles, was Shinran in seinen Untersuchungen zur Lehre (Sūtra) tut, ist den Kern der Kommentare zu den drei grundlegenden Sūtren der Jōdoschule, wie sie sich in Hōnens Predigten finden, nehmen und den höchsten Sinn des *Daimuryōjukyō* im Stil der Tendaischolastik klären. Nichiren seinerseits war, abgesehen davon, daß er natürlich das *Senjakushū* kannte, sich wahrscheinlich auch des Inhalts dieser Predigten bewußt. Nach dem Shinshūgelehrten Jinrei (1748–1817) folgen Shinrans Worte: »Das Hauptthema dieses Sūtra ist Nyorais Ursprüngliches Gebet, und seine Substanz ist der Buddhaname« dem Erklärungsschema, das Chih'i selbst in seinem Kommentar zum Lotussūtra, *Miao-fa lien-hua ching hsuan-i* (Die Quintessenz des Lotussūtra), geschaffen hat, um das Wesen dieses Sūtra als den höchsten Ausdruck der Buddhawahrheit zu deuten.

Das bedeutet, daß beide, Shinran und Nichiren, zu der Erkenntnis gelangten, daß die wahre Wirklichkeit – die in der Tendaiphilosophie noch als ein Dharma gedacht wird, das aktuell als objektive Wahrheit existiert, selbst wenn die wahre Realisierung des Mittelweges (jap. *chūdō-jissō*) für jenseits des Gegensatzes von Leere *(kū)* und Erscheinung *(ke)* erklärt wird, – die Frage einer religiösen Tat und Entscheidung ist, in der eine Person zum ersten Mal in einem persönlichen »Ruf-und-Antwort« (oder einer Entsprechung bzw. einer Begegnung) mit dem Buddha die Wahrheit empfangen kann, die sich im *Daimuryōjukyō* oder dem Lotussūtra findet.

Für Nichiren ist deshalb der Übergang von Hōnens Nembutsu entsprechend der Trias der Jōdosūtren zum *Daimoku* seines eigenen Lotussūtra eine äußerst natürliche Angelegenheit. Sobald im übrigen das Problem der religiösen Existenz, das von Hōnen aufgeworfen wurde, zum Zenit der

[5] *Shinran*, Kyōgyōshinshō (= Lehre, Praxis, Glaube, Bezeugung) I. Kyō (= Lehre [Band der Lehre]) (Kyōkan). Vgl. die englische Übersetzung von *D. T. Suzuki*, The Collection of Passages Expounding the True Teaching of the Pure Land. Collected by Gutoku Shaku Shinran. Kyōto 1973, 29f.

[6] Ich fand kürzlich dieselbe Idee, den Titel des *Saddharma (puṇḍarīka) sūtra* (= Lotussūtra) als Äquivalent zur Rezitation des Buddhanamens zu rezitieren, in einem Buch, das von einem gelehrten Mönch der japanischen Tendaischule, lange vor Hōnen, verfaßt wurde.

subjektiven Existenz durch Shinran und Dōgen vorangetrieben war, war die nächste Aufgabe, dieses umzukehren und auf ihm eine subjektive Objektivität als den Ort existentieller Kommunikation und existentiellen Austausches zu errichten. Genau das aber ist in gleicher Weise charakteristisch für die Religiosität Nichirens und Ippens (1239–1289). Beide waren bemüht, die Subjektivität der religiösen Wirklichkeit objektiv sicherzustellen in einem Ort der Kommunikation zwischen dem Selbst und dem Anderen – Nichiren durch die sozio-politische Realität des Lotussūtra und Ippen vom Standpunkt des Nembutsu durch Tanz und andere Riten, die in Gruppenfeierlichkeiten vollzogen wurden.

Es läßt sich somit nicht bezweifeln, daß Shinran, Dōgen und Nichiren die Erben Hōnens waren und in gleicher Weise seinen Einfluß erfahren haben, ungeachtet der Frage, ob sie Hōnens Standpunkt annahmen oder zurückwiesen. Wie zuvor gesagt, ist es daher notwendig, den Geist des Kamakura-Buddhismus erneut zu betrachten mit Hōnen als dem zentralen Punkt. Umgekehrt führt eine erneute Besinnung auf Hōnen in diesem Sinne zur Klärung der Größe der Persönlichkeit Hōnens und zur Entdeckung von ungeahnten Tiefen in seiner Religiosität. Nach meinem Verständnis verzeichnet und entstellt das traditionelle Hōnenbild zu einem großen Teil den Mann. Das ist darauf zurückzuführen, daß die vorhandenen Biographien zusammen mit der *Heike Monogatari* (Geschichte des Hauses Taira) das Bild des Hōnen in einer übermäßig sentimentalen Weise zu zeichnen geneigt waren, als einen Mann süß wie Zucker.

2. Direktheit als innere Gestalt

Zuvor habe ich Hōnen als Ausgangspunkt gewählt, um über Shinran, Dōgen und Nichiren zu sprechen und meine Aufmerksamkeit auf einen Charakterzug gerichtet, der die gemeinsame Basis dieser drei religiösen Gestalten genannt werden kann. Ich habe damit unsere Untersuchungen auf einen Vergleich gleichsam von außen beschränkt und mich der Hilfe ihrer Lehren bedient. Nun möchte ich die Untersuchung mehr von innen her beginnen, indem ich das religiöse Gefühl dieser Männer zu begreifen suche. Verständlicherweise kann auch eine solche Untersuchung nicht in erschöpfender Weise geschehen; wir werden uns damit zufriedengeben müssen, als typisches Beispiel einen Wesenszug unserer Persönlichkeiten, nämlich ihre Direktheit – wir könnten auch von ihrer Einfachheit und Offenheit sprechen – herauszuarbeiten.

Shinran, Dōgen und Nichiren geben die traditionellen Wege der buddhistischen Gelehrsamkeit auf, die ganz auf die Lehre konzentriert ist, den Beweis einer weiten Erziehung darstellt und dadurch fortschreitet, daß sie ältere Texte kommentiert. In dieser traditionellen Weise fährt man fort, die eigenen

Gedanken auf der Basis von äußerst sorgfältigen und genauen Begriffsanalysen zu umschreiben. Stattdessen gehen die Gestalten der Kamakurazeit von den klar umschriebenen Vorschriften des Herzens aus, die direkt ihrer persönlichen Erfahrung entspringen. Und die Sprache, in der sie diese ausdrücken, zeigt sowohl große Tiefe wie auch Klarheit.

a. Der Bodhisattva-Geist bei Dōgen

So drückt sich z. B. Dōgen, wo er den »Begriff des Bodhisattva-Geistes *(bodhicitta)*« diskutiert, folgendermaßen aus. Es gibt alle möglichen Theorien und Kommentare über das *bodhicitta*, doch im Grunde besagt es, sich ganz stark bewußt zu sein, daß alles unbeständig und fließend und Geburt-und-Tod das Einzige ist, was zählt (jap. *mujōjinsoku-shōjijidai*). Wer die Unbeständigkeit der Dinge erfahren hat, wird nicht länger von melodischer Musik betört wie der von Kalavinka (laßt uns sagen: von der Nachtigall) oder von Schönheiten wie der Seishi (wir können auch sagen: der Venus). Seine Entscheidung, Ausschau zu halten nach dem Weg der Befreiung, zeigt die Kühnheit eines Mannes, der versucht, das Feuer in seinem Haar zu löschen, und das Verlangen, von den anstrengenden Umständen des täglichen Lebens befreit zu werden, bricht wie ein Feuer in ihm auf. Für Dōgen besagt das Verständnis des *bodhicitta*, einen solchen Geisteszustand zu erlangen (vgl. *gakudōyōjinshū*).
Den Bodhisattva-Geist erfassen (jap. *hotsubodaishin*) erscheint hier verschieden von dem, wovon in den traditionellen Traktaten gesprochen wird: als eine Sache, die einen ergreift, wo man lebt. In den Werken über das *Abhidharmakośa-śāstra* und die »Geist-allein«-Theorie *(Vijñapti-mātra)* können wir die Wesensstruktur der Unbeständigkeit studieren und von detaillierten begrifflichen Abgrenzungen gegenüber der psychologischen oder metaphysischen Natur lernen. Doch das versieht uns nur mit einer Definition, sozusagen einem Skelett des Gefühls der Unbeständigkeit. Völlig verschieden davon blieb Dōgen seiner eigenen direkten Erfahrung nahe. Er hatte eine hinreichend intime Kenntnis von dem, was Unbeständigkeit und Leiden besagt, um sich bewußt zu sein, daß diese die Energie und die grundlegende Motivation dafür sind, daß ein religiöses Gefühl, *bodhicitta* genannt, entsteht.

b. Der Bodhisattva-Geist bei Shinran

Dasselbe ist bei Shinran der Fall. Auch er spricht von der Natur des *bodhicitta* aus seiner eigenen Erfahrung heraus. So beginnt er z. B. in seiner Behandlung der »Stationen der Umgestaltung des Glaubens entsprechend den drei Gelübden« (jap. *sangan-tennyū*) im 6. Kapitel des *Kyōgyōshinshō* bei dem, was er das »*bodhicitta* der Selbstkraft« nennt und erforscht dann sehr genau, allerdings stets aus seiner eigenen Erfahrung heraus, wie er überwunden, überboten und in seinem Charakter verändert wird und warum er letztendlich in das überführt werden muß, was dann »*bodhicitta* der Anderkraft« genannt wird. Tatsächlich existiert für Shinran die wahre Reinheit oder Wahrheit nicht in der Realität des eigenen Herzens. Sie sind Dinge, die ich besitze oder die in meinem Herzen als seine Attribute oder Charaktereigenschaften zu finden sind. Das wahre Herz und das reine Herz existieren nirgendwo, es sei denn als hoher und weiter transzendenter Geist (das Herz der äußersten Aufrichtigkeit des Buddha), fern von meinem individuellen Herzen; wir sprechen dann von transzendenter Wahrheit oder dem reinen Herzen des Amida Buddha. Dies ist das Wesen des *bodhicitta*, und es gibt eine Zeit, in der es durch die Gnade des Buddha in meinem eigenen Herzen wohnt. Das ist der »Augenblick der Eröffnung des Glaubens«. Sobald diese sich ereignet, hört das *bodhicitta* auf, eine Vermittlung zu sein, etwas, das einmal da ist und dann wieder nicht. Das wahre *bodhicitta* muß *kongōshin* sein, *vajra*-Geist, der hart ist und nicht nachgibt. Shinran untersucht dann im einzelnen, wie inmitten der menschlichen Endlichkeit und Sündhaftigkeit solch ein Geist entsteht und existiert; wie er sein kann und fortfahren kann zu sein. Wie der Ausdruck »vollständig und bis zu seinem äußeren Ausmaß« im *Tannishō* andeutet[7], ist die grundlegende Frage, welche Bedingungen der Geist erfüllen muß, um so radikal und fundamental zu werden, daß er durch alles hindurch Bestand hat. Es wird dann klar, daß unser gewöhnlicher »kleiner« religiöser Geist, der einfach aus uns selbst heraus kommt, ein *bodhicitta* im Sinne des menschlichen Idealismus, niemals ausreicht. Denn solch ein Idealismus ist nichts als ein Ansporn, der das eigene kleine Selbst bewegt, sich zu bemühen und anzustrengen in Richtung auf das Ideal. Und ungeachtet der Frage, wieweit man sich auch einbildet, dem idealen Großen Selbst durch Verneinung des eigenen Ego nahegekommen zu sein, – die Anhänglichkeit an das Ego, die auf dem Grunde unseres Bewußtseins schlummert, kann niemals dadurch allein unterjocht werden. Wir mögen es mit dem vollen Einsatz des letzten Tropfens unserer Willensenergie versuchen, – ein durchgreifendes reines und echtes *bodhicitta* läßt sich mit des Menschen begrenztem Geist nicht erreichen; er verbleibt stets in einem Abstand zum Ideal. Shinran sagt: »Das *bodhicitta* des heiligen Weges der Selbstkraft ist außerhalb der Reichweite unserer Herzen und Worte.«[8] Eher als eine theoretische Konklusion: »Dieses ist, wie es ist; so muß es sein« geben diese Worte eine wirkliche

[7] Das kleine Buch *Tannishō* (= Klage über die Glaubensferne) wurde von Yuien, einem Schüler Shinrans, verfaßt. Das Zitat findet sich in Kapitel 4; vgl. für eine deutsche Übersetzung *R. Okochi/K. Otte*, Tan-ni-shō. Die Gunst des Reinen Landes. Bern 1979.

[8] Aus *Shinran*, Shōzōmatsuwasan (= Lied von den drei Buddha-Zeiten des wahren, ähnlichen und letzten Gesetzes).

Erfahrung wieder, Worte der Resignation angesichts dessen, woraus es kein Entkommen gibt (keinen Raum für eine Selbstrechtfertigung oder eine Ausflucht), ein Bekenntnis, daß die Selbstverleugnung des Willens in sich zur völligen Frustration gekommen ist. Und das Gefühl, daß »mein Herz unerlösbar ist durch was immer für eine Befolgung«, ist nach Shinran der erste Schritt zum religiösen Erwachen.

Vor diesem Hintergrund erscheint Shinrans »wahres *bodhicitta* der Anderkraft« als abhängig von der Buddhakraft und der Gnade des Amida als des Absolut-Anderen und als gründend im reinen Buddhaherzen, das sich selbst in der Reue des Sünders (jap. *zange*) widerspiegelt. Hierin ist zum ersten Mal das verwirklicht, was Shinran »die zwei Aspekte des Glaubens des sündigen Menschen an Amida« nennt: ein Herz, das entschieden glaubt in der Tiefe seiner eigenen Unbeständigkeit und Sündhaftigkeit und in einer Lebensform, aus der es keine Befreiung gibt, und das trotzdem oder genauer gerade deshalb voller Vertrauen auf das von Amida Buddha geschenkte Heil glaubt. Dieser Glaube wirkt dann als das Große *Bodhicitta* der Anderkraft. Dieser Punkt wird in knappen, scharfen Ausdrücken der persönlichen Erfahrung im *Tannishō* und in anderen Werken Shinrans erläutert. Solche Direktheit und Einfachheit des Ausdrucks, verbunden mit der Tiefe eines lehrhaften Inhalts, finden wir in der Sprache der religiösen Gestalten der Kamakurazeit in einer Weise, die sich dem eigenen Geist unmittelbar als sehr eigen und erfrischend mitteilt.

c. Nichirens religiös-politischer Impuls

In Nichirens Verständnis ist die Entstehung der Jōdo- und Zenschulen vom dekadenten Geist der Zeit hervorgerufen worden, und folglich haben die Gezeiten des Schicksals den Punkt erreicht, wo diese falschen Lehren das Volk ins Verderben führen. Falls diese Gezeiten nicht sofort blockiert würden, indem diese gottlosen Mächte ausgerottet würden und der Glaube an das Lotussūtra erneut zum Leben gerufen würde, würde es keine Zukunft für das japanische Volk geben. Gegen diese hereinbrechende Gefahr hat Nichiren dann direkt und in fast drohenden Worten an das in Kamakura residierende Feudalregime (jap. *bakufu*), das Zentrum der politischen Macht in jener Zeit, appelliert und es beschworen, die Praxis des Nembutsu bedeute die Menschen in die Hölle stoßen und die Lehre des Zen sei eine Verführung des Teufels. So kritisierte er namentlich Hōnen, Rankei Dōryū (einen chinesischen Mönch, der 1246 nach Japan einwanderte und von 1213–1268 lebte) sowie Ninshō (1216–1303), einen Mann, dem die Wiederbelebung der Risshūsekte zugeschrieben wird, als *die* Repräsentanten all derer, die dafür verantwortlich sind, daß die Gezeiten des Schicksals in die falsche Richtung drängten. Die Persönlichkeiten hatten aber den Respekt Tokiyoris, des damaligen ersten Ministers (jap. *shikken*) des *bakufu*, sowie anderer zentraler Gestalten gewonnen mit dem Ergebnis, daß Nichirens hartnäckige Anklagen ihm die Verbannung nicht nur einmal, sondern zweimal eintrugen. Die Dinge hörten damit nicht auf: Nichiren wurde unterwegs von Feinden angegriffen und sein Leben ernsthaft bedroht.

Die Krise, die Nichiren ankündigte, nahm konkrete Gestalt an in der Invasion Japans durch die Mongolen. Wie zuvor gesagt, bestand nach Nichirens Überzeugung der einzige Weg zur Errettung aus solch einer Situation in der Verbreitung der Bewegung, die ihr Vertrauen auf das Lotussūtra setzte und den Titel des Sūtras rezitierte. Was Nichiren selbst als erstes von allem in dieser Absicht tun zu sollen glaubte, war, sich selbst positiv den Härten um des Lotussūtra willen auszusetzen und ein Märtyrer für das Lotussūtra zu werden. Unter den repräsentativen Gestalten des japanischen Buddhismus ist Nichiren der einzige, der den Geist der jüdischen Propheten besaß, und was seinen Haß für die neuentwickelten Schulen des Buddhismus, zumal Jōdo und Zen, angeht, so können wir diese Gefühle am besten verstehen, wenn wir uns an den ähnlich gelagerten Haß der Propheten gegen die sie umgebenden Heiden erinnern.

Japan überlebte schließlich die Mongoleninvasion ohne ein zu starkes Trauma und keineswegs entsprechend dem von Nichiren entworfenen Szenario; die religiöse Politik der *bakufu* in Kamakura setzte sich anschließend in einer ganz anderen Richtung als der von Nichiren angesagten fort. Doch konnte all das Nichirens und seiner Jünger Überzeugung entkräften, »das Rechte Gesetz zu etablieren, um dem Land Frieden zu bringen«? Es gibt Wissenschaftler, die auf diese Weise das Denken und Leben des späten Nichiren nach seinem Rückzug zum Berg Minobu deuten. Es wird jedoch (z. B. von C.H. Dodd) gesagt, daß die Verzögerung des Kommens der Gottesherrschaft nicht den Geist der Urkirche gedämpft, sondern im Gegenteil als Sauerteig für eine neue Fermentierung innerhalb der Gemeinde gewirkt hat. War es nicht in Nichirens Fall ähnlich, daß nämlich seine Überzeugungen unter dem Druck nicht an Kraft verloren, sondern im Gegenteil internalisiert, vertieft und mit neuem Gewicht versehen wurden? Wie immer es auch gewesen sein mag, die Einheit von praxisorientierter religiöser Existenz und politischer Entschlossenheit, deren lebendige Verkörperung Nichiren war, wirkte weiter als spiritueller Magnet, der in den Kreis Nichirens nicht nur Anhänger aus den niederen Gesellschaftsschichten, sondern vor allem aus der Kriegerklasse brachte – und das während seiner Lebenszeit und nach seinem Tod.

d. »Auswahl« und Entscheidung

Wir haben nun in Kürze gesehen, wie die Direktheit auf dem religiösen Boden in den drei zentralen Gestalten der Kamakurazeit gewirkt hat. Diese Direktheit ist, wie sie war, eine Kristallisierung des Geistes. In den drei

Gestalten ist, wenn auch bei jeder von ihnen auf einmalige Weise, ein ursprünglich verfälschter Stand der Dinge im Extrempunkt der Selbstkonzentration zu etwas umgeformt worden, das eine transparente kristallene Struktur besitzt. Diese Direktheit aber wurde als eine Angelegenheit religiöser Existenz durch eine religiöse Entscheidung hervorgebracht.
Das Nembutsu des Ausgewählten Ersten Gelübdes (jap. *senjaku hongan*), welches von Hōnen öffentlich proklamiert wurde, impliziert, daß das Nembutsu und dieses allein von Amida Buddha zum Heile der Menschen dieser letzten Tage unter allen Arten guter Taten, religiöser Übungen, meditativer Praktiken usw. ausgewählt wurde und im selben Zeichen alle anderen Praktiken zurückgewiesen wurden. Unsere Pflicht ist es einfach, dieses Gelübde zu befolgen und das Nembutsu zu rezitieren. Von Shinran ist diese Auswahl in dem Sinne interpretiert worden, daß sie die Entscheidung für eine gläubige Existenz und die »Wiederholung« des Glaubens einschließt. So wird der Glaube zur Grundlage des Nembutsu für uns. Die Entscheidung für diesen Glauben kommt aber ursprünglich von der Seite des Amida Buddha; das Unsere muß ein gläubiges Herz sein, das uns vom Tathāgata geschenkt wird.
Dōgens *shikan-taza* (Sitzen-allein) erforderte dieselbe Art von Einfachheit auf Seiten des *Zazen*. In diesem Sinne haben einige Forscher ihn »ausgewähltes Zazen« genannt. Auch Nichirens *daimoku* wählt aus und setzt eine religiöse Entscheidung auf der Ebene politischer Praxis in Praxis um. Im traditionellen Buddhismus, zumal in der Zeit der Entwicklung des Mahāyāna, war es für die verschiedenen Sekten Brauch, ihre eigene Überlegenheit durch Kritik an anderen Standpunkten sicherzustellen; das geschah in der Überzeugung, daß dabei die eigene Lehre und religiöse Erfahrung vertieft würde. Dies ist die sogenannte Praxis des *kyōsōhanjaku*; sie wurde, soweit es die theologische Lehre betrifft, im Laufe der Zeit mehr und mehr entwickelt. In dieser Methode werden die kritisierten Standpunkte einerseits verneint, doch zur selben Zeit werden sie neubelebt und in »aufgehobener« (Hegel) Gestalt in den eigenen höheren Lehren bewahrt. Unsere drei repräsentativen Gestalten erlaubten jedoch keinen Kompromiß: sie alle forderten von ihren möglichen Nachfolgern eine klare Entscheidung »entweder – oder«, worin sie alle anderen Praktiken zurückweisen und »nur dies« als existentielle Wahrheit annehmen würden.
Dennoch fühle ich, daß wir in demselben buddhistisch-existentiellen Geist, der in gewissem Sinne diese drei wechselseitig exklusiv macht, mit dem in Berührung kommen, was in höchstem Maße Allgemeingut des Buddhismus ist. Wie das Verhalten dieser Gründergestalten der Kamakurazeit in ihrer klar umschriebenen Männlichkeit beeindruckte, so war ihre Sprache in den meisten Fällen klar und geradeaus und zur selben Zeit von einer außerordentlichen Resonanz als japanische Prosa oder Dichtung. Sie bevorzugten nicht eine Lehre, die auf einer Anreihung abstrakter Begriffe gebaut oder von

Ideen beherrscht war, die den Kontakt mit der Wirklichkeit verloren hatten und deren emotionaler Kern so dünn geworden war, als ob er gleichsam gar nicht mehr vorhanden gewesen wäre. Im Gegenteil, Worte, die bei jedem einzelnen zu einem reichen Echo führten und die Kraft hatten, in ihm noch nach langer Zeit starke Erinnerungen zu wecken – oder in mehr poetischer Sprache gesagt: Worte, die jedes Menschen Herz anrührten, scheinen ganz natürlich aus ihrem Mund zu fließen. Wir müssen es hier als schwer zu entscheiden offenlassen, ob wir es hier mit einem Fluß zu tun haben, der wirklich ganz natürlich hervorströmt, oder mit etwas, in dem eine mühsam erarbeitete Sache sich in eine Natürlichkeit hineinkristallisiert hat, die zu einer noch höheren Ordnung gehört als die Natur selbst.

Ich habe den Eindruck, an der Basis dieser Direktheit einen Aspekt zu entdecken, in dem der Kamakura-Buddhismus zum grundlegenden Geist des ursprünglichen Buddhismus zurückfindet. Tatsächlich glaube ich heute, daß die Sprache eines Shinran oder eines Dōgen uns einen Geist bewahrt, der dem des ursprünglichen Buddhismus äußerst nahekommt. Könnte es nicht sein, daß diese Sprache die Qualität des ursprünglichen buddhistischen Geistes zu neuem Leben erweckt und ihn im wahren Sinne vollkommen der Kamakurazeit angepaßt hat? Sollte das nur mein eigener willkürlicher Gedanke sein?

Als Schlußfolgerung möchte ich sagen, daß wir zu Hōnen zurückkehren und erneut den Weg bedenken müssen, auf dem dieser Mann der Sache einer religiösen Entscheidung in der Gestalt von Amida Buddhas Ausgewähltem Ersten Gelübde begegnet ist, – mit anderen Worten: den Prozeß von Hōnens Bekehrung. Nur auf diesem Wege können wir unser Boot auf jenen Ozean des Glaubens (jap. *daishinkai*) ziehen, den Hōnen als erster für uns geklärt hat. Von dort können wir erfahren, wie Shinran Hōnens religiöse Entscheidung als seine eigene, persönliche Angelegenheit »wiederholt« hat. Tatsächlich ist es Shinran, der am tiefsten in den Ozean des Glaubens eingetaucht ist.

Ost–Westliche Begegnung

Hans-Joachim Klimkeit

BUDDHA ALS VATER*

In einem der beliebtesten und bekanntesten Werke des Mahāyāna-Buddhismus, dem »Lotos-Sūtra« (*Saddharmapuṇḍarīka-Sūtra*), das wahrscheinlich im 2. Jh. n. Chr. im nordwestlichen Indien seine endgültige Gestalt erhielt[1], wird der Buddha in den Kapiteln 3 und 4 als gütiger und weiser Vater dargestellt. Diese Vorstellung findet sich sonst selten in der indisch-buddhistischen Literatur; dort ist er meist der Lehrer, der Arzt, der Weise, der vollkommen Erleuchtete, der »So-Gegangene» (Tathāgata), der mehr als Vermittler einer heilwirkenden Botschaft und dann auch als Personifizierung eines kosmischen Prinzips, der »Soheit« (*tathatā*), erscheint denn als Vater. Zwar finden sich schon Belege im Pāli-Kanon und in den Sanskrit-Werken dafür, daß sich seine Jünger als seine »Söhne« verstehen[2], aber davon wird nicht der Gedanke abgeleitet, daß er im väterlichen Sinne gewirkt habe oder gar weiterwirke. Die Geschichte, wie der Buddha das Vaterhaus nach der Geburt seines Sohnes Rāhula verläßt und die ihn als einen solchen verklärt, der Haus und Hof aufgegeben habe, um die Erleuchtung in der Einsamkeit

* Mein herzlicher Dank für diverse Hinweise gebührt Frau Prof. A. von Gabain, Anger, und Herrn Dr. H. Eimer, Bonn.

1 Zeit und Ort der Abfassung dieses Werkes, das bereits 284 n. Chr. von Dharmakṣema ins Chinesische übersetzt wurde, wird erörtert in: *H. Nakamura,* Indian Buddhism. A Survey with Bibliographical Notes (= Int. Research Inst. Monograph No. 9). Tokyo 1980, 183ff. Hier wird auch Literatur zum Werk aufgeführt. Nakamura meint, daß der »Prototyp« des Sūtra bereits im 1. Jahrhundert abgefaßt wurde und daß das Werk am Ende des 2. Jahrhunderts in Gandhāra oder in der Gegend um Kapiśa in der uns heute bekannten Form vorlag; vgl. ebd. 186.

2 Z. B.: The Elders' Verses. Theragātha. Translated with an Introduction and Notes by *K. R. Norman.* London 1969, 6 (v. 45), 22 (v. 174); The Mahāvastu. Translated by *J. J. Jones,* Vol. I. London 1949, 59.61f.72.207.244; The Lalitavistara. Translated by *Rajendralal Mitra* (= Bibliotheca Indica 90). Calcutta 1881, 129.

zu gewinnen, ist auch kaum dazu angetan, ihn in den Farben eines verantwortlichen und gütigen Vaters erscheinen zu lassen. Es liegen zweifellos außerbuddhistische, hinduistische und westliche Einflüsse vor, wenn der Erleuchtete im »Lotos-Sūtra« als weiser Herr gerühmt und die Verkündigung seiner Heilslehre durch das Bild eines rettenden, lenkenden und beschenkenden Vaters veranschaulicht wird.

Man hat nun darauf aufmerksam gemacht, daß es vielleicht eine frühe parthische Version des bekannten gnostischen Perlenliedes[3] ist, die als Vorbild des buddhistischen Gleichnisses vom »verlorenen Sohn« gedient haben kann[4]. Wir werden damit aufmerksam auf einen sehr grundsätzlichen Sachverhalt, der in der buddhistischen Kunst Nordwest-Indiens schon längst augenfällig ist, nämlich den unübersehbaren Einfluß iranischer, speziell parthischer und sassanidischer, wie auch griechisch-römischer, allgemein hellenistischer Vorbilder auf die bildnerische Gestaltung der Gandhāra-Werke in den ersten vier bis fünf Jahrhunderten n. Chr. Die Frage, die sich stellt, ist die, ob dieser Einfluß auf die Kunst beschränkt blieb. Gibt es für einzelne Züge der Mahāyāna-Literatur, insofern sie im nordwestindischen und heute zu Afghanistan zählenden Raume entstanden ist, ähnliche Vorbilder? Dieser Aufsatz versteht sich als Anfrage an die Buddhismuskunde. Wir formulieren den Sachverhalt so: Lassen sich schon im frühen Buddhismus Quellen aufweisen, die allein die Entwicklung zum und im Mahāyāna-Buddhismus verständlich werden lassen, oder sind dort nur Ansätze zu finden, die dann in einer bestimmten Weise fortgeführt wurden, weil sich der katalysatorische Einfluß iranischer und hellenistischer Ideen geltend machte? Dabei ist nicht nur auf das »Lotos-Sūtra« zu verweisen, sondern auch darauf, daß die dem Urbuddhismus so fremde Lehre vom »Keim der Buddhaschaft« (*tathāgatagarbha*), die später die Sohnschaft der Bodhisattvas und damit letztlich aller Lebewesen im Verhältnis zum Buddha begründet und die in engem Zusammenhang steht mit der kürzlich vieldiskutierten Lehre von der »Buddha-Familie« (*buddhagotra*)[5], unüberhörbare

[3] Vgl. dazu *G. Bornkamm*, Thomasakten: *E. Hennecke/W. Schneemelcher*, Neutestamentliche Apokryphen, Bd. II. Tübingen [4]1971, 303 ff.

[4] *P. Kwella*, Saddharmapuṇḍarika-Sūtra, Kap. IV. Ein kulturübergreifendes Erzählmotiv: *W. Voigt* (Hg.), XIX. Deutscher Orientalistentag vom 28. September bis 4. Oktober 1975 in Freiburg im Breisgau. Vorträge. Wiesbaden 1977, 892–900.

[5] *D. S. Ruegg*, La théorie du *tathāgatagarbha* et du *gotra* (= Publications de l'École Française d'Extrême-Orient 70). Paris 1969. Zur genannten Diskussion vgl. *D. S. Ruegg*, Pāli *gotta/gotra* and the term *gotrabhū* in Pāli and Buddhist Sanscrit: Buddhist Studies in Honour of I. B. Horner. Dordrecht 1974, 199–201; *ders.*, The Meanings of the Term *gotra* and the Textual History of the *Ratnagotravibhāga:* BSOAS 39 (1976) 341–361; *O. von Hinüber, Gotrabhū:* Die sprachliche Vorgeschichte eines philosophischen Terminus: ZDMG 128 (1978) 326–332; *D. S. Ruegg*, A Further Note on Pāli *gotrabhū:* Journal of the Pali Text Society 9 (1981) 175–177.

Anklänge an entsprechende gnostische und vor allem manichäische Ideen von der Zugehörigkeit des Gnostikers zur »Familie des Lichts« aufweist. Das gnostische Belegmaterial dazu kann hier nicht ausgebreitet werden. Es ist aber darauf zu verweisen, daß sich entsprechende manichäische Belege gerade in jenem parthischen Raum finden, in dem das Parthische zahlreiche indisch-buddhistische Termini übernommen hat[6]. Unsere Frage ist also, ob sich die Entwicklung zum Mahāyāna klarer herausstellen läßt als bisher, wenn man derartige »Einflüsse« in Rechnung stellt. Grundsätzlich, so meinen wir, ist mit einer längerfristigen Begegnung zwischen Buddhismus und iranisch-hellenistischem Geist zu rechnen, auch über die Kushan-Zeit hinaus – womit wir auf eine entscheidende Kontaktzone verweisen: das Kushan-Reich –, zumal die mir bekannten Zeugnisse für die Apostrophierung der Bodhisattvas als Söhne des Tathāgata relativ spät sind, wenn man an die *Bhadracarī* denkt, in der diese Apostrophierung mehrfach ausgesprochen wird[7]. Dieses Werk, das erst in einer Zeit der Entwicklung entstand, als man dogmatische Sechserreihen zu Zehnerreihen erweiterte[8], und das sich als eigenständiger Hymnus am Ende des 4. Jh. besonderer Beliebtheit erfreute und nicht nur ins Chinesische, sondern auch in diverse zentralasiatische Sprachen übersetzt wurde[9], hebt also die Sohnesbeziehung der Bodhisattvas zum Buddha mehrfach hervor.

Ehe wir in die z. T. noch dunkle Frühgeschichte des Mahāyāna mit unserer Fragestellung hineinleuchten, gehen wir von dem gesicherten Boden jener

6 Vgl. *W. Sundermann*, Die Bedeutung des Parthischen für die Verbreitung buddhistischer Wörter indischer Herkunft: Altorientalische Forschungen IX. Berlin 1982, 99–113; *N. Sims-Williams*, Indian Elements in Parthian and Sogdian: *K. Röhrborn/ W. Veenker* (Hg.), Sprachen des Buddhismus in Zentralasien (= Veröffentlichungen der Societas Uralo-Altaica 16). Wiesbaden 1983, 132–141.

7 Der volle Titel dieses Textes lautet: *Samantabhadracaryāpraṇidhāna*. Es handelt sich um einen Text am Ende des 40. Buches des *Gaṇḍhavyūha*, der zum *Avataṃsaka-Sūtra* gehört. Vgl. dazu *K. Watanabe*, Die Bhadracarī. Eine Probe buddhistisch-religiöser Lyrik. (Diss.) Leipzig 1912 (mit deutscher Übersetzung von *E. Leumann*). Daß die in den Versen 3, 9, 14, 25, 28 und 41 genannten »Buddha-Söhne« die Bodhisattvas sind, geht nicht nur aus dem Verständnis Leumanns hervor (vgl. ebd. 41 Anm. 5), sondern auch daraus, daß diese in der chinesischen und uigurischen Übersetzung so verstanden werden. Vgl. dazu *P. Zieme*, Zum uigurischen Samantabhadracaryāpraṇidhāna: Studia Turcologica Memoriae Alexii Bombaci Dicata (= Istituto Universitario Orientale, Seminario di Studi Asiatici: Series Minor 19). Napoli 1982, 599–609. Die Aussage, der Buddha sei der »Vater des Bodhisattvas« (tib. *byaṅ chub sems dpa' rnams kyi yab*), findet sich aich in der tibetischen Version des *Arya-buddhānusmṛti (sūtra)*, tib. *'Phags pa saṅs rgyas rjes su dran pa*, Peking Kanjur, *mdo,u* (83), 58b8; TT 945, vol. 37, 107–4–8. Die Sanskritvorlage ist derzeit nicht bekannt. Freundlicher Hinweis von Geshey Pema Tsering, Bonn.

8 So im Fall der »Vollkommenheiten« (*pāramitās*) des Bodhisattva. Vgl. dazu *H. Eimer*, Skizzen des Erlösungsweges in buddhistischen Begriffsreihen (= Arbeitsmaterialien zur Religionsgeschichte 1). Köln 1976, 115ff.

9 *K. Watanabe*, Bhadracarī, 19ff.; *P. Zieme*, Samantabhadracaryāpraṇidhāna, 599ff.

zentralasiatischen Turfantexte aus, die aus einer Zeit stammen, als Buddhismus und Manichäismus – offenbar zum großen Teil friedlich – vier oder fünf Jahrhunderte lang nebeneinander lebten. Zwar sind uns wenige Texte aus der Zeit des türkisch-manichäischen Reichs der Uiguren (762–840) erhalten, die meisten Dokumente stammen aus der Periode des Reichs von Kočo (ca. 850–1250); man kann aber annehmen, daß schon in jener Zeit, und zweifellos auch in der Zeit davor, als u. a. sogdische Glaubensboten Buddhismus, Christentum und Manichäismus nach dem Osten trugen, sich entscheidende Begegnungen vollzogen haben, um vom missionarischen Wirken der Parther ganz zu schweigen. Wir setzen daher mit unserer Fragestellung in türkischer Zeit an und fragen dann, welche Prozesse sich früher, schon in der Zeit des nordwestindischen und kushanischen Buddhismus, vollzogen haben könnten.

1. Der Buddha als Vater im türkischen Buddhismus

a) Die Voraussetzungen der Verbreitung des Vatergedankens im türkischen Buddhismus

Ist es angesichts der zentralen Vaterrolle des Buddha im »Lotos-Sūtra« erstaunlich, daß dieser Gedanke in anderen indisch-buddhistischen Schriften so wenig Resonanz findet, so hat er umso bereitwilligere Aufnahme im zentralasiatischen Buddhismus gefunden. Diese Vorstellung klingt in sakischen und sogdischen Texten an[10], sie begegnet uns aber vor allem im uigurischen Schrifttum. Die türkisch-buddhistische Literatur muß wesentlich umfangreicher gewesen sein als die Textfragmente, die auf uns gekommen sind, ahnen lassen, haben wir doch zahlreiche Hinweise auf nicht mehr erhaltene Werke auf Alttürkisch. Bei den Türken scheinen besondere Voraussetzungen für die Rezeption und Weiterentwicklung des Bildes vom Buddha als Vater vorgelegen zu haben. Dies ist offenbar begründet a) in

[10] Z. B. im khotanesischen Lehrgedicht, das »Buch des Zambasta« genannt wird. Vgl. *R. E. Emmerick*, The Book of Zambasta (= London Oriental Series 21). London 1968, 113: ein König spricht zum Buddha: »You are my father, gracious One. Moreover, I am now your son.« Ein Großteil der bekannten sogdisch-buddhistischen Literatur ist erst in der T'ang-Zeit aus dem Chinesischen übersetzt worden. Daß es eine frühe sogdische Literatur gegeben haben muß, die aus dem Indischen übersetzt wurde, zeigen die vielen buddhistischen Wendungen in der sogdisch-manichäischen Literatur. Aus der sogdischen Literatur der T'ang-Zeit sei ein Beispiel angeführt. Im sogdischen *Buddhadhyānasamādhisāgara-Sūtra* wird dem Meditierenden empfohlen, sich dem Lehrer zuzuwenden und den Sinn zugleich auf die »drei Juwelen« zu richten, »just as to (his) mother and father«. *D. N. MacKenzie*, The Buddhist Sogdian Texts of the British Library (= Acta Iranica 10). Leiden 1976, 60f.

volksreligiösen Vorstellungen der Türken in vorbuddhistischer Zeit, b) in der Tendenz der Türken, die Religion des Buddha zu personalisieren, und c) in der Begegnung mit den Weltreligionen Manichäismus und Christentum.

Über die volksreligiösen Vorstellungen der vorbuddhistischen Türken sind wir schlecht unterrichtet. Aus alttürkischen Inschriften erfahren wir, daß der Himmel (*tängri*) als Gottheit neben der Erdmutter Umay (»Schoß«) verehrt wurde. Der Himmel jedenfalls ist es, der die Geschicke des Volkes und seiner Herrscher gnädig lenkt[11]. In einem knappen kosmologischen Hinweis erfahren wir in den Orchon-Inschriften, daß nach Erschaffung des blauen Himmels oben und der rotbraunen Erde unten die Menschen zwischen ihnen erschaffen wurden[12]. Ob man daraus ableiten kann, daß Himmel und Erde als erstes Elternpaar angesehen wurden, sei dahingestellt. Wir haben aber in den Inschriften keinen *eindeutigen* Hinweis darauf, daß der Himmel als Vater betrachtet wurde, auch wenn das heilige Äk-Gebirge (Äk-Taγ) als »Sohn des Himmels« bezeichnet wurde[13]. Der Himmel als der »türkische Gott oben« wird aber immer wieder neben der »türkischen heiligen Erde«, die Züge einer Muttergottheit trägt, und den Erd- und Wassergeistern genannt[14].

Aus den spärlichen Quellen, die auf uns gekommen sind, ist jedenfalls zu entnehmen, daß ein besonderes, typisch volksreligiöses Vertrauensverhältnis zu den Göttern des Himmels und der Erde bestand.

Eindeutige Zeugnisse für die Vorstellung vom Himmel als Vater bei den Türken Zentralasiens sind erst von der Altaistik und der Ethnologie aufgearbeitet worden. Wir erfahren, daß bei den Altai- und Sajan-Türken die Erde als Mutter, als Umay (»Schoß«), und der Himmel als Vater verehrt wurden, wobei in buddhistischer Zeit der Vater Himmel, der zugleich Schöpfer ist, mit dem Buddha gleichgesetzt wird. Dieser erscheint als Familienoberhaupt und damit als der oberste Vater schlechthin[15]. Den Vermutungen, daß derartige offenbar gemeinaltaische Vorstellungen von einem himmlischen Vater erst mit dem Manichäismus nach Zentralasien gekommen sind, wird man abwägend und zurückhaltend gegenüberstehen müssen. Wahrscheinlich wird sich bei der derzeitigen Quellenlage diese Frage nicht klären lassen.

Eine zweite Voraussetzung für die Verehrung des Buddha als eines Vaters bei den Türken liegt zweifellos darin, daß sie die zuweilen recht abstrakte Lehre

[11] Vgl. *T. Tekin*, A Grammar of Orkhon Turkic (= Indiana University Publications. Uralic and Altaic Series 69). Bloomington/The Hague 1968, 262 (Kül Tigin-Inschrift), 285.288f. (Tonyukuk-Inschrift), 291 (Ongin-Inschrift).

[12] Ebd. 263 (Kül Tigin-Inschrift), 280 (Bilgä Kagan-Inschrift).

[13] Ebd. 289 (Tonyukuk-Inschrift).

[14] Ebd. 265 (Kül Tigin-Inschrift); vgl. ebd. 277 (Bilgä Kagan-Inschrift).

[15] Diesen Hinweis verdanke ich meinem Kollegen Prof. K. Sagaster.

des Erhabenen, die sie nicht nur aus indischen, sogdischen und tocharischen, sondern auch aus chinesischen Quellen kennenlernten, in nicht zu übersehender Weise personalisiert haben. Die frühen Türken haben allgemeine Aussagen über die Ideale des Buddhismus auf sich selbst bezogen und ihre eigenen Namen in z. T. festgelegte und sogar kanonische Texte eingefügt und durch persönliche Bemerkungen ergänzt. So sind die uigurischen Beichtformulare gegenüber vergleichbaren indischen oder chinesischen Texten dadurch gekennzeichnet, daß wir in ihnen häufig erfahren, wer der Stifter oder Abschreiber des Textes ist, wobei diese Angaben keineswegs nur im Kolophon angefügt werden, sondern auch mitten im Text erscheinen. Selbst in einem so hochheiligen Werk wie dem »Goldglanz-Sūtra« (*Suvarṇaprabhāsa-Sūtra*) scheut sich der Schreiber nicht, seinen Namen und seine Bemerkungen in den Text einzufügen[16]. Erst recht lassen die schon erwähnten Kolophone – die z. T. ausführlich und inhaltsreich sind und in denen wir sogar über die Familienverhältnisse des Stifters informiert werden – den Zug zur Personalisierung der Religion erkennen. Die persönliche Frömmigkeit drückt sich nicht zuletzt darin aus, daß der Text einer fremdsprachigen Vorlage in der uigurischen Übersetzung so geändert wird, daß die persönliche Betroffenheit des Lesers zum Ausdruck kommt. Deutlich läßt sich dies in der Gegenüberstellung der chinesischen, von I-tsing erstellten Version des »Goldglanz-Sūtra«[17] und ihrer uigurischen Übersetzung zeigen. So sagt z. B. der Verehrende im 4. Kapitel der chinesischen Version, er wolle seine Zuflucht zu den Buddhas (»Sugatas«) nehmen und sich vor ihnen verneigen. Anschließend heißt es in der dritten Person vom Buddha: »Seine Körperfarbe ist von goldenem Glanz, rein und ohne Makel; sein Auge ist völlig rein wie blauer Bergkristall; er ist ausgezeichnet durch Glückspracht, Machtglanz und Ruhm...«[18] Im Uigurischen heißt es dagegen (in der Übersetzung von Radloff-Malov): »O Herr! *Eures* goldfarbigen Körpers Glanz wird fleckenlos und rein genannt. *Eurer* blauen, dem Beryll-Steine gleichenden Augen Durchsichtigkeit wird ganz geläutert genannt. *Euer* glücklicher, seliger Ruhm und Name wird in allen Himmelsrichtungen hoch erhoben.«[19] Kurz darauf heißt es objektiv feststellend im chinesischen Text: »Der Glanz

[16] So z. B.: »Jetzt verneige ich Ratna-Vajra der Mönch mich tief mit meinem Scheitel vor dem mit vollkommenen weisen Wissen Begabten.« *W. Radloff*, Suvarṇaprabhāsa (Das Goldglanz-Sūtra). Aus dem Uigurischen ins Deutsche übersetzt. Nach dem Tode des Übersetzers mit Einleitung von *S. Malov* herausgegeben (= Bibliotheca Buddhica 27). Leningrad 1930, 58. Diese Bemerkung fehlt in der chinesischen Vorlage. Vgl. *J. Nobel*, Suvarṇaprabhāsottama-Sūtra. I-tsing's chinesische Version und ihre tibetische Übersetzung, Bd. I. Leiden 1958, 89.

[17] Ebd. Eine englische Übersetzung der Sanskrit-Version bietet: *R. E. Emmerick*, The Sūtra of the Golden Light. Being a Translation of the Suvarṇabhāsottamasūtra (= Sacred Books of the Buddhists 27). London 1970.

[18] *J. Nobel*, Suvarṇaprabhāsottama-Sūtra, 88.

[19] *W. Radloff*, Suvarṇaprabhāsa, 57 (Hervorhebungen von mir).

der Buddha-Sonne leuchtet immerdar überallhin; völlig rein, ohne Makel, frei von Staub; der *muni*-[Heiligen-]Mond leuchtet und ist in höchstem Maße kühlend und beseitigt (so) die Hitze (-Pein) der *kleśas* [geistige Befleckungen] der Wesen.«[20] In dem leider nicht mehr ganz erhaltenen uigurischen Text heißt es hingegen: »...O Herr! Rein und geläutert, kalt und leuchtend seid *ihr*! *Ihr* vernichtet und beseitigt das Dahinschwinden aller Lebewesen, welches durch die Leidenschaften hervorgerufen wird.«[21] In der anschließenden Beschreibung der äußeren Merkmale des Buddha fährt der chinesische Text rein konstatierend fort, während der Uigure in einer persönlichen Wendung den Buddha selbst vor Augen hat, wenn er sagt: »Wie der Glanz des Sonnengottes sich ausbreitet, erleuchtet *ihr* die ganze Welt. *Eures* Antlitzes und Äußeren Geläutertheit wird wie der Beryllstein ohne Schmutz und fleckenlos genannt.«[22]

Zahlreiche Beispiele dieser Art ließen sich aus der genannten Schrift anführen. Es verwundert bei dieser Sachlage nicht, daß der im chinesischen Text ohne weitere Charakterisierung genannte Buddha mehrfach in der uigurischen Übersetzung zu »unserem Vater Buddha« wird. Während es z. B. im 8. Kapitel in einer Reihe von knappen Exhortationen heißen kann: »Verehrung dem Buddha Śākyamuni«[23], macht daraus der Uigure: »Ich verneige mich vor dem Glücke unseres Lehrers, unseres Vaters, des Gottes der Götter Śākyamuni Buddha.«[24] Ganz auf dieser Linie liegt es, wenn an einer Stelle die Buddhas der *bodhi*-Sphäre personalisiert zum einen verehrungswürdigen Śākyamuni werden, der zudem genannt wird »unser Lehrer und Vater, unser Schützer und Helfer, der mit hohem barmherzigem Sinne und vollkommen weisem Wissen begabte Gott der Götter«[25]. Diese Wendung ist eine Hinzufügung des Türken!

Selbst die Vielzahl der Buddhas kann im uigurischen Text zur Reihe der verehrten Väter werden. So bekennt der Fromme im Beichtkapitel (Kap. 4) der chinesischen Version seine Sünden »angesichts der Buddhas«[26], während der Türke dies »in Gegenwart meiner Buddha-Väter« tut[27]. Das entspricht durchaus einem allgemeinen Zug der uigurischen Texte, wo die Buddhas wiederholt im Plural als »die Väter« angerufen werden.

Mag man vermuten, daß derartige Umgestaltungen, die also selbst in zentralen Sūtra-Texten vorgenommen werden, auf vorbuddhistische, volks-

[20] *J. Nobel,* Suvarṇaprabhāsottama-Sūtra, 88.

[21] *W. Radloff,* Suvarṇaprabhāsa, 57 (Hervorhebungen von mir).

[22] Ebd. 57; vgl. auch *J. Nobel,* Suvarṇaprabhāsottama-Sūtra, 81, wo der Buddha erwähnt wird, der im uigurischen Text (*W. Radloff,* 50) als »unser...Vater« erscheint.

[23] *J. Nobel,* Suvarṇaprabhāsottama-Sūtra, 164.

[24] *W. Radloff,* Suvarṇaprabhāsa, 195.

[25] Ebd. 87. Vgl. *J. Nobel,* Suvarṇaprabhāsottama-Sūtra, 119.

[26] Ebd. 87.

[27] *W. Radloff,* Suvarṇaprabhāsa, 55.

religiöse Vorstellungen zurückzuführen sind, in denen vielleicht auch die Konzeption der voraufgegangenen »Väter« ihren Platz hatte, so darf der Einfluß des nestorianischen Christentums und des gnostischen Manichäismus auf den uigurischen Buddhismus nicht übersehen werden. Im Falle des Nestorianismus allerdings sind wir bei der Annahme von Querverbindungen äußerst zurückhaltend, auch wenn die zentrale Idee der Vaterschaft Gottes in den christlichen Texten Turfans klar bezeugt ist[28]. Daß bei den uigurischen Christen selbst Abraham und Jakob als Väter apostrophiert werden, zeigt ein türkischer Hochzeitssegen in syrischer Schrift[29]. Das Fragment ist zu kurz, um Vermutungen darüber anzustellen, ob die Patriarchen des Alten Testaments bei den türkischen Christen vielleicht die Rolle der Stammesväter übernommen haben. Grundsätzlich ist festzustellen, daß sich das nestorianische Christentum Turfans innerlich und äußerlich von den beiden anderen Weltreligionen Manichäismus und Buddhismus distanzierte, ganz im Gegensatz zur späteren Entwicklung in China, wo die Christen ihre Texte geradezu in eine Sprache, die von buddhistischen Formen geprägt ist, übersetzten[30].

Wird man den Einfluß des Christentums also gering veranschlagen müssen, so ist doch mit einer gewissen Auswirkung manichäischer Vorstellungen auf den türkischen Buddhismus zu rechnen; fangen wir doch heute erst an, die Spuren manichäischer Begrifflichkeit im uigurisch-buddhistischen Textgut zu entdecken[31]. Was nun die Vorstellung von Buddha als Vater anbelangt, so braucht bloß an die vielfältige Anwendung des Vaterprädikats auf manichäische Gottheiten verwiesen zu werden. Dabei ist nicht nur an den »Vater des Lichts« (mittelpersisch/parthisch: *pidar rōšn*) zu erinnern, sondern auch daran, daß verschiedene göttliche Wesen, nicht zuletzt der vergöttlichte Mani, als »Vater« angeredet und verehrt werden. Im »Großen Hymnus auf den Vater Mani« wie auch in dem zweisprachigen (tocharisch-uigurischen) »Hymnus an den Vater Mani« ist es geradezu der »Buddha Mani«, der dieses

[28] So im sogdischen Glaubensbekenntnis aus Bulayik bei Turfan: *F. W. K. Müller,* Sogdische Texte I (= Abhandlungen der Preuss. Akademie der Wissenschaften 1912). Berlin 1913, 86.

[29] *P. Zieme,* Ein Hochzeitssegen uigurischer Christen: Scholia. Beiträge zur Turkologie und Zentralasienkunde. A. von Gabain zum 80. Geburtstag am 4. Juli 1981 dargebracht von Kollegen, Freunden und Schülern. Hg. von *K. Röhrborn/H. W. Brands* (= Veröffentlichungen der Societas Uralo-Altaica 14). Wiesbaden 1981, 223.225.

[30] *H.-J. Klimkeit,* Christentum und Buddhismus in der innerasiatischen Religionsbegegnung: ZRGG 33 (1981) 208–220.

[31] Vgl. *H.-J. Klimkeit,* Manichäische und buddhistische Beichtformeln aus Turfan. Beobachtungen zur Beziehung zwischen Gnosis und Mahāyāna: ZRGG 29 (1977) 193–228; *Geng Shimin / H.-J. Klimkeit,* Das Zusammentreffen mit Maitreya. Die ersten Kapitel der Hami-Version der Maitrisimit. (Im Druck: Wiesbaden 1985).

Prädikat trägt[32]. Diese Texte weisen auf die engen Kontakte zwischen der manichäischen und der buddhistischen Gemeinde hin, was sich ja auch in der manichäischen Kunst zeigt[33]. Es wäre bei der auffälligen *interpretatio Buddhistica* manichäischer Inhalte ja auch verwunderlich, wenn dieser Anpassungsprozeß nur in der einen Richtung stattgefunden haben sollte. Damit wollen wir keineswegs die Anrufung Buddhas als eines Vaters bei den Türken Zentralasiens nur als Ergebnis manichäischen Einflusses hinstellen; ist dies doch nur *eine* Determinante im Gefüge der geistigen Kräfte, die zur Ausbildung des Sondergutes des türkischen Buddhismus beigetragen haben. Gerade dieses Sondergut aber, dem wir uns nun zuwenden, berechtigt dazu, von einem spezifischen Buddha-Bild zu sprechen, das uns im Raum der Begegnung von Volks- und Weltreligionen an der Seidenstraße entgegentritt.

b) Die Ausprägung des Vatergedankens im türkischen Buddhismus

Nach den aufgewiesenen Voraussetzungen versteht es sich von selbst, daß die Auffassung von Buddha als Vater uns zunächst in der volkstümlichen Frömmigkeit begegnet. Diese tritt uns deutlich in den zahlreichen Laien-Beichtspiegeln entgegen, die uns aus Turfan überliefert sind. Wie schon hervorgehoben, kommt der persönliche Bezug dieser Texte darin zum Ausdruck, daß sie den Stifter (oder Abschreiber) nicht nur im Kolophon, sondern auch im Textkorpus selbst anführen und daß uns vor allem das Nachwort Auskunft über die persönlichen Familienverhältnisse des Stifters gibt. In fast schon stereotyper Weise finden wir da nach dem Bekenntnis eine Formel des dreifachen Zufluchtnehmens, die im Falle des Sündenbekenntnisses der Laienschwester Qutluγ so lautet: »Buddha, unseren Vater [*qangïmïz*], sehen wir, sein Gesetz hören wir ehrerbietig, seiner Geistlichen Schar

[32] Zu diesen Texten vgl. *W. Bang/A. von Gabain*, Türkische Turfan-Texte III. Der große Hymnus auf Mani (= Sitzungsberichte der Preuss. Akademie der Wissenschaften 1930). Berlin 1930, 183–211 (abgekürzt: TT III); *A. von Gabain/W. Winter*, Türkische Turfantexte IX. Ein Hymnus an den Vater Mani auf »Tocharisch« B mit alttürkischer Übersetzung (= Abhandlungen der Deutschen Akademie der Wissenschaften zu Berlin. Kl. für Sprachen, Literatur und Kunst, Jg. 1956, Nr. 2). Berlin 1958 (abgekürzt: TT IX). Neuedition dieser Texte mit englischer Übersetzung bei: *L. V. Clark*, The Manichaean Turkic Pothi-Book: Altorientalische Forschungen IX. Berlin 1982, 145–218. Der Stifter des Manichäismus wird bezeichnet als »mein Vater, Mani-Buddha« (TT IX, 11f., Z. 14.21); »mein verehrungswürdiger, ruhmreicher Vater, mein Mani Burchan [= Buddha]« (TT III, 185, V. 1), »unser auserwählter heiliger Vater« (TT III, 187, V. 10). Von ihm heißt es in einer buddhistischen Wendung: »Als Du, unser heiliger Vater, vom Äther (Firmament) herabstiegst, [fanden?] aller Lebewesen Stämme...[das Nirvana?]« (TT III, 189, V. 19).

[33] *H.-J. Klimkeit*, Manichaean Art and Calligraphy (= Iconography of Religions 20). Leiden 1982.

[= Gemeinde] verehren wir.«[34] Und in einer ganz persönlichen Wendung kann in diesem Zusammenhang auch von »meinem Vater [*qangïm*] Buddha« gesprochen werden[35].

Daß uns gerade die Beichttexte Buddha als vergebungsbereiten Vater vor Augen führen, ist verständlich. Im uigurischen *Insadi-Sūtra,* das in Zentralasien – vielleicht erst in der Mongolenzeit – entstanden ist[36], wird eine Begründung für die schon in Indien bekannte *Poṣatha*-Beichte am *Pravāraṇā*-Vollmondtag gegeben, die für Mönche vorgesehen war. Sie besteht darin, daß der Erhabene anläßlich der Erteilung der Beichtverordnung zwei Arten Lichter gesehen habe, das Licht des *Āryamārga,* des »edlen Weges«, und das des Nirvāṇa. Zugleich aber wird auf seine väterliche Güte und Weisheit rekurriert, wenn es heißt: »Wenn jemand von euch unter der gesamten Gemeinde...sagt: ›Warum hat wohl unser Vater, der vollkommen weise Göttergott Buddha, diesen alle anderen Tage besiegenden, überlegenen, allgesegneten *Pravāraṇā*-Vollmondtag entstehen lassen, *Poṣatha* und *Pravāraṇā* zu verrichten geruht?‹, dann teilen wir jetzt die Ursache dieser *Pravāraṇā*-Zeremonie mit. Hier gibt es viele Entstehungsursachen. Die allerwichtigste...ist diese: Zu jener Zeit, als unser Vater von unvergleichlicher Güte, der vollkommen weise Göttergott Buddha...dieses befahl«, damals, so wird weiter erklärt, wurden die zwei genannten Lichtarten sichtbar[37]. Uns interessiert hier nur der Umstand, daß das Erlassen der Beichtordnung mit der Güte des Vaters begründet wird, der seine Söhne trotz ihrer Verfehlungen zum Heile führen will. Das ist ein Gedanke, der in diesem Text insofern immer wieder anklingt, als er »unseren Vater« immer aufs neue als barmherzig und weise kennzeichnet[38]. Wie für jene 500 Arhats, die ihn um Belehrung baten, ist er auch für den Frommen »unsere Hoffnung und Zuflucht, unser Vater«[39], oder »unser Vater, der vollkommen weise Göttergott Buddha, dessen Name erhaben ist«[40].

In einer wohl auch für den Laien gedachten Lehrschrift über die Beichte (*Kšanti qïlγuluγ nom*), die aus dem Chinesischen übersetzt wurde, aber auf

[34] *F. W. K. Müller,* Uigurica II (= Abhandlungen der Preuss. Akademie der Wissenschaften 1910, Nr. 3). Berlin 1910, 87 (Zusätze von mir). Auch in den anderen bisher bekannten uigurischen Beichtformeln taucht diese oder eine ähnliche Wendung auf. Vgl. *W. Bang/A. von Gabain,* Türkische Turfan-Texte IV. Ein neues uigurisches Sündenbekenntnis (= Sitzungsberichte der Preuss. Akademie der Wissenschaften 1930). Berlin 1930, 441 (Text B, Z. 23); *P. Zieme,* Ein uigurisches Sündenbekenntnis: AOH 22 (1969) 111; *M. Shogaito,* Ein uigurisches Fragment eines Beichttextes: Scholia (o. Anm. 29), 166 (Maitreya als Vater).

[35] *F. W. K. Müller,* Uigurica II, 78, Z. 43f.

[36] *S. Tezcan,* Das uigurische Insadi-Sūtra (= Berliner Turfantexte 3). Berlin 1974, 9.

[37] Ebd. 29f. Hier und in den folgenden Zitaten aus der türkischen Literatur werden die Hendiadyoin nicht weiter gekennzeichnet.

[38] *S. Tezcan,* Insadi-Sūtra, 37, Z. 217; 45, Z. 395f.; 48, Z. 495f.; 53, Z. 648f.

[39] Ebd. 50, Z. 563f.

[40] Ebd. 39, Z. 248ff.

den aus Buchara stammenden parthischen Mönch An-Shi-kao (2. Jh.) zurückgehen soll[41], wird nicht nur der Buddha Śākyamuni als Vater apostrophiert, sondern es werden alle Buddhas insgesamt als barmherzige Väter hingestellt. Nach einer Aufforderung an alle Mönche und Nonnen, sich vor den Buddhas zu verneigen, heißt es: »Und ferner (wollen wir) für die in den 10 Himmelsrichtungen befindlichen und im gesamten Äther-Element befindlichen sämtlichen [dahingegangenen Mönche]...sowie für die verschiedenen Verwandten von diesen...am heutigen Tag mit Barmherzigkeit und mit der gleichen Gesinnung wie die Buddhas und mit dem gleichen Wunsch wie die Buddhas auf alle sehr barmherzigen Väter der Welt hoffen und vertrauen.«[42] Nach derartigen Wendungen nennt der Text mehrfach die Buddhas einzeln namentlich. Vielfach ist diesen Aufzählungen eine fast schon stereotype Wendung vorangestellt wie: »Wir...hoffen und vertrauen ... auf die sehr freundlichen und barmherzigen Väter der Welt.«[43] Immer wieder werden so diverse Listen von Buddhanamen mit ähnlichen Wendungen eingeleitet[44]. Der Grund für ihre Verehrungswürdigkeit wird ausdrücklich angegeben, wenn es z. B. heißt: »Durch ihre Barmherzigkeits-Kräfte sollen sie in höchstem Maße gemeinsam gnädigst Hoffnung und Zuflucht werden.«[45] Daß sich ihre vergebende Barmherzigkeit nicht nur auf die Menschen, sondern auch auf die Höllenwesen zu erstrecken vermag, wird deutlich, wenn der Stifter Il Kälmiš Tängrim für alle Leidenden in der Hölle betet, und zwar mit den Worten: »...(für sie alle) hoffe und vertraue ich...mit Bodhi-Gesinnung auf alle barmherzigen Väter der Welt.«[46] Wie viel mehr ist Hoffnung für die Lebenden, für die der Spender einer Abschrift bittet, wenn er ihrer fürbittend gedenkt und dann wiederum die von ihm angerufenen barmherzigen Buddha-Väter einzeln nennt[47]. In derselben Lehrschrift wird die vergebende Liebe der Buddhas und Bodhisattvas insofern der elterlichen gegenübergestellt, als sie die Liebe der leiblichen Eltern bei weitem übertrifft. Hier finden wir geradezu einen Exkurs über die Idee der Vaterschaft des Buddha bzw. der Buddhas. Da heißt es: »Weiter auch, da alle Buddhas der Lebewesen mit wohlwollender Gesinnung gedenken, weit mehr als dies bei den Eltern (der Fall) ist, darum heißt es in dem Sūtra: Das wohlwollende

[41] *A. von Gabain*, Die alttürkische Literatur: Philologiae Turcicae Fundamenta, Bd. II. Ed. *L. Bazin* et al. Wiesbaden 1964, 227.

[42] *K. Röhrborn*, Eine uigurische Totenmesse (= Berliner Turfantexte 2). Berlin 1971, 17, Z. 16ff.

[43] Ebd. 45, Z. 1020ff.

[44] Ebd. 27, Z. 317f.; 31, Z. 480ff.; 35, Z. 630ff.; 39, Z. 785ff.; 51, Z. 1212ff.; *I. Warnke*, Eine buddhistische Lehrschrift über das Bekennen der Sünden. Fragmente der uigurischen Version des Cibei-daochang-chanfa. (Diss. masch.) Berlin 1978, 129, Z. 736ff. (Text S. 89).

[45] *K. Röhrborn*, Totenmesse, 51, Z. 1243f.

[46] Ebd. 29, Z. 408f.

[47] Ebd. 49ff., Z. 1144ff.

Gedenken der Eltern zu ihrem Sohn und ihrer Tochter geht in dieser einen Existenz sicher zu Ende, das wohlwollende Gedenken der Buddhas gegenüber den Lebewesen wird bis in die Ewigkeit nicht beendet sein und dahinschwinden. Weiter, wenn die Eltern des Sohnes und der Tochter undankbares und gesetzloses Tun sehen, steigt Zorn und Haß (in ihnen) auf, und ihr Wohlwollen ihnen gegenüber wird äußerst gering. Die Güte und das Wohlwollen der Buddhas und Bodhisattvas ist durchaus nicht so: Beim Anblick dieser Geschöpfe wird ihre Barmherzigkeit vielmehr zunehmen und anwachsen. Wenn sie (d. h. die Lebewesen) sogar (ihren Platz) an dem in der Avīci-Hölle befindlichen großen feurigen Rade einnehmen sollten, so würden sie, um aller Lebewesen willen, selbst (in die Hölle) eintreten und unermeßlich viele bittere Qualen auf sich nehmen. Daran läßt sich erkennen, daß das liebevolle Gedenken aller Buddhas und der gesamten großen Bodhisattvas (gegenüber) den Lebewesen das der Eltern weit übertrifft.«[48]

Liegt hier das Schwergewicht der paränetischen Betrachtung darauf, daß die Liebe und Fürsorge der Buddhas die der natürlichen Eltern weit übertrifft und daß ihr »liebevolles Gedenken« im Sinne des Bodhisattva-Ideals mit den Maßstäben elterlicher Zuwendung nicht hinreichend zu erfassen ist, wiewohl diese qualitativ vergleichend herangezogen werden kann, so wird der Buddha als Vater auch vielfach neben dem Buddha als Lehrer erwähnt. Ist dies bereits in einigen der oben zitierten Belege der Fall, so sei ein weiteres Beispiel aus der schon genannten Bekenntnis-Lehrschrift zitiert, das insofern bemerkenswert ist, als hier der Blick von den Buddha-Vätern wiederum auf den einen Buddha gelenkt wird, dessen in der dreifachen Zufluchtformel gedacht wird. Da heißt es: »Die der ganzen Welt verehrungswürdigen, weisen Buddhas geruhen dadurch, daß sie vollkommen weise sind in dem Erkennen der Dharmas, den in der Götter- und Menschen-(Welt) und weiteren (befindlichen Wesen) unübertrefflicher Lehrer und Vater zu sein; deswegen verneigen wir uns jetzt vertrauend ehrerbietig vor der kostbaren Buddha-Majestät.«[49] Es folgt das Gedenken des Dharma und der Gemeinde. Neben dem Bild des Buddha (bzw. der Buddhas) als eines Vaters steht also das des Lehrers oder geistigen Führers, womit die Dualität von Güte (*karuṇā, maitrī*) und Weisheit (*prajñā*) anschaulichen Ausdruck findet.
Selbstverständlich ist es zunächst der historische Buddha, der als Vater und Lehrer erscheint. Auf diesen wird eindeutig verwiesen, wenn Situationen und Personen genannt werden, die dem Leben des Śākyamuni zuzuordnen sind. So heißt es in einem von M. Shogaito bekanntgemachten Gedicht: »Unser Meister, unser Vater, der göttliche Buddha, er sah gnädigst, daß der König Prasenajit und der wohlhabende Anāthapiṇḍada an der Spitze des (ganzen) Volkes in der Stadt von den obersten bis zu den in den Stadtvierteln

[48] *I. Warnke,* Lehrschrift, 104f., Z. 194ff.
[49] Ebd. 112f., Z. 365ff.

(?) alle die Lehre anzuhören bereit waren.«[50] Über das rein Situative hin zum Grundsätzlichen führt dann schon jenes an den Śākyamuni gerichtete Wort aus demselben Text, in dem es heißt: »Hoffnung der Hoffnungslosen, Führer der Verirrten, unser kühner Śākyamuni-Anführer, unser Vater, dessen Name erhaben ist, der vollkommen weise Göttergott Buddha.«[51]

Ganz im Sinne der grundsätzlichen Verknüpfung der Bilder vom Vater und vom Lehrer Buddha ist sodann auch jener Lobpreis des Buddha abgefaßt, der ihn mit einer Fülle verschiedener Epitheta auszeichnet. Hier wird er u. a. als »unser Buddha-Guru, unser Vater« bezeichnet[52]. Nicht nur Weisheit (*prajñā*), sondern auch Vollkommenheit der Weisheit (*prajñāpāramitā*) lehrt der Buddha als Vater, wenn er von den Bemühungen des Bodhisattva Sadāprarudita um diese Vollkommenheit spricht, nachdem ihn Subhūti darum mit den Worten gebeten hatte: »Mein erhabener Vater möge geruhen, die von Sadāprarudita Bodhisattva ausgeführten Taten zu predigen.«[53]

Neben dem Vater Buddha als Guru steht der Vater Buddha als Arzt und Heilbringer. Auf die zahlreichen Aussagen über den Buddha als Arzt, der mit der Medizin der Lehre die Krankheit von Gier, Zorn und Unwissenheit behandelt, soll hier nicht eingegangen werden; ist diese Charakterisierung des Erhabenen doch schon in den indischen Texten zu finden. Der Uigure konnte sich die heilwirkende Tätigkeit anschaulich vergegenwärtigen, wenn er in einer uigurischen Avadāna-Sammlung (*Daśakarma-patha-avadānamālā*) die Geschichte vom König Mahendrasena las, die von einem todkranken Mönch erzählt, der vom Buddha geheilt wird. Als der Buddha an ihn herantritt mit der Frage: »Mein edler Sohn, woran leidest du, daß du so heftig jammerst?«, war es jenem Manne so, heißt es im Text, »als ob ein Sohn seinen Vater erblickt«[54]. Der Buddha spricht ihn daraufhin tröstend mit den Worten an: »Um aller Lebewesen willen habe ich die Buddhaschaft erstrebt. Wer immer jetzt seine Zuflucht [zu mir] nimmt, den trifft kein unglückliches Los. Auch du bist mein lieber Sohn, der aus meiner Brust hervorgegangen und aus meinem Munde geboren ist.« Der kranke Mönch aber erwidert

[50] *M. Shogaito,* On the Two Buddhist Uigur Texts: with Special Reference to the Three Avadānas Suitable to Avalokiteśvara-sūtra and Āgama-sūtra. Kobe 1982, 74. Die deutsche Übersetzung dieses schwierigen Textes verdanke ich der Freundlichkeit von Frau Prof. A. von Gabain.

[51] Ebd. 70. Ich lese nach einem Hinweis von Frau Prof. A. von Gabain *bašïmïz* (»unser Anführer«) für *baxšïmïz* (»unser Lehrer«) bei Shogaito (Z. 250).

[52] *P. Zieme,* Die Stabreimtexte der Uiguren von Turfan und Dunhuang. Studien zur alttürkischen Dichtung. (Habil. masch.) Berlin 1983, 193.

[53] *Ş. Tekin,* Buddhistische Uigurica aus der Yüan-Zeit (= Bibliotheca Orientalis Hungarica 27). Budapest 1980, 185 (Text), 236 (Übers.).

[54] *F. W. K. Müller,* Uigurica III. Uigurische Avadāna-Bruchstücke I–VIII (= Abhandlungen der Preuss. Akademie der Wissenschaften 1920, Nr. 2). Berlin 1920, 35, Z. 26f.

ehrerbietig: »O mein Gott, der [meine] Hoffnung und Zuflucht ist! Ich bin nicht würdig, daß der mit zehn Kräften ausgestattete, göttliche Buddha mich seinen Sohn heiße. Ein Stückchen Erde bin ich jetzt...« Der Buddha aber spricht ihm Mut zu, indem er seine Sohnschaft bekräftigt und ihn heilt[55].

Ist hier auf die heilwirkende Kraft des historischen Buddha als eines Vaters rekurriert, so gibt es selbstverständlich zahlreiche Stellen, wo explizit oder implizit diese Heilkraft als in der befreienden Lehre des Buddha beschlossen liegend gesehen wird. Als ein Zeugnis für viele, in dem die Mönche als Söhne des Buddha apostrophiert werden, sei ein Gedicht genannt, das die Laien zum Geben von Almosen ermahnt und mit einer Aufforderung an die Mönche endet, die zehn Gebote zu halten:

»Meine Söhne! Mönche! Seid wachsam!
Die Wurzel der Befreiung wünschend
Haltet die zehn Gebote rein!«[56]

Daß nicht nur die Mönche, sondern auch die Bodhisattvas als Söhne des Tathāgata erscheinen, ist ein Gedanke, dem wir schon in indischem Kontext begegnet sind und der im türkisch-buddhistischen Raum vielfach implizit vorausgesetzt und an manchen Stellen auch expressis verbis hervorgehoben wird. Ist »Buddha-Sohn« sogar »ein gewöhnlicher Beiname für einen Bodhisattva«[57], so wird in einem uigurischen Gedicht der Bodhisattva Samantabhadra direkt als Buddha-Sohn (*burxan oγli*) angesprochen[58]. Und in einem Preislied an Avalokiteśvara ruft der Dichter im Wunsch nach dem Heil für alle Lebewesen aus: »O mein *bodhisattva*-gestaltiger Vater! Mögen durch die Kraft dieser meiner Lobpreis-Verdienste die laufenden Lebewesen die Buddhaschaft erlangen!«[59]

Der Umstand, daß der Bodhisattva ein Vater ist, hatte im übrigen nicht nur allgemeine religiöse Bedeutung, sondern auch konkret politische. Denn der Herrscher wurde als Bodhisattva gepriesen[60], und als solcher war er dann auch ein Vater. So wird in der Schlußstrophe eines Kolophons zu einem türkischen alphabetischen Gedicht der mongolische Kaiser als Vater erwähnt[61].

[55] Ebd. 36ff., Z. 18ff.

[56] Text und Übersetzung in *P. Zieme,* Stabreimtexte, 124.

[57] *H. Hackmann/J. Nobel,* Erklärendes Wörterbuch zum chinesischen Buddhismus. Chinesisch – Sanskrit – Deutsch, Bd. I. Leiden o. J., 204b.

[58] *P. Zieme,* Stabreimtexte, 91.

[59] *G. Hazai,* Ein buddhistisches Gedicht aus der Berliner Turfan-Sammlung: AOH 23 (1970) 3 und 5, Z. 42ff.

[60] *K. Röhrborn/O. Sertkaya,* Die alttürkische Inschrift am Tor-Stūpa von Chü-yung-kuan: ZDMG 130 (1980) 322, Z. 80.

[61] *P. Zieme,* Stabreimtexte, 186.

Mit den Bodhisattvas wird unser Blick wiederum auf den Buddha des Mahāyāna gelenkt. Dieser erscheint als Zielpunkt aller geistlichen Bestrebungen. Gut zusammengefaßt ist der Gedanke in einem Abschnitt des *Insadi-Sūtra,* wo Buddha als Vater mit dem großen Meer verglichen wird, zu dem alles hinströmt. Hier wird von den verschiedenen Volksschichten gesprochen, die sich zu seiner Lehre bekennen und zu ihm und seiner Disziplin kommen, die »wie die Flüsse *Ganges, Sītā* (Tarim), *Sindhu* (Indus) und *Vākṣu* (Oxus) in das *Mahāsāmudra* genannte große Meer...strömen, (d. h.) zu unserem Vater, dessen Name erhaben ist. Er (der Buddha) hat den Glanz der Lehre und der Disziplin vermehrt...In das äußerst glänzende Disziplin-Meer begannen die ehrenbezeigenden Bäche (die *śrotāpanna*?) ohne jegliche Behinderung zu fließen.«[62] Ist der *śrotāpanna* »der in den Strom [zur Erlösung] Eingetretene«, so scheint der Text zu besagen, daß der Weg des geistlichen Stromes zum Vater Buddha als dem umfassenden Meer führt. Das impersonale Bild vom Ozean, das uns ja schon in der upanishadischen Mystik begegnet, ist damit wieder ins Personale gewendet.
Es verwundert nach diesen Überlegungen nicht, daß die entscheidenden Buddha-Gestalten des »Großen Fahrzeugs« auch als Väter erscheinen. Nehmen wir zunächst ein Beispiel aus dem »magischen« Buddhismus. In einem der Göttin Uṣṇīṣa-vijayā gewidmeten Zauberspruch (*dhāraṇī*) z. B. erfolgt die Ehrung aller Tathāgatas durch die Rezitation folgender Formel: »Jene (Buddhas) insgesamt werden auch das ›trefflich!‹ ausdrückende Wort aussprechen: ›Dieses Lebewesen demnach ist der aus aller ›So-Gekommenen‹ (Tathāgatas) *eigenem Wesen erzeugte Sohn.*‹ Solches muß man wissen.«[63]
In einem uigurischen Gedicht über die Körpermerkmale des Buddha, das vom »Blütenschmuck-Sūtra« (*Buddhāvataṃsaka-Sūtra*) inspiriert ist, wird die zentrale Gestalt der chinesischen Huayan-Schule des Buddhismus, nämlich Vairocana, mit dem Titel »unser Vater« belegt[64]. Ganz in diesen Rahmen fügt es sich ein, wenn in einer dichterisch gestalteten Verdienstzuwendung im uigurischen »Goldglanz-Sūtra« die fünf großen Tathāgatas, die aus dem Urbuddha hervorgehen (nämlich Vairocana: kosmisch in der Mitte; Akṣobhya: Osten; Ratnasambhava: Süden; Amitābha: Westen und Amoghasiddhi: Norden), als die »Sugatas, die fünf Väter (*biš qanglar*)« angesprochen werden. Auch wenn ihre Namen hier nicht einzeln aufgezählt sind, so ist doch »die Zuordnung auf Grund der genannten Vāhanas [Fahrzeuge] eindeutig«[65]. Es versteht sich, daß gerade in dem am »Blütenschmuck-Sūtra« orientierten Buddhismus, das vom alles durchdringenden Wesen des Vairo-

[62] *S. Tezcan,* Insadi-Sūtra, 32, Z. 119ff.
[63] *F. W. K. Müller,* Uigurica II, 48, Z. 4ff.
[64] *P. Zieme,* Stabreimtexte, 98.
[65] Ebd. 191.

cana spricht, dieser Zentralbuddha geradezu von einer Wolke von »Buddha-Söhnen« umgeben ist.
Bemerkenswert ist in diesem Zusammenhang schließlich, daß in der alttürkischen Dichtung selbst das Prinzip der »Weisheit« (*prajñā*) und gar der »Vollkommenheit der Weisheit« (*prajñāpāramitā*), die im śaktischen Vajrayāna gewöhnlich als »Mutter« angerufen werden, jeweils zu einem »Vater« hypostasiert werden können. In einem uigurischen Gedicht, einem nicht identifizierten Prajñāpāramitā-Text, gibt es zwei Stellen, wo die Weisheit als »mein Vater« (*qangïm*) bzw. »o mein Väterchen« (*qangïčïm-a*) angerufen wird. Zieme bemerkt dazu: »Da diese in beiden Fällen am Versanfang stehen, vermute ich, daß sie stabreimbedingt sind. Aber selbst wenn dies als Grund zutrifft, so verdient die Tatsache an und für sich Beachtung.«[66] Während im Sanskrit-Text der Hinweis auf die Weisheitsvollkommenheit als Vater fehlt, heißt es an einer Stelle der uigurischen Version dieses »Lobpreises der Vollkommenheit der Weisheit« (*Prajñāpāramitā-stotra*):

»Ihr seid ohne Kommen, woher auch, aus welcher Zeit auch;
Wenn man auch forschend in alle Orte blickt,
So seid ihr, o mein Väterchen, von den Weisen nicht zu finden.«[67]

Keine Gestalt des türkischen Buddhismus hat so sehr die Eigenschaft eines gütigen und mitleidsvollen Vaters auf sich gezogen wie der Buddha der Zukunft, Maitreya. Der Hoffnung auf Begegnung mit ihm wird in den Stifterkolophonen immer wieder Ausdruck verliehen. Der türkische Buddhist hat ihn gleichsam von der unabsehbar fernen Zukunft in seine geschichtliche Zeit hineingeholt. Maitreya wird eingereiht in die Kette der historischen Buddhas und in besonderer Weise mit dem Buddha unseres Zeitalters, Śākyamuni, verbunden, der ihm bereits die Weihe zur Nachfolgeschaft erteilt hat. So heißt es im *Insadi-Sūtra:* »Edler *Maitreya Bodhisattva*, Majestät! Von dem Lehrer Buddha *Ratnaśikhin* empfingt Ihr den Segen zuallererst, von Eurem tapferen Vater *Śākyamuni* empfingt Ihr die Weihe zuallererst.«[68] Und an anderer Stelle: »Von Eurem tapferen Vater *Śākyamuni* habt Ihr die *abhiṣeka*-Weihe empfangen und seid dann emporgestiegen und im *Tuṣita* wiedergeboren, o goldfarbener *Maitreya*!«[69] In der *Maitrisimit,* einem türkischen Maitreya-Werk, wird der zukünftige Buddha so dargestellt, als habe er schon zur Zeit des Śākyamuni, seines »Gesetzesvaters« (*nomluγ ata qang)* gelebt und von ihm die Weihe zum Mönch und zum »Thronnachfolger« (*tigin ügä*) empfangen, ehe er in den Tuṣita-Himmel zurückgekehrt sei, von wo er am Ende der Tage wiederkommen wird. Ob bei dieser auffälligen Historisierung des künftigen »Messias« manichäische, allgemein iranische oder gar christliche Vorstellungen von einem wieder-

[66] Ebd. 106.
[67] Ebd. 119.
[68] *S. Tezcan,* Insadi-Sūtra, 64, Z. 887ff.
[69] Ebd. 70f., Z. 1008ff.

kommenden Heiland oder Heilbringer wirksam werden, können wir hier nicht entscheiden. Wichtig ist uns lediglich hervorzuheben, daß Maitreya so gesehen wird, als habe er schon unter den Menschen gelebt und bereits ihr Los geteilt. Als solcher wird er der »große Sohn« des Buddha Śākyamuni genannt, und die *Maitrisimit* legt ausführlich dar, unter welchen Umständen er bereits auf Erden gelebt und gewirkt hat. In Analogie zur Buddha-Legende wird er nicht nur unter wunderbaren Umständen geboren, und zwar an dem Ort, an dem auch der Buddha das Licht der Welt erblickte, er wächst auch wie dieser als mit wunderbaren Fähigkeiten begabter Knabe heran. Als ihm sein Vater Brahmāyu die Schrift beibringen will, versetzt er diesen durch seine schon vorhandene Kenntnis über alle 64 Schriftarten in höchstes Erstaunen, so daß dieser in Umkehrung der natürlichen Verhältnisse ausruft: »Du bist würdig, Lehrer der Lehrer und Vater der Väter zu sein!«[70] Die besondere Beziehung, die der türkische Buddhist zu Maitreya empfand, wird wiederum im Bilde des Vaters und der Mutter wie auch der Kindschaft zum Ausdruck gebracht und geradezu als verwandtschaftlich hingestellt, wenn Maitreya, herangewachsen, unter Anspielung auf seine zahlreichen früheren Existenzen in verschiedenen Lebensumständen feststellt: »Im ganzen Saṃsāra gibt es kein derartiges Menschenkind, das nicht meine Mutter, mein Vater oder mein Verwandter geworden wäre; sie sind alle meine Freunde gewesen. Ich war auch deren Vater und Mutter. Ich habe im Mutterleib von ihnen allen gelegen. Ich habe die Milch von allen gesogen...Darum sind mir jetzt alle Wesen nicht fremd. Sie sind meine eigenen Leute, die mir lieber sind als mein Sohn und meine Tochter.«[71]

In Bezug auf den historischen Buddha heißt es, daß Maitreya ihn gleichsam geistig beerbt habe, indem er alle Wesen als ihm anvertrautes Gut von ihm »als Pfand« in Empfang nahm. Damit beerbt Maitreya auch die früheren Buddhas, deren Vermächtnis er übernimmt. So heißt es im *Insadi-Sūtra:* »Im heiligen *Tuṣita*- und Löwen-Ort befindlichen *Uccadhvaja* genannten allerbesten, heiligen Platz weilend, habt Ihr ergebenst die elenden Lebewesen der fünf Existenzen von Euren dahingegangenen Vätern, den Buddhas, als Pfand und Erbe übernommen, Majestät!«[72]

Es verwundert nicht, daß bei dieser besonderen Freundes- und Verwandtschaftsbeziehung, die man zu Maitreya empfand, er vor allem als der gütige Vater erscheint, dem man sich, auf sein zukünftiges Wirken hoffend, vertrauensvoll zuwendet. Aus der Fülle der Belege dafür können hier nur einige charakteristische vorgeführt werden. Vornehmlich in Beichttexten und Zeugnissen persönlicher Frömmigkeit finden wir immer wieder den

[70] Hami-Version der (uigurischen) *Maitrisimit,* Kap. XI, folio 14a, 10f. (unpubliziert).

[71] Ebd. Kap. X, folio 1b, 30–2a, 12 (unpubliziert).

[72] *S. Tezcan,* Insadi-Sūtra, 59, Z. 779ff.

Wunsch, mit Maitreya zusammenzutreffen, durch ihn erlöst zu werden und die höchste Buddhaschaft zu erlangen. Die Bitte kann an den Buddha Śākyamuni als den »allbarmherzigen Vater« gerichtet sein.[73] Meistens jedoch ist sie an Maitreya selbst gerichtet. So heißt es im *Insadi-Sūtra:* »Wenn, unsere Lebenskraft und Lebensfrische endend, wir dem Tod begegnen, o unsere Mutter und unser Vater *Maitreya,* möget Ihr geruhen, über uns zu erscheinen. Wenn unser Leben dann fortdauert, unser Herr, unser Fürst und Thronfolger, möget Ihr uns, die Diener, beschützend (?) aufnehmen und zu Eurem Innenpalast hinaufsteigen lassen.«[74] Die Aufnahme in den Innenpalast des Maitreya nach dem Abscheiden aus diesem Leben, um die der Fromme hier bittet, ist gleichsam eine Vorwegnahme der zukünftigen Erlösung, die ihm bei dessen zukünftigem Erscheinen auf Erden zuteil wird.

Es klang in den bisher genannten Belegen schon mehr als einmal an, daß der Buddha bzw. Maitreya zugleich Vater und Mutter sei. Daß die Symbolik von Vater und Mutter (Vater = *upāya;* Mutter = *prajñā*) im tantrischen Buddhismus, der auch auf Türkisch repräsentiert ist, eine eigene Ausprägung erfährt, sei nur noch erwähnt[75].

Die auffallende Vaterrolle Buddhas im türkischen Buddhismus Zentralasiens, die hier nur mit einigen Beispielen belegt werden konnte, legt die Frage nahe, wie sich der Sachverhalt im indischen Buddhismus darstellt. Leider fehlen uns frühe sogdische und parthische buddhistische Quellen, die die Verbindung zum Buddhismus in seinem Stammland erhellen würden. Wir sind hier auf die z. T. buddhisierte manichäische Literatur auf Sogdisch und Parthisch angewiesen. Dennoch erbringt das Material für unsere Fragestellung insofern keine eindeutigen Ergebnisse, als die dort vielfach zu findende Anrufung eines überirdischen Vaters auf frühe manichäische Vorstellungen zurückführbar ist. Wir haben uns also dem indischen Mahāyāna-Buddhismus zuzuwenden, zumal der frühe Buddhismus die Vorstellung von Buddha als Vater zwar anklingen läßt, aber nicht thematisiert. Vor allem werden wir auf den Mahāyāna-Buddhismus Gandhāras und seiner Grenzgebiete verwiesen, wo neue Ansätze in Kunst und Literatur greifbar werden, nach deren Ursprüngen wir zu fragen haben werden.

2. Der Buddha als Vater im indischen Buddhismus

Wir wiesen schon eingangs darauf hin, daß der *locus classicus* für das Bild Buddhas als eines Vaters im indischen Buddhismus »Lotos-Sūtra« 3 und 4 ist. Errettung, weise geistliche Lenkung und überreiche Beschenkung des

[73] So wohl im Beichtgebet der Stifter Taz und Artuqač in: *A. von Gabain,* Türkische Turfan-Texte IV, 443, Z. 45ff.
[74] *S. Tezcan,* Insadi-Sūtra, 75, Z. 1099ff.
[75] Die indische und tibetische Literatur zu diesem Sachverhalt ist fast unübersehbar.

Gläubigen durch den Buddha sind die Hauptmotive in den genannten Kapiteln des »Lotos-Sūtra«[76].

Die rettende und beschenkende Funktion des Buddha als des Verkündigers des »wahren *dharma*« (*saddharma*), der unserem Text seinen Namen gibt, wird in einem Gleichnis des 3. Kapitels zum Ausdruck gebracht. Der Buddha erscheint hier als Vater von Kindern, die sich in einem brennenden Hause befinden. Die »Geschicklichkeit in der Methode« (*upāyakauśalya*)[77] ist es, durch die er sie, die von ihrem Unglück nichts ahnen, aus dem Hause zu locken vermag. Er verspricht ihnen Spielzeuge, nämlich drei Arten von Wagen: von Rindern gezogene, von Ziegen gezogene und von Gazellen gezogene. Als die Kinder herausgelaufen kommen, um die Gaben entgegenzunehmen, beschenkt er sie nur mit den kostbarsten und besten Spielzeugen, den stattlich geschmückten Rinderwagen.

Zweifellos ist das Gleichnis dazu angetan, das Mahāyāna als bestes der »Fahrzeuge« zu preisen. Der Akzent der Geschichte liegt aber darauf, daß es nur ein geschicktes Vorgehen des weisen Vaters ist, wenn er auch andere Fahrzeuge in Aussicht stellt, um seine Kinder aus dem brennenden Haus des *saṃsāra* zu erretten, um sie dann mit dem Vorzüglichsten zu beschenken. Ob hier die Polarität von »Weisheit« (*prajñā*) und »Geschicklichkeit in der Methode«, die später im Zentrum tantrischen Denkens steht, schon ein maßgebendes Prinzip ist[78], mag dahingestellt sein. Die einzelnen Elemente dieser Polarität sind jedenfalls schon als die besonderen Vorzüge des Buddha als eines klugen und pädagogisch geschickten Vaters herausgestellt, von dem darüber hinaus betont wird, daß er alle Wesen in gleicher Weise liebt, erst recht seine Kinder, seine Söhne. »Da ich viele Schätze und Speicher besitze«, sagt der Buddha, das Gleichnis erklärend, »konnte ich solche großen Fahrzeuge allen Wesen schenken, wieviel mehr meinen eigenen Kindern.[79]

[76] Edition des Textes: Saddharmapuṇḍarīkasūtra, ed. by *H. Kern/B. Nanjio* (= Bibliotheca Buddhica 10). St. Petersburg 1908–1912; vgl. auch *O. von Hinüber,* A New Fragmentary Gilgit Manuscript of the Saddharmapuṇḍarīkasūtra. Tokyo 1982. (Erörterung der textlichen Situation ebd. IXff.) Eine englische Übersetzung des von Kern und Nanjio edierten Textes ist: *H. Kern* (transl.), The Saddharma-Puṇḍarīka or the Lotus of the True Law (= Sacred Books of the East 21). Reprint Delhi 1965. Zur komplexen textlichen Situation vgl. *A. Yuyama,* Bibliography of the Sanskrit Texts of the Saddharmapuṇḍarīka-Sūtra (= Oriental Monograph Series No. 5). Canberra 1970.

[77] Zu diesem Prinzip im »Lotos-Sūtra«, dem das ganze 2. Kapitel gewidmet ist, vgl. *S. G. Darian,* Antecedents of Tantrism in the Saddharma-Pundarīka: Asiatische Studien 24 (1970) 105–125. Vgl. auch *Whalen Lai,* The Budhhist ›Prodigal Son‹: A Story of Misperceptions: The Journal of the Int. Assoc. of Buddhist Studies 4 (1981) 91–98.

[78] So *S. G. Darian,* Tantrism.

[79] Sanskrit-Text: *H. Kern/B. Nanjio* (ed.), Saddharmapuṇḍarīkasūtra, 76; engl. Übers.: *H. Kern,* Saddharma-Puṇḍarīka, 75. Im folgenden wird immer erst der Sanskrit-Text, dann die englische Übersetzung von Kern genannt, an der wir uns orientieren. Eine Neuedition des »Lotos-Sūtra« ist dringend notwendig!

Die didaktische Konsequenz der paränetischen Betrachtung über das rettende Wirken des Buddha wird mit folgenden Worten gezogen: »Er, der Tathāgata, ausgerüstet mit Buddha-Weisheit und (diversen) Kräften, der frei ist von Unschlüssigkeit, der mit ungewöhnlichen Eigenschaften begabt und durch sein magisches Wissen mächtig ist, ist der Vater der Welt (*lokapṛ*), der die höchste Vollendung im Wissen um die Geschicklichkeit in der Methode hat, der außerordentlich gnädig, langmütig, wohltätig und barmherzig ist.«[80] Er erscheint in der Welt, um die Lebewesen von ihrem Leiden zu erretten, denn, so spricht der So-Gegangene: »Wahrhaftig bin ich der Vater dieser Wesen. Ich muß sie aus der Masse des Übels erlösen und sie beschenken mit der unermeßlichen, unausdenkbaren Wonne der Buddha-Weisheit..., worin sie ihre Ruhe finden werden.«[81] Und in einem versifizierten zweiten Teil des 3. Kapitels (v. 97) heißt es: »Ihr seid meine Kinder, ich bin euer Vater, der euch aus dem Leid gerettet hat, aus der Dreiwelt, aus Furcht und Gefahr, als ihr dort verbranntet viele Zeitalter von Äonen lang«.[82] Nach v. 141 f. soll aber diese kostbare Botschaft jenen vorbehalten bleiben, die die ethischen Voraussetzungen zu deren Erfassung mitbringen[83].

So reizvoll es wäre, die hier veranschaulichte Vaterliebe des Buddha mit der Vaterliebe des Gottes Jesu zu vergleichen, so sehr müssen wir uns im Rahmen dieses Aufsatzes Beschränkung auferlegen, indem wir auf einige Differenzen zur neutestamentlichen Gottesbotschaft verweisen. Diese kommen aber besonders in der Betrachtung des buddhistischen Gleichnisses vom »verlorenen Sohn« zum Ausdruck, dem wir uns nun zuwenden wollen.

Diese buddhistische Parabel ist in »Lotos-Sūtra« 4 dargestellt. Sie berichtet, wie ein Sohn aus seinem Vaterhaus fortgeht und viele Jahre in der Fremde verbringt. Während er immer ärmer wird, wird der Vater immer wohlhabender. Des Vaters Gedanken sind stets bei seinem Sohn, denn er sucht einen Erben, der sich seines Reichtums erfreue. Als der heruntergekommene und darbende Sohn zufällig in die Stadt des Vaters kommt, erkennt ihn dieser wieder, ohne selbst vom Sohne erkannt zu werden. Durch eine List führt er den ahnungslosen Sohn in seine Nähe. Er läßt ihn von zwei Dienern anheuern, um niedrige Arbeiten vor seinem Hause zu verrichten. Indem der Vater sich selbst als Arbeiter ausgibt, gelingt es ihm, Kontakt zum Sohne zu gewinnen; dieser faßt allmählich Vertrauen zu ihm. Nach vielen Jahren, als der Arme sich schließlich in der Umgebung des Reichen wohlfühlt, offenbart sich ihm der Vater auf dem Krankenlager. Er setzt ihn als Erben ein, und als er sein Ende nahen fühlt, verkündet er schließlich öffentlich, daß dieser sein

80 *H. Kern/B. Nanjio*, 77; *H. Kern*, 76.
81 *H. Kern/B. Nanjio*, 78; *H. Kern*, 77f.; vgl. auch 81.
82 *H. Kern/B. Nanjio*, 91; *H. Kern*, 90.
83 *H. Kern/B. Nanjio*, 98; *H. Kern*, 96.

Sohn und Erbe sei. Der arme Sohn aber ist ob des unerwarteten Reichtums überwältigt.

Auch hier liegt das Hauptgewicht der Erzählung auf der Geschicklichkeit des Vaters, der seinen Sohn in einem langen pädagogischen Prozeß zu sich zu führen vermag, nicht so sehr um seine Gemeinschaft zu gewinnen, sondern um ihn mit dem Reichtum seiner Gaben zu beschenken. Nicht die vergebende Liebe, die Gemeinschaft sucht (Lk 15,20ff), sondern die geschickte Klugheit, die beschenken will, steht hier im Mittelpunkt, und der Schatz, mit dem der Sohn beschenkt wird, ist die Weisheit des Tathāgata, nicht seine persönliche Zuwendung. Die Erklärung der Jünger, die dem Buddha das Gleichnis vortragen, lautet: »So stellen auch wir, o Herr, die Söhne des Tathāgata dar, und der Tathāgata sagt uns: ›Ihr seid meine Söhne‹, wie es der Haushälter tat.«[84] Sie, die Söhne, seien von dem Herren dazu angeregt worden, sich zunächst um niedrige Dinge zu kümmern, indem sie sich mit dem zu Lebzeiten erreichbaren Nirvāṇa zufriedengäben. Dabei habe der Buddha ihnen einen viel größeren Schatz zu hinterlassen, nämlich seine Weisheit, auch wenn er sich äußerlich nicht um sie zu kümmern scheine. Denn »der Herr nimmt uns nicht wahr, mischt sich nicht mit uns und sagt uns auch nicht, daß dieser Schatz der Weisheit des Tathāgata unser sein werde, auch wenn der Herr uns in geschickter Weise als Erben für diesen Schatz der Weisheit (*jñānakośa*) des Tathāgata ernennt.«[85] »Denn der Tathāgata kennt durch seine Geschicklichkeit unsere ›Disposition‹ (*adhimukti*)[86], während wir sie selbst nicht kennen oder verstehen. Gerade aus diesem Grund erklärt uns der Herr jetzt, daß wir für ihn wie Söhne sind, und er erinnert uns daran, daß wir Erben des Tathāgata sind.«[87] Als Erben des Tathāgata aber sind die Söhne Bodhisattvas, die auch andere zur Buddha-Weisheit, zur Erleuchtung, zu führen haben. Denn, so heißt es: »Wir sind im Verhältnis zum Tathāgata wie Söhne, aber niedrig von ›Disposition‹. Der Herr erkennt die Stärke unserer ›Disposition‹ und zählt uns zur Klasse der Bodhisattvas. Wir sind jedoch mit einer doppelten Aufgabe betraut, insofern als wir in der Gegenwart von Bodhisattvas Menschen von niedriger ›Disposition‹ genannt werden und wir jene zugleich zur Buddha-Erleuchtung zu erwecken haben. Indem er die Stärke unserer ›Disposition‹ kennt, hat der

[84] *H. Kern/B. Nanjio,* 108; *H. Kern,* 106f.

[85] *H. Kern/B. Nanjio,* 109; *H. Kern,* 107.

[86] Wir haben uns der Einfachheit halber in der Übersetzung dem englischen »disposition« angeschlossen; *adhimukti* heißt eigentlich »gläubiges Vertrauen«. Zu diesem bedeutungsgeladenen Begriff vgl. *L. Schmitthausen,* Der Nirvāṇa-Abschnitt in der Viniścayasaṃgrahaṇī der Yogācārabhūmiḥ (= Österreichische Akademie der Wissenschaften. Phil.-hist. Kl., Sitzungsberichte, 264. Band, 2. Abhandlung; Veröffentlichungen der Kommission für Sprachen und Kulturen Süd- und Ostasiens, Heft 8). Wien 1969, 179ff.

[87] *H. Kern/B. Nanjio,* 110; *H. Kern,* 107f.

Herr so gesprochen, und so sagen wir, Herr, daß wir unerwartet und ohne Verlangen das Juwel der Allwissenheit bekommen haben, das wir nicht verlangten, noch ersehnten, noch suchten, noch erwarteten, noch benötigten. Und insofern sind wir die Söhne des Tathāgata.«[88]

Söhne sind die Jünger also insofern, als sie Erben der Weisheit des Buddha sind, der ihnen dieses unerwartete Geschenk durch geschickte Mittel zuteil werden läßt, nicht dadurch, daß sie zu einem Gemeinschaftsverhältnis mit ihm eingeladen werden. So lautet die Summe der Lehre im versifizierten zweiten Teil des Kapitels (v. 47–49): »Und der Meister der Welt, der Selbstgeborene, nimmt uns zur Kenntnis, indem er auf seine Zeit wartet; er erklärt nicht die wahren Zusammenhänge, da er unsere ›Disposition‹ erprobt. Indem er fähig ist, Kunstgriffe zur rechten Zeit anzuwenden wie jener reiche Mann, (sagt er): ›Seid stets dabei, eure niedrige ›Disposition‹ zu unterdrücken.‹ Und jenen, die überwältigt sind, schenkt er seinen Reichtum. Es ist eine sehr schwere Aufgabe, die der Herr der Welt (*lokanātha*) ausführt, wenn er seine Geschicklichkeit zeigt, wenn er seine Söhne von niedriger ›Disposition‹ zähmt und ihnen daraufhin seine Weisheit zuteil werden läßt.«[89]

Es bedarf kaum der Erläuterung, daß hier die Akzente ganz anders liegen als im lukanischen Gleichnis vom verlorenen Sohn (Lk 15). Der Tathāgata ist kein Vater, der den lang erwarteten Sohn vergebend in seine Arme schließt, sondern einer, der diesen durch geschickte Methoden allmählich zu sich zieht, damit er einst seine Stelle einnehme, buddhistisch gesprochen, daß er selbst zu einem Buddha werde. Ein solcher verwirklicht aber sein Dasein nicht in einem Verhältnis zu einem anderen, sondern aus sich selbst, wie es der Buddha tut. Allerdings führt der Weg zur Selbstverwirklichung insofern doch auch über den Nächsten, als der Sohn als Bodhisattva sich um die Erleuchtung der leidenden Wesen in der Welt bemüht, also um niedrige Dinge, ehe er selbst das Erbe des Vaters antritt. Von hier ist es allerdings nur ein kleiner Schritt zu der Einsicht, daß alle Bodhisattvas Söhne des Tathāgata sind. Dieser Schritt wird auch schon im »Lotos-Sūtra« getan, wenn »die Bodhisattvas, die nach Erleuchtung streben«, des Weisen Kinder genannt werden[90]. Damit sind nicht nur die großen Bodhisattvas gemeint, sondern alle, die den Wunsch nach Erleuchtung (*bodhicitta*) in sich erwecken und sich damit auf den Bodhisattva-Pfad begeben. Das schließt praktisch alle ernsthaften Hörer (*śrāvaka*) ein. In diesem Sinne kann sich der Jünger Śāriputra, um Belehrung für diese bittend, an den Buddha wenden mit den Worten:

[88] *H. Kern/B. Nanjio*, 110; *H. Kern*, 108.

[89] *H. Kern/B. Nanjio*, 118; *H. Kern*, 114.

[90] *H. Kern/B. Nanjio*, 28; *H. Kern*, 29. In der Einleitung zum 3. Kapitel sagt Śāriputra: »O Herr, ich bin des Herrn ältester Sohn, geboren aus seinem Gesetz, ins Leben gerufen durch das Gesetz, geschaffen durch das Gesetz, fein gebildet durch das Gesetz.« *H. Kern/B. Nanjio*, 61; *H. Kern*, 61.

»Ich, Dein ältester Sohn, bitte Dich: Hier sind Tausende von *koṭis*[91] von Wesen, die an das von Dir geoffenbarte Gesetz glauben sollen.«[92] Auf die Bitte des Śāriputra hin predigt der Buddha die Lehre, dem Fassungsvermögen der jeweiligen Zuhörer entsprechend, mit Geschicklichkeit. Indem er sich an die Reinen wendet, sagt er: »Und jenen in der Welt, die stets reine, weise, gutgewillte, barmherzige Söhne des Buddha gewesen sind und die ihre Pflicht unter vielen *koṭis* von Buddhas getan haben, werde ich die erweiterten Sūtras offenbaren.«[93]

Da sich die Lehre des Buddha aber grundsätzlich an alle wendet mit der Absicht, sie zu erlösen, wird er schon im »Lotos-Sūtra« »Herr der Welt, der den wahren Weg gewiesen hat«, genannt[94]. Ja er ist nicht nur der »Vater der Welt«[95], sondern auch der große Beschützer. Denn, so sagt er: »Ich, der große Seher, bin der Beschützer (*traṇa*) und Vater aller Lebewesen, und alle Lebewesen, die wie Kinder durch die Freuden der Dreiwelt gefangen sind, sind meine Söhne.«[96] Ob er diese Rolle vom hinduistischen Brahmā übernimmt, wie Kern vermutet[97], oder nicht, sei zunächst dahingestellt. Jedenfalls wird er im buddhistischen Indien wie dieser auf einem Lotos-Thron sitzend dargestellt; derartige Darstellungen müssen im 6. Jh. häufig gewesen sein, denn in einem Text aus dieser Zeit, Varāhamihiras *Bṛhat-Saṃhitā* (58,44), wird folgende Regel für die Herstellung von Buddha-Figuren gegeben: »Der Buddha soll auf einem Lotossitz sitzend (dargestellt werden), wie der Vater der Welt.«[98] Die Aussage setzt die Verbreitung der Vorstellung von dem Buddha als Vater voraus, auch wenn sie im späteren buddhistischen Indien nicht mehr so pointiert hervorgehoben wird.

Vermutet Kern hinduistischen Einfluß, wenn Buddha zum Vater der Welt wird, so schließt dies keineswegs die katalysatorische Wirkung iranisch-hellenistischer, vor allem gnostischer Ideen, von der wir eingangs sprachen, auf den sich ausbildenden Mahāyāna-Buddhismus aus. Bereits Kwella[99] hat daran erinnert, daß das eindrucksvollste Zeugnis vormanichäischer syrischer Gnosis, das berühmte Perlenlied in den Thomasakten, eine parthische Vorlage hatte, wie Widengren gezeigt hat[100]. Das Perlenlied, das von dem in

[91] Begriff für eine sehr große Zahl.
[92] *H. Kern/B. Nanjio*, 37; *H. Kern*, 38 (v. 34).
[93] *H. Kern/B. Nanjio*, 46; *H. Kern*, 45f. (v. 49).
[94] *H. Kern/B. Nanjio*, 64; *H. Kern*, 64.
[95] *H. Kern/B. Nanjio*, 77.80; *H. Kern*, 76.80.
[96] *H. Kern/B. Nanjio*, 89; *H. Kern*, 88 (v. 85).
[97] *H. Kern*, 76 Anm. 2.
[98] Vgl. *A. M. Shastri*, India as Seen in the Bṛhatsamhitā of Varāhamihira. Delhi 1969, 190f.
[99] Vgl. o. Anm. 4.
[100] *G. Widengren*, Der iranische Hintergrund der Gnosis: ZRGG 4 (1952) 97–114; *ders.*, Iranisch-semitische Kulturbegegnung in parthischer Zeit (= Arbeitsgemeinschaft für Forschung des Landes Nordrhein-Westfalen: Geisteswissenschaften, Heft 70). Köln/Opladen 1960, 29f. 40f.

einem Gefängnis des indischen Königs Gundafor gefangenen Thomas gesungen wird und das durch seine geographischen Angaben und durch seine parthischen Lehnworte auf Parthien als Entstehungsland verweist, berichtet, wie der vom Vaterhaus, vom Hof des parthischen »Königs der Könige«, ausgesandte Prinz nach Ägypten (Sinnbild der Welt) zieht, um eine Perle zu bergen, die sich in der Gewalt eines zischenden Drachen befindet. In Ägypten angelangt, vergißt er seinen Auftrag und wird erst durch einen Brief aus der Heimat, der ihn in Gestalt eines Rufes erreicht, aus dem Schlummer der Vergessenheit geweckt, an die Urheimat erinnert und damit in den Stand versetzt, die Perle zu bergen und zum Vaterhaus zurückzukehren[101]. Zunächst scheint keine Beziehung zur buddhistischen Parabel vorzuliegen. Doch hat K. H. Rengstorf nachgewiesen, daß das in Lk 15 mitgeteilte Gleichnis auf eine Erzählung zurückgehen müsse, wie sie im Perlenlied zum Ausdruck kommt[102]. Gemeinsam ist den Erzählungen, daß der Sohn das Vaterhaus verläßt, seine Herkunft vergißt bzw. aufgibt und sich erst in der Besinnung auf den Vater selbst findet, wofür ja die Perle im Perlenlied Symbol ist, und so den Weg ins Vaterhaus zurückfindet, wo er freudig begrüßt wird. Die buddhistische Erzählung vom »verlorenen Sohn« unterscheidet sich in manchem von diesem Schema, u. a. dadurch, daß der Sohn erst in einem langen pädagogischen Prozeß wieder an den Vater herangeführt wird, womit das genannte buddhistische Prinzip der »Geschicklichkeit in der Methode« veranschaulicht werden soll. Bei alledem aber ist es auffällig, daß der Buddha nicht als Lehrer, sondern als Vater wirkt. Er führt den Sohn wieder ins Vaterhaus, offenbart ihm seine Abstammung und setzt ihn schließlich als Erben ein. Wenn man an die historischen Beziehungen zwischen Parthien und Nordwestindien sowie dem Kushan-Reich denkt, erscheint eine Verbindung zu einer parthischen Urform des Perlenliedes, wie sie Kwella vorgeschlagen hat, keineswegs abwegig, auch wenn man der Frühdatierung der mit dem Perlenlied in Beziehung stehenden Thomaspsalmen durch A. Adam, worauf sich Kwella beruft, nicht unbedingt folgen will[103].

Wesentlich aber ist das Weiterwirken gnostischer Ideen auf den indisch-buddhistischen Raum bis in die spätsassanidische Zeit hinein. In den manichäischen Turfantexten auf Parthisch erfahren wir nicht nur vom

[101] Verwiesen sei auf die Analyse des Textes bei *G. Bornkamm*, Thomasakten (o. Anm. 3).

[102] *K. H. Rengstorf*, Die Re-Investitur des Verlorenen Sohnes in der Gleichniserzählung Jesu Luk. 15,11–32 (= Arbeitsgemeinschaft für Forschung des Landes Nordrhein-Westfalen: Geisteswissenschaften, Heft 137). Köln/Opladen 1967, 51 ff.

[103] Vgl. dazu auch *A. Adam*, Die Psalmen des Thomas und das Perlenlied als Zeugnisse vorchristlicher Gnosis (= Beihefte zur ZNW 24). Berlin 1959; *G. Bornkamm*, Thomasakten; *C. Colpe*, Die Thomaspsalmen als chronologischer Fixpunkt in der Geschichte der orientalischen Gnosis: JbAC 7 (1964) 77–93.

missionarischen Wirken Manis im buddhistischen Indien im Jahre 240/241 n. Chr., als also das »Lotos-Sūtra« in seiner endgültigen Gestalt schon vorlag, sondern auch von der Tätigkeit seines Jüngers Mar Ammo im Kushan-Reich[104]. Und ein späterer manichäisch-parthischer Text (Turfanfragment M 1202) aus dem iranisch-indischen Grenzgebiet, der u. a. verschiedene Regionen in Nordwestindien nennt[105], läßt vermuten, daß die parthisch-gnostische Mission dieses Gebiet selbst und nicht nur seine Grenzgebiete erfaßt hat. Trägt man dieser parthischen Missionstätigkeit stärker Rechnung, so wird das sicherlich auch manches Licht auf die Diskussion um die Begriffe der »Buddhafamilie« (*buddhagotra*) und des »Keimes der Buddhaschaft« (*tathāgatagarbha*) werfen, durch die gerade die Tatsache begründet wird, daß jeder Bodhisattva, und damit letztlich jeder, der die Buddhaschaft erstrebt, ein Sohn des Buddha ist[106].

[104] Vgl. *W. Sundermann,* Zur frühen missionarischen Wirksamkeit Manis: AOH 24 (1971) 79–125; *ders.,* Mitteliranische manichäische Texte kirchengeschichtlichen Inhalts (= Berliner Turfantexte 9). Berlin 1981, 21 ff.; *ders.,* Die mittelpersischen und parthischen Turfantexte als Quellen zur Geschichte des vorislamischen Zentralasien: *J. Harmatta* (ed.), Prolegomena to the Sources on the History of Pre-Islamic Central Asia. Budapest 1982, 143–151.

[105] *W. B. Henning,* Two Manichaean Magical Texts with an Excursus on the Parthian ending *-ēndēh:* BSOAS 12 (1947) 47 ff.

[106] Zur Bedeutung der Begriffe *tathāgatagarbha* und *(buddha)gotra* sei nochmals verwiesen auf *D. S. Ruegg,* Meanings (o. Anm. 5), vor allem 342 f. 354. Im Anschluß an eine Erörterung des Begriffs *gotra* hebt Ruegg hervor: »A comparable concept is that of the Tathāgata-lineage (*tathāgatavaṃśa*) in which a Bodhisattva takes birth. In Mahāyānist thought the Bodhisattva is in fact represented as born in the family of the Tathāgata (*tathāgatakula*) and hence as the son of the Jina (*jinātmaja*), the very son (*aurasaḥ putraḥ*) of the Buddha; this birth is considered to take place on the level of the Bodhisattva's first spiritual stage (*bhūmi*).« (ebd. 342).

Korrekturnachtrag:

Nach Abschluß des Manuskripts erschien: *P. Zieme,* Buddhistische Stabreimdichtungen der Uiguren (= Berliner Turfantexte 13). Berlin 1985. Hier findet sich eine Reihe weiterer Belege für die Idee, daß Buddha ein Vater sei, s. v. *ata, atač, ataliγ, qang, qangič, qangliγ.*

R. J. Zwi Werblowsky

FERNÖSTLICHE WEISHEIT UND CHRISTLICHER GLAUBE

Tu duca, tu signore, tu maestro, e tu amigo

sophia! orthie!

Der Titel dieses Beitrags entspricht dem Titel der Festgabe. Wir wollen uns daher nicht so sehr mit dem Zen-Buddhismus beschäftigen, dem Forschungsgebiet *par excellence,* auf dem unser verehrter Freund auch unser aller »Führer, Herr und Meister«[1] ist, sondern mit dem allgemeineren Problem des Gebrauchs von Pauschalkategorien (sogenannten phänomenologischen oder typologischen »Genera«) zur Charakterisierung kultureller, religiöser und geistiger Phänomene. Der Zweifelhaftigkeit aller Unternehmen dieser Art waren die Herausgeber dieses Bandes sich offensichtlich bewußt, als sie die nichtssagende, irreführende und noch dazu grundfalsche Schablone von Orient und Okzident vermieden und ihr Anliegen spezifischer thematisierten.

»Orient« und »Okzident«

Doch bevor wir uns dieser präziser gefaßten Thematik zuwenden, müssen wir uns dennoch kurz in deren Vorfeld aufhalten, also doch bei Orient und Okzident, und sei es auch nur, um an diesem Musterbeispiel das Problem der Kulturperzeption – Perzeption Europas in Asien, Perzeption Asiens in Europa – zu illustrieren[2]. Solange die soziologischen, psychologischen und

[1] Die Epitheta, mit denen *Dante* (Inf. II, 140) Vergil apostrophierte.

[2] Zum Thema vgl. *J. M. Steadman,* The Myth of Asia. New York 1969 sowie die Bibliographie ebd. 321–332. Die Literatur zur Ost-West-Kulturperzeption und zur asiatischen Selbstperzeption der inneren Kulturunterschiede ist unübersehbar geworden. Vgl. u.a. *C. N. Parkinson,* Asien und Europa. In den Gezeiten der Geschichte. Düsseldorf/Wien 1963; *S. Radhakrishnan,* Religion in Ost und West. Gütersloh 1961; *B. Rowland* jr. Art in East and West. An Introduction through Comparisons. Cambridge 1954; *L. Binyon,* Painting in the Far East. New York [3]1959; *E. W. F. Tomlin,* The Oriental Philosophers. New York 1963; *B. Ward,* The Interplay of East and West (1962); *S. L. Gulick,* The East and the West: A Study of their Psyche and cultural Characteristics. Rutland/Tokyo 1963. Interessant ist auch *S. N. Haye,* Asian Ideas of East and West: Tagore and his Critics in Japan, China and India (1970). Die Unterschiede innerhalb des asiatischen Denkens sind inzwischen allgemein akzeptiert, besonders nachdem sie von *H. Nakamura* dargestellt worden sind; vgl. sein Werk: Ways of Thinking of Eastern Peoples: India – China – Tibet – Japan. Honolulu [5]1971. Es verdient Beachtung, daß Nakamura den Islam, eine von Toynbees drei asiatischen »Zivilisationen«, nicht einbezieht! Dies hängt zusammen mit der Entscheidung der Frage, wo man die Grenze Asiens zieht, am Hellespont oder am Indus.

historischen Determinanten der Kulturperzeption nicht genügend geprüft sind, kann man ja nicht »zu den Sachen« selbst gelangen. Nur ein auf kritikloser Naivität beruhender Größenwahnsinn kann einen Hegel und seine Hunderte von Nachfolgern unter den Journalisten, »Kulturphilosophen«, Kunsthistorikern u. a., auch wenn diese keine Hegelianer *stricto sensu* sind und im Extremfall nicht einmal von Hegel gehört haben, dazu bringen, mit atemberaubender Arroganz und gleichsam *ex cathedra* die Eigenschaften oder gar das »Wesen« der westlichen bzw. östlichen Geistigkeit, moderner gesagt: der Kultur, zu definieren. Es sei ausdrücklich betont, daß dieser sich seriös gebärdende Unsinn gleichermaßen im Osten, heutzutage in besonders erschreckendem Maße in Japan, wie im Westen grassiert. Der Mythos z. B. von der »Geistigkeit« bzw. »Intuitivität« Asiens und vom Materialismus bzw. Rationalismus des Westens, wobei der erste Teil natürlich erhaben, der zweite dagegen »kraß« ist, wird in Indien genauso energisch vertreten und fleißig kolportiert wie von so manchen europäischen Kulturjournalisten, um von denen, die auf das Licht aus dem Osten harren, ganz zu schweigen. Als ob ein chinesischer oder indischer Bazar »geistiger« sei als ein amerikanischer Supermarkt! Als Swami Vivekananda sich nach Meinung seiner treuen Jünger allzulange in Amerika aufhielt und sie beim Meister remonstrierten, schrieb er mit entwaffnender Offenheit zurück: »Sie (die Amerikaner) geben mir Geld, ich gebe ihnen Geistigkeit.« Kann man sich einen idealeren und geistigeren Tauschhandel vorstellen?
Zur Illustration seien einige der Klischees genannt, ohne daß wir uns bei der Entstehungsgeschichte dieses oftmals zur Konfrontation gewordenen Verschiedenheitsgefühls aufhalten. Es reicht von Aischylos und Xenophon bis zu T. Tasso. Zunächst war es das Persische Reich, dann in der Kreuzzugszeit der Islam, die die asiatische Bedrohung Europas darstellten. Als schließlich der Ferne Osten ins westliche Blickfeld rückte, kam noch die »gelbe Gefahr« hinzu. Inzwischen steht der statische, introvertierte, zur Passivität neigende, kontemplative Osten dem dynamischen, extrovertierten, aktiven, pragmatischen Westen gegenüber. Ersterer will mit geistiger Disziplin der Welt entfliehen, letzterer sucht mit Wissenschaft und Technik die Welt zu meistern und zu verändern. Wir müssen es uns hier versagen, auf die kulturgeschichtlich interessante Frage einzugehen, welche dieser Klischees – etwa als Reaktion auf das Eindringen des Westens – eigenständig in Asien selbst entstanden sind und welche von ihnen Projektionen des europäischen Orientbildes sind, das in Asien rezipiert wurde. Es bleibt der Phantasie des Lesers überlassen, sich vorzustellen, was die Khalifen in Bagdad zum passiven, kontemplativen usw. Charakter des Ostens gesagt hätten oder ob die Opfer der expansionistischen Aggression eines Dschingis Khan oder eines Tamerlan, jenes mongolischen Eroberers, der unter furchtbaren Grausamkeiten gegen Christen und Muslime im 14. Jahrhundert wiederholt den Iran, Kaukasien und Indien durchzog, etwas vom europäischen Imperialis-

mus wußten. Auch der große Aśoka bekehrte sich klugerweise erst zum Buddhismus, nachdem er seine blutigen Eroberungszüge erfolgreich beendet hatte, und nicht, bevor er sie begann. Daß die Geschichte der buddhistischen Königreiche von Birma, Thailand usw. eine Geschichte ununterbrochener und andauernder Kriege und Machtkonflikte war, sollte nicht vergessen werden. Was ein Konfuzianer von Idealen wie *mokśa* oder *nirvāṇa* hält, ist ebenfalls nicht unbekannt. Interessant ist die Behauptung eines modernen chinesischen Philosophen, Fung Yu-lan, daß der Neo-Konfuzianismus mehr von der »echten« taoistischen und buddhistischen Lehre bewahre als die Taoisten und Buddhisten selber.

»Weisheit«

Kehren wir aber zum eigentlichen Thema zurück: Es geht nicht um den Westen, sondern um das Christentum. Andernfalls müßten wir auch von der griechischen Weisheit sprechen und etwa fragen, ob nur sie, nicht aber auch die fernöstliche Weisheit Torheit in den Augen Gottes ist. Zwar hat auch das Alte Testament seine »Weisheitsliteratur«, deren Wesen als »Weisheit« in ihrem der Welt, dem Kosmos, der Gesellschafts- wie der Individualmoral zugewandten Universalcharakter besteht und dies im Gegensatz zu dem sehr spezifischen, aus dem Universalzusammenhang herausgehobenen Gottesbundverhältnis, d. h. zur Auserwähltheit Israels. Später hat die göttliche *sophia* – manchmal vielleicht in gnostischen Farben schillernd – nicht nur in der Theologie und Liturgie[3], sondern auch in der Mystik eine nicht unbedeutende Rolle gespielt. Es ist nicht von ungefähr, daß Walter Nigg sein Buch über »mystisches Leben in der evangelischen Christenheit« *Heimliche Weisheit* (1959) betitelt hat. Bemerkenswert ist, daß diese heimliche Weisheit im Gegensatz zur *sophia* im Neuen Testament (vgl. 1 Kor 1,24, Kol 2,3) und in der Patristik, wo sie der inkarnierte Logos ist – so auch in der *Hagia Sophia,* der der Person Christi geweihten Kirche in Konstantinopel –, ausgeprägt weibliche Züge trägt. Diese Sophia-Mystik setzte sich durch die Geschichte fort bis zu Jakob Boehme, von ihm aus zu dem Theosophen J. G. Gichtel, zur englischen Mystikerin Jane Leade, zu J. Pordage und der Philadelphischen Gesellschaft u. a. Die *unio mystica* wird hier als Vermählung mit der *Sophia* betrachtet, eine Vermählung, die nicht selten so streng monogam aufgefaßt wurde, daß sie keine andere Heirat mehr zuließ. So tadelte Gichtel, als Gottfried Arnold sich verheiratete, diesen Schritt als ehebrecherischen Verrat an der Sophia[4]. Interessant an dieser Form der

[3] Vgl. die Exklamation in der byzantinischen Liturgie, die diesem Beitrag als Motto vorangestellt ist.

[4] Vgl. *E. Seeberg,* Gottfried Arnold. Die Wissenschaft und die Mystik seiner Zeit. Nachdruck der Ausgabe 1923. Darmstadt 1964, 6–7.27–28; *W. Nigg,* Heimliche Weisheit. Mystisches Leben in der evangelischen Christenheit. Zürich/Stuttgart 1959, 244–245.249–250.332–337.

Mystik ist die Umkehrung der üblichen Art mystischer Verhältnisse, in denen die menschliche Seele als die von Sehnsucht verzehrte weiblich und der göttliche Geliebte bzw. der liebende Herr männlich ist. Das gilt für die jüdische und christliche Allegorese des Hohenliedes nicht weniger als für die Radhakrishna-Allegorese der Bhatkimystik. Wir sehen hier von den völlig anders gelagerten tantrischen Tatbeständen ab. Dennoch drängt sich die Parallele zwischen gnostischer Sophia und Prajnāpāramitā auf[5], zumal wenn man im Auge behält, daß das große Mantra z. B. am Ende der Herz-Sūtra, *gate gate pāragate pārasaṃgate* – in der japanischen Rezitation *gyatei gyatei haragyatei hara so gyatei* – einen weiblichen Vokativ enthält. Auch die abschließende altbrahmanische Exklamation *svāhā* – in der japanischen Rezitation *sowa ka* – ist im tantrischen Sprachgebrauch für weibliche Gottheiten reserviert.

»Glaube«

Im Titel dieser Festschrift ist aus dem christlichen Gesamtphänomen die als zentral und grundlegend betrachtete Kategorie des Glaubens hervorgehoben worden. Dabei handelt es sich wohl weniger um die dogmatischen Glaubens-*inhalte*, die *fides quae creditur*, als um die *fides qua creditur*, den Glauben als *die* christliche Grund*haltung*. Demgegenüber wird nicht von Asien oder orientalischer Weisheit, welche für die einen Indien bzw. die Upanishaden oder der neo-hinduistische Neo-Vedantismus, für andere der Buddhismus in irgendeiner seiner Formen, für wieder andere China bedeutet, gesprochen, sondern spezifisch »fernöstlich« gesagt und damit der chinesisch-koreanisch-japanische Kulturraum, der sich eigentlich bis Vietnam hinzieht, angesprochen. Dies ist durchaus mit Toynbees These im Einklang, nach der Asien keine Gesellschaft oder Kultur, ja nicht einmal ein Kontinent ist, sondern aus mindestens drei Subkontinenten bzw. »Zivilisationen« besteht. Im Vergleich dazu zeigt die westliche Zivilisation trotz ihrer vielfältigen Unterschiedlichkeiten eine größere Einheitlichkeit, da sie insgesamt auf den drei Säulen der griechischen Akademie, des römischen Staats- und Rechtsbegriffs und der jüdisch-christlichen Offenbarung bzw. der Bibel beruht. Hier erscheint aber wiederum der »Glaube« Ostasiens ausgeschaltet, obwohl nicht nur das *nembutsu*, sondern auch das *daimoku* letzten Endes Glaubensbekenntnisse sind. Auch das Zen beruht letzten Endes auf Glaube. Um es mit den Worten des zeitgenössischen Meisters Shunryu Suzuki Rōshi (gest. 1971) zu sagen: »Statt eines tiefen Verstehens der Lehre brauchen wir ein starkes Vertrauen in unsere Lehre, welche besagt, daß wir die ursprüngliche

[5] *E. Conze*, »Buddhism and Gnosis« in Further Buddhist Studies (1975) 20–22, schließt selbst historische Einflüsse nicht aus.

Buddha-Natur besitzen. Unsere Praxis (d.h. *zazen* bzw. *shikan-taza,* da Shunryu Rōshi ein Sōtō-Meister war – W.) beruht auf diesem Glauben.« Daraus folgt, daß man eigentlich die westliche Weisheit mit der östlichen und den christlichen Glauben mit dem fernöstlichen vergleichen müßte. Der Titel dieses Bandes hebt, wie schon früher betont, sowohl aus dem Christentum wie aus der fernöstlichen Geistigkeit je ein Element zu typologischen Vergleichszwecken heraus. Dies mag mit den Eigentümlichkeiten der christlichen Ostasienperzeption zu tun haben. Es mag aber dessen ungeachtet auch insofern sachlich bedingt sein, als hinter dem Vergleich die These steht, daß für das Christentum der entsprechend zu definierende Glaube als die zentrale, die Grundhaltung bestimmende Kategorie anzusehen ist, während dies für Ostasien die ebenfalls entsprechend zu definierende Weisheit ist.

Die Versuchung ist aber dann groß und vielleicht auch berechtigt, daß wir uns nunmehr gänzlich dem Konfuzianismus zuwenden, jener Kultur, in der der Weise – in Nachahmung und Nachfolge des einzigartigen, unvergleichlichen, großen Stifters und Meisters – sowohl die exemplarische Figur als auch die Verkörperung aller sozial anerkannten Werte und Ideale darstellt. Schließlich war es gerade die Diffusion der chinesischen Kultur – an erster Stelle der chinesische Buddhismus in seiner vom Taoismus und Konfuzianismus geprägten und verwandelten Gestalt –, die die »fernöstliche« Zivilisation (im Toynbeeschen Sinne) begründet hat. Dies gilt auch für das Zen, das weder Weisheit im konfuzianischen Sinn noch *fides* im christlichen oder auch im amidistischen Sinn, wohl aber *pietas* bzw. das, was man einen *habitus devotionalis* nennen könnte, kennt. Letzterer ist nicht zuletzt durch die Veröffentlichungen H. Dumoulins in das richtige Licht gerückt worden.

Beim japanischen Zen ist freilich auch der Einfluß der bodenständigen Shintō-Tradition mit ihrem außerordentlichen *sensus numinis* für Natur und Kosmos, ohne daß dieser pantheistisch im technischen Sinne ist, zu beachten. Die durch D. T. Suzuki an dieser Stelle leicht verzerrte Perspektive wäre demgemäß zu korrigieren. Will man vom nach Suzuki alles durchdringenden und entscheidenden Einfluß des Zen auf die japanische Kultur sprechen, dann muß man genauer von einem shintoisierten Zen sprechen; denn auch wenn der Intellekt Japans von der buddhistischen Scholastik – nicht vom Zen – und sein Sozialethos vom Neo-Konfuzianismus herrührt, so entstammt doch seine »Seele« dem Shintō.

Weisheit und Religion

Nun geht es mir nicht so sehr um den christlichen Glauben und die ostasiatische Weisheit an und für sich, sondern um das Problem der

Kulturperzeption – wer betrachtet was als Glaube bzw. als Weisheit? Darum muß noch ein Wort über die Perzeption von Religion gesagt werden. Obwohl Glaube und Religion nicht identisch sind – das wußte die Religionswissenschaft schon vor K. Barth und ohne Bezug auf die *theologia naturalis* –, so verdient doch die Rolle des Begriffs Religion, für den es in manchen asiatischen Sprachen kein exaktes Äquivalent gibt, eine kurze Beachtung. Vor über dreißig Jahren begann E. W. F. Tomlin sein Buch *The Oriental Philosophers* (1950) mit dem erstaunlichen *obiter dictum*, zwar seien im Westen Philosophie und Theologie – von einigen Perioden im Mittelalter abgesehen – zweierlei, doch in der Geschichte des östlichen Denkens gebe es nur eines: »Theologie«! Tomlin muß die intensive, ja heftige Ausrichtung mancher indischer Denk- und Religionsformen auf das persönliche oder unpersönliche Göttliche im Auge gehabt haben – an China kann er unmöglich gedacht haben –, doch macht dies den Titel seines Werks noch unverständlicher. Auch E. Conze erklärte bekanntlich, alle Religionen seien asiatischen Ursprungs – ein provokativer Slogan, der jedoch wissenschaftlich kaum ernst zu nehmen ist. S. Radhakrishnan nannte eines seiner Werke *Eastern Religions and Western Thought*, offensichtlich konnte er sich zu »Western Wisdom« nicht aufschwingen.
Alle europäischen Religionen und Systeme, auch die Orphik, Eleusis, die Neopythagoräer, Platoniker, Stoiker usw. sind angeblich entscheidend von Indien beeinflußt. Gewiß wird niemand gelegentliche Einflüsse ausschließen wollen. Doch für uns im Hinblick auf die Kulturperzeption wichtiger als diese verfehlten, weil unbegründeten Behauptungen, ist aus der indozentrischen Perspektive Radhakrishnans die These, der Unterschied zwischen Ost und West sei nicht der von Hinduismus und Christentum, sondern der von »Religion und einem selbstgenügsamen Humanismus«. Hinzu kommt nach ihm, daß die indische Religion nicht objektbezogen ist – das dürfte bedeuten: nicht auf einen »äußerlichen« Gott abgestellt – keine Annahme von bloßen Glaubensartikeln, keine akademischen Abstraktionen oder äußerlichen Riten kenne, sondern »Wirklichkeitserfahrung« sei. Sollte der hebräische Psalmist mit seinem Vers: »Schmecket und sehet« (Ps 34,9) etwa vom Hinduismus gesungen haben? Umgekehrt verliebten sich H. P. Blavatsky, die Gründerin der Theosophischen Gesellschaft, A. Besant und ihre Nachfolger in ihrer Reaktion auf die ererbte westliche Religion in die »Weisheit des Ostens« bzw. in das, was sie sich als solche vorstellten[6].

[6] Die westliche Sucht – im Gegensatz zu Radhakrishnans zitiertem Buchtitel –, die geistigen Traditionen und Religionen Asiens als Weisheit (gemeint ist oft der Weisheit letzter Schluß) darzustellen, kann auch bibliographische Folgen haben. So hat *J. Herbert* die von ihm herausgegebene, zahlreiche Bände umfassende Serie über asiatische Religionen und ihre Vertreter *Ouvrages sur la Sagesse Orientale* genannt.

Eine jede Religion hat ihre Weisheit und ihre Weisen[7]. Die Einzigartigkeit der chinesischen Kultur ist nicht die Weisheit der Religion, sondern ihre Religion der Weisheit. Diese Weisheit erkennt und bejaht die Wirklichkeit der Natur und der Zeitabläufe. Das Tao fließt durch alles. Darf man den alten Kirchenhymnus, ohne blasphemisch zu sein, etwa so anpassen: *»Rerum Tao tenax vigor, movens in se permanens«?* Diese Weisheit sucht keine Erleuchtung im Sinne von *samadhi* oder *satori*, keine Identität mit dem Tao, sondern Harmonie mit ihm. Das gilt auch für die praktische Ethik der Konfuzianer, sowohl die humanistische wie die bürokratische – wir sehen hier von der Fa-chiao-Schule ab –; es gilt nicht weniger für die praktische Mystik der Taoisten. Die Disziplin der einen führt zum Politischen, die der anderen – soweit sie nicht zur manipulativen Magie wird – zu dem als natürlich und spontan betrachteten Leben. Beide sind von einer *pietas naturalis* getragen.

Von hier aus lassen sich die Fäden zum Zen weiterspinnen. Einerseits läßt das Tao, weil es unaussprechbar ist, trotz seiner Präsenz und seiner Wirksamkeit im Prozeß von Natur und Gesellschaft – auch das Nicht-Tun ist ja keine »Weltverneinung«, sondern die Verweigerung, durch falsches »Getue« den natürlichen Gang des Tao zu stören – an *brahman* und *nirvāṇa* denken, andererseits ist das Zen nach D. T. Suzuki viel weniger auf Meditation und Trance ausgerichtet, als sein Name (*dhyāna*) vermuten läßt. Auch das *mahāyānistische* Zusammenfallen von *nirvāṇa* und *saṃsāra* hat eine der Welt zugewandte Seite. Buddhismus und Taoismus teilen mit Judentum und Christentum den Begriff heiliger, im Sinne von »geoffenbarter« Schriften. Die kanonischen Schriften des Konfuzianismus dagegen sind nicht geoffenbart. Sie enthalten kein *depositum fidei*, sondern sind das *depositum sapientiae*.

Zwar sind die ostasiatischen Traditionen und Weisheitsformen in gewissem Sinne schon jahrhundertelang im Gespräch miteinander, wie die reiche *san chiao*-Literatur es zur Genüge beweist. Doch müßte das Gespräch heute noch intensiver geführt werden. Die Grundhaltung dieser Traditionen ist von der des Glaubens im christlichen Sinn sehr verschieden. Will daher die ostasiatische »Weisheit« mit dem christlichen »Glauben« ins Gespräch treten, dann müßten beide Seiten sich zuerst fragen, was die Transparenz der Grundhaltung und Grunderfahrung des anderen durchschimmern läßt. Die

[7] Interessant wäre ein Vergleich zwischen dem konfuzianischen und dem talmudisch-rabbinischen Weisen (*ḥacham*); letzterer ist die Idealfigur und der Autoritätsträger des nachbiblischen Judentums. Die Übersetzung »Schriftgelehrter« ist irreführend und mit negativen Assoziationen belastet. »Torah-Gelehrter« oder »Thora-Beflissener« wäre sachgerechter. *Ḥacham* ist der gelehrte Weise, doch lebt er innerhalb des Rahmens einer Offenbarungs- und Glaubensreligion; vgl. *E. E. Urbach*, The People of Israel and its Sages: *ders.*, The Sages – Their Concepts and Beliefs. Jerusalem 1975, 524–648.

weitere Frage, ob und wieweit ein jeder seine eigene Terminologie benutzen muß, um den anderen wenigstens für sich selbst zu deuten, muß hier offenbleiben. Vielleicht könnte der Christ in der ostasiatischen Weisheit einen impliziten Glauben suchen und könnte umgekehrt der Asiate im christlichen Glauben ein *saṃvṛti satya,* einen noch unvollkommenen Ausdruck der Wahrheit finden, ihn möglicherweise sogar als *upaya* – jap. *hōben-hannya* – schätzen. Oder sollten diese Versuche, wie wohlgemeint sie auch sind, von beiden Seiten als theologischer Imperialismus und geistige Aggression aufgegeben und stattdessen ein jeder in seiner ihm eigenen Authentizität belassen werden? Vielleicht ziemt es sich für Menschen, die in ihrer Verschiedenheit die Gemeinsamkeit des Stehens vor dem Großen Mysterium erfahren, dies mit dem Gefühl des *shibui* – ein beinahe unübersetzbares japanisches Wort für die strenge Herbheit und Einfachheit des feinsinnigen, guten Geschmacks – zu tun.

Jan van Bragt

BEGEGNUNG VON OST UND WEST

Buddhismus und Christentum*

Im folgenden geht es um einige vorläufige Überlegungen zur heutigen Begegnung von Ost und West. Sie sind in Dankbarkeit dem Pionier und Brückenbauer, Professor Heinrich Dumoulin, gewidmet, der auch diese Gedanken inspiriert hat. Ich möchte von zwei Punkten sprechen:

1. der Begegnung Europas bzw. des westlichen Christentums mit dem Osten;
2. der buddhistischen Herausforderung an das Christentum.

Einleitend will ich zwei Voraussetzungen der Begegnung der Religionen andeuten, die auch in H. Dumoulins Werk eine große Rolle spielen. Die erste könnten wir die Toynbee-These nennen: daß nämlich in der Begegnung der Kulturen die Begegnung der Religionen von größter Wichtigkeit ist, weil die Religionen die Tiefendimensionen der historischen Kulturen ausmachen und in der Entstehung künftiger Synthesen dieselben Elemente wieder grundlegend sein werden. Mit anderen Worten, ich bin der Überzeugung, daß John Macmurray sich irrt, wenn er sagt: »Mit dem Aufschwung der wissenschaftlichen, säkularen Denkweise sind die Religionen auf jeden Fall zum Untergang verurteilt; sich die Zeit zu nehmen, um die Werte der nichtchristlichen Religionen zu erforschen, ist eine archäologische Beschäftigung und nicht die Sache der christlichen Mission.«[1] Es fragt sich doch, was Macmurray berechtigt, die westliche Tendenz einer konsequenten Ausdehnung der wissenschaftlichen Denkweise auf alle Lebensgebiete ohne weiteres auf andere Kulturen zu extrapolieren, zumal doch z. B. der Japaner im Gegenteil eher bereit ist, in jedem Lebensbereich eine andere Lebenshaltung einzunehmen, ohne sich darum zu kümmern, ob sie sich »logisch« miteinander verbinden oder nicht.

Die zweite Voraussetzung ist, daß die Religionen im allgemeinen von der Begegnung miteinander eine bedeutsame künftige Entwicklung erwarten können und daß das Christentum im besonderen noch jung genug ist, daß es noch nicht seinen Endpunkt erreicht hat, sondern vielmehr eine weitere Entwicklung erwarten läßt. Mit anderen Worten, es geht um die Überzeugung, daß in der Zeit zwischen der historischen Offenbarung Gottes in Jesus Christus und der endgültigen eschatologischen Offenbarung am Ende der

* Der Beitrag ist die leicht revidierte Fassung einer Gastvorlesung an der Universität Würzburg am 22. Juli 1982.

[1] Zitiert nach *L. Newbegin,* The Finality of Christ, London 1969, 31.

Zeiten noch wirklich etwas geschehen kann. Oder in den Worten von Maurus Heinrichs OFM: »Weil es (das Christentum – J. v. B.) in dieser Weltzeit seine Fülle noch nicht in jeder Beziehung erreicht hat, muß es immer noch offen sein und offen bleiben: offen für das Kommen des Reiches Gottes in Fülle und Vollendung, offen für die hinter den Gleichnissen stehende Wirklichkeit, offen für die religiösen Werte fremder Kulturen und Religionen.«[2] Ich stimme deshalb auch mit dem japanischen buddhistischen Philosophen Keiji Nishitani überein, der das Christentum als die Religion der Zukunft ansieht, freilich nicht in seiner heutigen Gestalt. Nach seiner Ansicht sollte sich das Christentum unter dem Einfluß des Buddhismus dazu entwickeln, was es aber nur aus seiner eigenen Tradition heraus tun kann[3].

I. Zur Begegnung Europas mit Asien

Weil es unmöglich ist, in der Ost-West-Begegnung das Religiöse vom Kulturellen zu trennen, erscheint es angemessen, sorgfältig zu prüfen, wie der »christliche Westen« (oder die Christenheit) auf den Osten in der Geschichte reagiert hat und wie er heute den Osten sieht und empfindet. Dabei verdient die Philosophie besondere Aufmerksamkeit.

1. Die kritische Frage

Hier muß allerdings kritisch gefragt werden, ob Europa sich wirklich zu »der Anerkennung der Menschheit als einer pluralistischen Struktur gleichwertiger Rassen und Kulturen« durchgerungen hat, wie Hans Küng es anzudeuten scheint[4]. Das würde nämlich bedeuten, daß Europa Asien als anders in seiner unersetzlichen Eigenheit anerkennt, als gleichwertiges Du im selben Wir der Menschheit anspricht und als notwendige Ergänzung seiner selbst ansieht auf den verschiedensten Gebieten der Kultur. Aus meiner Sicht der Dinge sieht das, vom Osten her gesehen, sicher nicht so aus; im Gegenteil, Europa erscheint in fast unglaublicher Weise (nach einem Wort E. Conzes) provinziell, selbstzentriert, selbstgefällig, auf sich selbst bezogen.
Wenn man das, was ein durchschnittlicher Japaner vom Westen weiß mit dem vergleicht, was ein durchschnittlicher Europäer vom Osten kennt, so würde man zweifellos zu einem Verhältnis von mehreren Tausend zu Eins

[2] *M. Heinrichs,* Katholische Theologie und asiatisches Denken. Mainz 1963, 83–84.
[3] Vgl. dazu *J. Spae,* Japanese Religiosity. Tokyo 1971, 273–284.
[4] Vgl. *H. Küng,* Existiert Gott? Antwort auf die Gottesfrage der Neuzeit. München/Zürich 1978, 649–650: »Als erster Europäer und vielleicht als erster Mensch überhaupt nahm Leibniz die pluralistische Struktur der Menschheit wahr, die sich aus gleichwertigen Rassen und Kulturen zusammensetzt, zu deren Anerkennung man sich erst im 20. Jahrhundert schließlich durchgerungen hat.«

kommen. So hat der amerikanische Japanologe Edwin Reischauer geklagt: »Wo sind in unserer Erziehung die Isaias und Platons der anderen Weltteile, deren Alexanders und Napoleons, deren Giottos und Rembrandts, deren Triumphe in politischer Organisation, deren kulturelle Renaissancen, deren große Einsichten in Religion, Ethik und soziale Strukturen?«[5]
Daß die Japaner heute fast allgemein zur Erkenntnis gekommen sind, als Rasse und Nation ein Unikum in der Welt zu bilden – eine Idee, die ihnen übrigens sehr gefällt –, liegt teilweise daran, daß die vom Westen beherrschten Humanwissenschaften wie Soziologie und Psychologie, aber auch Religionswissenschaft und Philosophie immer nur – von westlichen Gegebenheiten ausgehend – zu sagen pflegen: der Mensch ist so und so, die Religion ist dies und das u. a., und daß die Japaner sich in solchen Aussagen selten richtig wiedererkennen. Für die anderen östlichen Völker ist dies zweifellos auch der Fall, nur hat die Erkenntnis noch nicht denselben Grad des Selbstbewußtseins erreicht.

2. *Zur Geschichte der Begegnung*

a. *Vorbemerkungen*

Von der Geschichte der Begegnung Europas mit dem Osten und der Reaktionen des Westens auf den Osten können wir nur einige Punkte, die bis jetzt noch unsere Mentalität beeinflussen, kurz erwähnen. Wir sollten zunächst nicht vergessen, daß bis vor kurzem die moderne Geschichte eine Periode einseitiger europäischer Dominanz und kolonisierender Expansion gewesen ist. Asien hat dies noch nicht vergessen, und auch das kollektive Gedächtnis Europas scheint dies nicht vergessen zu können. Ich glaube sogar, daß die heutige Selbstbespiegelung Europas wenigstens teilweise in einem Schuldgefühl hinsichtlich der expansiven Vergangenheit wurzelt. Nur sind Schuldgefühle selten die richtige Linse, um den Anderen objektiv zu betrachten.
Wir können sodann mit dem amerikanischen Theologen Harvey Cox darauf hinweisen, daß Asien in Europa immer wie ein Mythos fungiert hat, in welchem der Osten »eine bequeme Leinwand wird, auf die der Westen die Spiegelbilder seiner eigenen Mängel projiziert«[6] und der eine große Anziehungskraft auf die europäische Vorstellungswelt ausgeübt hat. Falls wir den wirklichen Osten kennenlernen wollen, müssen wir zunächst diesen »geheimnisvollen Orient des alten westlichen Mythos«[7] überwinden. Leicht

[5] *O. Reischauer*, Toward the 21st Century. Tokyo 1973, 180.
[6] *H. Cox*, Licht aus Asien: Verheißung und Versuchung östlicher Religiosität. Stuttgart/Berlin 1978, 124.
[7] Ebd. 185.

ist dies allerdings nicht, denn »Mythen werden nicht mit Fakten widerlegt«, und »wenn die Wirklichkeit den Mythos zu verschlingen droht, halten wir um so entschlossener am Mythos fest«[8]. Ich erinnere mich gut an die Salzburger Hochschulwochen 1979, bei denen einer der Teilnehmer an meinem Seminar mir absolut nicht glauben wollte und mich als einen Apologeten des Christentums beschimpfte, als ich von religiösen Verfolgungen in Asien sprach. In einem mythischen Asienbild, dem Gegenbild des intoleranten Westens, kann es unmöglich religiöse Intoleranz geben. Ich habe keinen Zweifel, daß dieser mythische Orient viel mit der Anziehungskraft zu tun hat, welche die »neuen Religionen« Asiens heute auf Amerikaner und Europäer ausüben.
In der Reaktion des Westens dem Osten gegenüber kann man *grosso modo* zwei Perioden unterscheiden. Die erste war die Periode der »missionarischen Entdeckung«, in der die Missionare den Osten dem Westen vermittelten. In dieser Zeit findet sich hauptsächlich eine negative Bewertung des Ostens. Die Theologie jener Zeit konnte die östlichen Religionen nur als Idolatrie ansehen. Die zweite Periode kann dann die Periode der »wissenschaftlichen Entdeckung« genannt werden. Hier kommt es zu einer positiven Bewertung, die aber übereinstimmt mit der anti-christlichen Animosität der europäischen Intelligenz. So sagt M. Hulin: »Während der ganzen Aufklärungsperiode war das Interesse für den Orient und der Versuch, ihn ganz in die Universalgeschichte einzuverleiben, immer verbunden mit einer Polemik gegen das christliche Dogma und dessen Konsequenzen auf den Gebieten der Ethik, der politischen Organisation und der wissenschaftlichen Erkenntnis... Der Appell an den Orient diente immer zur Abweisung jedes Anspruchs des Christentums, als die allein wahre Religion anerkannt zu werden.«[9] Obwohl Hegel, wie wir später erläutern, auch hier eine neue Periode einläutet, bleibt diese Verbindung des Ostens mit einem Ressentiment gegen das Christentum auch später noch endemisch in der westlichen akademischen Welt.

Wenn wir uns nun der heutigen Lage der Begegnung zuwenden, so müssen wir uns das psychologische Axiom ins Gedächtnis rufen, daß die Selbsterkenntnis notwendige Bedingung jeder authentischen Begegnung mit einem Anderen ist, und uns fragen: Was ist denn das für ein Europa, das dem Osten begegnen soll? Auch hier können wir nur einige wenige Momente nennen, die für die Begegnung mit dem Osten relevant sein dürften. Zu denken ist einmal an die schon erwähnte ambivalente Haltung bzw. Animosität eines bedeutenden Teils der europäischen Intelligenz der eigenen christlichen Tradition gegenüber. Sodann wird die heutige Zuwendung zum Osten nicht

[8] Ebd. 190.
[9] *M. Hulin,* Hegel et l'Orient. Paris 1979, 13.

selten als Symptom einer westlichen »Kulturkrankheit« bzw. des Zweifels an der eigenen Tradition und Zukunft interpretiert. Das Thema des Untergangs des Abendlandes (Oswald Spengler) ist in Japan zunehmend vernehmbar. Den Japanern kommt es vor, als ob die westliche Gesellschaft ihre alten Traditionen verleugne, um allmählich ihre Identität zu verlieren und in Lebensüberdruß zu versinken. Es bleibt aber dann zu bedenken, daß der Westen dem Osten nur wirklich begegnen und, wenn nötig, seine rettende Hand ergreifen kann aus der Tiefe der eigenen Tradition.

b. *Die europäische Tradition*

Unsere Tradition erscheint als ein Konglomerat von zwei sehr verschiedenen Traditionen, der griechischen und der biblischen. Im Hinblick auf die Frage, der wir uns jetzt konfrontiert sehen, nämlich ob zwischen dem westlichen und östlichen Weg eine Synthese möglich ist, ist es aber wichtig festzustellen, ob die europäische Tradition eine wirkliche Synthese zwischen dem jüdischen und dem griechischen Denken darstellt oder ob nicht vielmehr von einem unbequemen Mit- und Nebeneinander beider Traditionsstränge zu sprechen ist. Kenner der Heiligen Schrift zeigen uns an vielen Stellen, daß das griechische Denken die biblische Religiosität verraten hat. Doch andererseits ist dann zu vermuten, daß gerade die Spannung der Ursprungsdualität der westlichen Kultur ihre eigentümliche Dynamik verliehen hat. Hier fragt es sich nun, ob gegenüber der biblisch-griechischen die Ost-West-Dualität noch radikaler ist und so eine Synthese doppelt schwierig wird. Oder kann die bleibende Spannung zwischen den beiden Elementen ihrerseits zum Prinzip einer neuartigen Dynamik werden?
Dabei müssen wir zweierlei beachten. Zunächst sind auch die östlichen Kulturen nicht monolithisch. In Indien muß man von einer religiösen Verbindung zwischen vedischen und dravidischen Kulturen sprechen. In China findet der konfuzianische Grundton eine Entgegnung in der taoistischen Tendenz, die ihrerseits durch den indisch-buddhistischen Einfluß verstärkt wird. Die japanische Kultur zeigt ihrerseits eine eigentümliche Dualität von japanischem Volksgeist, der vielleicht am reinsten im Shintoismus verkörpert wird, und chinesischer Kultur, die am deutlichsten durch den Buddhismus vertreten ist. Aus dem Blickwinkel Japans (und wohl auch Chinas) dürfte das Entscheidende in den östlichen Synthesen sein, daß das Einheimische schließlich als Matrize fungiert, welche alle anderen Elemente aufgenommen hat und in der diese ohne dauernde Konfrontation zur Ruhe kommen.
Sodann bemerken wir, daß in den östlichen Synthesen die Volksreligion, die im Westen eher vernachlässigt oder sogar bewußt ausgeschieden wird, eine entscheidende Rolle gespielt hat und immer noch spielt. Im germanischen Kulturbereich hat die Mißachtung des »Volksgeistes« zeitweise zu tiefem

Unbehagen geführt, von dem u. a. Hegels Aussagen in seinen Jugendschriften zeugen: »Das Christentum hat Walhalla entvölkert, die heiligen Haine umgehauen, und die Phantasie des Volkes als schändlichen Aberglauben, als ein teuflisches Gift ausgerottet, und uns dafür die Phantasie eines Volkes gegeben, dessen Klima, dessen Gesetzgebung, dessen Kultur, dessen Interesse uns fremd, dessen Geschichte mit uns in ganz und gar keiner Verbindung ist. In der Einbildungskraft unseres Volkes lebt ein David, ein Salomon, aber die Helden unseres Vaterlandes schlummern in den Geschichtsbüchern der Gelehrten...«[10].

Man könnte sich tatsächlich fragen, ob die Entwicklung einer Volksreligion zur Weltreligion so eindeutig und unumkehrbar ist, wie sie oft vorgestellt wird, oder ob nicht vielmehr die Rolle der Volksreligion wieder größer wird (man denke etwa an die amerikanische »*civil religion*«) und sie daher bei der Reflexion über eine mögliche Synthese von Buddhismus und Christentum hinreichend beachtet werden muß.

c. *Die westliche Tradition und die Modernität*

Gewiß mag es für die Ost-West-Begegnung von größter Bedeutung sein, daß der außerordentliche Erfolg der westlichen wissenschaftlich-technischen Zivilisation die östlichen Völker so sehr beeindruckt hat, daß sie den Westen vielfach nur noch als Inbegriff rationalistischer Lebenshaltung, industrieller Umformung der Natur, materiellen Reichtums u. ä. sehen und nur schwer davon zu überzeugen sind, daß Europa auch anderes, bäuerliche Lebensformen, Armut u. a., gekannt hat. Dabei geht in Wirklichkeit der größere Teil westlicher Kulturelemente auf die vor-moderne Zeit zurück. Auffallenderweise hat die ältere Tradition Europas sehr viel mit den östlichen Kulturen gemeinsam. Andererseits erscheint der Westen in seiner Modernität unter den Kulturen der Welt als eine totale Ausnahme, in gewissem Sinne gar als Abnormität. Er ist für die anderen zwar außerordentlich erfolgreich, aber zugleich fremd und eine Gefährdung der eigenen Kultur. So ist es z. B. bemerkenswert, daß im Dialog mit dem Buddhismus die Theologie der Kirchenväter, ja selbst die scholastische Theologie brauchbarer ist als die nachkartesianische, weithin protestantische Theologie.

Damit stellt uns der Osten erneut vor die Frage: Was ist eigentlich in der Renaissance geschehen, als der Westen »sich in das zweideutige Abenteuer der Modernität gestürzt hat« (P. Mendes-Flohr)? Hat der Westen damals so gründlich mit seiner Vergangenheit gebrochen, daß die eigene Tradition notwendigerweise der Vergessenheit verfallen mußte? Inzwischen hört man auch von Soziologen, daß der Vergleich mit nicht-modernen Kulturen notwendig geworden ist, wenn wir uns selbst wieder kennenlernen wollen.

[10] Theologische Jugendschriften, hg. von *H. Nohl.* Tübingen 1907, 215.

Berechtigt die heutige Lage unserer Kultur aber nicht zur Frage, ob der moderne Westen »den Menschen offen gelassen hat für das ihn tragende Geheimnis oder ihn in sich und seine Welt hinein verschlossen hat«[11]? Man könnte schließlich von der ganzen Moderne sagen, was M. Heinrichs zur Technik bemerkt: »Ferner muß der Westen mit seiner Technik erst noch beweisen, daß er mit ihr auch innerlich fertig wird, indem er sein eigentliches Menschsein nicht verrät.«[12]
Somit wird für den Westen eine fruchtbare Begegnung mit dem Osten eine unendlich schwere, wenn zugleich auch äußerst notwendige Sache. Sie ist *schwer*, weil eine echte Begegnung mit dem anderen nur aus einer echten Verbundenheit mit sich selbst heraus geschehen kann. Sie ist *notwendig*, weil die Begegnung selbst einen neuen Zugang zur eigenen Tradition vermitteln kann.
Schließlich darf auch nicht vergessen werden, daß der moderne Westen Schöpfer einer »einheitlichen Kultur« geworden ist, die er über die ganze Welt verbreitet und für die er eine besondere Verantwortung zu tragen hat.

d. *Philosophie und Religion in Ost und West*

Damit kommen wir zu einem sehr weitläufigen Fragenbereich, und ich weiß nicht, ob es mir gelingen wird, den inneren Zusammenhang meiner Fragen deutlich zu machen. Zuerst wollen wir zu unserer früheren Frage, ob der Westen wirklich bereit ist, den Osten anzuerkennen, zurückkehren und fragen, ob die westliche Philosophie bereit ist, die östlichen Gedankenströme als Philosophie anzuerkennen und entsprechend die Philosophiegeschichte in eine Geschichte der Weltphilosophie umzuschreiben. L. Dumont war sicherlich noch nicht der Ansicht, als er schrieb: »Die Philosophen zeigen die gleichsam natürliche Tendenz, die Mitte, wo sich die philosophische Tradition entwickelt hat, mit dem Menschsein schlechthin zu identifizieren und alle anderen Kulturen auf die Stufe der Untermenschlichkeit zu verbannen. Unter dieser Rücksicht muß man von einem Rückgang sprechen. So waren z. B. Hegel und Marx noch an der Entdeckung anderer Zivilisationen interessiert. Bei den politischen Philosophen, die sich auf einen der beiden berufen, ist das freilich nicht mehr der Fall.«[13] Ähnlich stellt H. Rombach Heidegger die kritische Frage, ob denn das Abendland der einzige Vollzugsort des Seins sei[14]? Und der japanische Philosoph Y. Takeuchi schreibt einmal: Heidegger »spricht vom ›Ende der westlichen Metaphysik‹,

[11] *M. Heinrichs,* Katholische Theologie, 114.
[12] Ebd. 164.
[13] *L. Dumont,* Homo hierarchicus. Paris 1967, 21.
[14] Vgl. *H. Rombach,* Phänomenologie des gegenwärtigen Bewußtseins. Freiburg/München 1980, 153.

– das aber nur, weil er immer auf einem Standpunkt steht, der die Philosophie an westliche Ereignisse bindet; demgegenüber dürften die Aussichten auf eine Begegnung von westlicher Seinsmetaphysik und östlicher (vor allem buddhistischer) Nichtsmetaphysik einen neuen Standpunkt eröffnen, eine philosophische *Weite,* die von der Gegenwart in die Zukunft reicht.«[15]
Auf die Frage, was eigentlich die westliche Philosophie daran hindert, die östlichen Spekulationen über Logik, Mensch, Welt und Absolutes als authentische Philosophie anzuerkennen, habe ich bislang noch keine überzeugende Antwort gefunden. Meine eigene Hypothese ist diese: Der eigentliche Grund der Verweigerung liegt in der Tatsache, daß in Ost und West die *Beziehung zwischen Philosophie und Religion (bzw. Theologie)* verschieden ist. Die westliche Philosophie hat sich im Laufe ihrer Geschichte von der Religion getrennt und ihre Rolle als »Leitinstanz des Menschseins« aufgegeben, um als strenge Wissenschaft zu erscheinen. Im Osten dagegen hat die Philosophie sich nie von der Religion abgehoben und ist immer als ein »Weg menschlicher Selbst-Transzendenz« erschienen. Für den *»Philo-sophos«,* den Sucher der Weisheit, bleibt aber dann die Frage, ob die östliche Weisheit darum die Wirklichkeit oder Wahrheit weniger trifft.

e. *Hegels Beispiel*

Ehe wir diesen Gedankengang weiterverfolgen, gehen wir kurz auf Hegel ein, weil seine Einstellung zur Beziehung von Philosophie und Religion, aber auch seine Auffassung des Ostens einen entscheidenden Markstein darstellen dürfte.
Was Hegels Auffassung des Ostens angeht, so zitieren wir einige Sätze aus dem Buch des französischen Philosophen Mulin, »Hegel et l'Orient«[16]: »Kein Denker hat mehr dazu beigetragen, das zugleich traditionelle wie romantische Bild des Orients als eines Brunnens aller Weisheit und Wissenschaft zu zerstören. Hegel hat den Orient aus dem Exotischen herausgeholt ... und ihn an den unumkehrbaren Gang der westlichen Welt angeknüpft.« (139.141) Der Osten erscheint bei Hegel als »der niedrige Anfangspunkt eines geistlichen Abenteuers, dessen triumphierenden Gipfel der Westen darstellt« (139). Bei ihm erreicht man »die innere Logik einer Auffassung des Orients als des endgültig überholten Anfangs unserer Kultur bzw. als einer historischen Sackgasse, die man anerkennen muß, indem man sie vermeidet.« (8) Während der Westen zur Subjektivität übergeht, ist der Orient auf immer »Gefangener des substantiellen Geistes« (139). Typisch ist die Aussage Hegels mit Bezug auf die Kreuzzüge: »Das Abendland hat vom

[15] *Y. Takeuchi,* The Heart of Buddhism. In Search of the Timeless Spirit of Primitive Buddhism. New York 1983, 77.
[16] Wir zitieren *M. Hulin* (Anm. 9) mit Seitenzahl im Text.

Morgenlande am Heiligen Grabe auf ewig Abschied genommen und sein Prinzip der subjektiven unendlichen Freiheit erfaßt.«[17]

Hier stellt sich nun die Frage, ob und wieweit das europäische Bewußtsein auch heute noch dem Hegelschen gleicht. Was den Sinn der Geschichte betrifft, so könnte M. Merleau-Ponty mit seiner Feststellung Recht haben, »daß die allgemeine Linie der Hegelschen Interpretation auch heute noch von der großen Mehrheit ... implizit angenommen wird«[18]. Und doch hat sich nach Hegel sowohl in der Philosophie als auch im allgemeinen europäischen Bewußtsein soviel an radikaler Veränderung ereignet, daß es uns unmöglich wird, der Hegelschen Philosophie in der bisherigen Weise zu folgen. In einem gewissen neuen Sinne können wir Hegel vielleicht als Gipfel und Endpunkt des *europäischen* Denkens bezeichnen, d. h. eines Denkens, das Europa als das absolute Zentrum empfindet, in heiterer Selbstgewißheit (ohne Identitätsprobleme, vom jungen Hegel jetzt abgesehen) und in absolutem Selbstbewußtsein – in mir als der Mitte fügt sich alles zusammen – und in dem das Griechentum in seinem absoluten Vertrauen in die menschliche Vernunft (in der das göttliche Selbstbewußtsein zentriert ist) und das Christentum als Dynamik und Zielsicherheit der Geschichte zugleich gipfeln.

Die Frage, wodurch es zur Relativierung dieses absoluten Selbstbewußtseins gekommen ist und was das Bewußtsein der menschlichen »Gebrochenheit« herbeigeführt hat, ob Marx oder Freud, muß hier offen bleiben. Es mag auch sein, daß die geänderte Situation Europas den Ausschlag gegeben hat.

Im Hinblick auf Asien stellt sich aber auch die Frage: Kann die Philosophie Hegels eine *christliche* Philosophie genannt werden? Und wie steht es in dieser Hinsicht mit der nach-hegelschen Philosophie, die eine Philosophie der Endlichkeit genannt worden ist? Und ganz allgemein: Gibt es das überhaupt, eine christliche Philosophie? Sehr viel ist über diese Fragen diskutiert und geschrieben worden. Dennoch müßten sie im Hinblick auf die Begegnung mit dem Osten aufs neue bedacht werden. Ich will es hier aus meiner japanischen Erfahrung heraus versuchen. Aus einem buddhistischen Hintergrund heraus gehen viele japanische Intellektuelle von ihrer Kenntnis der westlichen Philosophie her auf das Christentum zu. Sie sagen mir dann etwa: »Das Christentum ist dualistisch, weil es Gott und Mensch in einer unendlichen, unüberbrückbaren Distanz voneinander sieht«. Wenn ich dann antworte: »Das ist nicht richtig, denn der Kern des Christentums ist die Einheit von Gott und Mensch *in Christo incarnato*«, dann entgegnen sie: »Diese Ideen finden wir aber nicht in ihrer Philosophie, wo sie doch am Gott des Aristoteles hängen.« Was soll ich darauf antworten, etwa: »Sie dürfen das

[17] *G. W. F. Hegel,* Vorlesungen über die Philosophie der Geschichte = Werke in 20 Bänden, hg. von *E. Moldenhauer/K. M. Michel.* Bd. 12. Frankfurt 1970, 472.

[18] Zitiert nach *M. Hulin,* Hegel, 140.

Christentum nicht von der westlichen Philosophie aus beurteilen«, mit der es sich doch vielfach identifiziert hat?
In Anknüpfung an meinen Aufsatz in der Festschrift für H. Enomiya-Lassalle[19] läßt sich das Problem, das auch H. Dumoulin immer wieder behandelt hat, so umschreiben: Im Buddhismus ist das Christentum konfrontiert mit »der denkbar innigen Beziehung zwischen (religiöser) Erfahrung und Lehre...Metaphysische Spekulation, Religionsübung und mystisches Erleben sind ganz dicht zusammengerückt und in eins gefaßt«[20]. Anders gesagt, im Buddhismus finden wir eine fundamentale, klar umrissene Logik, die sowohl die religiöse Praxis als auch die Doktrin durchdringt und beide in einem bestimmten Konvergenzpunkt verbindet, nämlich in der Leere. Die Perspektive, aus der wir die Frage nach der »christlichen Philosophie« folglich erneut stellen müssen, ist die Tatsache, daß die buddhistische Lehre philosophisch-religiös ist im Sinne einer Einheit von Philosophie und Religion, die wir im Westen so nicht kennen.
Vor diesem Hintergrund werden die Maßstäbe, die dem Verständnis von »christlicher Philosophie« anzulegen sind, freilich sehr streng sein müssen. Wenn wir z. B. fragen, ob Hegel ein christlicher Philosoph war, so fragen wir nicht, ob er vom Christentum beeinflußt war oder ob seine Philosophie auch ohne das Christentum denkbar wäre. Wir fragen vielmehr, ob die letzte Inspiration und die innere Dynamik dieser Philosophie christlich ist und ob diese Philosophie die Logik einer christlichen Lebensführung bestimmen könnte. Dann wird die Antwort wohl lauten, daß die Selbst-Zentrierung wie auch die Erfüllung im Hier und Jetzt, die wir bei Hegel finden, doch nicht wirklich christlich sind und daß die heutige Lage Europas ebenso wie die Begegnung mit dem Osten eine christlichere Haltung erfordern: nämlich sich selbst zu finden im anderen und die absolute Erfüllung zu erwarten in der Zukunft.
Vielleicht müssen wir sogar ganz allgemein sagen: Es gibt gar keine christliche Philosophie, und der Westen kennt keine Logik der Religion. Das Christentum hat sich nie eine eigene Philosophie geschaffen, sondern hat sich vielmehr damit begnügt, die griechische Philosophie zu adoptieren, ohne deren ursprüngliche Ausrichtung und deren Grundkategorien zu ändern. Der westlichen Philosophie geht es auch nicht um eine Erklärung der religiösen Erfahrung, sondern um die Fundierung der natürlichen Phänomene des alltäglichen Bewußtsein. Unsere westliche Kultur hat nie versucht, eine radikal auf die christliche Offenbarung gegründete Logik zu entwickeln, während Nagarjuna und andere buddhistische Philosophen sich bemüht haben, konsequent aus den vier heiligen Wahrheiten des Buddha heraus zu

[19] *J. van Bragt,* Tangenten an einen vollkommenen Kreis?: *G. Stachel* (Hg.), munen musō. Ungegenständliche Meditation. Mainz 1978, 377–396.
[20] *H. Dumoulin,* Östliche Meditation und christliche Mystik. Freiburg/München 1966, 235.

philosophieren. So hat es der Westen den christlichen Grundlehren von der Trinität und der Inkarnation nicht erlaubt, die philosophische Lehre von den göttlichen Attributen grundlegend zu ändern. Es gibt keine Logik zur Erklärung biblischer Redeweisen wie: »Wer das Leben um meinetwillen verliert, wird es gewinnen« (Mt 10,39), oder: »Nicht mehr ich lebe, sondern Christus lebt in mir« (Gal 2,20). Redeweisen dieser Art sind dem Bereich der spirituellen Sprache zugeordnet, während unsere Logik und Ontologie auf einer anderen Erfahrung gründen, nämlich der der Natur und des geschichtsmächtigen Menschen.

Drei Fragen ergeben sich in dieser Lage:

1. Glauben wir wirklich, daß das Spirituelle und Evangeliumsgemäße weniger (oder am Ende gar keinen) ontologischen Wirklichkeitsgehalt haben?
2. Kann eine Philosophie, die von dem Evangelium abstrahiert, je für einen Christen existentiell bedeutsam sein?
3. Werden Ost und West sich wirklich verstehen können, solange jeder auf seinem eigenen philosophischen Standpunkt beharrt?

II. Die buddhistische Herausforderung an das Christentum

»Einen Einzigen gibt es, der den Gedanken eingeben könnte, ihn in die Nähe Jesu zu rücken: Buddha. Dieser Mann bildet ein großes Geheimnis. Er steht in einer erschreckenden, fast übermenschlichen Freiheit; zugleich hat er dabei eine Güte, mächtig wie eine Weltkraft. Vielleicht wird Buddha der Letzte sein, mit dem das Christentum sich auseinanderzusetzen hat. Was er christlich bedeutet, hat noch keiner gesagt.«[21]

R. Guardini schrieb diese Sätze in den dreißiger Jahren. Er dürfte der erste christliche Theologe gewesen sein, der eine Ahnung von der Größe der buddhistischen Herausforderung hatte und von der ernormen Aufgabe, die sich der Theologie stellt. Als ein Mann breiter Bildung kannte Guardini die verschiedenen Konfrontationen, die der christliche Glaube in seiner langen Geschichte durchlebt hat, die griechische Philosophie, den Gnostizismus, den Manichäismus, die säkularisierte Wissenschaft usw. Doch im Buddhismus schien er etwas qualitativ anderes zu spüren, eine Lehre von höherer spiritueller Qualität, einer größeren inneren Kohärenz, wobei der Buddhismus zugleich vom Christentum radikaler verschieden ist als alle anderen Lehren, denen dieser sich bislang konfrontiert sah. Ich bin davon überzeugt, daß Guardinis Anschauung richtig war.

Zweifellos wird es Leute geben, denen meine Wortwahl hier nicht gefällt. Denn von »*Herausforderung*« kann tatsächlich nur in einer Konfrontations-

[21] *R. Guardini*, Der Herr. Basel/Wien 1981, 360.

situation die Rede sein, wenn es einen Gegner gibt, durch den man sich bedroht fühlt und gegen den man sich daher zum Kampf rüstet. Das aber scheint dem ökumenischen Geist zu widersprechen, der von uns heute in der Begegnung mit anderen Religionen verlangt wird. Was ich aber mit dem Wort »Herausforderung« betonen will, ist, daß die Begegnung mit dem Buddhismus ihre wahre heilsame Wirkung auf uns nur ausüben kann, wenn wir den Buddhismus in seiner Verschiedenheit von unserem Glauben ernstnehmen und diese nicht von Anfang an mit dem Mantel eines falschen Irenismus zudecken (»Wir sind alle Brüder, so achten wir nur auf das, was uns gemeinsam ist«) oder im Nebel eines Konkordismus *à tout prix* verschwinden lassen (»Im Grunde sagen wir doch alle dasselbe«). Auf den ersten Blick sehen solche Haltungen zwar gut aus: Man will sich die besseren Instinkte des warmen menschlichen Herzens nicht von der scheidenden Vernunft verderben lassen. Doch implizieren solch irenistische Haltungen meistens einen Indifferentismus – die Wahrheit ist keinen Kampf wert; die Religion ist sowieso eine sekundäre Angelegenheit und die subjektive Sache des Individuums – oder gar ein Gefühl der Überlegenheit: »Dieser Bruder kann nichts haben, was ich nicht schon in viel höherem Maße besitze, und wo er von mir verschieden ist, irrt er«. Christlicher und der wahren Liebe näher jedoch ist es, den anderen *als anderen* anzuerkennen und aus einer solchen Haltung heraus eine Annäherung zu versuchen.

Nur so wird der Buddhismus für uns eine Herausforderung zu etwas Neuem und Kreativem. Denn er fordert uns ja zu einem Exodus heraus, einem Überschreiten unserer Gegenwart in den Glauben und eine unbekannte Zukunft hinein, zu einem Heraustreten aus unseren Begriffskonstruktionen und übrigen »Festungsanlagen« in die Richtung zugleich des Partners und der Grunderfahrungen unseres eigenen Glaubens. Anders gesagt: Der Buddhismus möchte uns zu einem *Leerwerden* aufrufen. So sah schon H. de Lubac »die Rolle der buddhistischen Präsenz in der christlichen Seele« als »eine Art interreligiöser spiritueller Exerzitien, oder genauer: als eine immense, drastische und subtile *pars purificans,* eine negative Vorbereitung durch die Leere«[22].

Damit kommen wir zu der Frage, wo die buddhistische Herausforderung uns trifft. Ich habe hier keine fertigen Schablonen. Nur der weitere Fortgang des Dialogs kann die Klärung bringen. (Wer übrigens mit Schablonen der Gleichheiten und Verschiedenheiten in den Dialog hineingeht, verfehlt den Dialog von Anfang an.) Ein vorläufiger Zugang zur buddhistischen Herausforderung kann aber im Bild des Christentums liegen, das der buddhistische Spiegel uns zurückwirft. Mit anderen Worten, wenn wir wissen wollen, in welchen Punkten der Buddhismus das Christentum am stärksten herausfordert, kann die Bekanntschaft mit dem *Image,* das die meisten Buddhisten

[22] *H. de Lubac,* Rencontre du Bouddhisme et de l'Occident. Paris 1952, 282.

vom Christentum haben, uns ein Stück weiterbringen. Wenn wir auf die negativen Momente dieses Bildes achten, bemerken wir folgende Punkte:

(1) Für einen Buddhisten ist das Christentum sehr dogmatisch, d. h. es ist um einen bestimmten Kanon objektiver Lehren besorgt, ohne genügendes Interesse an der Verbindung dieser Lehren mit dem inneren Leben der Menschen. Die Christen scheinen dabei zu glauben, daß sie die letzte Wahrheit in endgültigen und bequemen Formeln fassen können, die man nur glauben muß, ohne notwendigerweise den Weg zu gehen, der zur Erfahrung der Wahrheit und Heilung der Seele führt.

(2) Dies verbindet sich mit der Tendenz, das Ziel des religiösen Lebens zu *objektivieren* und zu substantialisieren, so daß es subjektunabhängig wird und dem Subjekt gegenübertritt. Daraus ergibt sich ein radikaler Dualismus von Gott und Welt, Leib und Seele u. a., wobei eine echte Einigung von vornherein unmöglich erscheint.

(3) Im allgemeinen zeigt das Christentum einen *Mangel an Innerlichkeit.* Es ist nach außen gerichtet, extrovertiert. Es ist fast ausschließlich an Objektivem, Historischem, eben Materiellem interessiert und vernachlässigt dabei den Bereich, in dem das menschliche Geschick tatsächlich entschieden wird: das Bewußtsein, die Subjektivität des Menschen.

(4) Es tendiert zu einem *Aktivismus,* der all seine Energie der Umformung der äußeren Welt widmet und glaubt, von dieser Anstrengung wirkliche Resultate erwarten zu können.

(5) Das Christentum ist *moralistisch* und legt viel Nachdruck auf die Regeln des äußeren Verhaltens. Es ist geneigt das Religiöse mit dem Moralischen zu identifizieren, obwohl echte Religiosität im Grunde Leben des Geistes jenseits von Gut und Böse ist.

(6) Es hat viele *archaische und primitive Züge* beibehalten, Mythen, eine Vorliebe für grausame Vorstellungen, Gebete für weltliche Segnungen u. a. m. Eine Folge dieser Dinge ist, daß das Christentum intolerant ist und gegen Vernunft und Wissenschaft kämpft.

Das Bild des Christentums, das in den Köpfen vieler Buddhisten lebt, ist nicht sehr schmeichelhaft und natürlich auch nicht ohne weiteres wahr. Es darf aber nicht übersehen werden, daß das Christentum in seiner historischen Realität dabei implizit am Ideal des Buddhismus gemessen wird. Nicht zu leugnen ist, daß jeder Pinselstrich dieses Gemäldes tatsächlich auf eine Schwäche der westlichen Verkörperung der Botschaft Christi hinweist, deren Korrektiv im Buddhismus verkörpert ist. Dieses Spiegelbild führt aber zu einer Gewissensprüfung von einer Radikalität, die uns bis jetzt so noch nicht gestattet war. Der Buddhismus leiht uns gleichsam sein Auge, das uns gestattet, uns selbst in einer anderen Perspektive zu sehen.
Wir greifen im folgenden einige der genannten Punkte auf.

1. *Objektive und innerliche Religion*

H. Rombach hat bemerkt: »Es wird Zeit, die Wurzeln in den fruchtbaren Grund zurückzusenken«[23]. Der japanische Zen-Ausleger D. T. Suzuki hat den Vorwurf der Begriffsorientiertheit einmal lapidar, wenn auch ungerecht, so formuliert: »Gott der Vater, Sohn Gottes, Kinder Gottes...ebensoviele Begriffskonstruktionen ohne ein Mindestmaß an Beziehung mit der Erfahrung selbst.«[24] Andererseits hat H. Cox in seiner Analyse der Ursachen, warum so viele Leute im Westen sich heute dem Osten zuwenden, bemerkt: »Die Ostpilger suchen außerdem nach einem Weg, wie man das Leben direkt erfahren kann, ohne daß sich Ideen und Konzeptionen dazwischen schieben. Viele erzählten uns, sie suchten nach einer Art der Unmittelbarkeit...«[25]. Und: »Es geht um die Suche nach einer unberührten und ehrlichen Begegnung mit allem, worauf man trifft, mit der Natur, mit anderen Menschen und mit dem eigenen Selbst«[26]. Gewiß krankt die westliche Kultur, die dem Christentum weithin ihr Bild aufgeprägt hat, im allgemeinen an einer Überbetonung des Intellektuellen, des Abstrakten, der Erweiterungen auf Kosten des Unmittelbaren, des Konkreten, des Jetzt. Dabei kommt die Religion, die ja keine universale Theorie ist, sondern ein den ganzen Menschen anfordernder Weg, schließlich nicht mehr in den Blick.
Es läßt sich auch nicht leugnen, daß der Westen eine Tendenz zum »Identifizieren der dogmatischen Begriffe mit dem eigentlichen Wahrheitsgehalt«[27] zeigt. Dem steht im Osten das klare Bewußtsein gegenüber, daß, wenn es um das Absolute geht, unsere Begriffe nicht mehr sein können als der Finger, der auf den Mond weist und daß der Finger nur der Zeiger und eben nicht der Mond selbst ist.

Inwiefern die genannten Gefahren »der Religion des Buches«, der Bibel als dem Wort der Offenbarung von einem transzendenten Gott, inhärent sind, können wir hier nicht klären. Jedenfalls nötigt der Buddhismus uns, aufs neue die große Distanz zwischen dem Sprechen Jesu in Gleichnissen und mancher »Begriffsspielerei« in der Theologie zu bedenken. So sagt M. Heinrichs: »Der Sohn Gottes hat als Mensch zu Menschen gesprochen; er hat die göttlichen Geheimnisse in eine menschliche Sprache übersetzt, sie in eine Form gefaßt, die uns wohl ein echtes Verständnis gibt, aber die darunter liegende Wahrheit mehr erahnen als begreifen läßt.«[28]

[23] *H. Rombach,* Phänomenologie, 253.
[24] *D. T. Suzuki,* Selected Writings. New York 1956, 106.
[25] *H. Cox,* Licht aus Asien, 117.
[26] Ebd. 143.
[27] *M. Heinrichs,* Katholische Theologie, 89.
[28] Ebd. 81.

Viele Konsequenzen sind daraus zu ziehen, die hier nur genannt werden können[29]:

- die Notwendigkeit, daß Theologie Mystagogie sei, ein steter Verweis auf das Geheimnis Gottes;
- die Forderung, daß die systematische Theologie mit der »mystischen Theologie« zusammengehe;
- die Notwendigkeit der geistlichen Lesung der Heiligen Schrift, wie sie in der »Regula Benedicti« vorgesehen ist und wobei wir dann bestimmte Bibelstellen als eine Art Zen-*kōan* benutzen könnten, wie es schon im japanischen Katholizismus geschieht[30].

2. *Sein und Nichts*

Der Buddhismus faßt die erlösende Grundhaltung, die Negativität seiner Theologie und die Abweisung des objektivierenden und substantialisierenden Denkens zusammen in seiner Lehre vom Nichts bzw. von der Leere. Ost und West scheinen einander diametral gegenüberzustehen als Lehre vom Nichts und Lehre vom Sein. So sagt Y. Takeuchi: »Die Idee des ›Seins‹ ist der archimedische Punkt westlichen Denkens. Sie ist der Punkt, um den sich nicht nur die Philosophie und Theologie drehen, sondern die ganze Tradition der westlichen Zivilisation. Im östlichen Denken und im Buddhismus ist dies ganz anders. Der zentrale Begriff, aus dem sich östliche religiöse Intuition und östlicher Glaube wie auch das philosophische Denken entwikkelt haben, ist die Idee des ›Nichts‹«[31].

Ohne Übertreibung kann man sagen, daß Ost und West einander solange nicht begreifen werden, als sie voneinander nicht ahnen, was sie je mit den Ideen des Seins und des Nichts meinen. Hier aber ist noch ein langer Weg des Dialogs zu gehen. Die heutige Situation ist selbst bei den aufgeschlossensten Denkern noch folgendermaßen zu beschreiben: Für östliche Denker ist *»Sein«* synonym mit rauher Äußerlichkeit, stumpfer Objektivität oder Substantialität, Gegenstand der Begierde und Inbegriff des Verhaftetseins an die Dinge. Für westliche Denker ist das *»Nichts«* die Reduktion aller Wirklichkeit auf die Illusion oder die Unwirklichkeit, die unheimliche

[29] Vgl. dazu und auch zur Gesamtproblematik *H. Waldenfels,* Absolutes Nichts. Zur Grundlegung des Dialogs zwischen Buddhismus und Christentum. Freiburg u. a. ³1980; *ders.,* Faszination des Buddhismus. Zum christlich-buddhistischen Dialog. Mainz 1982.

[30] Vgl. dazu *K. Kadowaki,* Zen und die Bibel. Ein Erfahrungsbericht aus Japan. Aus dem Englischen von W. Jäger, bearb. von K. Dahme. Salzburg 1980.

[31] *Y. Takeuchi,* Buddhism and Existentialism: The Dialogue between Oriental and Occidental Thought: *W. Leibrecht* (ed.), Religion and Culture. Essays in honor of Paul Tillich. New York 1959, 292.

Bedrohung und Auflösung der menschlichen Existenz. Veranlassung zu solchen Assoziationen gibt es auch in der jeweils betreffenden Tradition. Doch muß zugleich vom westlichen Sein gesagt werden, daß es ein gutes Maß des westlichen Verlangens nach Selbst-Transzendenz verkörpert und damit in gewissem Sinne funktionell identisch ist mit der östlichen Idee des Nichts.
Daraus ergibt sich für den Dialog:
Wenn wir gegenseitig unsere Vorstellungen und Begriffe prüfen, dürfen wir nicht nur deren »begrifflichen Inhalt« im Auge behalten, sondern müssen wir gleichzeitig auf die dynamische Intentionalität der Begriffe achten, die auf ein Ideal verweisen, welches die Vorstellungen und Begriffe nur auf armselige, oft allzu menschliche Weise verkörpern.
Damit wird deutlich, daß wir dieses wichtige Problem nicht abschließend behandeln können.
In diesem Zusammenhang ist auch J. Piepers Feststellung zu beachten, »daß...die Lehre von der *Schöpfung* tatsächlich der verborgene, aber eigentlich tragende Grund der klassisch-abendländischen Seinsmetaphysik ist«[32]. Wenn das so ist – und ich persönlich bin geneigt, das anzunehmen –, dann müßte sich die abendländische Philosophie des christlichen Zeitalters bedeutend von der griechischen unterscheiden und in diesem Sinne innerlich jüdisch-christlich sein.
Nun ist aber der zentrale Punkt der christlichen Lehre eben nicht die ontologisch faßbare Schöpfungslehre, sondern das heilsgeschichtliche Ereignis des *Kreuzes* Christi, sein Tod und seine Auferstehung. *Kreuz* will ich hier dann verstehen als den Inbegriff aller negativen bzw. weltverneinenden Momente des Christentums (Sündenbewußtsein, *vanitas vanitatum,* Selbstverleugnung u. a.). Angesichts des Kreuzes stellt sich dann die Frage, ob unsere westliche Philosophie und Theologie sich ernsthaft mit den metaphysischen Implikationen des Kreuzes beschäftigt haben, ob sie das in der Zukunft tun können und sollen, ob sie das tun können, ohne das Nichts als Prinzip (vielleicht mit Hilfe der östlichen Spekulationen) in den Vordergrund zu rücken, und schließlich, ob sie wirklich »christlich« genannt zu werden verdienen, solange sie das nicht schaffen.
Theologisch gesehen geht es bei unserer Frage um das *Verhältnis von Schöpfung und Erlösung.* Bemerkenswerterweise ist der Buddhismus eine reine Erlösungslehre, die eine Schöpfungslehre verweigert. Lapidar möchte ich hier den Ost-West-Gegensatz einmal wie folgt zusammenfassen: *Im Osten sind alle religiösen Werte und daher auch alle letzten Realitäten negativ; im Westen gibt es religiös negative und positive Werte, metaphysisch jedoch nur positive Realitäten.* Vielleicht sollte ich hier ausdrücklich hinzufügen, daß *im Buddhismus die Lehre vom Nichts als der letzten Realität nur das*

[32] *J. Pieper,* Unaustrinkbares Licht. Das negative Element in der Weltansicht des Thomas von Aquin. München ²1963, 22. (Eigene Hervorhebung)

philosophische Gegenstück zur zentralen religiösen Aufgabe der Loslösung, dem Nirvāna, bildet.

In der Auseinandersetzung mit dem Osten dürfte es an der Zeit sein, daß eine westliche Philosophie, die nicht mehr nur westlich bleiben will, die Idee des Nichts thematisiert und neu bewertet. Könnte das nicht dahin führen, »daß sie das Negative als eine Bedingung des Positiven – und damit selbst positiv – erfaßt«[33]? Dabei würde eine gründlich geschriebene Geschichte der Idee des Nichts in der abendländischen Philosophie eine große Hilfe sein. Zu den vielen Fragen, denen eine solche Geschichtsschreibung nachgehen müßte, zählen folgende: Ist die *moderne Philosophie* mit ihrem »grundsätzlichen Subjektivismus«, ihrer Tendenz, die Grundkategorien vom Menschen abzuleiten, geeigneter, das Nichts zu thematisieren, als die traditionelle Ontologie, die ihre Kategorien in der Natur suchte? Die Hegelsche Philosophie mit ihrer »Arbeit des Negativen« könnte diesen Eindruck erwecken, obwohl auf der anderen Seite die östliche Philosophie dem Menschen die zentrale Position zu verweigern und so der klassischen Ontologie näherzustehen scheint[34]. Sodann: Bewegt die *nach-hegelsche Philosophie* sich sozusagen in der Richtung einer »Philosophie der Erlösung«[35], einer Philosophie der Endlichkeit und Verfallenheit, die aufzeigt, wie »der Normalzustand des Menschen nicht der ursprüngliche, sondern schon eine Verkehrung, *perversio,* ist, die eine Rückdrehung in den ursprünglichen Zustand, *conversio,* fordert«[36], und daher sich selbst nicht nur als eine Wissenschaft, sondern auch als eine Therapie, einen Umbildungsprozeß zur »Ausbildung der Eigentlichkeit«[37] sieht? Wenn dies der Fall ist, kommt sie zweifellos den Grundintentionen der buddhistischen Philosophie sehr nahe und ist sie vielleicht auf dem Wege der Überwindung der westlichen Dichotomie von Philosophie und Religion und der Neubewertung des Negativen. Von da aus könnte eine Synthese der westlichen und östlichen Philosophien in den Blick kommen.

Für die östliche Philosophie würde eine solche Synthese umgekehrt eine Assimilation der Dichte des westlichen Seins zur Folge haben. Ihre »Abwertung des phänomenalen Seins« *in to* hat zwar »ein heilsames Gegengewicht gegen die andrängende Welt der Phänomene geschaffen«[38], ergibt aber keine Basis für die menschliche Arbeit an einer besseren Welt.

[33] *H. Rombach,* Phänomenologie, 303.
[34] Vgl. ebd. 164 und 308.
[35] Ebd. 320.
[36] Ebd. 291.
[37] Ebd. 311.
[38] *M. Heinrichs,* Katholische Theologie, 94.

3. Die westliche Gottesfrage und der Buddhismus

Von Asien aus gesehen, sieht es so aus, als ob der Westen an seinen Antinomien sterben würde, an seinen Entweder-oder-Gedanken, die zu unbeweglichen Positionen institutionalisiert und erstarrt sind und alle Einheitsbetrachtungen unmöglich machen. Wenn irgendwo der Westen die Begegnung mit dem Osten braucht, dann ist das bei der Überwindung dieser Antinomien der Fall, und wenn irgendeine Antinomie das westliche Leben belastet, dann dürfte es die des Theismus-Atheismus sein. Ist es nicht an der Zeit, daß der Westen seinen Atheismus überwindet?

Wenn wir Christen die Frage so stellen, erkennen wir implizit an, daß der Atheismus zu seiner Zeit seine Notwendigkeit und daher Legitimität gehabt hat und eine dynamische Kraft in der westlichen Kultur gewesen ist. Der westliche Atheismus fand seine Notwendigkeit in der Tatsache, daß der Theismus Gott oft allzu menschlich definiert und in rein menschlichen Konstruktionen lokalisiert hat, so daß der Gottesbegriff für die progressiven menschlichen Kräfte zeitweise, anstatt Kanal und Motor zu sein, ein Hindernis und eine reaktionäre Kraft gewesen ist. Diese Tatsache bzw. das Bewußtsein, daß die theistische Position diese Möglichkeit einschließt, nötigt uns Christen zu bleibender Wachsamkeit und einem ständigen Reinigungsprozeß unserer Gottesvorstellungen.

Auf der anderen Seite aber führt der Atheismus gerade durch die Negativität seiner Haltung und durch das Zusammengehen mit einem strengen Rationalismus zu einer Verneinung wichtiger Dimensionen des menschlichen Daseins, soweit diese in der Tradition mit der Existenz Gottes verbunden waren. Es kommt folglich zu einer ungesunden Loslösung von der eigenen kulturellen Tradition. *Menschen, die dieser Beschränkung des Daseins im westlichen Atheismus – und wäre es auch nur unbewußt – überdrüssig sind, sind geneigt, sich den östlichen Spiritualitäten zuzuwenden, in denen sie diese Antinomie nicht spüren.*

Die Frage ist nun: Kann der Osten uns helfen, die Theismus-Atheismus-Dichotomie unserer modernen Zivilisation zu überwinden und dem westlichen Menschen zugleich erneut den Zugang zu seinen »Wurzeln« vermitteln? M. Fernando schreibt dazu: »Paradoxerweise ist es der sogenannte Atheismus..., der den bezeichnendsten Beitrag des Buddhismus zu unserem Verständnis des Gottes des Glaubens leisten könnte. In mancherlei Beziehung ist dieses Schweigen Buddhas (über Gott oder das Absolute) ein wirksames Gegenmittel gegen so vieles fruchtlose Reden über Gott im Christentum.«[39] Die eigentliche Wirkung des Buddhismus hier könnte sein, daß die Gottesfrage aus der Verbindung mit ontologischen Begriffskonstruktionen gelöst und wieder inniger mit der religiösen Erfahrung verbun-

[39] *M. Fernando,* Die buddhistische Herausforderung an das Christentum: Conc D 14 (1978) 398.

den wird. So heißt es nochmals bei Fernando: »Die Kirche war immer vorwiegend mit ihrer Orthodoxie beschäftigt: mit dogmatischen Definitionen, mit Häresien...mit der Verfolgung von Häretikern. ...Buddhas hintersinnige Frage zu all dem würde wohl lauten, wie weit diese Spekulationen über Gott die Gläubigen zu einer befreienden Erfahrung mit ihm geführt haben. ...In den östlichen religiösen Traditionen wäre es sinnlos, von Gott zu reden, ohne ihn erfahren zu haben.«[40] Mit anderen Worten, der Westen kann sich vom Buddhismus in *»der pragmatisch-asketischen«* Beschäftigung mit der Gottesfrage unterweisen lassen.

Freilich könnte der Buddhismus niemals eine solche Mittlerrolle spielen, wenn er einen Atheismus im westlichen Sinne zum Inhalt hätte. Auch wenn sich heute viele Buddhisten gerne Atheisten nennen, so muß doch gesagt werden, daß die Gleichsetzung von Buddhismus und westlichem Atheismus der Gleichsetzung von Äpfeln und Birnen entspricht. Zwar verneint der Buddhismus einen persönlichen Gott, doch genauso entschieden erkennt er ein eher unpersönliches und mit unserem eigentlichen Selbst identisches Absolutes an. Anders gesagt, der Buddhismus kennt ganz entschieden eine Anerkennung jener »göttlichen Funktionen«[41], die im westlichen Atheismus geleugnet werden. Das buddhistische *Dharma* ist als das Gesetz des Universums nicht nur physisch, sondern zugleich ethisch-spirituell und findet von Zeit zu Zeit seinen Ausdruck in Menschengestalt, in den Buddhas. Die Vergeltung von Gut und Böse ist, auch wenn sie nicht einem persönlichen Willen zugeschrieben wird, im Buddhismus noch wichtiger als im Christentum, und ein transzendentes Ziel menschlichen Lebens ist, obwohl nicht Gott genannt, unter dem Namen des Nirvānas gegeben. Man kann sagen: *Von den Gottesfunktionen, die vom Atheismus geleugnet werden, wird vom Buddhismus nur eine abgelehnt, die schöpferische.* Und selbst hier ist zu beachten, daß der Sinn der Verneinung in beiden Fällen geradezu entgegengesetzt ist: Negiert der Atheismus die Schöpfung, so tut er dies, um der weltlichen Wirklichkeit letzte Endgültigkeit geben zu können, während der Buddhismus die Schöpfungsidee verwirft, weil sie der materiellen Welt zuviel Wirklichkeitsdichte zu verleihen und daher diese als Objekt menschlichen Verhaftetseins festzusetzen droht.

Mit der Revision der Gottesfrage ist zugleich eine Revision der abendländischen Idee der »Unsterblichkeit der Seele« unter dem Einfluß des Buddhismus an der Zeit. Hier würde es dann nicht an erster Stelle um das Fortdauern des Lebens nach dem Tode, sondern eher um die Realität einer Tiefendimension des menschlichen Lebens im Hier und Jetzt, aber mit einem Ausgriff auf die Zukunft bzw. das Ewige gehen.

[40] Ebd. 399.

[41] Vgl. das Hauptstück »God in four parts« in *W. L. King*, Buddhism and Christianity – Some bridges of understanding. London 1963, 34–63.

All dies ist allerdings nicht so zu verstehen, als ob es in der Gottesfrage grundsätzlich nur Übereinstimmungen zwischen Buddhismus und Christentum geben würde. *Das Absolute als das Nichts und Gott als der »höchste Jemand«, der zu uns spricht, sind einander so entgegengesetzt, daß sie für unsere menschliche Vernunft wohl nie identifizierbar sein werden, dafür vielleicht aber in ewiger Konfrontation einander zu befruchten haben.* Inzwischen kann diese Begegnung das ungeheure Geheimnis des christlichen Gottes für uns nur vertiefen. Dieses Geheimnis wird spürbar in Sätzen wie den folgenden von H. de Lubac: »Es ist das ›unbestimmte‹ Sein, und zwar nicht aus Dürftigkeit, sondern aus Überfluß; nicht ein Sein das in sich nichts Greifbares bietet, weil es ebenso wie der Raum verdünnt wäre; sondern es ist das geheimnisvolle Sein, die höchste Verdichtung, der unverletzliche persönliche Kern...der höchste Jemand«[42]. Im Christentum ist ja die Stille oder das Schweigen Gottes nicht das Letzte: »Er hat sich geoffenbart durch seinen Sohn Jesus Christus, der sein aus dem Schweigen hervorgetretenes Wort ist« (Ignatius von Antiochien). Und doch bleibt es wahr, daß durch diese Offenbarung das Geheimnis Gottes nicht zerbrochen, sondern vielmehr vertieft wurde, und die »ehrfürchtige Haltung dem schweigenden Geheimnis Gottes gegenüber eine große Bedeutung hat«[43]. Dies kann die Begegnung mit dem Buddhismus uns wieder einschärfen.

4. Das westliche Ich und das östliche Nicht-Ich

Der japanische Philosoph K. Nishitani, dessen Philosophie tief im Boden der buddhistischen Gedankenwelt wurzelt und dem doch das Christentum so sympathisch ist, daß er sich zugleich als »werdender Christ« bezeichnet, äußert seine zweifellos herausforderndste Kritik am Christentum, wenn er sagt, daß das Christentum den Egoismus in der Geschichte nicht zu überwinden vermag[44].

Hiermit befinden wir uns in dem äußerst komplizierten Fragenbereich, den wir am Ende nur noch andeuten wollen und in dem es um Sein und Subjekt, um die ontologische Rolle der Intersubjektivität, um klassische und moderne Philosophie, um Liebe und Abgeschiedenheit und vieles andere mehr geht. *Zweifellos ist die westliche Kultur, durch eine einseitige Betonung des Ich, in die Sackgasse eines extremen Individualismus und der tötenden Einsamkeit des Individuums geraten.* In seiner Diagnose der westlichen Kultur spricht H. Cox von dem »unersättlichen westlichen Selbst«[45] und von »einer vom

[42] *H. de Lubac,* Über die Wege Gottes. Freiburg 1958, 137.

[43] *M. Heinrichs,* Katholische Theologie, 110.

[44] Vgl. *K. Nishitani,* Was ist Religion? Deutsche Übertragung von D. Fischer-Barnicol. Frankfurt 1982, 311–313.318–319.

[45] *H. Cox,* The Pool of Narcissus: Cross Currents 27 (1977) 28.

Selbst und von der Selbstverwirklichung unheilbar besessenen Kultur«[46], die selbst bereit ist, östliche Meditation und alle religiösen Disziplinen zum Zweck dieser Selbstverwirklichung in Dienst zu nehmen.
Hier fragt es sich, ob die buddhistische Verneinung des Ich als einer künstlichen Konstruktion Rettung bringen kann. Denn das Problem des Nicht-Ich (skt. *anātman*) ist von vornherein keine rein religiöse Frage, sondern auch für das alltägliche Leben, für das psychologische Selbsterlebnis und die Gesellschaftsgestaltung von größter Wichtigkeit. Religiös gesprochen, stellen sich mehrere Fragen: Welches Verhältnis besteht zwischen der kritisierten abendländischen Situation und dem christlichen Personalismus? Was ist mit dem evangelischen Ideal der Loslösung vom ego-zentrischen Selbst und der Einheit mit dem Absoluten und mit dem Nächsten geschehen? Wie verhält sich die buddhistische Verneinung des Ich zum evangelischen »Verleugne dich selbst«? Im Anschluß an das Gesagte kann ich nur feststellen: *Während im Buddhismus die religiös-pragmatische Forderung der Loslösung vom Ich sich in einem, man könnte sagen, »religiösen Realismus«, bis in die Ontologie hinein ausgedehnt und ausgewirkt hat, ist es in unserem westlichen Christentum der religiösen Negativität der Selbstverleugnung nie erlaubt gewesen, die Grenzen der Spiritualität zu überschreiten.* Kann auch hier die Phänomenologie mit ihrer Behauptung von »sich selbst mißverstehenden Selbstheitformen« und ihrer Forderung eines »existentiellen Vollzugs der Eigentlichkeit«[47] eine zukunftweisende Stimme sein?

[46] Ebd. 25.
[47] *H. Rombach*, Phänomenologie, 70.

Hans Waldenfels

SPRECHSITUATIONEN: LEID – VER-NICHT-UNG – GEHEIMNIS

Zum buddhistischen und christlichen Sprechverhalten

Wenn H. Dumoulin zur Vollendung seines 80. Lebensjahres geehrt wird, geschieht es nicht zuletzt wegen seines bedeutenden Beitrags zum buddhistisch-christlichen Dialog. Neben seinen japanologischen und zen- bzw. buddhismusgeschichtlichen Arbeiten waren es vor allem seine Beiträge zu diesem Dialog, die ihn weltweit bekannt gemacht haben[1]. Freilich ist nun gerade das so leicht hingesagte Wort »Dialog« nicht unproblematisch. Denn es scheint doch, als ob der Buddhist, wo er in sein Eigenes eintritt, nicht spricht, sondern schweigt. Wie kann er dann sinnvollerweise gar in ein »Ge-spräch« eintreten?
Dennoch bleibt bestehen, was anderweitig[2] bereits mit F. Stier festgehalten wurde:

»›Wovon man nicht sprechen kann‹, hat einer gesagt, ›darüber muß man schweigen.‹ Aber die Wissenschaft könnte, und ich meine, sie *sollte*, wenigstens davon sprechen, daß sie darüber schweigen muß, weil sie davon nicht sprechen kann. Dann müßte sie sich, der Grenzen ihrer Kompetenz bewußt, zum wenigsten zugeben, daß das zu Beschweigende nicht nicht ist...«[3].

Auch der Buddhist kann nicht einfachhin verstummen, wenn er zu sich selbst findet, weil es zum bleibenden Wesen des Menschen gehört, das Lebewesen zu sein, dem das Wort, die Sprache eignet[4]. Das darf folglich vorausgesetzt werden. Nun gibt es menschliche Grundsituationen, auf die Menschen sich sprachlich einlassen. Solche Einlassungen können aber

[1] Wir nennen von seinen Buchveröffentlichungen vor allem: Östliche Meditation und christliche Mystik. Freiburg/München 1966; Christlicher Dialog mit Asien (= Theologische Fragen heute, hg. von *M. Schmaus/E. Gössmann*). München 1970 (erweitert zu: Christianity Meets Buddhism. LaSalle, Ill. 1974); Begegnung mit dem Buddhismus. Freiburg u. a. 1978.

[2] Wir setzen mit diesem Beitrag Überlegungen fort, die wir zuvor anderweitig begonnen haben; vgl. Wort und Schweigen. Ein Vergleich von Buddhismus und Christentum: *R. Sesterhenn* (Hg.), Das Schweigen und die Religionen. München/Zürich 1983, 11–31; Zen und Philosophie: Zen Buddhism Today. Annual Report of the Kyoto Zen Symposium No. 2 September 1984, Kyoto 1984, 1–28.

[3] *F. Stier*, Vielleicht ist irgendwo Tag. Aufzeichnungen. Freiburg/Heidelberg 1981, 240.

[4] Vgl. *M. Heidegger*, Wegmarken. Frankfurt 1967, 348.

zugleich zu Aussagen über das menschliche Selbstverständnis in seiner Differenziertheit werden.
Wir wählen im folgenden drei solcher Situationen aus und bedenken sie als Sprechsituationen, das heißt: als Situationen, in denen Menschen zumindest sprachlich reagieren, vielleicht aber gar die Sache selbst, um die es geht, zum Ausdruck bringen. Dabei fragen wir uns zugleich, was wir über das Eigentümlich-Buddhistische und das Eigentümlich-Christliche lernen können. Da der Dialog im Grunde nur dort zum Reflexionsobjekt gemacht wird, wo er als Problem empfunden wird, sich sonst aber im Miteinander um das, in dem sich das Interesse der Gesprächspartner selbstvergessen trifft, ereignet, kommt der Grundvollzug des buddhistisch-christlichen Dialogs zugleich indirekt zur Sprache.
Bei den drei Grundsituationen geht es zunächst um zwei buddhistisch formulierte Grunderfahrungen, um den Ausgangspunkt buddhistischer Selbstverwirklichung, der mit »Leiden« bezeichnet wird, sodann um den Zielpunkt des buddhistischen Weges, die »Ver-nicht-ung« des »Leidens«. Das »Leiden« bietet sich schon deshalb an, weil – absolut gesetzt – jedes Menschenleben Leid durchmacht, das Leiden in diesem Sinne eine grundlegende menschliche Erfahrung ist. Doch auch die Erfahrung von »Vernichtung« gehört ganz allgemein zu den menschlichen Grunderfahrungen; die besondere Schreibweise »Ver-nicht-ung« soll lediglich die eigentümliche buddhistische Akzentuierung der »Vernichtung« signalisieren. Hinsichtlich der Sprache schließt die »Vernichtung« aber das Einsetzen der Sprachlosigkeit, das Verstummen ein. Die »Ver-nicht-ung« buddhistisch wird aber dann zur Anfrage an die Christen. Kommen auch sie in und angesichts der Vernichtung zum Verstummen?
Wir setzen dann bewußt noch einmal an und zwar bei dem in christlicher Glaubenserfahrung zentralen »Geheimnis« oder »Mysterium«. Wie »Leiden« und »Vernichtung« hat auch das »Geheimnis« seinen allgemein menschlichen Verstehenszugang, weil es grundsätzlich zum menschlichen Erfahrensbereich gehört. Gerade als solches hat es aber dann seine eigene Bedeutung für das menschliche Sprechverhalten, das christlich erläutert für den buddhistisch-christlichen Dialog seine eigene Relevanz hat und den Buddhisten gleichsam über die Schwelle des Verstummens lockt.
Für unsere Überlegungen aber wird es hilfreich sein, wenn wir bewußt von den allgemein menschlichen Erfahrungen des Leidens, der Vernichtung und des Geheimnisses ausgehen und uns dann zu den religiösen Verstehenshorizonten vorantasten. Dabei darf nicht übersehen werden, daß wir dort, wo Überlegungen sprachlich artikuliert werden, den Bereich der ursprünglichen Erfahrung bereits überschritten haben und folglich ein bestimmtes Verstehen oder doch Verstehen-wollen wirksam zu werden beginnt, dessen Herkunft nicht selbst noch einmal die gemachte Erfahrung sein muß. Weil aber Buddhisten und Christen mit allen Menschen die Erfahrungen des Leidens,

der Vernichtung und des Geheimnisses teilen, ist es sinnvoll zu hören, wie diese Erfahrungen bei ihnen zur Sprache kommen bzw. wie sich Buddhisten und Christen in solchen Erfahrungen sprachlich verhalten. Das Sprechverhalten ist letztlich auch der Ort, an dem sich das Ereignis der Erfahrung selbst mitteilt.

1. Leiden

a. Das Sprachfeld

Jeder von uns weiß auf seine Weise, was »leiden« besagt: Wir leiden Hunger und Durst, wir leiden Not. Wir leiden Schmerzen und Todesängste. Wir leiden Langeweile. Wir leiden an Hitze und Kälte, an Atemnot und Altersbeschwerden, an Einsamkeit und Unverstandensein, an der Oberflächlichkeit und Gleichgültigkeit, an der Sinnlosigkeit und Unerfülltheit. Wir leiden am Unfrieden, an der Ungerechtigkeit, an der Gewalttätigkeit und Unfreiheit. Wir sehen auch Tiere leiden und ahnen, daß es ein Leiden in der Natur gibt.

Menschen reagieren in ihrer Sprache ganz unterschiedlich auf das Leiden. Es gibt den Aufschrei und die Klage, das Wimmern und Weinen, den Zorn und die Resignation, die Anklage und das stumme Hinnehmen, das laute Wort des Protestes, die blind reagierende Wut, aber auch das In-sich-Hineinfressen des Schmerzes, der Wut, des Widerstandes. Es gibt die Versuche, die Gründe für das konkrete Leiden zu finden und das Leiden von der Wurzel her zu überwinden.

Die Reflexion auf das Leiden kann zur abstumpfenden Verharmlosung führen. Das ist der Fall, wo ihm der Stachel des Unrechts und des Bösen dadurch genommen wird, daß es ganz allgemein als zum menschlichen Dasein gehörig erklärt wird. So wird die Leideform (= Passiv) grammatikalisch zum Gegenpol der Tätigkeitsform (= Aktiv) und spiegelt das Eingespanntsein der menschlichen Existenz zwischen Erleiden/Erfahren und Handeln/Tun wider. Psychologisch eingeordnet ist das Leiden, wo es auf die menschlichen Leidenschaften (lat. *passiones*) zurückgeführt wird. Doch all das erscheint als Verharmlosung gegenüber dem Widerständigen und Widersprüchlichen im eigenen wie im gesellschaftlichen Leben, das wir als Unglück, Übel, Böses, Unrecht u. ä. erfahren. Sowohl das moralische wie das physische Übel fordert auf je eigene Weise zum Widerspruch heraus.

Die Reflexion auf das Leiden fordert, wo es konsequent in seiner Widerständigkeit wahrgenommen wird, zum eigenen Widerstand heraus. In seinem Widerspruch zum wahren Menschsein wird es zu einer »Beleidigung« des Menschen, gegen die er sich schon deshalb mit allen Kräften zur Wehr zu setzen sucht. Soweit das Leiden als Widerspruch und Widerständigkeit zum wahren Menschsein in seinen Wurzeln erkennbar und erklärbar ist, sucht der Mensch ihm mit Hilfe der Wissenschaften, zumal der Medizin, Psychologie und Pädagogik, diagnostisch wie therapeutisch zu begegnen. Soweit das Leiden aber moralisch wie physisch einen unüberwindlichen Restbestand an Unerklärlichkeit zurückläßt, wird es sprachlich wie existentiell zur bleibenden Frage.

Diese Frage aber treibt in den Bereich des Weltanschaulich-Religiösen weiter, insofern als die Anschauung der Welt diese in einen größeren Ordnungszusammenhang eingefügt oder auf einen grundlosen Urgrund hingeordnet sieht, den unsere abendländisch-christliche Tradition »Gott« nennt. Sie kann aber auch, wo der Mensch sich dem größeren Rahmen gegenüber verschließt, verdrängt werden und sich in ein trotziges Trotzdem und Ja auch zu dieser Welt wandeln. Es kann an dieser Stelle unentschieden bleiben, ob die Verweigerung oder das Aushalten der Frage den Menschen in seinem Ethos stärker fordert. Entscheidend ist, daß im Aushalten wie im Verweigern jener Grundzug des Menschen Ausdruck findet, der ihn grundlegend prägt: die Freiheit. Das Freiheitsethos ist es aber dann auch, das es nicht erlaubt, daß irgend jemand einem anderen die bleibende Frage nach dem unerklärlichen Rest und Grund des Leidens verbietet.

b. Buddhas erste Wahrheit

Leiden und Leidensverhalten stehen im Zentrum der der Erleuchtung des Buddha entspringenden Lehre. So lautet die erste edle Wahrheit:

»Was aber, ihr Mönche, ist die edle Wahrheit vom Leiden? Geburt ist Leiden, Alter ist Leiden, Krankheit ist Leiden, Sterben ist Leiden; Sorge, Jammer, Schmerz, Trübsal und Verzweiflung sind Leiden; nicht erlangen, was man begehrt, ist Leiden. Kurz gesagt, die fünf Gruppen des Anhaftens sind Leiden. Das nennt man die edle Wahrheit vom Leiden.«[5]

Der Ansatzpunkt ist in diesem Text, der in vielen Varianten wiederkehrt, die alltägliche Leiderfahrung des Menschen. Doch erschöpft sich die Leidenswahrnehmung nicht im empirischen Leid. Gleichgültig, ob das Leiden unter einem transzendentalen, ontologischen oder existenzphilosophischen Aspekt gesehen wird[6], – es erscheint als Grundzug welthaften Seins[7]. Das

[5] Wir zitieren nach: Die Lehrreden des Buddha aus der Angereihten Sammlung (Anguttara-Nihāya). Ed. *Nyanatiloka/Nyanaponika.* Freiburg 1984, I, 158 (III, 62.176 f.).

[6] Vgl. zum Thema im Anschluß an G. Mensching, O. Rosenberg, T. Watsuji und Y. Takeuchi die Überlegungen von *I. Yamaguchi,* Die Lehre vom Leiden im Buddhismus: NZSThRPh 24 (1982) 216–232.

[7] Vgl. zum Folgenden auch *H. Waldenfels,* Faszination des Buddhismus. Zum christlich-buddhistischen Dialog. Mainz 1982, 59–63.

ergibt sich auch aus dem weiter ausgreifenden Begriffsumfang des Pāliwortes *dukkha*, das im Deutschen gewöhnlich mit Leiden wiedergegeben wird.

»Es gibt kein einzelnes Wort (in einer westlichen Sprache – H. W.), das den weiten Bedeutungsumfang von *dukkha* im Pali einfängt. Begriffe wie Unbehagen, Krankheit, Unzufriedenheit, Unruhe, Angst, Bewegtheit, Konflikt, Lebensangst werden in verschiedenen Kontexten gebraucht, um die Bedeutung von *dukkha* auszudrücken. Es ist ein Wort, das die Situation beschreibt, in der der Mensch sich aufgrund der Eingebundenheit in das Netz der Bedingtheiten seiner Existenz im Leben des *Saṃsara* befindet.«[8]

Damit tritt *dukkha* in den Zusammenhang mit *anicca* (skt. *anitya*) = Unbeständigkeit, Vergänglichkeit, Veränderlichkeit, *kamma* (skt. *karman*) = Karma, Netz der Taten, *taṇhā* (skt. *tṛṣnā*) = Durst und *avijja* (skt. *avidyā*) = Unwissenheit. Dienen »Durst« im Sinne von Anhänglichkeit, Anhaften, Verlangen und »Unwissenheit« im Sinne der fundamentalen Ungeschiedenheit von Finsternis und Blindheit zur Begründung des Leidens, so beschreiben »Leiden« und »Unbeständigkeit/Vergänglichkeit« das Wesen welthaften Seins. Die Heillosigkeit und Unerlöstheit des Menschen besteht folglich auch darin, daß seine Existenz über Tod und Geburt hinaus ins Netz der Verhaftungen und des Umgetriebenseins eingespannt ist und er keinen Weg des Entrinnens erblickt.
Was am Anfang des historischen Buddhaweges in der ersten edlen Wahrheit Ausdruck findet, läßt sich bis an das Ende des fernöstlichen Buddhaweges weiterverfolgen. In Japan, dem Land, dem H. Dumoulin den größten Teil seines Lebens und Schaffens gewidmet hat, bildet *mujōkan*, das Gefühl der Unbeständigkeit und Vergänglichkeit, jene Grundstimmung, die sich im Laufe der Jahrhunderte in der Verbindung von japanischem Naturgefühl und buddhistischer Grundeinsicht immer wieder Ausdruck verschafft hat. *Mono no aware*, »das Weltleid, das das Leben des Hedonismus färbt«, wie H. Dumoulin mit T. Watsuji das schwer zu übersetzende Grundgefühl des japanischen »Heim-wehs« angesichts der Vergänglichkeit alles Lebendigen wiedergibt[9], »the typically Japanese nostalgia derived from the contemplation of nature's evanescence / *anicca*, and of the transience and futility of all human life« (J. Spae[10]), war die beherrschende Melodie in der Dichtung der Heianzeit (794–1185).
Sie findet sich in der Dichtung und Kunst auch späterer Zeiten. Ein vielzitierter Zeuge bleibt Bashō (1644–1694), ein Laienjünger des Zen, der

[8] *L. A. de Silva*, The Problem of the Self in Buddhism and Christianity. London 1979, 28 (eigene Übersetzung). Vgl. auch *H. von Glasenapp* im Nachwort zu *H. Oldenberg*, Buddha. Sein Leben, seine Lehre, seine Gemeinde (= Goldmanns Taschenbücher 708/709). München 1961, 416; *H. Dumoulin*, Begegnung (Anm. 1), 33–39.
[9] Vgl. *H. Dumoulin*, Östliche Meditation (Anm. 1), 19.
[10] Vgl. *J. J. Spae*, Buddhist-Christian Empathy. Chicago/Tokyo 1980, 122.

mit seinen *Haiku*, knappen, streng geformten Epigrammen von 17 Silben, unsterblich geworden ist[11]:

Tsuka mo ugoke *waga nakigoe wa* *aki no kaze.*	Grab, bewege dich! Meine Klagestimme weint wie herbstlicher Wind.
Karaeda ni *karasu mo tomarikeri* *aki no kure.*	Auf den dürren Ast hat sich ein Rabe gesetzt – herbstlicher Abend.
Funeike ya *kawazu tobikomu* *mizu no oto.*	Uralter Weiher: Von dem Sprung eines Frosches im Wasser ein Ton.
Ko ni aku to *mosu hito ni wa* *hana mo nashi.*	»Kinder mag ich nicht«, wer so sprach, dem blühen auch keine Blumen.

Das Lebensgefühl des *mujōkan* findet sich aber überall im japanischen Leben:

»Wie Literatur und Kunst ist auch der Alltag des östlichen Lebens von trüber Schwermut durchzogen. Die unendliche Trauer der unerlösten Natur umhüllt mit dunklem Schleier die Seele Ostasiens. Wenn am Mittag die Sommerhitze über den dampfenden Reisfeldern der japanischen Inseln brütet, tragen die arbeitenden Menschen zentnerschwer die Last ihres Daseins. Wenn die Nacht mit ihren Schatten das Einerlei der tausend kleinen Holzhäuser und Baracken der Millionenstädte zudeckt und von irgendwoher der eintönige Rhythmus der Koto vernommen wird, dann seufzt hier das herzzerreißende Leid der unerlösten Schöpfung auf. Die heitere Liebenswürdigkeit der japanischen Menschen verbirgt oft die unnennbare Traurigkeit ihrer trostlosen Herzen. Was bedeutet das Dasein? ›Wie die Wolke in des Himmels Mitte, schwebt und schwindet mein Leben auch spurlos dahin‹ (*Isemonogatari*).«[12]

c. *Im biblischen Umfeld*

Schwenken wir von Fernost zum biblischen Denken, so zeigen sich Parallelen und Unterschiede. Unbestritten ist das Gefühl der Vergänglichkeit. Wir erinnern an den Anfang des Buches Kohelet:

[11] Vgl. *H. Dumoulin*, Zen. Geschichte und Gestalt. Bern 1959, 234–240; die folgenden Haiku finden sich ebd. 235.236.238.239. Zum Haiku vgl. auch *J. Kitayama*, West-Östliche Begegnung. Japans Kultur und Tradition. Berlin 1941, 133–153.

[12] *H. Dumoulin*, Östliche Meditation, 19f.; vgl. *J. Kitayama*, West-Östliche Begegnung, 118–132 u. ö.

»Windhauch, Windhauch, sagte Kohelet, Windhauch, Windhauch, das ist alles Windhauch. Welchen Vorteil hat der Mensch von all seinem Besitz, für den er sich anstrengt unter der Sonne?
Eine Generation geht, eine andere kommt. Die Erde steht in Ewigkeit.
Die Sonne, die aufging und wieder unterging, atemlos jagt sie zurück an den Ort, wo sie wieder aufgeht.
Er weht nach Süden, dreht nach Norden, dreht, dreht, weht, der Wind. Weil er sich immerzu dreht, kehrt er zurück, der Wind.
Alle Flüsse fließen ins Meer, das Meer wird nicht voll. Zu dem Ort, wo die Flüsse entspringen, kehren sie zurück, um wieder zu entspringen.
Alle Dinge sind rastlos tätig, kein Mensch kann alles ausdrücken, nie wird ein Auge satt, wenn es beobachtet, nie wird ein Ohr vom Hören voll.
Was geschehen ist, wird wieder geschehen, was man getan hat, wird man wieder tun: Es gibt nichts Neues unter der Sonne.
Zwar gibt es bisweilen ein Ding, von dem es heißt: Sieh dir das an, das ist etwas Neues – aber auch das gab es schon in den Zeiten, die vor uns gewesen sind.
Nur gibt es keine Erinnerung an die Früheren, und auch an die Späteren, die erst kommen werden, auch an sie wird es keine Erinnerung geben bei denen, die noch später kommen werden.« (1,2–11)

Es gibt einen Zusammenhang zwischen Leiden und Vergänglichkeit. So seufzt die ganze Schöpfung nach Erlösung, wie es im Römerbrief 8,18–23 heißt:

»Ich bin überzeugt, daß die Leiden der gegenwärtigen Zeit nichts bedeuten im Vergleich zu der Herrlichkeit, die an uns offenbar werden soll. Denn die ganze Schöpfung wartet sehnsüchtig auf das Offenbarwerden der Söhne Gottes. Die Schöpfung ist der Vergänglichkeit unterworfen, nicht aus eigenem Willen, sondern durch den, der sie unterworfen hat; aber zugleich gab er ihr Hoffnung. Auch die Schöpfung soll von der Sklaverei und Verlorenheit befreit werden zur Freiheit und Herrlichkeit der Kinder Gottes. Denn wir wissen, daß die gesamte Schöpfung bis zum heutigen Tag seufzt und in Geburtswehen liegt. Aber auch wir, obwohl wir als Erstlingsgabe den Geist haben, seufzen in unserem Herzen und warten darauf, daß wir mit der Erlösung unseres Leibes als Söhne offenbar werden.«

So sehr die beiden Texte an das Verständnis von *dukkha* und *anicca* erinnern, so deutlich schimmert doch im Römerbrief ein Weltverständnis durch, das dem Buddhismus fremd ist. Zwar findet sich auch hier der Mensch in einer auffallenden Nähe zu den Abläufen der Natur, doch Mensch und Natur sind *Schöpfung*, als solche aber von dem umfangen, der Mensch und Natur erst zur Schöpfung werden ließ: dem Schöpfer Gott. Das Weltverständnis ist, auch wenn die Abläufe der Welt von Juden/Christen und Hindus/Buddhisten ähnlich empfunden und die Phänomene des Weltgeschehens folglich ähnlich beschrieben werden, als Interpretation der Welt verschieden. Die erste Wahrheit des christlichen Glaubens lautet:

»Im Anfang schuf Gott Himmel und Erde.« (Gen 1,1),

der erste Satz des christlichen Glaubensbekenntnisses:

»Ich glaube an Gott,
den Vater, den Allmächtigen,
den Schöpfer des Himmels und der Erde.«

Das dialogische Grundverhältnis von Schöpfer und Schöpfung hat aber Konsequenzen sowohl für das Leidensverständnis wie für das Leidensverhalten der Menschen. In der Konsequenz der Ordnungsvorstellung von Schöpfer und Schöpfung – »Gott sah alles an, was er gemacht hatte: Es war sehr gut« (Gen 1,31) – ist das Leiden von der Begrenztheit und Vergänglichkeit zu unterscheiden. Gehören Begrenztheit und Vergänglichkeit[13] zum Wesen des Geschöpflichen, so ist das vom Leiden keineswegs auszusagen. Das Leiden steht im Widerspruch zur Schöpfungsordnung. Entsprechend spielen im Alten Testament der Widerspruch und die Anfrage wegen des Leidens, die Bitte um Hilfe in der Not, aber auch die Anklage wegen des Leidens eine herausragende Rolle. Die Geschichte des Menschen mit Gott kann seither als eine Geschichte des Ringens um Verstehen und Überwinden des Leidens beschrieben werden. Die Psalmen sind nicht zuletzt unter dieser Rücksicht zu einem Gebetbuch der Menschheit geworden. Hiob findet in vielfältiger Gestalt immer neue Verkörperungen. Gott, der *gute* Gott, ist zur Rechenschaft herausgefordert worden angesicht des unerklärbaren, ungerechten und auch dem einzelnen Menschen nicht als Schuld zurechenbaren Leidens. Die Theodizeefrage ist zum entschiedensten Einspruch gegen den Gottesglauben überhaupt geworden. Andererseits scheint – nicht zuletzt im Nachklang der jüdisch-christlichen Weltdeutung und von dort auch im Blick auf den Buddhismus – die Religion ihre bleibende Chance in der Verweigerung des Einverständnisses und im Vorbehalt gegenüber dieser konkreten Welt, in der wir leben, zu besitzen[14].
Im Unterschied zum Buddhismus, in dem wir eine Einebnung des üblicherweise als »Leiden« Verstandenen in die umfassende Erfahrung der Vergänglichkeit der Welt feststellten, scheint aber die jüdisch-christliche Tradition die Leidensproblematik umgekehrt zu verschärfen. Sie stellt in der Abwehr der Identität von Leiden und Vergänglichkeit das Leiden nicht so sehr als das Unvermeidliche, sondern vielmehr als das Nicht-sein-Sollende vor und spitzt die Frage nochmals in der Unterscheidung von *malum physicum* und *malum morale* zu, indem sie letzteres als die aufgrund menschlicher Unverantwortlichkeit geschehende Schuld versteht. Gerade wo aber der Mensch in die Verantwortlichkeit gerufen und wegen seiner Unverantwortlichkeit zur Rechenschaft gezogen wird, fällt die Anklage gegen den Menschen wie ein dunkler Schatten auf den, der den Menschen mit Verantwortlichkeit und Freiheit ausgestattet hat. Die Erfahrung von Schuld und Unglück, das

[13] Bei der »Vergänglichkeit« sind freilich die postlapsarischen Modalitäten im jüdisch-christlichen Verstehenshorizont eigens zu bedenken.

[14] Vgl. *H. R. Schlette*, Religion als Weltdeutung: *H. Wundt/N. Loacker* (Hg.), Kindlers Enzyklopädie Der Mensch VI. Zürich 1983, 623–641, bes. 635–640.

Leiden, wird zum Ausgangspunkt des ohnmächtigen menschlichen Ringens mit Gott. Freilich stellt sich hier die Frage, mit was für einem Gott der Mensch ringt. Solange Gott für den Menschen der Leidmacher, nicht selbst der Leidende ist, erhält der klagende Schrei der Menschen von Gott keine Antwort[15].

2. Ver-nicht-ung

a. Das Sprachfeld

Jeder von uns hat eine Vorstellung, wenn er von »Vernichtung« und »Zerstörung« spricht. Was vernichtet ist, hat aufgehört zu sein. Freilich kann dann immer noch unterschieden werden: aufhören, *so* zu sein oder *überhaupt* und *schlechthin* zu sein. Vielfach wird hier nicht unterschieden. Zumal wo Vernichtung Schmerz, Angst und Empörung erzeugt, erscheint der Übergang vom Sosein zum Sein schlechthin fließend. Vernichtung wird auf jeden Fall als etwas Negatives empfunden. Angst vor Vernichtung besagt denn auch Angst vor dem radikalen Untergang im Nichts, – wir können auch sagen: vor dem Nihilismus.
Es kann an dieser Stelle nicht geprüft werden, wann und wo das Wort »Vernichtung« erstmals gebraucht worden und ob es nicht etwa als Übersetzung des lateinischen *annihilatio* entstanden ist. Als Grenzbegriff besagt *annihilatio* in der Scholastik die *destructio rei in nihilum sui et subiecti* und ist so radikaler Gegenbegriff zur Schöpfung und zur Schöpfermacht Gottes[16]. Sollte »Vernichtung« vom Ursprung her als Übersetzung von *annihilatio* aufzufassen sein, so wäre dann folglich – wie es auch in der abendländisch-christlichen Geschichte nachzuweisen ist[17] – die Vernichtung in letzter Radikalität nicht dem menschlichen, sondern nur dem göttlichen Vermögen zuzuschreiben.
Daß die Vermutung, die »Vernichtung« in dem genannten Kontext zu orten, nicht unberechtigt ist, beweist aber vor allem die Tatsache, daß jenes Phänomen, das menschlich noch am ehesten als Vernichtung angesprochen werden könnte, das Sterben, nur selten als solche bezeichnet wird. Wohl spricht man von der Vernichtung unschuldigen Lebens, doch besagt »Vernichtung« dann den gewaltsamen, ungerechten und zerstörerischen Umgang

[15] Vgl. *D. Sölle,* Leiden. Stuttgart 1973, 136–148, bes. 148; auch *K. Kitamori,* Theologie des Schmerzes Gottes (= Theologie der Ökumene 11). Göttingen 1972; *K. Koyama,* Das Kreuz hat keinen Handgriff. Asiatische Meditationen (= Theologie der Ökumene 16). Göttingen 1978.
[16] Vgl. *H. K. Kohlenbrunner,* Art. Annihilation: HWP I, 333f.
[17] Vgl. u. a. *G. C. Joyce,* Art. Annihilation: ERE I, 544–549.

mit dem Leben. »Vernichtung« hat in unserem Sprachgebrauch in der Regel den Charakter des Ungerechtfertigten, des eigenmächtig Verfügten oder auch des aus der Kontrolle Geratenen. Sie ist darum so furchtbar, weil sie als das Nicht-sein-Sollende aufgefaßt wird. Die Negativität wird existentiell bedrohlich, wenn der Mensch, auf sich allein zurückgeworfen, sich nicht mehr von den Händen eines liebenden Gottes getragen und von ihm vor der radikalen Vernichtung bewahrt weiß.

Ein gott-loses Weltverhältnis, das mit Nietzsche den ganzen Horizont wegwischt und die Erde von ihrer Sonne loskettet, läßt den Menschen ins Nichts stürzen[18]:

»Wohin bewegen wir uns? Fort von allen Sonnen? Stürzen wir nicht fortwährend? Und rückwärts, seitwärts, vorwärts, nach allen Seiten? Gibt es noch ein Oben und ein Unten? Irren wir nicht wie durch ein unendliches Nichts? Haucht uns nicht der leere Raum an? Ist es nicht kälter geworden? Kommt nicht immerfort die Nacht und mehr Nacht?«

Vernichtung schließt in letzter Radikalität somit eine Bewertung ein, die nicht ohne weltanschauliches »Vorurteil« möglich ist. In diesem Sinne besagt es das Hineingehalten-sein, besser das Fallen ins Nichts. Hier aber gibt es dann in gott-loser Zeit mit Nietzsche, Brecht u. a. nur eine Flucht nach vorne. So schreibt Nietzsche im Abschnitt »Warum ich ein Schicksal bin« in seinem »Ecce Homo«:

»– und wer ein Schöpfer sein will im Guten und Bösen, der muß ein Vernichter erst sein und Werthe zerbrechen.
...
Ich bin bei weitem der furchtbarste Mensch... Ich kenne die Lust am *Vernichten* in einem Grade, die meiner *Kraft* zum Vernichten gemäß ist, – in Beidem gehorche ich meiner dionysischen Natur, welche das Neinthun nicht vom Jasagen zu trennen weiß. Ich bin der erste *Immoralist:* damit bin ich der *Vernichter par excellence.«*[19]

Und B. Brecht notiert im Schlußkapitel seiner »Hauspostille« »Gegen Verführung« zur Angst:

»Laßt euch nicht verführen
Zu Fron und Ausgezehr!
Was kann euch Angst noch rühren?
Ihr sterbt mit allen Tieren
Und es kommt nichts nachher.«[20]

»Vernichtung« führt ins »Nichts«, – wobei dieses »Nichts« die hier nur zu nennende Aufgabe stellt, die Geschichte des Nichts-Denkens bis zum modernen Nihilismus zu verfolgen und die abendländischen und morgenlän-

[18] *F. Nietzsche,* Die fröhliche Wissenschaft. Drittes Buch 125: Sämtliche Werke (Ed. *G. Colli/M. Montinari*). Bd. 3. München-Berlin/New York 1980, 481.
[19] *Ders.,* Ecce Homo. Warum ich ein Schicksal bin 2 : ebd. Bd. 6, 366.
[20] *B. Brecht,* Gesammelte Werke (Ausgabe Suhrkamp). Frankfurt 1967, VIII, 260.

dischen, die westlichen und östlichen Verästelungen in Beziehung zueinander zu setzen[21].

b. Buddhistische Entsprechung?

Obschon Nietzsche »zu keiner Zeit seines Lebens tieferes Verständnis für den Buddhismus bekundet« hat, ist im Anschluß an ihn und Schopenhauer, der freilich damit vergröbert interpretiert wird, »der Buddhismus im Westen von vielen als eine pessimistische oder gar nihilistische Religion angesehen« worden, – eine These, die nach H. Dumoulin »das zwischenkulturelle Gespräch zwischen Ost und West stark behindert«[22]. Die These hält sich, obwohl in der Forschung immer wieder auf ihre Fragwürdigkeit hingewiesen worden ist. So hat G. C. Joyce nachdrücklich auf die Inkompatibilität der im Umfeld der abendländisch-christlichen Eschatologie beheimateten Annihilationshypothesen mit dem buddhistischen Nirvāṇaverständnis hingewiesen[23]. L. de la Vallée Poussin, E. Frauwallner, L. Schmithausen u. a. haben die dem radikal-nihilistischen Nirvāṇaverständnis zugrundeliegende Anattā-Lehre als der Lehre von der Leugnung des substanzhaften Ich/Selbst (P. *attā*, skt. *ātman*) für den Buddha zurückgewiesen[24]:

»Auf die Frage, ob es denn ein wahrhaftes, substantielles Selbst *hinter* dieser vergänglichen Erscheinung der menschlichen Person gebe, geht der Buddha von sich aus grundsätzlich nicht ein. Wurde ihm diese Frage von anderen direkt gestellt, so verweigerte er ausdrücklich die Antwort oder schwieg einfach; denn er war der Auffassung, die Behandlung dieses Problems sei nutzlos und sogar nachteilig für sein spirituelles Ziel, d. h. für die Befreiung

[21] Vgl. für den abendländischen Bereich die Art. Nichts : HPhG IV, 991–1008 (*K. Riesenhuber*); HWP VI, 806–835 (*Th. Kobusch*); Art. Nihilismus I : ebd. 846–854 (*W. Müller-Lauter*); *J. Salaquarda* (Hg.), Philosophische Theologie im Schatten des Nihilismus. Berlin 1971; *D. Arendt* (Hg.), Der Nihilismus als Phänomen der Geistesgeschichte in der wissenschaftlichen Diskussion unseres Jahrhunderts (= Wege der Forschung 360). Darmstadt 1974; *A. Schwan* (Hg.), Denken im Schatten des Nihilismus. FS W. Weischedel. Darmstadt 1975; *E. Biser* (Hg.), Besieger Gottes und des Nichts. Nietzsches fortdauernde Provokation. Düsseldorf 1982.

[22] Vgl. *H. Dumoulin,* Das Buddhismusbild deutscher Philosophen des 19. Jahrhunderts : ZKTh 101 (1979) 386–401; Zitate: 400 und 400f.

[23] Vgl. ERE I, 548.

[24] Vgl. *L. de la Vallée Poussin,* Art. Nirvāṇa : ERE IX, 376–379, bes. 377: »Here we must confess, however, that this identification, ›*nirvāṇa* = annihilation,‹ is not one of the ›primordial‹ doctrines of Buddhism. The doctrine of annihilation was not an ›original purpose‹; it was a result.« *E. Frauwallner,* Geschichte der indischen Philosophie I. Salzburg 1953, 216–235; *L. Schmithausen,* Spirituelle Praxis und philosophische Theorie im Buddhismus : ZMR 57 (1973) 161–186, bes. 177f.; dort auch das folgende Zitat; *ders.,* Art. Nirvāṇa : HWP VI, 854–857; vgl. auch die Skizzierung des Gedankengangs in *H. Dumoulin,* Begegnung, 40–54.

vom ›Durst‹, von den unheilvollen Leidenschaften und Begierden. Relevant für die Befreiung vom Durst und damit für das Heil ist lediglich die Feststellung, daß die erfahrbaren Persönlichkeitskonstituenten, die normalerweise Gegenstand und Bezugspunkt der Begierden sind, vergänglich und damit nicht das Selbst sind, und daß sie deshalb in Wahrheit gar nicht wert sind, Gegenstand oder Bezugspunkt des menschlichen Strebens zu sein... Die negative Einstellung des Buddha zum Selbst war somit eine rein *spirituell-praktische*...«

Wenn somit vorausgesetzt wird, daß a) die Rede von *nirvāṇa* nicht im Sinne des abendländischen Nihilismus mit seiner antichristlichen Attitüde interpretiert werden kann und b) die Lehre vom Nicht-Ich keine auf den historischen Buddha zurückführbare negativistische Metaphysik darstellt, dann ist unter Beachtung dieser Voraussetzungen doch von der »Ver-nicht-ung« im buddhistischen Verständnis zu sprechen. Aus dem vorausgehenden Zitat des Buddhologen L. Schmithausen geht eindeutig hervor: Dem Buddha geht es in seiner Lehre um die praktische »Ver-nicht-ung« des »Durstes« der Anhänglichkeiten und Verhaftungen, nicht jedoch um Aussagen über die theoretische Bestimmung dessen, was ist oder nicht ist, was ist und im »Erlöschen« (P. *nibbāna*, skt. *nirvāṇa*) bleibt bzw. nicht bleibt.

Dennoch ist die Geschichte des Buddhismus *auch* gekennzeichnet durch einen Prozeß der »Rationalisierung« der »Ver-nicht-ung« jeglicher Anhänglichkeit. Stationen sind dabei die verschiedenen Gestalten der Anattā-Lehre, im Mahāyāna-Buddhismus nach Nāgārjuna die Lehre von der Leerheit (skt. *śūnyatā*, jap. *kū*), sprachlich schließlich vor allem im Zenbuddhismus die vielfältigen Versuche des sprachlichen Absprungs in das *Nichts*[25], in die Sprachlosigkeit des Unaussprechlichen unter gleichzeitiger *sprachlicher* Aussage des Unsagbaren.

Die Sprechsituation der »Ver-nicht-ung« tritt buddhistisch durch weniges so deutlich ins Bewußtsein wie durch die *Kōan* genannten Sprachspiele, die zur Einübung in den Weg der Erleuchtung den Übenden von den Meistern auferlegt werden, zumeist knappe Wiedergaben von Meister-Jünger-Gesprächen (jap. *mondō* = Frage-Antwort), Erleuchtungsereignissen, die in ihrer rationalen Unauflösbarkeit zur eigenen Erleuchtung führen sollen[26]. Dabei ist zu beachten, daß die Zenworte auf ihre Weise den Prozeß von Entdinglichung und Wiederverdinglichung widerspiegeln[27]. Sie signalisieren einmal die Zerstörung des Oberflächenbewußtseins, das die wahre Wirklichkeit mit der Erscheinungswelt zu identifizieren geneigt ist, und leiten den

[25] Vgl. *S. Hisamatsu*, Die Fülle des Nichts. Vom Wesen des Zen. Pfullingen 1975.

[26] Eine der verbreitetsten Kōansammlungen hat *H. Dumoulin* ins Deutsche übertragen; vgl. Mumonkan. Die Schranke ohne Tor. Meister Wu-men's Sammlung der achtundvierzig Kōan. Mainz 1975.

[27] Vgl. *T. Izutsu*, Die Entdinglichung und Wiederverdinglichung der »Dinge« im Zen-Buddhismus : *Y. Nitta* (Hg.), Japanische Beiträge zur Phänomenologie. Freiburg/München 1984, 13–40.

Menschen an, so »nicht zu denken«. Das »Nicht-Denken« macht aber nicht einfachhin sprachlos, sondern wird vielmehr in Texten wie den *Kōan* »an-gesprochen«, lädt ein.

T. Izutsu hat in seinem Buch »Philosophie des Zen-Buddhismus« darauf hingewiesen, daß das Wort »Denken« in der Geschichte des Zenbuddhismus verwurzelt ist, in seiner Differenziertheit aber, wie das folgende Beispiel zeigt, nur schwer ins Deutsche zu übertragen ist. Im klassischen *mondō* heißt es:

»Einst saß Meister Yakusan in tiefer Meditation, als ein Mönch auf ihn zutrat und ihn fragte: ›Fest sitzend wie ein Fels, was denkst du?‹
Der Meister antwortete: ›Ich denke an etwas, das völlig undenkbar (jap. *fushiryō*, worüber-man-nicht-denken-kann) ist.‹
Der Mönch: ›Wie kannst du über etwas nachdenken, das völlig undenkbar ist?‹
Meister: ›Durch ein nicht-denkendes Denken (jap. *hishiryō*, Denken-das-kein-Denken ist).«[28]

Dōgen hat dieses *mondō* in seiner Schrift zur »Universale(n) Verbreitung der Prinzipien des Zazen«, *Fukanzazengi*, wiedergegeben, das sich im Englischen knapper als im Deutschen sagen läßt:

»Think of not-thinking (jap. *fushiryō*). How do you think of not-thinking? Non-thinking (jap. *hishiryō*). This in itself is the essential art of zazen.«[29]

Beide japanische Partikel *fu* und *hi* sind Negationspartikel. Ist *fushiryō* das Freisein von »diskursiven«, das heißt von Objekt zu Objekt hin- und herlaufenden Gedankengängen, somit ein objekt- und subjektloses Denken, so besagt das *hi* des *hishiryō* jene »ab-solute« »Los-lösung« und Freiheit von der Befleckung eines objektgebundenen und -orientierten Denkens, die der Mensch als Weisheit des Buddha in der höchsten Erleuchtung des *Samādhi* – in Dōgens Sprache im *sanmai-ō-sanmai* – erreicht. Von hier aus ist es auch zu verstehen, daß Dōgen in seiner Gestalt des Zen, der Sōtō-Schule, auch noch die Krücken der *Kōan* fortwirft und das reine Sitzen (jap. *shikantaza*) propagierte[30].

Ohne daß wir hier in eine ausführlichere Begründung eintreten, sei festgehalten, daß sich im »Nicht-Denken« Dōgens der Kreis zur ersten Buddhawahrheit schließt: Freiheit von der Vergänglichkeits- und Leidensexistenz gibt es

[28] Zitiert nach *T. Izutsu*, Philosophie des Zen-Buddhismus (= rde 388). Reinbek 1979, 110.

[29] Vgl. die englische Übersetzung von *N. Waddell/M. Abe*, Dōgen's *Fukanzazengi* and *Shōbōgenzō zazengi* : The Eastern Buddhist. N. S. VI/2 (1973) 115–128; Zitat: 123. Eine deutsche Übersetzung von *H. Dumoulin* findet sich in Monumenta Nipponica XIV (1958/59) 183–190. Vgl. zur Grundfrage auch *H. Waldenfels*, Absolutes Nichts. Zur Grundlegung des Dialogs zwischen Buddhismus und Christentum. Freiburg u. a. ³1980, 34.125 f.153.

[30] Vgl. dazu *H. Dumoulins* Erläuterungen in seinem Buch: Der Erleuchtungsweg des Zen im Buddhismus (= Fischer TB 1667). Frankfurt 1976, 102–141, bes. 110.

nur in der radikalen Loslösung von allen Scheinstützen objekt- und subjekthafter Art, die ein Verhaftetsein und eine Anhänglichkeit bewerkstelligen. Auch die Sprache ist grundsätzlich zunächst eine solche Scheinstütze. Erst durch ihre »Ver-nicht-ung« hindurch vermag sie wahres Wort zu werden[31]. Die bleibende Frage ist die nach dem »Nicht(s)« der »Ver-nicht-ung«. Zerbricht auch das Etikett »negativ« im Sinne des nihilistischen Nichts, so darf dem »Nicht(s)« jedenfalls durch ein Etikett wie »positiv« nicht übereilt die wahre Ernsthaftigkeit geraubt werden.

c. *Das »Nichts« und die Mystik*

Für das buddhistisch-christliche Gespräch ist bedenkenswert, daß dort, wo es in Gang gekommen ist, die deutsche Mystik, zumal Meister Eckhart, als eine Verständigungsbrücke benutzt wird. Seitdem R. Otto 1926 sein Werk »West-östliche Mystik« veröffentlicht und das Gespräch mit einem Vergleich zwischen Eckhart und Śankara eingeleitet hat[32], hat es zahlreiche Veröffentlichungen in Asien, nicht zuletzt in Japan gegeben[33]. Das Gespräch hat seinerseits inzwischen zu Fortsetzungen im abendländischen Raum geführt[34].

[31] Überlegungen zum Wortereignis in diesem Sinne sind noch nicht sehr zahlreich, da das Phänomen der Sprache und der Übersetzung in Sprache(n) im zwischenkulturellen Bereich noch immer zu wenig bedacht wird. Vgl. außer den Arbeiten von *T. Izutsu* (Anm. 27/28) auch *S. Ueda,* Das Erwachen im Zen-Buddhismus als Wort-Ereignis : *W. Strolz/S. Ueda* (Hg.), Offenbarung als Heilserfahrung im Christentum, Hinduismus und Buddhismus. Freiburg u. a. 1982, 209–235; außer meinen in Anm. 2 genannten Beiträgen auch: Der Dialog mit dem Zen-Buddhismus – eine Herausforderung für die europäischen Christen : *H. Waldenfels* (Hg.), Begegnung mit dem Zen-Buddhismus. Düsseldorf 1980, 62–85. Eine wichtige Fortsetzung hat *K. Nishitani,* Was ist Religion? Frankfurt 1982, in seinem Aufsatz zur Logik des *Sokuhi* gefunden: Kū to soku (Die Leere und »qua«) : *M. Saigusa* (Ed.), Kōza Bukkyōshisō V. Tokyo 1982, 21–70.

[32] Vgl. *R. Otto,* West-östliche Mystik. Vergleich und Unterscheidung zur Wesensdeutung (= GTB 319). Gütersloh 1979.

[33] *S. Ueda,* Meister Eckhart (jap.) (= Man's Intellectual Heritage 21). Tokyo 1983, 403 f. weist für Japan vor allem auf Werke von *K. Nishitani* [u. a. Shinpishisōshi (= Geistesgeschichte der Mystik). Tokyo 1932; Kami to zettai mu (= Gott und absolutes Nichts). Tokyo (1948) ²1971], *M. Kawasaki* u. a. hin. Hinzukommen *Uedas* Buch: Die Gottesgeburt in der Seele und der Durchbruch zur Gottheit. Die mystische Anthropologie Meister Eckharts und ihre Konfrontation mit der Mystik des Zen-Buddhismus. Gütersloh 1965, und das von ihm herausgegebene Werk: Doitsu shinpishugikenkyū (= Untersuchungen zur Deutschen Mystik). Tokyo 1982; sodann auch *D. T. Suzuki,* Der westliche und der östliche Weg. Essays über christliche und buddhistische Mystik. Weltperspektiven (= Ullstein Buch 299). Frankfurt u. a. 1974.

[34] Wir verweisen auf folgende deutschsprachige Veröffentlichungen: *B. Welte,* Meister Eckhart. Gedanken zu seinen Gedanken. Freiburg u. a. 1979; *ders.,* Das Licht

In unserem Zusammenhang ist aber dann auf zweierlei zu achten: *Einmal* ist die Frage nach dem Verständnis von »Mystik« nach wie vor nicht hinreichend geklärt. D. T. Suzuki hatte zunächst ohne weiteres von christlicher und buddhistischer Mystik gesprochen[35], später aber dann in einer Rezension zu H. Dumoulins Buch »Zen. Geschichte und Gestalt« bemerkt:

»Unglücklicherweise habe ich selbst vor einigen Jahren auch den Begriff in Verbindung mit Zen gebraucht. Ich habe dies schon längst bedauert, da ich ihn heute bei der Erklärung des Zen-Denkens für äußerst irreführend halte. Es mag genügen, hier zu sagen, daß Zen nichts ›Mystisches‹ an sich oder in sich hat. Es ist ganz einfach, klar wie Tageslicht, alles offen mit nichts Verborgenem, Dunklem, Obskurem, Geheimem oder Mysteriösem in sich.«[36]

Wird die Mystik hier offensichtlich im Zeichen des Verborgenen, Mysteriösen, Dunklen gesehen, so fällt damit umgekehrt Licht auf das, was in der »Ver-nicht-ung« bzw. im »Nichts« geschieht: Öffnung, Klarheit, Helligkeit, Wahrheitsereignis[37]. Daß damit aber auch über die Mystik nach wie vor nicht das letzte Wort gesprochen ist, beweist die Tatsache, daß das Thema »Zen und Mystik« auch nach D. T. Suzuki für diskussionswürdig erachtet wird[38].

Sodann ist zu beachten, wie das »Nichts« ins Spiel kommt. Die Frage nach dem »Nichts« ist im Hinblick auf die Mystik solange verstellt, als die Klärung vordringlich in der Perspektive der Spekulation, quasi-ontologisch oder auch im Sinne eines Begriffsspiels gesucht wird, bei dem letztendlich Nichts und Sein etwa doch in einer gewissen Beliebigkeit dialektisch austauschbar werden[39]. Die Idee des »absoluten Nichts« ist denn auch nur bedingt in einer begriffsgeschichtlichen Erörterung einzuholen[40]. Denn das Nichts ist – wie übrigens auch das Sein – letztlich nicht statisch festmachbar und auf einen Begriff zu bringen, sondern nur prozeßhaft zu »realisieren«,

des Nichts. Von der Möglichkeit neuer religiöser Erfahrung. Düsseldorf 1980; *W. Strolz* (Hg.), Sein und Nichts in der abendländischen Mystik. Freiburg u. a. 1984. Das Thema »Zen und Mystik« bzw. »Zen und Meister Eckhart« bildete auch den 2. Pfeiler des Kyoto Zen Symposium 1984; vgl. die Beiträge von *S. Ueda, T. Tajima, R. Schürmann, A. M. Haas, T. Beckmann* : Zen Buddhism Today (Anm. 2).

35 Vgl. Anm. 33.

36 The Eastern Buddhist N. S. I/1 (1965) 124; dazu mit weiteren Hinweisen *H. Waldenfels,* Absolutes Nichts (Anm. 29), 161 f.

37 Vgl. dazu ausführlicher *H. Waldenfels,* Faszination (Anm. 7), 64–68.

38 Vgl. den in Anm. 34 genannten Tagungsbericht.

39 In diesem Sinne ebnet z. B. *H. Küng* die Frage immer wieder ein; vgl. Existiert Gott? München 1978, 654–659; Christentum und Weltreligionen. München 1984, 545–547.

40 Vgl. den materialreichen Aufsatz von *M. Nambara,* Die Idee des absoluten Nichts in der deutschen Mystik und seine Entsprechungen im Buddhismus : Archiv für Begriffsgeschichte VI (1960) 143–277.

d. h. – dem englischsprachigen Gebrauch von *»to realize«* entsprechend – zu erkennen und zu verwirklichen.

An dieser Stelle ist erneut[41] auf eine Unterscheidung hinzuweisen, die J. Maritain im Anschluß an Thomas von Aquins Umgang mit der *via negationis* gemacht hat:

»Es lassen sich bei Thomas von Aquin zwei Textfamilien über die *via negationis* feststellen: die erste bezieht sich auf die in der Theologie angewandte Methode der Negation, die Thomas *per modum cognitionis* benennt (I, 1, 6, ad 3)...
Die zweite Familie bezieht sich auf die Erkenntnis durch Nicht-Wissen, als des höchsten Grades der Weisheit, mit anderen Worten auf die apophatische Theologie, insofern sie eine höhere Ordnung der Erkenntnis bedeutet als die kataphatische Theologie. Die apophatische oder negative Theologie ist in diesem Falle identisch mit der mystischen Theologie und dementsprechend (da ja die mystische Theologie sich selbst mit dem *pati divina* in eins setzt) mit der Erkenntnis Gottes *per modum inclinationis* oder der Weisheit des Heiligen Geistes (I, 1, 6, ad 3; II–II, 45, 2)...«[42]

Es geht dabei wohlgemerkt um eine Unterscheidung in der Sprache, die aber ein je anderes Ziel der Sprache signalisiert. Bei der ersten *via negationis* steht sie im Dienste des Fortschritts der Erkenntnis als Erkenntnis, bei der zweiten im Dienste existentieller Selbstverwirklichung in der Offenheit auf das Nicht-mehr-Sagbare, weil Nicht-mehr-Begreifbare und somit begrifflich Unfaßbare hin. Das ist zumal für den zweiten Teil bedeutsam. Denn zwar ist das begrifflich Unfaßbare und daher Unbegreifliche als solches dunkel und un*aus*sagbar, doch ist es zugleich das alles erleuchtende Licht und als solches aufgrund einer *cognitio experimentalis* heraus *an*sagbar. Wo gar – wie der christliche Glaube lehrt – das Licht zugleich das Wort des Unsagbaren ist, ist es nicht nur ansagbar, sondern *ansprechbar.* Nichts und Mystik bekommen es hier mit dem zu tun, was heute unter dem Stichwort »Gotteserfahrung« besprochen wird[43].

Sprachlich gilt dann:

»In ihr (d. i. der mystischen Sprache – H. W.) ist die hyperbolische Form kein rhetorisches Ornament, sondern ein Ausdrucksmittel, das unbedingt erforderlich ist, um die Dinge genau auszusagen. Denn in Wirklichkeit handelt es sich darum, die Erfahrung selbst deutlich zu machen – und welche Erfahrung! Die unaussprechlichste von allen! Die philosophische Sprache will vor allem die Wirklichkeit aussagen, ohne sie zu berühren; die mystische

[41] Vgl. zum Folgenden schon *H. Waldenfels,* Absolutes Nichts (Anm. 29), 173–176.

[42] *J. Maritain,* Die Stufen des Wissens oder Durch Unterscheiden zur Einung. Mainz o. J., 517f. Vgl. auch *B. Casper* (Hg.), Gott nennen. Phänomenologische Zugänge. Freiburg/München 1981.

[43] Vgl. dazu ausführlicher Kap. 6 des in Anm. 42 genannten Werkes von *J. Maritain.* Die »mystische Erfahrung« bestimmt er dort »im Sinne einer *erfahrenden Erkenntnis der Tiefen Gottes* oder *eines Erleidens der göttlichen Dinge*« (283). Damit tritt aber auch das »Leiden« (lat. *pati*) in einen neuen Kontext ein.

Sprache will sie ahnen lassen, wie wenn einer die Wirklichkeit berührte, ohne sie zu sehen.
...Ich sage nicht, der Übergang von einem zum anderen sei unmöglich; ich behaupte keineswegs, ein mystischer Schriftsteller oder ein Lehrer der mystischen Praxis sei nicht von spekulativen Werten her zu fassen, ließe sich von hier aus nicht als ontologisch wahr oder falsch beurteilen. Der Geist geht von einem Begriffsbereich zum andern über, wie er vom Lateinischen zum Arabischen und Chinesischen übergeht. Aber er kann nicht beim einen die Syntax des anderen anwenden, er kann nicht über den ontologischen Wert einer mystischen Formel oder einer praktisch-prakischen Aussage urteilen, wenn er die Wandlungen unbeachtet läßt, die ihnen auferlegt werden, wenn sie in den ontologischen Bereich übertragen werden.«[44]

In diesem Zusammenhang zitiert J. Maritain Sätze wie:

»Seit ich mich im *Nichts* niedergelassen habe, finde ich, daß mir *nichts* fehlt.«[45] (Eigene Hervorhebung)

oder:

»Prius enim naturaliter inest unicuique quod convenit sibi in se, quam quod solum ex alio habetur; esse autem non habet creatura nisi ab alio, sibi autem relicta in se considerata *nihil* est: unde prius naturaliter est sibi *nihilum* quam esse.«[46] (Eigene Hervorhebung)

Die Zweispurigkeit, die Maritain im Hinblick auf so klassische christliche Autoren und Kirchenlehrer wie Thomas von Aquin und Johannes vom Kreuz bedacht hat, ist selbstverständlich auf den Autor übertragbar, dem vor allem im Anschluß an seine Predigtsprache der Prozeß gemacht worden ist und den daher bis heute nicht-katholische Autoren nicht ungern gegen seine Kirche ins Feld führen: Meister Eckhart. Meister Eckhart ging es in seinen Predigten wesentlich um die *cognitio Dei experimentalis*[47]. Gerade daraus ergeben sich unterschiedliche Sprachebenen. B. Welte nennt im Hinblick auf den Prozeß zwei Ebenen, die nicht hinreichend unterschieden wurden: »das Sprachspiel der *gegenständlichen Vereinfachung*« und das Sprachspiel »*der dialektisch gefaßten Erfahrung und ihrer leidenschaftlichen Aussprache*«[48]. Hier erkennen wir die zuvor genannten Denkrichtungen wieder.
Nun erscheint in der Sache die Differenz zwischen Eckhart und seiner Kirche heute viel weniger deutlich als die Differenz, die zwischen einem letztlich dem Rahmen des Schöpfungsglaubens und der Inkarnationslehre verhafteten

[44] Ebd. 371 f.

[45] Ebd. 379 mit *Johannes vom Kreuz*; vgl. Obras compl. I, 152 ff. (ed. J. V. Rodriguez). Madrid ²1980.

[46] *Thomas v. Aquin*, De aeternitate mundi : Opera Omnia XLIII. Opuscula IV. Roma 1976, 88; vgl. *J. Maritain*, Stufen (Anm. 42), 547.

[47] Vgl. dazu vor allem *A. M. Haas*, Die Problematik von Sprache und Erfahrung in der deutschen Mystik : *W. Beierwaltes/H. U. von Balthasar/A. M. Haas*, Grundfragen der Mystik (= Kriterien 33). Einsiedeln 1974, 73–104; *ders.*, Sermo mysticus. Studien zu Theologie und Sprache der deutschen Mystik. Freiburg/CH 1979.

[48] Vgl. *B. Welte*, Meister Eckhart (Anm. 34), 249–261; Zitat: 253.

Sprechen von »Nichts« – Geschöpf *und* Gott als »Nichts« – und einem »absoluten Nichts« außerhalb dieses Rahmens aufscheint[49]. Übereinstimmung herrscht in der Forschung offensichtlich darüber, daß Eckharts Predigtsprache wesentlich im Dienste der Operationalität und damit des Bewirkens der mystischen Union, höchstens sekundär im Dienste der Feststellung von Gegebenheiten steht. In diesem Zusammenhang unterscheidet B. Welte zwischen einer »Identität des Geschehens« und einer »Identität des Bestandes in der Tradition«[50]. Wenn aber Welte Recht haben sollte, daß Eckhart nicht unberechtigterweise die ihm mit Thomas von Aquin u. a. gemeinsame Denktradition – im Gegensatz zu jenem – bis zu den äußersten und kühnsten Konsequenzen hin ausformuliert hat[51], dann dürfte im buddhistisch-christlichen Gespräch das letzte Wort über den Prozeß der »Ver-nicht-ung« bzw. das »absolute Nichts« noch nicht gesprochen sein.

3. Geheimnis

a. *Das Sprachfeld*

Ein Geheimnis ist etwas, das sich fremder Einsicht und fremdem Zugriff zumindest zunächst einmal entzieht, dessen Vorhandensein aber gewußt, zumindest geahnt wird. Von einem Geheimnis wissen besagt also das Wissen, das etwas Verborgenes, Verschlossenes existiert. Derartig Verborgenes kann von sich aus einfach dasein. Wir sprechen von den Geheimnissen der Natur, auch wenn wir bemüht sind, den Geheimnissen der Natur durch die Forschung immer mehr auf die Spur zu kommen. Geheimnisse sind somit in gewissem Sinne Rätsel, die wir lösen möchten. Das ist um so mehr der Fall, als es Geheimnisse gibt, die sich auflösen lassen. Wir denken etwa an Geheimnisse, die menschlich verfügt sind, etwa das Amtsgeheimnis oder das Bankgeheimnis, die sich erschließen lassen oder gebrochen werden. Doch auch hier gibt es Geheimnisse, die »mit ins Grab genommen werden« und so in ihrem Inhalt ständig verborgen bleiben.

In gewissem Sinne laufen im Wort »Geheimnis« verschiedene Denkansätze zusammen. Vom Lateinischen her sind es die beiden Begriffe *secretum* = das »dem Blick Entzogene« und *mysterium.* Das *secretum* läßt zumindest die Bemühung sinnvoll erscheinen, sich einen Blickpunkt oder Blickwinkel zu verschaffen, um des dem Blick Entzogenen, Verborgenen ansichtig zu werden.

[49] Vgl. die gründlichen Analysen von *A. M. Haas,* Seinsspekulation und Geschöpflichkeit in der Mystik Meister Eckharts : *W. Strolz* (Hg.), Sein (Anm. 34), 33–58, zum buddhistischen Standpunkt ebd. 55 Anm. 88; *ders.,* Apophatik bei Meister Eckhart und im Zen-Buddhismus : Zen Buddhism Today (Anm. 2), 150–169.

[50] Vgl. *B. Welte,* Meister Eckhart (Anm 34), 110–121, vor allem 116ff.

[51] Vgl. ebd. 120f.

Schwieriger ist es im Falle des *mysterium.* Dieses dem Griechischen entlehnte Wort führt in den Bereich des Religiösen. *Mysterium* geht wie *Mystik* auf das griechische *myein* = sich bzw. die Augen schließen zurück und bezieht sich auf etwas, das den für das Vordergründige geschlossenen Augen sichtbar wird. Ist die *Mystik* als ursprüngliches Adjektiv *mystikē,* z.B. *mystikē paradosis* = das Mysterium betreffende Überlieferung, auf die Vermittlung und Erfahrung des Mysteriums bezogen, so bezeichnet das Mysterium im altgriechischen Kontext den Kult, auch das kultische Spiel, in dem sich die Begegnung der Menschen mit dem Göttlichen vollzieht und den Menschen Einsicht in das verborgene Wirken Gottes bzw. der Götter geschenkt wurde. Für solche Kulte bestand zumindest im Ursprung eine Arkandisziplin, das heißt eine Eingrenzung der Teilnahme auf Eingeweihte und ein Schweigegebot. Damit erhielt das Mysterium einen doppelten Geheimnischarakter: a) Es war ein geheimnisvoller (»mysteriöser«) Vorgang für die Außenstehenden. b) Es hatte für die Eingeweihten Offenbarungscharakter, insofern als sie gewürdigt wurden, Einblick und Zugang zu den Geheimnissen Gottes bzw. der Götter zu erlangen.

Insofern als Kulte an vielen Orten und auch auf unterschiedliche Weisen vollzogen wurden und religionsgeschichtlich sich analoge Vollzüge in anderen Religionen, Ländern und Kulturen feststellen ließen, wird auch von Mysterien im Plural gesprochen. Der Plural »Mysterien« verstellt aber weithin den Blick auf das Mysterium schlechthin.

Daß aber in der christlichen Theologiegeschichte aufs ganze so wenig vom Mysterium als *dem* Geheimnis gesprochen wurde[52], hat nicht zuletzt damit zu tun, daß Mysterium und Mystik in der Frömmigkeitsgeschichte auseinanderstrebten. Da das griechische *mysterion* nicht nur im lateinischen Lehnwort *mysterium,* sondern vor allem im lateinischen *sacramentum* fortlebte, dieses Wort aber von seiner Herkunft her einen *juristisch-militärischen* Beiklang hatte, löste sich das Mystische von diesem Erfahrungsbereich und bezog sich stattdessen zusehends auf das Hintergründige, Verborgene, Verhüllte, das Gott den einzelnen Menschen nicht zuletzt in seiner Subjektivität erkennen läßt. Erst in unseren Tagen finden *mysterium, Mystik* und *Geheimnis* theologisch wieder zueinander[53].

b. In heutiger christlicher Theologie

Wir greifen die Rede vom »Geheimnis« als dritte Sprechsituation auf, weil sie im Gesamtzusammenhang unserer Überlegungen zentraler jenen Ansatz-

[52] Zur Begriffsgeschichte von Mysterium vgl. nebeneinander *R. Stupperich/Red.,* Art. Mysterium : HWP VI, 263–267; *A. Paus,* Art. *Mysterium tremendum et fascinosum* : ebd. 267f.; *P. Heidrich/H.-U. Lessing,* Art. Mystik, mystisch : ebd. 268–279.

[53] Vgl. *K. Rahner,* Art. Geheimnis : HThG I, 447–452; SM II, 189–196.

punkt vermittelt, von dem her vielleicht die buddhistische Rede von der »Ver-nicht-ung« eher erschlossen werden könnte. Gewiß gibt es, wie angedeutet wurde, auch im Christentum die Rede vom »Nichts«. Zumal die christliche Mystik kennt eine eigene ausgedehnte Geschichte des Nichts[54]. Doch ist die Mystik bis in unsere Tage, nicht zuletzt aufgrund der philosophischen Kritik bei A. Schopenhauer, L. Feuerbach, K. Marx, E. Dühring, F. Nietzsche u. a., in der sie mit kritischen Attributen wie »dunkel«, »unheimlich«, »verworren«, »subjektiv«, »antirational«, »geheimnisvoll«, »hinterwäldlerisch«, »versponnen«, »krankhaft«, »degeneriert« belegt und als ein Dekadenzsymptom abgelehnt wurde, belastet[55]. Selbst im Rahmen der christlichen Theologie kommt es nur langsam zu einer sachgerechten und nüchterneren Neueinschätzung der Mystik. Ein Satz wie der folgende von K. Rahner ist noch keineswegs Allgemeingut:

»Der Fromme von morgen wird ein ›Mystiker‹ sein, einer, der etwas ›erfahren‹ hat, oder er wird nicht mehr sein, weil die Frömmigkeit von morgen nicht mehr durch die im voraus zu einer personalen Erfahrung und Entscheidung einstimmige, selbstverständliche öffentliche Überzeugung und religiöse Sitte aller mitgetragen wird, die bisher übliche religiöse Erziehung also nur noch eine sehr sekundäre Dressur für das religiös Institutionelle sein kann.«[56]

K. Rahner war es dann auch, der einerseits auf den Ausfall des Geheimnisbegriffs in der Geschichte der Theologie und der abendländischen Philosophie aufmerksam gemacht hat[57], andererseits aber dann das Wort »Geheimnis« »eines der fundamentalsten Schlüsselworte des Christentums und seiner Theologie« genannt hat[58]. Grund für den Einspruch gegen das Geheimnis waren in der abendländischen Geschichte der Anspruch der *ratio* »nach

[54] Vgl. *Th. Kobusch*, Art. Nichts, Nichtseiendes : HWP VI, 805–835. Dieser äußerst informative Artikel aus dem Jahre 1984 bleibt freilich völlig im kulturgeschichtlichen Denkhorizont des Abendlandes befangen und hat die Brisanz der Problemstellung für das interkulturelle Gespräch zumal mit Asien überhaupt nicht wahrgenommen.

[55] Vgl. *H.-U. Lessing*, Art. Mystik II : HWP VI, 273–275. Es wäre zu prüfen, wieweit die späte Abweisung des Attributs »Mystik« für das Zen durch D. T. Suzuki u. a. durch die philosophische Mystik- bzw. Mystizismuskritik bedingt war.

[56] *K. Rahner*, Frömmigkeit früher und heute : *ders.*, Schriften zur Theologie VII, 22 f. Vgl. dagegen z. B. *H. Urs von Balthasar*, Bibel und negative Theologie : *W. Strolz* (Hg.), Sein (Anm. 34), 24: »...mystische Erfahrungen (wie immer man sie abgrenzen und definieren mag) sind für die Vollkommenheit der christlichen Liebe nicht notwendig.«

[57] Vgl. *K. Rahner* : HThG I, 447.

[58] Vgl. *K. Rahner* : SM II, 189; ausführlicher zum Thema *ders.*, Über den Begriff des Geheimnisses in der katholischen Theologie : *ders.*, Schriften zur Theologie IV, 51–99; sodann seine Beiträge über die Verborgenheit Gottes, seine Unbegreiflichkeit (nach Thomas von Aquin), das Geheimnis der Dreifaltigkeit : Schriften XII, 285–325.

Durchschauung, nach umgreifender Beherrschung und Aneignung« und eine Erkenntnis, die »im Grunde begriffen (wurde) als die Unterwerfung des Erkannten unter die apriorischen Gesetze des Erkennenden, die mit dessen Wesen identisch sind und von ihm zu absoluter Identität und in ruhiger Selbstverständlichkeit als das eigene Wesen besessen werden«[59]. In der Geschichte eines solchen menschlichen Selbstverständnisses bildet das Geheimnis, gleichgültig, ob es vorläufig oder für immer besteht, einen Affront gegen das Wesen des Menschen. Von hier aus ist auch verständlich, daß die christliche Theologiegeschichte auf weiten Strecken von der Abwehr einer *theologia negativa* gekennzeichnet ist:

»Wo die christliche Lehre von der Unbegreiflichkeit Gottes, also vom Geheimnis, unter diesem Horizont eines *logos-nous*-Begriffes gedacht wird, dessen Wesensvollendung, soweit sie eben möglich ist, die erobernde Durchschauung des Erkannten, die Identifizierung des Erkannten mit dem Erkennenden in dessen eigene Helle und Selbstverständlichkeit hinein ist, muß es immer wieder zu Versuchen, die nur schwer christlich abgewehrt werden können, kommen, diese *theologia negativa* doch noch zu überwinden und das Geheimnis aufzuheben, sei es in Gnosis, sei es in der Aufhebung des religiösen Geheimnisses der Offenbarung in ein ›System‹ hinein, wie im Rationalismus, Semirationalismus und (anscheinend) im deutschen Idealismus, für den die Religion ›positiver‹, autoritätsmäßig geglaubter Sätze nur die Vorstufe vor der absoluten ›Vermittlung‹ aller Glaubenssätze durch die absolute Vernunft an und für sich selbst ist, sei es endlich in jenen Arten der ›Mystik‹, die auf ein lichtes Identitätserlebnis mit dem Absoluten hintendieren, in dem das Geheimnis sich *entschleiert* (›ent-schließt‹), um in einer *gnosis ousiōdēs* aufzuhören, nicht aber sich offenbart, um nicht mehr übersehen werden zu können und als das endgültige und selige Geheimnis zu bleiben.«[60]

Was am Ende einer langen Reihe von Verneinungen in den Blick kommt, ist das bleibende Geheimnis, das sich dem Zugriff wie dem »Be-griff« und »Begreifen« entzieht und doch zugleich den Menschen beseligt, indem es ihn aus seinen eigenen Abgrenzungen (»Definitionen«) und den »geschlossenen« Systemen herausführt in die Offenheit und Weite, zu der der Geist als Geist fähig ist, in der er aber an kein Ende kommt, weil das Licht unaustrinkbar ist[61]. Was Rahner hier zur Sprache bringt, entbehrt nicht einer gewissen Schwerfälligkeit. Die Argumentation wird zähflüssig, gerät in gewissem Sinne ins Stammeln. Ist es aber so unverständlich, daß da, wo der Mensch spürt: »die Wirklichkeit ist unergründlich, das Sein ist Geheimnis«, es den solches Erfahrenden »nicht so sehr zu einer Aussage drängt als vielmehr zu einem Verstummen, zu einem Verstummen freilich nicht der Resignation

[59] Vgl. *K. Rahner* : HThG I, 447.
[60] Ebd. 448f.
[61] Vgl. den Titel des Buches von *J. Pieper,* Unaustrinkbares Licht. Das negative Element in der Weltansicht des Thomas von Aquin. München [2]1963.

oder gar der Verzweiflung, sondern der Verehrung«[62]? Wir könnten auch sagen: zu einer schweigenden Anbetung.

c. *»Licht des Nichts«*

»Seliges Geheimnis« (K. Rahner), *»mysterium tremendum et fascinosum«* (R. Otto), »Licht des Nichts« (W. Weischedel) sind Formeln, die es verdienen, vom Christentum her in Richtung auf den Buddhismus bedacht zu werden. Was K. Rahner in der Theologie zur Sprache gebracht hat, kommt bei R. Otto in seiner religionsphänomenologischen Arbeit über das Heilige in der Formel *»mysterium tremendum et fascinosum«* zum Ausdruck[63]. Weil das »Geheimnis« bzw. *»mysterium«* trotz seiner Nähe (»Seligkeit«, *»fascinans«*) das Unheimliche, Befremdliche, Bestürzende, Erschreckende und Unerhörte bleibt, kann es als das absolut Anfordernde, vom Menschen nicht zu »Be-greifende«, weil ihn selbst »Um-greifende«, von ihm auch nicht domestiziert werden. Der Überstieg (»Durchbruch«) über das Rationale in das Transrationale »ergreift« den ganzen Menschen, kehrt ihn radikal in seinem Willen, alles begreifen zu wollen, um (*»con-versio«*, *»Metanoia«*) und wandelt ihn:

»Nicht mehr ich lebe, sondern Christus lebt in mir.« (Gal 2,20)

Ganz offensichtlich bleibt aber im Hintergrund dieser Sicht der Dinge ein responsorisches, im Verhältnis des Gegenübers von Schöpfer und Schöpfung gründendes Grundverhältnis wirksam. Das ist auch da der Fall, wo B. Welte eine kurze Aufzeichnung W. Weischedels zitiert, die dieser im Angesicht des Todes notiert hat:

»Im dunklen Bechergrund
Erscheint das Nicht des Lichts.
Der Gottheit dunkler Schein
Ist so: Das Licht des Nichts.«[64]

Hier schließt sich in gewissem Sinne ein Kreis: Das Nichts ist im durchschnittlichen Bewußtsein der Menschen Dunkelheit, Kälte, Abweisung. Für D. T. Suzuki aber ist Zen deshalb nicht »mystisch«, weil es »ganz einfach, klar wie Tageslicht, alles offen« ist (s. o. 2.b Anm. 36). Das »Nichts« lädt ein, führt ins »Licht«, zur »Erleuchtung«, zum »Erwachen«. »Erwachen« aber besagt »geschenktes Licht«, Nicht-Verfügen, Verfügen-lassen.

[62] Vgl. ebd. 95. Zum Gebet des Schweigens und als Sprache vgl. *B. Welte,* Religionsphilosophie. Freiburg u. a. 1978, 183–207.
[63] Vgl. *R. Otto,* Das Heilige. Über das Irrationale in der Idee des Göttlichen und sein Verhältnis zum Rationalen (1917). München 1971; zum »mysterium« ebd. 29–37.
[64] Zitiert in *B. Welte,* Licht des Nichts (Anm. 34), 54.

Gewiß ist nicht zu übersehen, daß dialogische, damit personale bzw. interpersonale Momente in der Beschreibung des Ereignisses im Zenbuddhismus fast völlig fehlen, in gewissem Sinne gar »vernichtet« erscheinen. Doch *zeigt sich* das Ereignis in der Regel in der Begegnung von Meister und Schüler, Schüler und Schüler; dort aber wird es *Sprach*ereignis, auch wenn das »Zwischen« (»Inter«), das »In« und »Es« stärker in den Blick tritt als alles in ihm Verbundene und in ES Hineinverwobene:

»›Verstehen Sie jetzt‹, fragte mich einmal der Meister nach einem besonders guten Schuß, ›was es bedeutet: ES schießt, ES trifft?‹
›Ich fürchte‹, erwiderte ich, ›daß ich überhaupt nichts mehr verstehe, selbst das Einfachste wird verwirrt. Bin ich es, der den Bogen spannt, oder ist es der Bogen, der mich in höchste Spannung zieht? Bin ich es, der das Ziel trifft, oder trifft das Ziel mich? Ist das ES in den Augen des Körpers geistig und in den Augen des Geistes körperlich – ist es beides oder keines von beiden? Dies alles: Bogen, Pfeil, Ziel und Ich verschlingen sich untereinander, daß ich sie nicht mehr trennen kann. Und selbst das Bedürfnis, zu trennen, ist verschwunden. Denn sobald ich den Bogen zur Hand nehme und schieße, ist alles so klar und eindeutig und so lächerlich einfach...‹
›Jetzt eben‹, unterbrach mich da der Meister, ›ist die Bogensehne mitten durch Sie hindurch.‹«[65]

B. Welte zitiert neben Weischedels Wort aus der 8. Station der berühmten Zengeschichte »Der Ochs und sein Hirte«:

»Peitsche und Zügel, Ochse und Hirt sind spurlos zu Nichts geworden.
In den weiten und blauen Himmel reicht niemals ein Wort, ihn zu ermessen.
Wie könnte der Schnee auf der rötlichen Flamme des brennenden Herdes verweilen?
Erst wenn ein Mensch an diesen Ort gelangt ist, kann er den alten Meistern entsprechen.«[66]

Im Kommentar dazu heißt es bei B. Welte:

»In dieser Strophe wie in zahlreichen anderen buddhistischen Texten wird es auch klar, daß alles daran liegt, diese Erfahrung wirklich zu machen, oder, wie es hier heißt, ›an diesen Ort zu gelangen‹, an den Ort nämlich, an dem dieses Nichts, dieses Nirvāṇa, den Menschen berührt, verwandelt und verzehrt. Ebendies unterscheidet ja den Buddhismus in fast allen seinen Variationen von der vorherrschenden Entwicklung der abendländisch-christlichen Religion und Theologie: Dort wird eigentlich keine ›Lehre‹ im Sinne eines Systems von Begriffen entwickelt, sondern nur eine Kunst der Führung, in welcher der Meister den Schüler zu einem Punkt lebendiger Erfahrung führt, der keiner Worte mehr bedarf und auch keine mehr duldet.«[67]

65 *E. Herrigel,* Zen in der Kunst des Bogenschießens. Weilheim [12]1965, 77.

66 *K. Tsujimura/H. Buchner* (Hg.), Der Ochs und sein Hirte. Eine altchinesische Zen-Geschichte, erläutert von Meister Daizohkutsu R. Ohtsu mit japanischen Bildern aus dem 15. Jahrhundert. Pfullingen [2]1973, 41; dazu *B. Welte,* Licht des Nichts (Anm. 34), 62f.; auch *S. Ueda* : *W. Strolz* (Hg.) Offenbarung (Anm. 31), 209–212 u.ö.

67 *B. Welte,* Licht des Nichts (Anm. 34), 63.

Damit sind wir an dem Ort, an dem – mit K. Tsujimura gesprochen – das Denken aufhört:

»es kehrt ins tiefste Schweigen zurück, das aber wie der größte Donner tönt.«[68]

Es kann aber auch der Christ einladen, sich dem Nichts anzuvertrauen, zumal ihm der Mut dazu aus seinen eigenen Erfahrungen mit einem selbstlosen, mit-leidenden, liebenden Gott zuwächst:

»Vertraue dich an, betritt das Bodenlose und Schweigende des Nichts, und glaube. Es trägt. Seine lautlose Macht ist größer, ohne Konkurrenz größer gegenüber allem, was sonst groß und mächtig erscheint.«[69]

[68] Vgl. *K. Tsujimura,* Zu »Gedachtes« von Martin Heidegger : Phil. Jahrbuch 88 (1984) 316–332; Zitat: 332.

[69] Vgl. *B. Welte,* Zeit und Geheimnis. Philosophische Abhandlungen zur Sache Gottes in der Zeit der Welt. Freiburg u. a. 1975, 138.

Thomas Immoos

EXODUS

Zieh aus, erscholl der Ruf aus dem Dornfeuer,
das sich nie verzehrte!
Zieh aus, wie Mose die Fleischtöpfe des
Nillands floh
für den großen Aufbruch in die Wüste, der
Flammensäule folgend!

Wo finde ich Waldläufer, die kühn die gebahnten
Pfade verlassen für die Abenteuer des Geistes?
Wo ist ein Ohr älterer Weisheit geneigt?
Wo ist ein Herz, aufzufangen Blut, Schweiß und
Tränen gepreßter Völker in der Kelter
der Weltengeschichte,
daß sie sich wandeln in den geweinten Wein
meines Opfermahls?
Zieh aus ins Weglose, über dem Wüsten
gähnen!

Laß hinter dir die Mauern des ewigen Rom,
die Quadern seines ehernen Rechts,
mit Palästen, Museen und glocken-
frommen Kirchen!
Laß hinter dir schöngliedriges Denken
weißgewandeter Peripatetiker
im Schatten der Agora, die das
Geheimnis einfingen im lichtklaren
Netz der Begriffe!
Allzuviel wissen sie: Allzuweit zogen sie
den Vorhang vom verschleierten Bild.
Zieh aus den Kathedralen der Scholastik,
so herrlich getürmt in unerschütterlicher
Logik, daß kein Stahl die Fugen ihrer
Argumente erbräche!
Zieh aus dem goldenen Düster der Ikonostasenwand,
aus dem süßen Rausch der Gottesminne!

Siehe, mich dürstet nach Völkern, die
noch nicht heimgeholt sind.
Ungeduldig harre ich, daß ihr mir
brechet das Aschenbrot bitterer
Erfahrung aller Verbannten und
Unterdrückten.
Keine Ruhe kennt mein Herz, bis ich
allen male mein unauslöschliches
Siegel auf die Stirn.

Allzulange kreuzten eure Galeeren innerhalb
enger Gestade des Mittelmeers.
Ist es nicht Zeit, endlich auszubrechen
aus den Säulen des Herkules in die
salzigen Passate aller sieben Ozeane?
Lotse, ruf seewärts an den Mündungen vertrauter Ströme für
die Ausfahrt, wo Leuchtfeuer fehlen und sichere Hafenmolen.
Ist es nicht Zeit, mein Kreuz endlich zu
trecken in alle Richtungen der Windrose?
Wo ist das Herz, das mir den Seim der ganzen
Weltorange sammle zum Honig-
opfer der Ariadne?
Ist es nicht Zeit, daß pfingstlicher Sturm Platten
fortwirbele von ehrwürdigen Grüften?
Kühne Eroberer suche ich, keine Glasperlenspieler
und Silbenstecher.
Verbrennt die morschen Schiffe!
Vergeßt Pandekten und vollkommene Summen!
Laßt fröhlich zurück die Asche abgerüsteter Lagerstätten!
Neugeprägt werde die alte Wahrheit im
lauteren Erz aus vielen Schächten!

Ich will betrachten im Lotussitz mit dem
Welterhabenen auf der Blüte,
die im Urschlamm wurzelt und
dem Himmel entgegenschaut.
Ich will im Tempeltanz eingehen in den rauschen-
den Jubel des Universums.
Ich will das schallende Gelächter Wischnus hören,
das in der Herzmuschel widerhallt,
aus dem Beschauung aufblüht wie rosiger Jasmin.

Ich will mit dem Jahresgott feiern im
trommeldurchdonnerten Hain
der Mysteriennacht.
Erdmutter, gütige, will ich sein frommen
Ackerbauern,
als Himmelsvater will ich lächeln Nomaden aus
Sternranken der Wüstennacht.
Muschelhörnern will ich lauschen vom
heiligen Berg.
In der Herbstnachtgleiche will ich Weihrauch atmen
an den Gräbern sorgender Ahnen.
Ich, das ewige Wort, will mich anvermählen
den Ahnungen, die in finstern Tempeln
verborgen raunen und um verwunschene Opfersteine.
Die Botschaft ihrer Göttersagen will
ich aussprechen im taghellen Licht.
Ihren Mythen will ich aufwärts folgen bis
zu den Urgewässern aus alterloser Tiefenschicht.
Ihre Träume will ich nachträumen.

Mit enterbten Sklavenvölkern will ich
ergänzen, was noch fehlt an meiner
Passion.
Mit allen Unterdrückten, Mühseligen, Beladenen
will ich aufbrechen zum Marsch
in die Freiheit der Kinder Gottes.
Auf! Auf! Macht endlich weltweit meiner
Kirche heilige Hege.
Ich träume den Choral der Welt!
Stimmt alle ein in die kunstvolle Fuge,
in der alle Kulturen ihr Thema
durchführen zur vollkommenen
Rühmung!

Susono, 24. März 1983

BIOGRAPHISCHE DATEN HEINRICH DUMOULINS

Geboren am 31. Mai 1905 in Wevelinghoven bei Neuss

1924	Abitur am humanistischen Gymnasium in Neuss
1924	Eintritt in die Gesellschaft Jesu
1926–1929	Studium der Philosophie in Valkenburg (Holland) und Vals (Frankreich) (*Dr. phil.*)
1929–1930	Studium am Seminar für Orientalische Sprachen der Universität Berlin
1930–1934	Studium der Theologie in Valkenburg (*Lic. theol.*); 1933 Priesterweihe
1934–1935	Drittes Probejahr (Terziat) in England
Seit 1935	in Japan
1936–1939	Studium der japanischen Religionsgeschichte an der religionswissenschaftlichen Abteilung der Literarischen Fakultät der Kaiserlichen Universität Tokyo
1946	Erlangung des Literarischen Doktorgrades: *Bungaku Hakase*
1942–1976	Professor für Philosophie und Religionswissenschaft an der Sophia-Universität in Tokyo
1949–1970	Erster Herausgeber der katholischen japanischen Kulturzeitschrift SEIKI (Saeculum)
1969–1976	Erster Direktor des Instituts für fernöstliche Religionen an der Sophia-Universität
1975–1976	Gründungsdirektor des *Nanzan Institute for Religion and Culture* an der Nanzan-Universität in Nagoya
1964–1979	Berater des römischen Sekretariats für den Dialog mit den nichtchristlichen Religionen in Rom
1964–1980	Sekretär der »Kommission für den Dialog mit den nichtchristlichen Religionen« der japanischen Bischofskonferenz
1965	Japanische Festschrift zur Vollendung des 60. Lebensjahres: Nihon no fūdo to Kirisutokyō (Das geistige Klima Japans und das Christentum), hg. von Jun'ichi Okada

Studienreisen: Winter 1959/60 Südostasien, Indien und Ceylon; 1965/66 Afghanistan, Pakistan und Nordindien; 1967 Korea; 1970 Taiwan; 1970/71 Indonesien

Gastvorlesungen: Wintersemester 1973/74 Universität München; Sommersemester 1977 Universität Innsbruck; 1979 Theologische Hochschule Sankt Georgen, Frankfurt

1970	Dr. theol. h. c. der Theologischen Fakultät der Julius-Maximilians-Universität Würzburg

BIBLIOGRAPHIE HEINRICH DUMOULIN

A. Buchveröffentlichungen

1. Kamo Mabuchi. Ein Beitrag zur japanischen Religions- und Geistesgeschichte. Tokyo 1943.
2. The Development of Chinese Zen after the Sixth Patriarch in the Light of Mumonkan. With Additional Notes and Appendices by R. Fuller Sasaki. New York 1953.
3. Wu-men-kuan. Der Paß ohne Tor. Übersetzung und Erklärung. Tokyo 1953.
   (Neue Übersetzung und Erläuterung:) Mumonkan. Die Schranke ohne Tor. Meister Wu-mens Sammlung der achtundvierzig Kōan. Mainz 1975.
4. Zen. Geschichte und Gestalt. Bern 1959.
   (Übersetzung:) A History of Zen Buddhism. New York/London 1963.
5. Östliche Meditation und christliche Mystik. Freiburg/München 1966.
   u. a. überarbeitete Wiederaufnahme von (s. ebd. Vorwort Seite 8)
   Östliche und westliche Mystik : Geist und Leben (= GuL) 20 (1947) 133–147.202–222;
   Asien oder Europa? : Stimmen der Zeit (= StZ) 157 (1955/56) 180–195;
   Zen als Erleuchtungsweg und Religion : Kairos 1 (1959) 219–228;
   Die östliche Eigenart der Zen-Mystik : Kairos 4 (1962) 29–41;
   Asienmission und christlicher Universalismus : Hochland 56 (1963/64) 18–27;
   Welt und Selbst in der östlichen Meditation. Die östliche Geistigkeit und der Westen : *H. Kuhn/H. Kahlefeld/K. Forster* (Hg.), Interpretation der Welt. FS R. Guardini. Würzburg 1965, 472–496.
6. Buddhismus der Gegenwart (hg. und mitverfaßt). Freiburg 1970.
   (Übersetzung:) Buddhism in the Modern World. New York 1976.
7. Christlicher Dialog mit Asien. München 1970.
   (Übersetzung, erweiterte Fassung:) Christianity meets Buddhism. La Salle, Ill. 1974. Übersetzung ins Japanische
8. Der Erleuchtungsweg des Zen im Buddhismus (= Fischer Taschenbuch 1667). Frankfurt 1976.
   (Übersetzung:) Zen Enlightenment. Origins and Meaning. New York/Tokyo 1979.

9. Begegnung mit dem Buddhismus. Eine Einführung (= HerBü 642). Freiburg 1978 (Neuausgabe 1982).
   Übersetzungen ins Italienische und Spanische
10. Geschichte des Zen-Buddhismus. Bd. I: Indien und China; Bd. II (im Druck): Japan. Bern 1985. (Neubearbeitung von 4)

Außerdem verschiedene Veröffentlichungen zur Religionsphilosophie und Ethik in japanischer Sprache.

B. Aufsätze in Zeitschriften und Sammelwerken (in Auswahl)

1. Yoshida Shōin (1830–1859). Ein Beitrag zum Verständnis der geistigen Quellen der Meiji-Erneuerung : Monumenta Nipponica (= MN) 1 (1938) 350–377.
2. Die Entwicklung des chinesischen Ch'an nach Hui-nêng im Lichte des Wu-mên-kuan : Monumenta Serica 6 (1941) 40–72.
3. Die Erneuerung des Liederweges durch Kamo Mabuchi : MN 6 (1943) 110–145.
4. Bodhidharma und die Anfänge des Ch'an-Buddhismus : MN 7 (1951) 67–83.
5. Sǫichi Iwashita und Friedrich von Hügel : Hochland 45 (1952) 131–138.
6. Die Geschichte der japanischen Manyôshûforschung von der Heianzeit bis zu den Anfängen der Kokugaku : MN 8 (1952) 67–98.
7. Kamo Mabuchi und das Manyôshû : MN 9 (1953) 34–61.
8. Kamo Mabuchis Erklärung des Norito zum Toshi-goi-no-matsuri : MN 12 (1956) 121–156.269–298.
9. (Übersetzung:) Das Merkbuch für die Übung des Zazen des Zen-Meisters Keizan : MN 13 (1957) 329–346.
10. Buddhismus und Christentum. Zu einigen Neuerscheinungen in Japan : Zeitschrift für Missionswissenschaft und Religionswissenschaft (= ZMR) 42 (1958) 208–217.
11. Easternization of Christianity : The Japanese Missionary Bulletin (= JMB) 13 (1959) 34–36.
12. Buddha Jayanti in Tokyo : ZMR 43 (1959) 187–197.
13. Gedanken zur religiösen Begegnung von Ost und West : StZ 165 (1959/60) 265–274.
14. Die Bedeutung des Kultes im Buddhismus : *M. Schmaus/K. Forster* (Hg.), Der Kult und der heutige Mensch. München 1961, 19–34.
15. Buddhistische Meditation und Christentum : GuL 34 (1961) 32–45.
16. Methoden und Ziele buddhistischer Meditation. Satipatthâna und Zen : Archiv für Religionspsychologie 7 (1962) 78–85.
17. Die religiöse Metaphysik des japanischen Zen-Meisters Dōgen : Saeculum 12 (1961) 205–236.

18. Buddhismus in Asien. Eindrücke und Begegnungen einer Reise : StZ 170 (1962) 321–340.
19. Der Buddhismus : Weltgeschichte der Gegenwart, Bd. II: Die Erscheinungen und Kräfte der modernen Welt, hg. von *F. von Schroeder*. Bern/München 1963, 626–646.
20. Begegnung mit Asien in Japan: Tradition in der Gegenwart : *J. Roggendorf* (Hg.), Das moderne Japan. Tokyo 1963, 99–116.
21. Technique and Personal Devotion in the Zen Exercise : *J. Roggendorf* (ed.), Studies in Japanese Culture. Tokyo 1963, 17–40.
22. Soka Gakkai, eine moderne Volksreligion : ebd. 189–200.
23. Die Zen-Erleuchtung in neueren Erlebnisberichten : Numen 10 (1963) 133–152.
24. Vaticanum II on Buddhism : JMB 21 (1967) 23–27.
25. Meetings with Daisetz Suzuki : The Eastern Buddhist N. S. 2 (1967) 153–156.
26. Buddha-Symbole und Buddha-Kult : Religion und Religionen. FS Gustav Mensching, hg. von Freunden und Kollegen. Bonn 1967, 50–63.
27. Die religiöse Geistigkeit des fernöstlichen Menschen im Gegenüber mit der westlichen Zivilisation : Menschliche Existenz und moderne Welt. Teil II (= Bildung/Kultur/Existenz 3), hg. von *R. Schwarz*. Berlin 1967, 340–357.
28. Der Gottesglaube in der missionarischen Verkündigung : Wahrheit und Verkündigung I. FS Michael Schmaus, hg. von *L. Scheffczyk/W. Dettloff/R. Heinzmann*. Paderborn u. a. 1967, 377–392.
29. The Consciousness of Guilt and the Practice of Confession in Japanese Buddhism : Studies in Mysticism and Religion. FS Gershom Scholem, hg. von *E. E. Urbach/R. J. Z. Werblowsky/C. H. Wirszubski*. Jerusalem 1967, 117–129.
30. Dialog im Aufbau. Über ein zwischenreligiöses Gespräch : Concilium 3 (1967) 763–771.
31. Erlösungswege im japanischen Buddhismus : Wesen und Weisen der Religion. FS Wilhelm Keilbach, hg. von *C. Hörgl/K. Krenn/F. Rauh*. München 1969, 179–187.
32. The Encounter between Zen Buddhism and Christianity : Journal of the China Society 7 (1971) 53–63.
33. Dialog mit dem Buddhismus in Japan : Die katholischen Missionen (= KM) 90 (1971) 76–80.
34. Selbstzeugnisse japanischer Zen-Jünger über die seelischen Haltungen während der Zen-Meditation : Asien. Tradition und Fortschritt. FS Horst Hammitzsch, hg. von *L. Brüll/U. Kemper*. Wiesbaden 1971, 85–102.

35. Understand Other Religions. The Interreligious Dialogue between Buddhism and Christianity in Japan : JBM 25 (1971) 367–376.
36. Theologische Aspekte des christlichen Dialogs mit dem Buddhismus : ZMR 55 (1971) 161–170.
37. Theistic Tendencies in Japanese Buddhism : Ex Orbe Religionum II (= Studies in the History of Religions 22). FS Geo Widengren, hg. von *C. J. Bleeker/S. G. F. Brandon /M. Simon*. Leyden 1972, 52–62.
38. Buddhist Spirituality and Mysticism : JMB 26 (1972) 151–160.
39. Lebenswerte im Buddhismus. Wo Christen von Buddhisten lernen können : GuL 47 (1974) 112–126.
40. Fragen an das Christentum aus buddhistischer Sicht : ebd. 48 (1975) 50–62.
41. Der Buddhismus : Saeculum Weltgeschichte, Bd. VII: Die Weltreligionen, hg. von *H. Franke* u. a. Freiburg u. a. 1975, 333–349.
42. Die Bedeutung des Christentums in Japan : KM 96 (1977) 118–122.
43. Gibt es Verständnisbrücken zwischen buddhistischer und christlicher Spiritualität? : GuL 50 (1977) 350–364.
44. Sinnfrage und Sinnerfahrungen im Buddhismus : Suche nach Sinn – Suche nach Gott. Salzburger Hochschulwochen 1977, hg. von *A. Paus*. Graz 1978, 269–308.
45. Sucher des Weges : munen musō. Ungegenständliche Meditation. FS Hugo M. Enomiya-Lassalle, hg. von *G. Stachel*. Mainz 1978, 18–28.
46. Antworten des Buddhismus auf Fragen unserer Zeit : »....denn ich bin bei euch«. Perspektiven im christlichen Missionsbewußtsein heute. FS Josef Glazik/Bernward Willeke, hg. von *H. Waldenfels*. Zürich u. a. 1978, 411–421.
47. Zehn Jahre buddhistisch-christliches Gespräch in Japan : *M. Plate* (Hg.), Engagierte Gelassenheit. Freiburg u. a. 1978, 145–147.
48. Befreiung im Buddhismus. Die frühbuddhistische Lehre in moderner Sicht : Concilium 14 (1978) 359–363.
49. Das Buddhismusbild deutscher Philosophen des 19. Jahrhunderts : Zeitschrift für katholische Theologie 101 (1979) 386–401.
50. Zen – Geschichte und Gestalt einer östlichen Spiritualität : *H. Waldenfels* (Hg.), Begegnung mit dem Zen-Buddhismus. Düsseldorf 1980, 13–28.
51. Das Problem der Person im Buddhismus. Religiöse und künstlerische Aspekte : Saeculum 31 (1980) 78–92.
52. Annäherungen an den »Vatergott« in modernen japanischen Volksreligionen : Concilium 17 (1981) 200–202.
53. Christentum und Buddhismus in der Begegnung : Christ in der Gegenwart (= CiG) 33 (1981) 245 f. 253 f.

Abdruck in: Begründetes Vertrauen. Impulse und Orientierungen für christliches Leben heute und morgen, hg. von *M. Plate*. Freiburg u. a. 1984, 69–78.

54. Christentum und Buddhismus in der Begegnung : *A. Bsteh* (Hg.), Erlösung in Christentum und Buddhismus. Mödling 1982, 32–51.
55. Faszination des Nichts. Vom philosophischen zum theologischen Buddhismusverständnis : CiG 35 (1983) 61.
56. Die Öffnung der Kirche zur Welt. Eine neue Sichtweise des Buddhismus : Glaube im Prozeß. Christsein nach dem II. Vaticanum. FS Karl Rahner, hg. von *E. Klinger/K. Wittstadt*. Freiburg u. a. 1984, 703–712.

C. Beiträge in Lexika

Lexikon für Theologie und Kirche. Freiburg u. a. [2]1957–1967.
Bd. I Amida 436 f.
Bd. X Zen 1344 f.

LThK Ergänzungsbände: Das Zweite Vatikanische Konzil.
Bd. II Exkurs zum Konzilstext über den Buddhismus 482–485

Ergänzungsband zum Lexikon der Pädagogik. Freiburg u. a. 1964.
Zen 810–812

New Catholic Encyclopedia. New York 1967.
Bd. VII Japanese Religion 856 f.
Bd. XIV Zen 522–525

Encyclopedia Britannica. Ausgabe 1970.
Bd. VII Dōgen 552 f.
Bd. XIII Kamo no Mabuchi 200 f.

Lexikon der Psychologie. Freiburg u. a. 1971.
Bd. II Meditation, östliche 522–525

Japan Handbuch (hg. von H. Hammitzsch). Wiesbaden 1981.
Gebet 1577 f.
Neue Religionen 1602–1610
Sokagakkai 1648–1652
Synkretismus 1652–1656
Zen 1674–1682

Encyclopedia of Japan. Tokyo/New York 1983.
Bd. VIII Zen 370–374

Ökumene-Lexikon. Frankfurt 1983.
Buddhismus 198–205
Shintoismus 1086–1089

The Encyclopedia of Religion (hg. von M. Eliade). (in Druck)
Ch'an Buddhism
Zen Buddhism

D. Buchbesprechungen

u. a. in: Monumenta Nipponica, Tokyo; Stimmen der Zeit, Freiburg; Japan Quarterly, Tokyo; Zeitschrift für Missionswissenschaft und Religionswissenschaft, Münster.

MITARBEITERVERZEICHNIS

Bauer, Wolfgang, Dr. phil.
Professor für Sinologie
Institut für Ostasienkunde an der Universität München
D-8000 München 40, Antwerpener Straße 16

Biser, Eugen, Dr. phil., Dr. theol.
Professor für Christliche Weltanschauung und Religionsphilosophie
Direktor des Instituts für Philosophie an der Universität München
D-8000 München, Hittensperger Straße 80

Bragt, Jan van, Dr. phil.
Professor für Religionsphilosophie und Religionswissenschaft
Direktor des Nanzan Institute for Religion and Culture, Universität Nagoya
J-Nagoya (466), 18, Yamazato-cho, Showa-ku

Brinker, Helmut, Dr. phil.
Professor für Kunstgeschichte
Direktor des Kunstgeschichtlichen Seminars, Abteilung für Kunstgeschichte Ostasiens, an der Universität Zürich
CH-8002 Zürich, Museum Rietberg, Gablerstraße 15

Brockard, Hans, Dr. phil., Akad. Oberrat
Leiter des Planungsstabs der Verwaltung an der Universität München
D-8000 München, Leopoldstraße 3

Bürkle, Horst, Dr. theol.
Professor für Evangelische Theologie
Direktor des Instituts für Missions- und Religionswissenschaft an der Universität München
D-8130 Starnberg, Waldschmidtstraße 7

Ching, Julia, Dr. phil.
Professor für Religionswissenschaft am Victoria College, University of Toronto
CDN-Toronto, M5S 1K7

Enomiya-Lassalle, Hugo M., SJ, Dr. theol.
Professor für Religionswissenschaft an der Sophia-Universität Tokyo
J-Tokyo (102), 7-1 Kioicho, Chiyoda-ku

Gössmann, Elisabeth, Dr. theol.
Professor für Theologische Anthropologie und Japanische Religionsgeschichte an der Seishin-Universität Tokyo
J-Tokyo (102), Miyamae 5-8-9, 168 Suginamiku

Immoos, Thomas, SMB, Dr. phil.
Professor für Germanistik
Direktor des Institute of Oriental Religions, Sophia-Universität Tokyo
J-Tokyo (102), 7, Kioicho, Chiyoda-ku

Kadowaki, Kakichi, SJ, Dr. theol.
Professor für Philosophie an der Sophia-Universität Tokyo
J-Tokyo (102), 7, Kioicho, Chiyoda-ku

Klimkeit, Hans-Joachim, Dr. phil.
Professor für Religionswissenschaft
Direktor des Religionswissenschaftlichen Seminars an der Universität Bonn
D-5308 Rheinbach, Nelkenweg 23

Maraldo, John C., Dr. phil.
Professor für Philosophie am Department of History and Philosophy, University of North Florida, Jacksonville
USA-Jacksonville, Flor. 32116

Nakamura, Hajime, Dr. phil.
Emer. Professor für Indologie an der Staatlichen Universität Tokyo
Direktor des Fernöstlichen Forschungsinstituts Tōhō-gakkai,
J-Tokyo (102), Soto-kanda 2-17-2, Chiyoda-ku

Ohashi, Ryosuke, Dr. phil.
Professor für Philosophie an der Kōgei-sen': Daigaku Kyoto
J-Kyoto (601), Katsuragawa-Haitsu 5-412, Minami-ku, Kisshoin

Riesenhuber, Klaus, SJ, Dr. theol.
Professor für mittelalterliche Philosophie an der Sophia-Universität Tokyo
J-Tokyo (102), 7, Kioicho, Chiyoda-ku

Takayanagi, Shun'ichi, SJ, Dr. theol.
Professor für Anglistik an der Sophia-Universität Tokyo
J-Tokyo (102), 7, Kioicho, Chiyoda-ku

Takeuchi, Yoshinori
Emer. Professor für Religionsphilosophie an der Staatlichen Universität Kyoto
J-Mie-ken (510), 2-21-6 Ogoso, Yokkaichi-shi

Waldenfels, Hans, SJ, Dr. theol., Dr. theol. habil.
Professor für Fundamentaltheologie, Theologie der nichtchristlichen Religionen und Religionsphilosophie
Direktor des Fundamentaltheologischen Seminars an der Universität Bonn
D-4000 Düsseldorf 31, Grenzweg 2

Werblowsky, R. J. Zwi, Dr. phil.
Professor für Religionswissenschaft an der Hebrew University of Jerusalem
Israel-91905 Jerusalem, Mount Scopus

CATHOLIC THEOLOGICAL UNION
BL1055.F471985 C001
FERNOSTLICHE WEISHEIT UND CHRISTLICHER G

3 0311 00007 6278

BL 1055 .F47 1985

Fern¨ostliche Weisheit und christlicher Glaube

DATE | ISSUED TO

BL 1055 .F47 1985

Fern¨ostliche Weisheit und christlicher Glaube

DEMCO